JN063425

職業設定

アンジェラ・アッカーマン+ベッカ・パグリッシ=著
新田享子=訳

THE OCCUPATION THESAURUS:
A Writer's Guide to Jobs, Vocations, and Careers

Angela Ackerman & Becca Puglisi

THE OCCUPATION THESAURUS:
A Writer's Guide to Jobs, Vocations, and Careers
by Angela Ackerman & Becca Puglisi

Published by special arrangement with 2 Seas Literary Agency and Tuttle-Mori Agency, Inc.

もくじ

各事例の「性格的特徴」についての記載は、『性格類語辞典 ポジティブ編』『性格類語辞典 ネガティブ編』（フィルムアート社）**の表記と統一しています**（一部本書オリジナルの記載あり）。**本書と合わせてぜひご活用ください。**

日本語版刊行に際して
本書には原書出版国であるアメリカ合衆国に特有の職種や資格が扱われていたり、特有の生活慣習・文化に基づいた表現が使用されている箇所がありますが、原書を尊重し、日本の制度・慣習にあてはめる調整は最小限にとどめました。
また本書には一部において、文化的・身体的・思想的な差異を強調するような表現・描写も認められますが、それらはいずれも原著者の差別的な意図を表すものではなく、あくまでも表現行為における創作のバリエーションとして記されたものであり、本書の性質上必要な記載であると考え、修正や調整は最小限にとどめました。

はじめに
すべてはディテールにある……

優れたストーリーテラーになるには一体何が必要なのだろうか――創作の道を歩む人ならば、遅かれ早かれこの問いに直面し、頭から離れなくなるはずだ。

その答えは何なのだろう。いろいろな答えが考えられそうだ。これだと思うストーリーが完成するまで机にかじりつき、何度も草稿を重ねる粘り強さだろうか。何時間もかけて資料を精読して得た知見を自分の作品に活かす緻密な努力だろうか。それとも、読者と同じような欲望や恐怖、脆さを持った現実味あふれるキャラクターを読者に伝えるため、キャラクターの深層心理を明らかにさせていく情熱だろうか。

正直なところ、優れたストーリーテラーになるために必要な要素を全部挙げるのは難しい。ただひとつだけ確かなのは、熟練した書き手は執筆作業の本質を見抜こうとする意志を示す点だ。彼らは下調べや企画、草稿、推敲の段階だろうと、ストーリーに意味を見出す努力を惜しまない。そして、そのためにはディテール（細部）に細心の注意を払うことが求められる。

なぜディテールが重要なのだろうか。それは、人間のキャリアや人生にはディテールが大きな意味を持つからだ。ストーリーテリングにおいてもその点は変わらない。

フィクションの中心である主人公について考えてみよう。どんなフィクションでもかまわない。読者は自分の経験に重ねられる、興味深い主人公に反応する。したがって主人公の行動はストーリーの中で理にかなっていなくてはならない。そういうキャラクターを作るには、書き手がキャラクターの性格的特徴を熟知しておく必要がある。どのような心の傷を持ち、何に情熱を抱き、どんな趣味を持ち、風変わりなところがあるのかなど、いろいろと知っておくべきだ。こうしたディテールによって、キャラクターが持つ欲望や目標、恐れ、欲求は固められ、ひいては、キャラクターが変わっていく旅路（キャラクター・アーク）が定義付けられる。ディテールはストーリーを通してキャラクターの行動を決定付けるため、決して侮ることはできない。

書き手がよく見落としがちなディテールに、キャラクターの職業がある。おそらく、それはストーリーに力を与えるというよりも単にキャラクター設定のひとつにすぎず、取るに足らないものだと考えられているからだろう。書き手が、職業が発揮しうるストーリーへの効果を軽視している場合、書き手は、単に自分が経験したことのある職業をキャラクターに与えたり、深く考えずに面白いという理由だけでキャラクターの職業を設定したりして、執筆を進めていく可能性がある。しかし、それではいけない。職業は、キャラクターが自らの可能性を最大限に発揮できるよう、ストーリーを前進させる強力な推進力になり得るからだ。キャラクターがどんな職業に就いているかによって、キャラクターは肉付けされ、プロットが方向付けられる。そうすると、それに応じた人間関係の相克が生まれ、キャラクター自身の未熟さが表面化し、キャラクターが人間として成長していく過程が描かれていく。職業は他にも様々なことに利用できるはずだ。

キャラクターの職業は、取るに足らない詳細事項などではない。多くのストーリーに多面的に影響を与えられるものだからこそ、慎重に考えて選択する必要がある。

職業の選択を自分の場合に置き換えて考えてみよう。あなたの現在の職業（または過去の職業）は、深く考えずに適当に選んだものだろうか。おそらく、そうではないはずだ。内容に関心があって得意分野の仕事だった、家族を養わなくてはならなかった、または、世の中に貢献したかったなどの理由があって、その仕事を選んだのではないだろうか。あるいは単に、人材を募集していると聞きつけ、これは好都合だと思ったから就職したケースもあるだろう。いずれにしても、これまでにあなたが就職を決めたときには、常に何らかの理由があったのだ。

キャラクターの場合も同じはずだ。書き手がキャラクターの職業を慎重に選べば、読者はキャラクターがどういう人物で、どのようなスキルを持っているのかを想像し、キャラクターの行動の動機や人生の優先順位をよりよく理解できるだろう。職業は、キャラクター設定の貴重な道具となるだけでなく、プロットそのものに結び付き、キャラクターが目標達成にこぎ着けるのに必要な能力や知識を与え、ゴールにたどり着くまでの道のりに障壁を作り出すこともできるのだ。

キャラクターの職業をうまく選んでおけば、抽象的な主題レベルから具体的な場面レベルまで説得力のあるストーリーを作りやすくなる。だが、選択肢はあまりにも多い。まずは、キャラクターの行動動機に合った職業を選ぶため、なぜ人は特定の職業を選択するのか、その背景にある理由を掘り下げていこう。

職業選択の背景にある動機

人はかなりの時間を仕事に割く。したがって、普通はよく考えて慎重に仕事を選ぶ。性格や趣味は仕事選びに何らかの影響を与えても、それ自体には、長年にわたって、または一生続けるかもしれない仕事の決め手になるような重みはない。いや、キャリアのような重要な物事を決めるには多角的に検討しなければならず、その意思決定を左右させる主な要因は動機であることが多いのだ。

動機とは、簡単に定義すれば、人の選択や行動の背後にある理由のことだ。どんな意思決定にも複数の動機が考えられる。たとえば、子どもが厄介な行動を起こしたとしよう。親ならば、我が子の行動の背後にどんな理由があるのだろうと思い悩むのが普通だ。なぜ我が子がおかしな行動に走るのか、その理由を把握できれば、子どもをより良い方向へと導き、悪習を断つ努力をすることができる。なぜ私の子どもは嘘をつくのか——そんな悩みを抱える親への答えは、状況や、子どもの視点から見た様々な理由によって決まるはずだ。

- 子どもはトラブルに巻き込まれたくない。
- 子どもは親を失望させたくない。
- 子どもは誰かをかばっている。
- 子どもは親が何かしらの反応を示すのを待っている。
- 子どもは、真実ではないことを真実だと主張することで、自尊心を高めようとしている。
- 子どもは虚言を間違った行為だと理解していない。
- 子どもは実際に何が起きたかを本当に忘れていて、詳細を間違って記憶している。決して嘘をついているわけではないのだが、嘘のように聞こえてしまう。

私たちと同じように、キャラクターもまたいくつもの理由があって取捨選択を行なう。どういう職業を追求するのかの選択もその例外ではない。一般的に、1）基本的な欲求を満たす、2）癒えない心の傷を癒す、という2つの衝動のいずれかに駆られて職業の取捨選択は行なわれる。

● 基本的な欲求

有名な心理学者アブラハム・マズローは、どの人にも5つの基本的な欲求があり、それらの欲求が満たされると充足感を得られると述べている。この5つの欲求のうちひとつ以上が不安定になると、人は戸惑いを感じ、やがてそれが波紋を起こし、比較的穏やかだった心の表面が乱れる。戸惑いがあまりにも大きくなったり、または長引いたりすると、人は自分にとって最も不可欠な欲求を満たすことで心のバランスを取り戻そうとする。

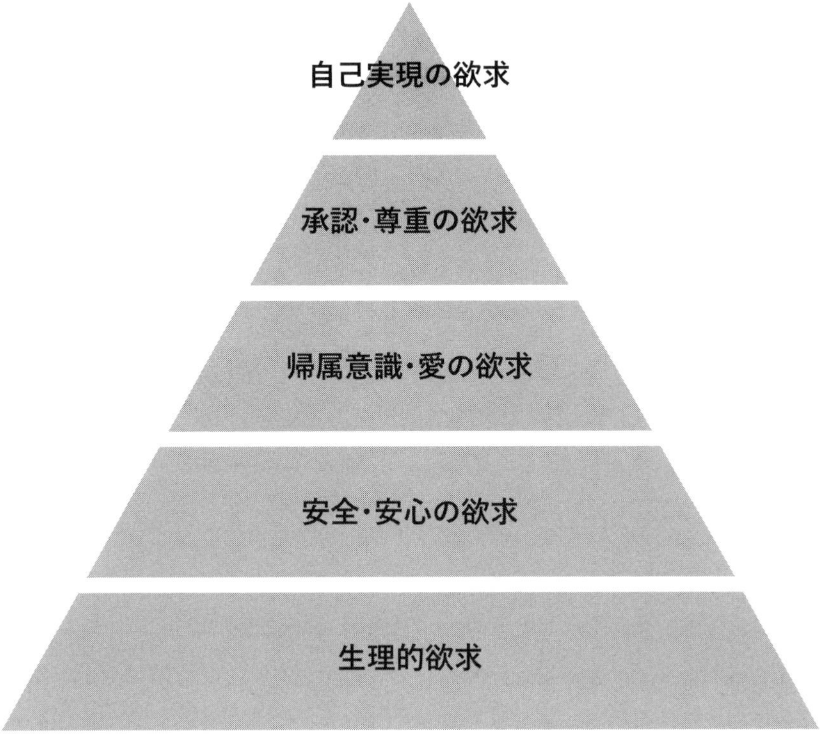

自己実現の欲求

承認・尊重の欲求

帰属意識・愛の欲求

安全・安心の欲求

生理的欲求

自己実現の欲求

有意義な目標の達成、知識の追究、精神的悟りを得ることで、または自分に忠実に生きられるよう、本質的価値、信念、アイデンティティに目覚めることで、自分の可能性を実現させて充足感を得たい

承認・尊重の欲求

他人に自分の貢献を認められ、理解され、承認されたい。高次の自負、自尊心、自信を達成したい

帰属意識・愛の欲求

人との有意義なつながりを持ち、長く続く絆を築き、親密な人間関係を経験し、愛を感じ、また人を愛せるようになりたい

安全・安心の欲求

自分自身と愛する人のために、安全・健康でいたい、安定を保ちたい

生理的欲求

食、水分、住居、睡眠、生殖行為などの基本的、原始的な欲求

この図を見てわかるように、ピラミッドの底辺にあるのは生理的欲求である。食、水分、空気といったものがなくては、人間は死滅してしまう。つまり、私たち人間の生存に不可欠な欲求だ。もしも生理的欲求が脅かされるような事態にでもなれば、私たちはその欲求を何が何でも満たそうとする。生理的欲求の次に重要なのは安全安心の欲求で、その後に帰属意識・愛、承認・尊重、自己実現の欲求が続く。

このピラミッドを用いて人間の欲求を説明してみよう。ある日、あなたの自宅に武装した何者かが侵入し、あなたは自分の安全が脅かされたと感じてしまう。このとき在宅だった家族全員が無傷で難を逃れたとしても、あなたの不安は消えない。そこで、自分を安心させるために、護身術を学ぶ、銃を購入する、自宅に防犯システムを設置するなどの対策をとる。あなたに子どもがいるなら、我が子の安全のために門限を早めたり、子どもが外出する際には今までより頻繁に連絡を取ったりするなど、ルールを厳しくすることも考えられる。これらの選択はすべて、あなたが安全と安心の欲求に駆られた結果なのである。

基本的欲求は、人間の行動の重要な動機である。フィクションは実生活を反映しているため、キャラクターもまた基本的欲求に突き動かされて特定の行動や選択に傾く。どの職業を目指すかという重要な決断を下すときもそうだ。そこで、人間の欲求と職業の関連性をさらに深く掘り下げてみよう。

●生理的欲求

食、水分、住居、睡眠は最も基本的な欲求の一部である。食べることもままならず、不安を抱えるキャラクターならば、生きていけるだけの報酬を得られる仕事を探すだろう。おそらくそういう仕事はキャラクターの夢の仕事でも適職でもない。ましてや大きな満足感をもたらしてくれるはずもない。キャラクターがどれほど絶望に追いやられているのかにもよるが、仕事の内容は不健全かつ有害で、他の欲求を危険にさらす可能性もある。生きていくための金を稼ぐため、人が売春や麻薬取引に手を染めるというのは実際によく聞く話だ。そのような仕事は身体を危険にさらし、人間関係を傷つけ、自尊心をも失いかねないが、生きていくのが精一杯な状況では、そんなことも言っていられない。

大抵の仕事ではここまでの苦痛を伴わないが、目の前の問題を解決するために、こういう危険な仕事に手を染める人は多い。そんな仕事に就くのは一時のことで、生理的欲求が満たされれば、やめてしまうかもしれないし、惰性でその仕事を続ける場合もあるかもしれない。いずれにしても、生理的欲求が満たされず、キャラクターがピンチに立たされているなら、待ったなしで現状打破を余儀なくされ、仕事を選んでいる贅沢などできないはずだ。

●安全・安心の欲求

生存の危機を脱したら、次に重要な欲求は、キャラクターとキャラクターが愛する人たちの安全、健康、安心の確保になる。たとえば、非行グループが跋扈(ばっこ)する治安の悪い地域で暮らす母親がいて、非行グループのメンバーたちが彼女の子どもたちを仲間に引き入れようとしているとしよう。母親はもっと治安の良い地域へ引っ越したいと考え、複数の仕事を掛け持ちしようと決意する。清掃やタクシーの運転はできれば避けたいが、自分の家族が脅かされているのだからそんなことも言っていられない。このような状況では厳しい決断を迫られる。仕事の選択もそのひとつなのだ。

●帰属意識・愛の欲求

安全・安心の次に重要な欲求は、人との有意義なつながりを求めることだ。人を愛したい、人から愛されたい、本当の意味での親密な関係を経験したいという欲求がこれに含まれる。愛の欲求が人にとって重要なのはわかるが、それが職業と何の関係があるのか、と思う人もいるかもしれない。ところが実際は、人は意図的に、または無意識のうちに、自分のためではなく他人のことを思って職業を選択することがある。

家族の絆が固い家庭を持つキャラクターならば、仕事で魅力的なオファーを受けても、家族のそばにいることを優先し、魅力の薄い別の仕事を選ぶ可能性がある。救急隊員や看護師、教員をやっている家族が多いキャラクターなら、自分も家族と同じ道に進み、帰属意識を感じることもあるだろう。あるいは、がんで父親を失ったキャラクターなら、父親の遺志を継ぎ、父親が遺した不動産業を引き継ぐ決意をするかもしれない。このような状況では、愛や帰属意識の欲求が原動力となって、キャラクターは意思決定をする。

●承認・尊重の欲求

いかなる人も、したがっていかなるキャラクターも、自分を健全に評価しながら、人から評価され、感謝され、尊敬されたい欲求を持っている。人から尊敬され認められたいと強く願っているキャラクターなら、特定の職業に向かわせることができる。たとえば、次のシナリオを考えてみよう。

- 他人から尊敬されたいと願っているキャラクターなら、医師や、投資のプロであるヘッジファンドマネージャーを目指すかもしれない。キャラクターにとっては、単にこれらの分野が立派で権威があるように思えるからだ。

- 成功すれば自分が承認され称賛されるのを知っているキャラクターなら、競争の激しい分野でキャリアを追求することも考えられる。
- 職業には貴賤があると教える文化の中でキャラクターが育っている場合（ブルーカラーよりもホワイトカラー、雇われの身よりも企業オーナーのほうがよいと考えられている場合など）、自分が最大限に承認されるキャリア計画を立てるだろう。
- 大抵の人ができないことをやるとやりがいを感じる性格のキャラクターなら、自分ならやれるはずだと思って、やりがいのある職業を選ぶだろう。
- 自尊心も承認・尊重の欲求の一部だ。したがって、キャラクターは自分が得意な仕事を選び、自信につなげる可能性がある。
- 承認・尊重の欲求がピラミッドに占める部分は小さく見えるかもしれないが、その重要性を過小評価してはいけない。キャラクターが自ら道を切り拓いたり、自尊心を持てない自分から逃れようとしたり、自分に能力があることを他人に証明しようとしたりしている場合は、自尊心を高め、内面を満足させてくれる職業を選択する可能性が高い。

●自己実現の欲求

5つの欲求の中でもこの欲求の重要性は最も低いように見えるかもしれないが、実は、ほとんどの人がこの欲求を満たそうとしている。人間は、自分の可能性を最大限に発揮して、充足感や満足感を得たいと望むもので、多くの場合、それは自分の信念や価値観、真のアイデンティティに従って生きることを意味する。キャラクターがこの欲求を満たそうとする場合、次のいずれかを達成するために職業を選択する可能性は大いにある。

自由と自立：キャラクターは、自由を手にし、自立できるなら、別に完璧な仕事でなくても仕事を続けるだろう。なぜなら、この仕事を続けていれば定期収入が得られ、旅行を楽しんだり、新しいスキルを学んだり、家族と過ごす時間を多く取ったりする自由を手にできるからだ。

価値観と道徳的信念の確認：自分の存在を超えた何かに意識を向けているキャラクターなら、自分の理想を強化する仕事に惹かれるかもしれない。やりがいのある仕事（傷ついた野生動物を救護して自然に戻す仕事や、第三世界の国での人道的医療活動など）、人の役に立つ仕事（ソーシャルワークや看護など）、またはグローバルな問題を解決する仕事（重要な発明に携わる、科学分野でのキャリアを追求するなど）を選べば、大きな満足感が得られる可能性がある。

目的：キャラクターの中には、幼い頃から特定の職業に運命を感じている人もいるだろう。その分野で働けば目的意識を持てるし、自分はこの職業に就くために生まれてきたのだと認識を新たにし、満足感を得られる。

慈善活動を通じた充足感：時には結果が手段を正当化することもあるというのが本当なら、内容が面白くなくても人助けができる仕事を選択するキャラクターもいるだろう。選んだ仕事にはストレスを感じることが多く、勤務時間も長く、内容も退屈極まりない可能性がある。しかし、人を救うため、あるいは自分が信じる大義を広めるために必要な時間や資金が得られるのなら、そのキャラクターにとってはやりがいのある仕事なのだ。

幸福：自己実現の欲求を満たすための大切な要素である。自分のやりたい仕事に就きたいと考える人にとっては重要で、そういう人は、可能ならば、自分に喜びをもたらす職業を常に選択する。

● 癒えない心の傷

満たされない欲求が大きな動機になることもある一方で、キャラクターを特定のキャリアに向かわせる（あるいは遠ざける）もうひとつの要因がある。それは心の傷だ。過去につらい思いをしてトラウマを抱えているキャラクターの心は非常に脆い。「あんな思いはもう二度と経験したくない」「あれを避けるためなら何だってやってやる」という気持ちになっている。つらい経験をした後には恐怖が根付く。恐怖心からキャラクターは自分や世の中に対し嘘をつき、それを信じ込む（自分には価値がない、他人を本当に理解したり信用したりできない、など）。これではキャラクターは自尊心を損なうだけでなく、自分を傷つける可能性のある人々や状況を避けようと、破壊的な行動や態度に出ることも考えられる。

つらい出来事を経験した後にキャラクターが取る選択は、悪いことなど一度も経験したことがない人々の選択とは異なる。リスクを回避するため、キャラクターは学業にも仕事にも身を入れず、何事にも情熱を持とうとしない。また変化が訪れても変化にあらがい、チャンスが目の前にあってもそれを摑もうとはしない。これでは不幸の種を蒔いているのも同然で、次第に様々な欲求が満たされなくなっていく。

この良い例が、映画『グッド・ウィル・ハンティング／旅立ち』の主人公ウィルである。ウィルは天才で、目にするものをすべて暗記し、世界でも難問とされている数学の問題を解く能力を持っている。視聴者は、ウィルは政府のために暗号を解読しているか、名門大学で高度な数学を教えているのだろうと期待する。ところが冒頭シーンでは、モップで廊下を拭いているウィルが登場する。なぜアメリカで最も優秀な若者が清掃員として働いているのか──その答えは、彼が過去に経験したトラウマにある。

両親に見捨てられ、里親からは虐待を受けていたウィルは、人を信用できないという深刻な問題を抱えている。そのため、いったん頼れる人を見つけると、その人に対し信じられないほど忠誠を尽くす。そんな理由から、彼は友人たちのそばから離れずに済む仕事を選んでいる。さらに、彼は頭脳明晰であるにもかかわらず、自己不信に悩み、人の期待に応えなければならないような、あるいは人のために責任を負わねばならないようなキャリアを避けている。

これは架空の世界の話だが、実際の世界でも起きそうな話なので現実味がある。心の傷は人の行動や選択を左右する。したがって、キャラクターの過去のトラウマを職業に結び付け、読者の共感を呼ぶ深みと信憑性をストーリーに加えることができる。

一口に心の傷と言っても、軽度のものから重度のものまで深刻度は様々で、キャラクターが自分の心の傷にどう反応するのかは十人十色だ。ただし職業の選択となると、心の傷によってストーリーの進む方向はほぼ決まる。キャラクターはある職業に向かっていくか、本当に望んでいるものには背を向けて、まったく別の職業に就いてしまうか、この2つのどちらかにストーリーは傾いていく。

●過去のつらい経験が原因で特定の職業を選ぶ

ケイシーという名の主人公がいるとしよう。彼女の父親はプロの犯罪者で、トラブルに巻き込まれそうになっても要領よくそれを潜り抜け、警察の手が自分に伸びないように立ち回り、大抵は刑務所送りにならずに済んでいた。この父親は常にケイシーの身近にいて、娘の気持ちを汲むどころか踏みにじっていたのだ。父親はプロの犯罪者としての自負を持っていたが、ケイシーはそんな父親が嫌でたまらなかった。彼女は何も悪いことをしていないのに、いつしか自分を恥じるようになっていた。父親のプロの犯罪ネットワークには家族や親しい友人も多く所属しており、ケイシーもその気さえあれば簡単に父親の後を継ぐことは可能だった。しかし彼女は別の道を選び、警察官を目指す決意をする。

ケイシーは警察官として優秀だ。悪事を働いた者は一度彼女の手にかかると、もう逃れられない。鉄のようにタフな彼女はどんな過酷な環境でも徹底的に警察官としての職務を果たすが、ときには自分の厳しさを緩めて、人を思いやることがない。思いやりに欠けていては立派な警察官になれないし、家庭にも溝ができている。彼女は子どもたちがルールや約束事を破ると、自分の父親と同じように悪の道に逸れていくのではないかと思ってしまうのだ。我が子が非行に走るなど彼女が絶対に許すはずがない……。

ケイシーがなぜ警察官という職業を選んだのか、その理由は明らかだ。彼女は父親に我慢がならず、あんなふうには決してなりたくないと思ったのだ。父親が法律に背いていたから、自分は警察官になって犯罪者を取り締まり、法の裁きを受けさせようと決意したのだ。これが彼女の義務であり改悛であり、無法者の父親が彼女に負わせた恥と向き合う手段なのだ。それでもケイシーの心の傷は癒されない。その傷が現在の彼女にどのような影響を与えているのかは彼女の行動にも表れている。このストーリーの中でケイシーが成長していくには、今彼女が見せている態度や習癖に向き合わなくてはならない。

●過去のつらい経験が原因で特定の職業を避ける

心の傷は、キャラクターを特定の職業に導くこともあれば、逆にキャラクターが最も望んでいる職業を遠ざけてしまう原因にもなる。

そこで、極度の発話障害に苦しんでいるキャラクター、マイクを想像してみよう。マイクは非常に理知的で科学の才能に恵まれているが、発話障害のせいで人とうまく付き合えない。高校では、他の生徒たちからいじめられ、陰口を囁かれているし、悪気のない先生たちからは憐れまれ、悪夢のような学校生活を送っている。マイクは放課後などの自由時間をひとりで過ごし、大好きな科学捜査の勉強に没頭している。いつか検視官になることを夢見ているが、そのためには卒業後、大学に進学しなければならない。しかしマイクは高校を卒業したら、たとえオンラインの授業でも、二度と教室には足を踏み入れないと心に誓っていた。

やがて20代に入ったマイクは、事件現場の特殊清掃士として働きはじめる。裏方仕事なので黙々とやれるし、話す相手も数人の同僚に限られている。それに、もしマイクが検視官になる夢を追い続けていたなら担当したかもしれないような事件にも、ささやかながら清掃士として関われる。毎日、誰かが変死あるいは自然死した場所を清掃しているうちに、マイクは現場に残された様々な手がかりを見つけては、ついそれらをつなぎ合わせて全体像を見ようとしてしまう。だが常に何かが欠けていて、全体像は摑めない。特殊清掃士は科学捜査の雰囲気を味わうことはできても、検視官ではない。次第にマイクの欲求不満は高まっていく。

マイクのつらい経験（発話障害）は、彼を夢の仕事から遠ざけるばかりだ。夢の仕事ではないけれど、それに近い職業を選んだマイクは自分の潜在能力を試さずに生きているので、不満は募る一方だ。この満たされない気持ちは無視できなくなり、やがて彼は根本的な問題に直面せざるを得なくなる。最終的には、長い間向き合ってこなかった心の傷が膿みはじめ、ゆっくりと彼の人生そのものを蝕んでいる事実を認めざるを得なくなるはずだ。このまま安全圏にとどまり、惨めな存在であり続けるのか、それとも、最終的には最高の人生を生きられるように、自分の恐れに向き合って再び傷つくリスクを冒すのか、いずれマイクは決断を迫られることになる。

ケイシーとマイクの例から背景を取り除いてしまうと、彼らがなぜ現在の職業を選んだのかがわからなくなる。しかし彼らの過去を知ると、その理由を理解できる。背景を見せたほうがキャラクターに現実味や脆さが出てくるので、より読者の興味を引きつけられるし、過去に何があったのかだけでなく、今後進んでいく道も見えてくる。キャラクターはやがて今の満ち足りていない自分に気づき、仕事でも私生活でも充足感が得られるよう、変わっていかなければならない。

キャラクターの性格を特徴付けるキャリア

パーティーで新しい人と出会い、言葉を交わすとしよう。あなたはまず何を尋ねるだろうか。「どんなお仕事をされているのですか」と訊くことが多いのではないだろうか。

この文脈で、人はなぜ職業を尋ねるのだろうか。答えは、職業は相手を特徴付けるからである。好むと好まざるとにかかわらず、私たちは人を品定めしては分別してしまう。しかも、相手がどんな分野の職業に就いているのかがわかれば、その人に関していろいろと明らかになるものなのだ。

確かに、ステレオタイプは個人の特徴を的確に伝えるものではないし、書き手としては言うまでもなく、陳腐なキャラクターを作るのは避けたい。肉付けはキャラクター作りの過程で重要な部分なので、これについては後で深く掘り下げて説明する。しかし読者にしてみれば、キャラクターの職業を知っただけでその職業からおそらく真実だろうと思われる基本情報を推測でき、それほど時間をかけずにキャラクターを知ることができる。ここでは、読者がキャラクターの職業を知るだけで、キャラクターについて推測できることをいくつか挙げてみることにする。

● 性格的特性

ある性格が備わっていると、特定の職業で成功しやすくなる。しかも人は普通成功したいと思っている。私たちが自分の性格に合ったキャリアを目指すのも、そうした理由があるからだ。読者は、ある分野で働くキャラクターに出会うと、その職業からある程度の推察をする。この読者の傾向は、キャラクターを肉付けしていこうとする書き手にとって有利に働く。キャラクターの職業を明らかにするだけで、そのキャラクターの性格を読者に見せることができるからだ。

では、この理屈が正しいかどうか検証してみよう。幼稚園の先生と聞いて、どのようなポジティブな資質が思い浮かぶだろうか。まずは、思いやりや優しさ、忍耐力などが挙がるのではないだろうか。これが救急医となると、思い浮かべる資質は変わり、知性や判断力、プレッシャーを感じても冷静沈着でいられる点などが挙がるはずだ。例外はあるだろうが、教員や医師、あるいは農業従事者として成功しやすい性格的特性はある（キャラクターの特徴的性格に関連した職業を簡単に探したいなら、付録Bを参照のこと）。

キャラクターの個性を読者に伝えようとすると、つい情報を詰め込んだ長文を書いてしまう。そこで役立つのが職業だ。キャラクターの職業を短い文章で描写すれば、ストーリーを一気に前進させられるのである。

● 才能とスキル

どんな職業にも個人の性格を超えたスキルが必要だ。才能または能力とは、ある職に就いている人が、その職で発揮できる特殊能力や卓越性を指す。シェフなら、料理あるいはパンやお菓子作りが上手だろうし、バウンサー（用心棒）や警備員なら優れた護身力を持っている可能性が高い。あるキャラクターがストーリーの中でプロのポーカープレイヤーとして紹介されれば、読者はそのキャラクターは読心術に優れていると推測するはずだ。

キャラクターは、満たされていない欲求に邪魔されない限り、あるいは仕事以外のことで重要な課題を抱えていない限り、自分が得意で好きな仕事を追い求めるのが普通だ（現実世界の私たちと同じように）。キャラクターは、もともと備わった能力（才能）とその能力を伸ばすスキルに導かれて、ある特定の職業に就くことが多い。読者は自分の経験や一般知識から様々な職業で成功するには何が必要なのかを連想する。したがって、書き手はキャラクターがどんな職業に就いているのかをうまく伝えれば、自然にそのキャラクターにどんな能力があるのかを読者に見せることができ、情報を詰め込む必要はなくなる。

● 趣味と情熱

　余暇の趣味が高じて、仕事になってしまうことがよくある。たとえば、南米の古代文明についてなら何でも知っていて、その知識を他人と共有したいと思っている人が博物館のガイドになる場合や、余暇に地質の勉強をするのが好きな人が、いっそのこと地質学者になって給料をもらうのもいいかもしれないと考え、学者を目指す場合などがそうだ。クリエイティブで芸術的な分野の仕事を選ぶ人の多くも、この理由からである。このような場合、職業を通じて、キャラクターが何に関心を持ち、どんな趣味を持っているのかをはっきりと伝えられるし、キャラクターの本領のようなものを示唆することもできる。

● 身体的なディテール

　職業の中には、キャラクターの容姿を読者にほのめかすことができるものがある。たとえば、世間一般に浸透している美の基準で考えれば、モデルをやっている人はどちらかと言えば美しい。検査技師であれば白衣を着ているし、プロスポーツ選手は鍛えられた体を持っている。職業をキャラクターに割り当てれば、キャラクターは仕事中に制服を着ているだとか、偉そうにしているだとか、書き手が文章で表現しなくても、読者はキャラクターの外見や仕事中の振る舞い方を想像できるのである。

● 好き嫌い

強制されて、あるいは他に選択肢がなかったという理由から、キャラクターが屋外で働くことはある。しかし、選択肢があって屋外で働く仕事に就いているなら、キャラクターが外で働くのが好きなのだと考えるのが普通だ。アウトドアガイドを選ぶ人なら、狭苦しいオフィスで働くよりも野外で働くことを好む自然愛好家だろうし、買い物を代行するパーソナルショッパーなら、ショッピングが好きなはずだ。またナニー（親の代わりに育児を行うプロフェッショナル）なら、子ども好きであってほしい。キャラクターの職業は、個人的に情熱を燃やしていることがあるからそれを職業に選んでいる側面もあるが、その選択がキャラクターの根本的な好き嫌いを明らかにしている場合も多いのだ。

● 理想と信念

キャラクターは、自分の深い信念と一致した職業を選ぶ場合もある。聖職者の道を歩む人は、人々が神の存在を見出す手助けをするのが、自分にとって最高の天職だと考えたから聖職者を選んだのだろうし、軍人のキャリアを選ぶ人には、愛国心と祖国への敬意を強く感じている人が多い。このような職業なら、キャラクターがどんな理想や価値観を持っているのかを読者に即座に伝えることができる。

● 経済的なステータス

こういうことを言うと身も蓋もないかもしれないが、多くの仕事は経済的ステータスと結び付いている。キャラクターが立派な弁護士や医者、大資本家であれば、読者はそのキャラクターを裕福な人だと推測して読むが、逆に、未経験でも就ける仕事やいわゆるブルーカラーの仕事（レジ係、車の運転手、ベビーシッター、警備員など）に従事していれば、あまり恵まれない階層の人なのだろうと読者に認識されるだろう。

職業はキャラクターについて多くのことを示唆できる。陳腐なものの見方やステレオタイプを避けるには、微調整や肉付けは重要な作業なのだが、そういう作業をしなくても伝えられることは多い。逆に言うと、キャラクターの性格や信念、スキルに合わない職業を選ぶと、キャラクターを弱めてしまう。キャラクターには合わない職業であっても、その職業に就かせることで力強いストーリーが作れる場合もあるが、それはあくまでも例外だ（これについては後ほど説明）。合わないパズルのピースをいくら合わせようとしても無理なように、キャラクターの特徴に一致しない職業は優れた文章力をもってしてもしっくりこない。キャラクターにぴったりの職業を選んでおけば、読者に共鳴するキャラクター作りに一歩近づくことができる。

緊張と葛藤の源としての職業

葛藤は、目標に向かっていくキャラクターに次々と課題を投げかけるので、どんなストーリーにも欠かせない要素だ。その定則は非常に単純で、キャラクターが何かを望んでいるのに、それを阻むものが現れて邪魔をする。たったそれだけのことだ。葛藤は、障壁、問題、危機、対立など、様々な形で表面化する。書き手としてベストを尽くせば、複雑に入り組んだ事情が様々な角度からキャラクターを直撃するストーリーができる。

葛藤の中にはささいなものもある。小さな葛藤は、ワンシーンの中でキャラクターに「まあいいか」と思わせる程度のものだが、少しずつ緊張感を高め、障壁をどんどんと高くしていくことで、キャラクターが目標をなかなか達成できない様子をうまく表現できる。逆に、もっと大きな葛藤もある。ちょっとやそっとでは克服できないような深刻な障壁を作ると、キャラクターの困難を乗り越えようとする力が脅かされるので緊張感を高めることができる。キャラクターは、自分にとって大切な何かを失う危険にさらされ、本人のみならずその周辺の人々までもが何かを失うかもしれないため、ストーリー全体がキャラクターの苦難に巻き込まれていく様子を表現できることが多い。葛藤には、どんな苦難が立ちはだかろうと、キャラクターを何度も何度も目標に向かって立ち上がらせ、むきになる姿を見せ、（キャラクター・アークで描く場合は）目標達成に必要な成長の旅路からキャラクターを逸脱させない効果がある。

書き手がある場面のために葛藤を必要としているなら、キャラクターの職業は潜在的に大小様々な葛藤を生みやすく、葛藤の宝庫になり得る。人が働く理由は千差万別であることを私たちは知っている。生活のため、愛する人を養うため、評価されていると感じたい、生きる意味を見つけたいなど、働く理由は人によって実に様々だ。仕事はキャラクターの人生と密接に結び付いているので、キャラクターの弱さや繊細な部分を自然に浮かび上がらせる。

書き手はそこを突いて書けばよい。穏やかであったはずのキャラクターの心や日常生活など、何をどれだけぐらつかせるかは、書き手が決めればよい。葛藤が起きるかもしれないとキャラクターに思わせるだけでも、不安を呼び覚ますことは可能だ。そこで、キャラクターの職業を描くことで、キャラクターの人生の様々な局面で問題を引き起こす例をいくつか検討してみよう。

● 人間関係の葛藤

キャラクターに最も近い人々は、キャラクターの思考や発想、信念、感情をよく知っている。考えてみれば、それはとてもすごいことだ。ほとんどの場合、こういう人たちは友人や人生のパートナーなど、キャラクターが自分の人生に招き入れた人たちである。つまり、彼らとの結び付きはキャラクターにとって個人的で、それゆえ大切なのである。ところが、職場となるとキャラクターは人を選べない。状況によっては、人種差別的な同僚や何かと要求の厳しい上司など、私生活では自分から進んで関わらないような人たちと一緒に働かざるを得ない。キャラクターは、仕事では誰となら打ち解けられるのか、誰と距離を置かねばならないのかの判断に常に悩まされるかもしれないのだ。

大きな期待を寄せられ、厳しい締め切りを課せられ、微々たるマージンしか得られず、あまりにも大きな責任を負わされていると（その割には給料が少なすぎる場合も）、かっとなったり、人間関係に摩擦が起きたりして、職場での対立が最悪の事態に発展しかねない。同僚の間であれやこれやと問題が発生し、キャラクターの思いどおりに事が運ばなかったりする。たとえば、生産性を最優先しなければならない多忙なときに、上司の子どもの面倒を見るはめになったとしよう。子どもは、人に何かしてもらうのが当然だと思い込んでいる無能な子だ。この子の面倒をきちんと見なければ、ボーナスに響く可能性がある。これだけでもピンチなのに、キャラクターはギャンブル好きで、数百万円の借金を背負うはめになったともなれば、悪夢のようなシナリオになる。あるいは、キャラクターが昇進を目指しているとする。ライバルは狡猾で、平気で職場内でキャラクターの昇進を妨害したり、人を裏切ったりする。キャラクターはどうしたらライバルに打ち勝つことができるのか。

職場には、異なる視点や意見、マナー、性格を持った人が集まっていて、相容れない人がいることもしばしばだ。また、どんな仕事をしていても、人との違いは脇に置き、チームとして働くことを期待されている。しかし……実際にそんなにうまくいっている職場などあるはずがない。近年は特にそうだ。職場の全員が携帯電話でメッセージを送り合える時代には、人が集まる給湯室などなくても噂は広まる。そんなところで噂をすれば、悪口を聞かれる危険がある。今はそんな危険を冒す必要などまったくない。同僚の間でチャットし合えばそれで済む。率直に言ってしまえば、職場での笑顔の下にはナイフが隠されているかもしれないのだ。

ここからは、仕事と人間関係の問題が重なって、事態が悪い方向に進んでいく例をいくつか取り上げてみよう。

●力の不均衡

権威ある地位にいる、年功序列で目上の立場にいる、上層部に友人がいるなどの理由から、権力を持つ人はどんな組織にも存在する。自分がどんな上役に就いていたとしても、その上がいる限りは上司の要求に応えなければならない。しかも、上司といってもみな平等に創られているわけではなく、十人十色なのである。

不公平だが、多くの人が狙う地位であっても、必ずしも最適な人材が配属されるとは限らない。管理職の場合は特にそうだ。人事異動では、仕事のできない上司が重要なポストに配属されることもあれば、偏見や縁故のおかげで役職を与えられる人もいる。上司が倫理に欠けていようと、怠慢かつ傲慢だろうと、単に仕事ができない人だろうと、キャラクターはその上司と共に働く方法を見出さねばならない。そのためには、上司の機嫌をとり、無意味な作業もこなし、もっともらしいことを言っている上司の話を聞くふりをし、あるいはゴマをすっておかなければならないこともあるだろう。うまく立ち回れれば昇進を約束され、そうでなければクビになる。職場での権力は、キャラクターにとっては飴にも鞭にもなり得るのだ。

それに、キャラクターの苦楽を左右するのは上司だけではない。部署の予算を管理している人や、誰が企業研修を受けるのかの決定権を握っている人、最悪のシフトを割り当ててくるかもしれないシフト管理者など、職場には何かしらの権限を持った人々がいる。けちくさくてくだらないことも含めて、意思決定には様々な要素が入ってくる。たとえば、キャラクターがスーパーのレジで働いているとしよう。レジ係がどのレジに就くのかを決めるのはレジ係長だ。そのレジ係長を敵に回せば、袋詰め担当者の助けもなく、いつも長い行列ができてしまうレジを一日中任されるはめになるかもしれない。

性差別、年齢差別、人種的あるいは宗教的偏見など、業界全体に偏見がはびこっている場合や、上層部の人間が個人的に偏見を持っている場合は、キャラクターの昇進が妨げられる可能性がある。キャラクターが職場でハラスメントを受けたり、昇進コースから外されたりしている場合は、大問題に発展し、キャラクターの心の古傷が再びうずきだし、何をやろうとしても不安に怯えてしまうことも考えられる。

力の不均衡は、意外なところから生じる場合もある。たとえば、新しく人が入社してきたとしよう。なんと、この人はキャラクターのかつての知人で、実は敵対関係にあった。この新入社員はキャラクターの暗い過去を知り尽くし、弱みを握っている。キャラクターは、秘密を暴露されれば刑務所行きになるかもしれないと、突然身の上に降りかかったピンチに平常心を失う。読者はページに釘付けになり、一体どうなることやらとはらはらする。

●まずい判断の宝庫——社内恋愛

フィクションでよく使われるプロットのひとつに、社内恋愛がある。社内恋愛は私生活と仕事の線引きが曖昧になるときに生まれる。締め切りに間に合わせようと夜遅くまで残業する日々が続き、同僚と密会を重ねるようになったり、プロジェクトが無事成功に終わった後の解放感から、上司の美人アシスタントを仕事の指示を与える以外の目的で役員室に招き入れたりして、つい判断を誤るのだ。一般的に、社内恋愛は正当な理由があって禁じられている。職場が修羅場化するからだ。はじめのうちは恋にのぼせていても、必ずうまくいかなくなるときが来る。やがて職場の雰囲気も悪くなり、団結力やチームワークにひびが入りでもしたら、仕事の目標を達成できなくなるかもしれない。

社内恋愛には問題がもうひとつある。当事者同士の間で自分たちの恋愛関係の捉え方にずれが出てくるのだ。自分は休憩室でいちゃつくのを楽しんでいるだけなのに、相手は深刻になってきている。うっかり「愛している」とか「いつになったら旦那と別れるつもりだ」などと口走れば、2人の間に冷ややかな風が吹く。これまでの愛の囁きは消え、「こういう関係はもうよそう」「楽しかったけれど、これからはまた仕事仲間としてやっていこう」といった言葉に変わっていく。失恋は常につらい。捨てられたほうは、これからも相手と職場で顔を合わせ、一緒に仕事をするのかと思うと、恨みや怒りを感じ、復讐の二文字がちらつくこともあるかもしれない。

書き手にとってはありがたいことに、社内恋愛は別れ方が悪いと、報復の可能性が無限に広がる。仕事を妨害する、脅迫行為におよぶ、妻へ告げ口してやると脅すなど、嫌がらせのシーンが常套的に用いられるのは、それが効果を発揮するからである。しかし、ありきたりの手を使うのではなく、読者がこれまでに見たことのないようなひねりを加えてみよう。不倫相手の部下が告げ口するのは、妻ではなく、反抗期真っ盛りの10代の子どもだったとしたらどうだろう。ダメージは大きいはずだ。また、家族を迂回して、不倫の証拠を不倫相手と同じ教会に通う噂好きな人たちに渡すというのも、特殊な復讐心があって面白いかもしれない。想像力を研ぎ澄まし、クリエイティブな報復手段を考えてみよう。小さな仕返しが最大のダメージを与えることも忘れずに。

●家庭での問題

キャラクターの人生は、仕事生活と家庭生活の2つに分かれている。仕事絡みの葛藤であっても、この2つがぶつかり合うと、家庭不和になる可能性がある。キャラクターが仕事着を脱いだからといって、仕事のことを忘れたわけではないのだ。長い一日の仕事が終わって帰宅してみると、両親が揃って大喜びの子どもたちがはしゃぎ回っている。空腹で妻の帰りを待っていた夫は夕食のことを訊いてくるし、飼い猫は胃腸の調子が悪いのか、食べたエサを嘔吐している。そんな光景を目の前にしてキャラクターはかっとなり、過剰に反応してしまう。その後は、家族にひたすら謝り、後悔にさいなまれながら夜を過ごすのだ。

多忙な職業は、キャラクターの私生活における人間関係に影響を与える可能性があり、どのように影響するかは、幾通りも考えられる。仕事のために引っ越しすれば、友人と別れたり、生活のスケジュールががらりと変わったりして、帰属意識が薄れてしまう。シフトが決められている仕事に就いているなら、育児を配偶者や祖父母に頼らねばならない。出張や残業が多すぎると、家族と一緒に観る予定にしていたバイオリン・リサイタルや子どものリトルリーグの試合観戦を逃がすことも頻繁で、仕事を失わないようにひたすら働いているキャラクターはストレスをため込んでいくだろう。キャラクターは家族との時間を優先できない罪悪感に悩む一方で、家事や子育てを一手に引き受けてこなしているパートナーは、自分は感謝されていないのではないか、見捨てられているのではないかと感じている。夫婦が互いに満たすことのできない要求を突き付け合っているうちに、フラストレーションはどんどんと高まっていく。夫婦共々職場や家庭の仕事で疲れきってしまい、自分たちの結婚生活を育むことができなくなると、そもそもなぜ2人が人生を共に歩もうとしたのかを忘れてしまう。

金銭の問題は、どんな人間関係においても共通して常に摩擦を引き起こす火種になる。ときにはそれが自分に有利に働くこともあるのだが。たとえば、妻は働いているが大した収入にはならないからと、彼女のキャリアを応援しない夫がいるとしよう。夫がそんな態度でいるから、妻は自分自身を疑い、自分は価値のない人間なのではないかと考え、やがて、自分を惨めな気持ちにさせる夫を腹立たしく思うようになる。あるいは逆に、妻のほうが収入も栄誉も多く手にしている夫婦なら、夫のエゴは傷つき、おそらくは嫉妬から妻の仕事を応援しようとしない。

夫婦どちらかのキャリアが優先される、現実的なシナリオをもうひとつ挙げてみよう。夫スティーブはパーソナルトレーナーで、これから自分のジムを開くつもりでいる。妻アリシアはストリートパフォーマーで、昼間は身体障害者の息子と一緒に家にいられるよう、夜に働いている。2人の生活は順調に回っていたのだが、ある日、アリシアのパフォーマンスの動画がネット上で拡散され、再生回数が爆発的に増えるという事件が起こる。パフォーマンスの依頼が殺到して電話は鳴りっぱなし、アリシアと契約を結びたいというエージェントたちが何人も自宅に押し寄せてきた。

しかし、エージェントと契約を結ぶとなると、アリシアは今まで以上に働かなければならないし、誰かに息子と一緒に家にいてもらわなくてはならない。そこで彼女は夫を座らせ、「これは一生に一度のチャンスだから、自分がどこまでやれるのか試したい」と率直に自分の気持ちをぶつける。つまり、スティーブに息子の面倒を見てほしいから仕事を辞めてほしいと言っている。

おそらくスティーブは仕事を辞めたくない。自分のジムを開くという目標を達成するまで、あともうひと踏ん張りというところまで来ているのだから。これは妻にとって一世一代のチャンスなのだと認められれば、しぶしぶでも「いいよ」と言えるかもしれない。しかし、そうなったら彼のやりがいはどうなるのだろうか。それに、アリシアは彼女の夢のほうが大切だとはっきりは言わなかったが、言外にはそういう意味が込められている。今後2人の関係はどのように変わっていくのだろうか。

家庭をとるか、仕事をとるかの葛藤は、もつれ合って、なかなか抜けられない非常に困難な状況を引き起こす。そうした状況では、キャラクターが自分の欲求やアイデンティティ、他人への義務に関して厳しい選択を迫られる一方で、自分は一体どうしたいのか、胸にしっかりと手を当てて考えるすばらしい機会にもなる。選択肢はキャラクターにとって常に重要で、キャラクターがどれを選ぶかで次に何が起こるのかが決まる。夫婦が仕事より家庭を優先すべきだという結論にいたり、今まで仕事に注いできたエネルギーを家庭に向けられるのであれば、夫婦としての目標を立て直すことを選択しているので、それが充足感につながるかもしれない。しかしキャラクターが、自分にとって大切なものを犠牲にしろと愛する人に強要されていると感じるなら、怒りや不幸感が膨らみ、人生の不公平さを疲れきった目で見るかもしれない。

読者は、仕事と家庭、夫婦関係のバランスをとるのがいかに難しいかを理解している。読者にも身に覚えがあるような葛藤のシナリオを盛り込めば、臨場感あふれる場面を作れるし、読者をしっかりとキャラクターの味方につけることができるのである。

● 道徳的葛藤

キャラクターは、どのように育てられ、誰の影響を受け、何を教わったかなど、過去の経験をいろいろと取り混ぜて作られる。これらすべてをないまぜにすると、キャラクターは独自の世界観を持つようになる。つまり、社会やそこで暮らす人々に対して、また、世の中の動きに対してある態度をとるようになる。この世界観の中には強力な何かが組み込まれていて、キャラクターの日常の振る舞いや行動に影響を与えている。それは、道徳的信念とも言うべきもので、キャラクターはそれを基準に善悪の判断を下す。道徳的信念は強い感情を伴ってキャラクターのアイデンティティの一部となり、キャラクターは信念を貫くためなら、すべてを危険にさらしてもかまわないとまで思い詰めることもある。しかし、現実世界がそうであるように、物事は常に白黒はっきりしているわけではなく、善悪を定義するのは必ずしも容易ではない。

●譲れない一線は三者三様

職場では、様々なバックグラウンドや文化、経験を持つ人々がそれぞれに独自の世界観、道徳規範、目標を持って一緒に働いている。誰もが同じ価値観や善悪の境界線を持っているわけではないのだ。結果的に、仕事に支障をきたしたり、モラルの危機を招いたりするような行動をとることもある。

たとえば、ゲイリーという名のキャラクターがいて、骨董店で働いているとしよう。ある日、彼は店主が客にある骨董品の歴史や状態について嘘をついているのを耳にする。後で店主にこのことを持ち出すが、店主は、「あの客は骨董に詳しくないし、物の違いがわからないからいいんだ」と言って相手にしない。

客を騙すような人のために働くのはゲイリーの倫理観に反するので、彼は悶々とする。しかも彼に仕事を手放せない事情があるなら、たとえば、妻が心臓手術を受けたばかりで、請求書が山積みになっていてお金がどうしても必要だったりすると、道徳的葛藤は簡単には解決しないだろう。ゲイリーが店主に忠誠心を持っている場合も難しい。たとえば、刑務所から出所したばかりで他では仕事を見つけられなかったゲイリーを店主が雇ってくれた過去がある場合、道徳的葛藤を引きずってしまう。

他人を巻き込んだ道徳的葛藤は厄介になりがちで、何もしないで問題を避けたい誘惑に駆られることもある。「何も選ばないこともまた選択肢である」という古い格言があるが、道徳は個人のアイデンティティと結び付いているから、何もしないのは、大体、黙認するのと同じことなのだ。しかし、ストーリーを進めるには何かを選択しなければならないし、どちらに転んでも結果はついてくる。もしキャラクターが自分の強い信念や倫理に逆らい行動するなら、自尊心や評判を失う結果になるかもしれない。もしキャラクターが一歩も引かず、自分が正しいと信じる道を守ったとしても、自由や影響力、権力、あるいは仕事などの大切な何かを失う結果になるかもしれない。

ゲイリーの場合、店主の不誠実さを見て見ぬふりをする道を選択するかもしれない。だが時が経つにつれ、鏡に映る自分を見るのがつらくなるだろう。心の奥底では、客に嘘をついているのは自分ではないが、店主が客を騙すのを許容した自分も共犯者なのだとわかっているからだ。

道徳的葛藤が何であれ、キャラクターの行動や選択は、その人となりについて多くを語り、読者にキャラクターの深い（または浅い）側面を伝える。さらに、こうした内面のせめぎ合いは、キャラクターの成長を示す効果を発揮するだろう。アルコール依存症の人が、次のグラスを勧められても「ノー」と言わなければ、大きな変化をもたらすことができないのと同様に、キャラクターもまた、仕事面では前進できても私生活を破滅させるような誘惑を拒絶しなければならない。いったん葛藤が激しくなると、心の奥底にあるモラルや価値観が引き金となって、もはやキャラクターは自分の問題を先送りできなくなり、苦悩せざるを得なくなるだろうが、それは意味のある変化をもたらすのである。

●「今回だけだから」の危険な誘惑

他のタイプの葛藤と同様に、道徳心が試されるいろいろな間違いを起こしてしまう。ただ道徳心の場合、「少しくらい、いいじゃないか」の気のゆるみが危険になる。そこから道徳心がゆっくりと蝕まれていくからだ。たとえば、ある日、キャラクターが会社の金で自分の昼食代を払ってしまう。時間外勤務もざらなのだから、今日くらいいいじゃないかと正当化する。ところがそれは一度ならず、二度三度と繰り返され、常習化していく。一線を越えて過ちを繰り返すパターンからいつ抜け出せるのか。遂に自宅の電気代の支払いにまで会社の金を使い込んだことがばれたとき、目を覚ますのだろうか。

小さな葛藤を描くシナリオでは、キャラクターが「これくらいいいだろう」とルールを曲げると、あっという間にもっと重大な過ちに発展することもある。たとえば、1時間くらい大したことはないからと勝手に早退を決めた同僚に代わって、仕事をカバーすると同意したキャラクターがいるとする。ところが、同僚が退社して間もなく、同僚の元恋人が行方不明になり、数日後に彼の遺体が発見されたとしたらどうだろうか。キャラクターの人生は一転し、殺人事件の捜査で重要な鍵を握る人物になり、殺人者に協力してしまったかもしれないという思いに苦しまねばならない。

●義務と道徳が衝突するとき

ときには、義務と道徳的信念が衝突し、キャラクターの忠誠心が試されることがある。たとえば、独裁者から、他の者たちへの教訓として罪のない村人を殺すように命じられた兵士がいたとする。兵士は命令に従うのか、それとも背くのか。独裁者から脅されたとしたら、兵士は殺害を実行するのだろうか。

キャラクターが矛盾する欲求や願望、信念、目標を持っている場合にも、問題は持ち上がる。映画『スリーパーズ』は、ニューヨークのヘルズキッチン地区出身の4人の親友が、少年時代に彼らを虐待した人物への復讐に乗り出す話だ。4人のうち2人が虐待者を殺害し、(合法的に) 逮捕されると、あとの2人は、逮捕された仲間のアリバイを工作しようと、神父に偽りの証言をしてほしいと頼み込む。4人は少年時代に教会で侍者をやっていたので、神父は彼らのことをよく知っている――幼い頃は純真だった彼らもまた恐ろしい犯罪の犠牲者だったのだ。そんな彼らが、仲間を救うために、神父に真実を話すと宣誓した上で偽りの証言をしてほしいと懇願する。どちらに転んでも、失われるものは大きい。

● 個人的葛藤

個人的な選択が仕事のパフォーマンスに響きはじめると、仕事の安定は脅かされ、仕事以外にも波乱が生じかねない。人生にストレスを感じ、苦しみから逃れるために飲酒に走っているキャラクターがいるとしよう。キャラクターは、飲酒量をコントロールできる日もあれば、できない日もあって、仕事の生産性や質に悪い影響が出てきている。このままでは会社に解雇され、身元証明もしてもらえないので、次の職探しも難しくなる。キャラクターが働いている業界でコネを持っている友人たちは、信頼できなくなったキャラクターのために自分の評判を落としたくないから、仕事を紹介できない。キャラクターと同業者との間に摩擦は生じるし、なかなか就職先が見つからないので焦りも出てくる……泣きっ面に蜂のキャラクターにはさらに不幸が襲いかかる。

●個人的な犠牲

仕事の中には要求の厳しいものがある。その仕事で成功するには、普通なら他のことに専念するはずの時間とエネルギーを犠牲にしなければならない。はじめのうちは犠牲を払っても平気だと思えるが、ゆくゆくはピンチに陥る。ここで、リディアという名のキャラクターを例にとってみよう。彼女は舞踏芸術に身を捧げてきたプロのダンサーで、最高の踊りを見せるため、プライベートでの目標や人間関係を犠牲にしてきた。称賛と成功を手にしたはいいが、次々と若いダンサーが現れ、かつてのように役を勝ち取るのが難しくなってきている。

そしてある日突然、ダンスカンパニーから契約を更新しないと告げられてしまう。ダンサーとしてのキャリアは予告もなしに終わりを迎え、リディアは打ちのめされる。

ダンスカンパニーを退団させられたショックの余波は、リディアの人生全体に広がり、これまでは満たされていた様々な欲求が脅かされるようになる。たとえば、これまでダンスカンパニー以外のところで有意義な人間関係を築く努力をしてこなかったリディアは、なかなか人とのつながりを感じられない（帰属意識・愛の欲求）。ダンスカンパニーに使い古されてしまった自分にはもう価値がないと思っているリディアは、他のダンサーたちに憐れまれるのが嫌で彼らを寄せつけない（承認・尊重の欲求）。いちばんつらいのは、自分のアイデンティティが奪われてしまったように感じることだ。リディアはダンサーだった。ダンサーになることが彼女の夢だった。ダンサーでない自分はもはや何者なのかわからない（自己実現の欲求）。

リディアの将来は暗い。今後どうやって自分を支えていけばよいのか。彼女が受けた教育はすべてダンスが中心だったから、インストラクターやダンススタジオのオーナーになるか、あるいは振付師になるかして第2のキャリアに進まないと、大変なことになる。別の分野でのスキルを習得するため、学校に戻る選択肢もあるが、学生の間は無収入だ。貯金が底をつけば、家賃や食費などの生活費を払えなくなる（生理的欲求）。

献身的な努力と個人的な犠牲を必要としたキャリアが終わると、人は被害者意識を持ってしまうのが普通だ。リディアのように、自分を消耗品のように扱った業界に対し悪意を抱き、不当な扱いを受けた自分を無視している社会に憤慨するだけでなく、もっと支えてくれると期待していた家族や友人に裏切られて怒りを感じることすらあるだろう。どんな仕事だろうと、仕事を奪われると、そう簡単には新しい現実を受け入れて前進できない。次から次へと苦い感情が押し寄せてきて、それを処理しなければならないからだ。

このシナリオの強みは、大切な何かを突然失ったときの苦悩や幻滅を、誰もが知っている点だ。キャラクターの苦境をうまく描けば、読者に自分のつらい時期を思い出させ、キャラクターに共感させることができるのだ。

●マズローのピラミッドを用いて葛藤を複雑化させ、キャラクターに不快な思いをさせる

ここまでで、キャラクターの職業選択を左右する満たされない欲求を特定するための、マズローのピラミッドの使い方を説明した。だが、誰もが知っているように、人生は予測がつかないもので、今までは満足感が得られていた仕事でも、様々な事情が重なると、つまらなくなったり、フラストレーションがたまったり、ただただ危険なものになったりする。仕事上の葛藤はキャラクターの欲求を徐々に蝕み、相容れなくなった仕事と欲求は心を消耗させる。そして、職場で事件が起きてしまう。

ここで、ヒップホップ・アーティストの付き人をやっているダーラの例を見てみよう。アーティストがツアーに出るときは、移動や宿泊先の手配など、旅の日程を管理し、インタビューやテレビなどへの出演スケジュールも管理する。アーティストの希望どおりにすべてが用意されているかどうかの確認も怠らないし、必要に応じて雑用もこなす。ダーラは、セレブたちに近づけて、付き人として味わえる華やかなライフスタイルがとても気に入っている。仕事は忙しく、十分な睡眠がとれない日が続くけれど、充実していて、給料も

高いし、これ以外の仕事は考えられないと思っている。

ある夜、コンサートを終えたアーティストを宿泊先のホテルに連れていき、フロントデスクで郵便物を受け取った。ほとんどはファンからのカードや手紙だ。ダーラが付き人をやっているアーティストは去年ストーカーにつきまとわれていたので（幸いなことに、最終的にストーカーは捕まって刑務所に収監された）、不穏な郵便物が届いていないかきちんと確認してから、アーティストに渡すことにしている。

アーティストが打ち上げパーティーのために着替えている間、ダーラは隣の続き部屋で郵便物の山から赤い封筒を取り出した。開封すると、中のカードから白い粉がこぼれ出し、手が真っ白になった。ダーラは思わず息をのんで、カードから手を放したが、既にその白い粉を吸い込んでいた。

そのとき、隣の部屋に通じるドアのノブがガチャガチャと鳴った。ダーラはドアを体で抑えると、その向こうにいるアーティストに警察を呼んで、すぐにこのホテルから離れるようにと叫んだ。救急隊が来るのを待つ間、ペンを使って床に落としたカードを開き、中に入っていた写真を引き出した。それはアーティストの肩越しに撮られ、あのストーカーの名刺にアーティストがサインをしている姿が写っている。ダーナの体はわなわなと震えて感覚を失い、椅子に倒れ込んだ。「あいつはどうやって刑務所から出てきたのだろう」「なぜ警備員は彼に気づかなかったのだろう」と疑問が次々と頭をよぎる。あれだけの期間服役していたのだから、ストーカーの精神状態はさらに不安定になっているかもしれない。刑務所暮らしをさせられたのはアーティストのせいだと考えているとしたら、彼はどんな復讐を企てるつもりだろうか。

ダーラは粉で真っ白になった手をじっと見つめる。炭疽菌だろうか。それともエボラウイルスだろうか。彼女はバスルームに駆け込み、手が赤くなるまでごしごしと洗った。胸は締め付けられて息切れがし、救急隊が到着したときには汗でびっしょりになっていた。

ダーラは数日間隔離され、特殊スーツを着た医師団に囲まれていたが、特に異常はないと太鼓判を押された。いろいろと検査した結果、あの白い粉はただのコーンスターチだったことが判明し、ダーラの初期症状もショックに誘発されたパニック発作だったと診断された。

荷物を取りにホテルに戻ると、事情を知った業界関係者からの見舞いの花束やカードでいっぱいだった。アーティストは、自分のファンのひとりがこんなことをしでかしたことを恥じ入り、涙ながらに謝罪し、「ダーラ、あなたは本当にタフな人だわ。しばらく体を休めてね。3日で十分かしら」と尋ねる。ダーラは微笑んで社交辞令的な言葉を返すが、心の底ではもうこの仕事は辞めようと思っている。ホテルの前では報道陣が待ち構えていて、ダーラはカメラのフラッシュはもちろんのこと、怒鳴り声で「あれは全部PRのための演出だったのでは？」と質問を浴びせられた。見知らぬ人たちに囲まれ、もみくちゃにされながら、ダーラは心の中で既に辞表をしたためていた。

人間の基本的欲求は強力だ。何もかもが揃っていて、自分の仕事を愛し、まったく満ち足りた気持ちでいても、その安定を脅かすような重大な何かが起きると、すべてが傾いてしまう。ダーラの場合、安全・安心が揺らいだことにより、いかに人生が脆いものかを思い知らされた。スポットライトを浴びている有名人たちのそばで働くことは危険も伴う。ダーラは、もうそういう危険を冒してまで自己実現の欲求を満たすつもりはない。

ストーリーテリングにおいては、キャラクターが相反する欲求を抱えていると、大きな問題が生まれる。キャラクターが警察官なら、警察というコミュニティを愛し、強い帰属意識を持っていても、職務中に銃撃されたのをきっかけに、安全・安心の欲求が強くなって引退を決意することもあるだろう。女性の機械工学者なら、充実したキャリア生活を送っていたのに、要求が厳しい上司に軽くあしらわれて自尊心が傷つけられ、夢だった仕事を辞め、他の職場に移ることも考えられる。キャラクターの人間としての基本的欲求が仕事とぶつかると、今までは思いもしなかった選択を迫られる。そして、そのぶつかり方は無限にあるのだ。

●夢の仕事の場合はどうか？

キャラクターは、「この仕事に就けばやりがいを感じるに違いない」と信じ、それを目指すこともある。しかし、それは思いが先走っているだけで、現実が期待どおりになることはまずない。せっかく夢の仕事に就いても、自分は過ちを犯したのだろうかと、途中で挫折してしまう可能性もある。

キャラクターが夢の仕事を手にするまでに多くの投資をしてきたのなら、途中でキャリアを手放すのは怖いはずだ。自分の仕事に秀で、収入も割とよくて、周りの人々から尊敬されてもいるなら、仕事を手放すのは愚かな選択にも思えるだろう。仕事を辞めてしまうと、この先どうなるのかはわからない。それでも、このまま今の仕事を続ければ過労状態になって、やりがいも感じなくなるのでは、とキャラクターの内面に動揺が生まれる。

キャラクターは、現状維持を選んでも、リスクをとっても、将来はどうなるかわからないのだからと決断できずにいる。今の仕事にとどまれば、一念発起して前進する勇気がなかったと後悔することになるかもしれない。仕事を辞めても、学校に戻って勉強するなら学費がかかるし、新たなスキルを身につけているうちに、時間はどんどん流れていってしまうし……と心配事は尽きない。もし失敗したらどうしようか、あるいは、辞めたことを後悔して、前の仕事に戻りたいと思ったらどうしようか、とキャラクターは悩む。

仕事を選ぶときは、それが初めての仕事だろうと、人生の転機だろうと、なんとかなると自分を信じるしかない。ただし、周囲の人や状況に嫌な思いをさせられてきたキャラクターなら、自分に自信を持つのは難しいかもしれない。それに、ネガティブな経験をするたびに、意思決定のリスクは重みを増していく。人間味あふれるキャラクターを描くには、昔からの決まり文句ではあるが、「これが本当に自分のやりたいことなのか」と思い悩むキャラクターの姿を見せるのがよい。同じような経験を持つ読者を引きつけられるからだ。

● キャラクターの手には負えないシナリオ

多くの職業に共通して起こり得る一般的な葛藤にはどんなものがあるだろうか。そこで、次の要素を考慮してみよう。

●テクノロジーの変遷

残念ながら、イノベーションや技術進歩によって、一部の分野では徐々に雇用が減っていく。テクノロジーによってプロセスが合理化され、ロボットが人間に取って代わると、自分の持っているスキルが時代遅れになるのではないかと懸念する人は多い。

●企業合併

競争の激しい市場にある企業は、より強く成長しなければ、より大きな、積極的に攻めるライバル企業によって廃業に追い込まれるリスクを抱えることになる。企業は合併によって競争力を高めることはできるが、まずは重複している部門や製品を特定し、収益性の高いスリムな組織を再構築するなかで人員整理を行なうのが一般的だ。

●景気低迷

景気が低迷すると、多くの産業に影響が出る。打撃を受けた産業の企業は、不況時を乗り切るだけの余力を必ずしも備えているわけではない。景気後退やパンデミック、戦争、自然災害、政治的変動などが起きると、世界経済や地域経済は不安定化し、企業経営者はコスト削減を余儀なくされる。収益につながらないサービスや製品はカットされ、新規の研究開発は縮小され、コストが最もかかっているプロジェクトやリスク領域はどれなのか検討がはじまる。そうした企業の動きのどれもが大量解雇につながる可能性がある。大勢の労働者が一度に解雇されると、労働市場に人がどっと流れ、雇用する企業も少ないため、別の就職先を見つけるのは容易ではない。

不況が一業界だけに起きている場合は、その業界の人だけがあおりを受けるように思えるかもしれないが、必ずしもそうではない。レイオフが行なわれ、勤務時間が短縮され、有給休暇を強制的に取らされるようになると、人は出費を抑える傾向にある。そうすると、他の業界でも顧客が減り、商売や事業に影響が出て、来る不況に備えて緊縮モードにならざるを得ない。結果的にさらに多くの産業を巻き込んで、広範囲で経済危機が起きる可能性がある。

●企業トップの交代

企業のトップが交代するたびに、従業員たちは固唾をのんで状況を注視する。それはなぜか。自分の職場が現状のまま存続するのか、何かしらの動きがあるのか、誰にもわからないからだ。新しいトップは短期的には現状維持でいくかもしれないが、ゆくゆくは大きな変革を起こす可能性が高い。特定のサービスや製品を削減し、会社の方向性を変え、製品やサービスの提供範囲を狭め、あるいは広げ、企業文化を一新させることもある。最終的には、新組織にそぐわなくなった従業員は解雇される。

●PR（広報）の問題

ときには、企業が世間からひんしゅくを買うこともある。製品テストを十分に行なわなかったためにリコールが発生したり、計画不十分なマーケティングキャンペーンを実施して、地域社会から反発が起きたりする。企業は十分な調査を行なわなかったのかもしれない。あるいは、下請けのベンダーで非倫理的な行為が発覚した場合は、契約を結んでいる企業も同罪になるかもしれない。理由が何であれ、企業の評判が損なわれると、経済的損失を伴うのが一般的だ。

社会の信頼を取り戻すには、企業は問題を是正しなければならない。そういうとき、企業は誰かに責任を負わせるのが普通だ。キャラクターがこの一件に関わっていたなら、解雇または降格させられる可能性がある。たとえキャラクターに責任がなかったとしても、企業は誰かに責任をとらせる必要があり、キャラクターが会社にとって都合の良いスケープゴートになることも考えられる。

●社会の変化

ストーリーが現実世界を舞台にしているのであれば（あるいはそれに近いものであれば）、世論が経済に影響を与える。情報が容易にいつでも入手できる今、世論が突然産業界を揺るがし、企業は適応か倒産かの選択を迫られることもある。気候変動に対する意識の高まりを見ただけでもわかるように、消費者は再利用可能なものへ関心の目を向けている。インフルエンサーや政治家がストローの使用をやめるように呼びかければ、プラスチック製のストローを製造している会社の株が一夜にして暴落することも考えられる。企業は一刻も早く製品ラインを変えなければ、倒産するだろう。

● 在宅勤務の葛藤

今は在宅勤務（テレワーク）がかなり浸透してきている。そうなると、仕事と私生活という2つの世界の間で壮絶な衝突が起こるのも想像に難くない。生産性が上がらない、重要な仕事なのに集中できない、上司にプロ意識に欠けていると思われるなど、ありとあらゆる葛藤のシナリオが考えられる。

そこで、ストーリーに在宅勤務の葛藤を加えたいときのアイデアをいくつか紹介しよう。

●邪魔が入る／気がそがれる

大事なときに邪魔が入ることほど迷惑なことはない。小包が届いて署名をくださいと言われる、子どもが他の兄弟の悪さを言いつけに来る、インターネットにつながらない、配偶者にバスルームの壁の色を相談される、故障した乾燥機を修理しにきた修理工が状況報告に来るなど、アイデアには事欠かないはずだ。

集中力が続かないキャラクターなら、まるで実在しているかのような人物になるだろう。面白くもない作業を目の前にすると、つい先延ばしにしたくなるもの。友人たちからのメッセージが届いたときや、ソーシャルメディアに投稿があったときの通知音に、空腹と、いろんなことで仕事の手を止めてしまう。おまけに、騒々しいアパートの住人の誰かが火災報知器を発動させてしまい、サイレン音までもが鳴り響く。仕事が一向にはかどらないキャラクターのストレスやいら立ちは高まるばかり。結局、時間がなくなり、慌ててやってしまった作業にはミスも多くなってしまうものなのだ。

●スケジュールの葛藤

普通、ひとり暮らしをしていない限り、誰かと空間を共有している。家に子どもがいたり、客がいたり、配偶者のクライアントが絶え間なく出入りしていたりすると、なかなか自分の仕事に集中できない。その上、子どもを託児所に預けられなかったり、パソコンや仕事場を家族と共有しなければならないとしたら……（ティーンエイジャーの子どもが調べ物があるからとパソコンを使いたいと言ってきたり、配偶者がオンライン会議に出席していて書斎を使っていたりするなど）。

時差のある遠く離れた地域や外国のチームメンバーと一緒に働いている場合も、スケジュールは問題になる。静かな環境が整わない時間帯に電話会議やビデオ会議を行なわなければならないこともあるだろう。子どもの友達が遊びに来ているときや、家族団らんの時間に仕事の電話をかけなければならない場合だと、プロ意識に欠けていると思われ、上司たちから不評を買う危険もある。

●知られたくないことを知られる危険

私生活と仕事を切り離すことに心を砕いている人もいる。それなのに、病気や怪我、あるいは会社方針で突然在宅勤務を余儀なくされ、仕事関係者には伏せておきたかったことがばれてしまう。たとえば、物をため込む人だと、ゴミ屋敷のような住まいを隠し通すのは難しいだろうし、狭い場所に他人と同居している人だと、プライバシーの問題が浮上する。もしも泥酔したパートナーが悪態をついているのが会社の人に聞こえでもしたら、年老いて認知症を患っている親が半裸姿でビデオ会議中に仕事場に入ってきたとしたら……と心配の種は尽きない。

●ささいなハプニング

今は在宅ビジネス（ヘアサロン、マッサージ、霊術療法、犬のグルーミングなど）をしている人が増えている。キャラクターもその1人なら、クライアントが来たときのために自宅をきれいに片づけておかねばならない。しかし、いくら準備万端にしていても、突発的に事故は起きるもの。飼い犬が洗濯物入れから下着を引っ張り出してくる、食器洗浄機が大きな音を立てて突然故障するなど、書き手は想像力を働かせ、クライアントの手前、キャラクターが恥ずかしい思いをする場面を創り出してみよう。クライアントの到着と同時に、突然鼻血が流れ出せば、殺人現場に足を踏み入れたのではないかとクライアントをぎょっとさせるかもしれない。

葛藤の大小にかかわらず、それをストーリーの中で最大限に活かすには、場面の目的を知っておくことが大事だ。葛藤を描くときは、単にキャラクターを批判するだけでなく、それ以上の効果を持たせよう。様々な障壁や人間関係の対立は、キャラクターに何かを気づかせるきっかけになり得る。キャラクターが見過ごしているものがあったり、人生の優先順位を見失っていたりする場合、キャラクターに物事の本質を見つめさせるには、葛藤させるのがいちばんだ。キャラクターが何かに固執していて、頭がいっぱいになっているときに大切な何かを気づかせるのも、キャラクターの仕事の状況を考え直す必要があることを明らかにさせるのも、葛藤なのである。

職業はストーリーの構造やキャラクター・アークを支えられる

文字数制限や目の肥えた読者を気にしつつ、しかも読者が読書から気がそがれないようにするには、ディテールの一つひとつに意味を持たせて書き込む必要がある。ここでもまたストーリーテリングに効果を生むのはキャラクターの職業だ。キャラクターが特定の職業を選んだ理由は、キャラクターの性格や信念、関心事など、重要な事実を明らかにするだけでなく、ストーリーの構造を様々な点で強化し、幾重にも重なるキャラクター・アークを明かすこともできるのだ。

ストーリーの出だしがその最たる例だ。書き手は、出だしをしっかりと押さえなければならないという大きなプレッシャーにさらされている。まず読者に主人公を紹介し、主人公にとって最も重要なものは何なのかを伝え、主人公の現状や欲求を反映した形で、その平凡な日常を見せる。そして、これからどんな事件が起こるのかをほのめかす必要がある。もちろん、読んで面白い内容にするのは当たり前！　難しい注文だが、どんな書き手であってもこれを避けては通れない。

そこで、ストーリーの基礎部を設定する目的で、職業選択を利用する主な方法をいくつか紹介しよう。

● 舞台設定に職業を活用

ストーリーの出だしで弁護士の主人公が紹介される場面を例にとってみよう。弁護士といっても、予約を取らないと入れない大手弁護士事務所に勤めてはいない。主人公の事務所には高級な革の家具もなければ、洗練されたデスクに座って仕事をしている秘書もいない。彼の事務所は、ネイルサロンの奥の一角にある狭い物置部屋だ。高価な絵も絨毯もそこにはない。あるのは、埃っぽい温水器と、古くてあちこちにへこみのあるファイリングキャビネット、それに古いぼろ机。これだけで部屋はいっぱいだ。机の上に置かれている電話は鳴ればすぐ手の届く位置にあり、主人公は指先で机をとんとんと叩きながら、電話が鳴るのを待っている。

この場面を見て、何を推測できるだろうか。弁護士なのだから、主人公は知的で働き者だろうし、違法すれすれの線をいく狡猾さもあるだろう。もし彼がチェスをやる人なら、駒の動きを読むのが非常にうまく、勝つゲームができる人だ。弁護士事務所に在籍していないということは、駆け出しか、一匹狼か、あるいは辣腕弁護士ではないのだろう。

しかし、ここで疑問が湧いてくる。他にも弁護士として働ける場所は多々あるのに、なぜここを選んだのだろうか。普通、弁護士を必要とする人々は、いかにも成功者風情な法律のプロを信頼するので、弁護士はそう見えるように努力する。印象がすべてなのだから、ロー・スクールを卒業したばかりの人でも自分の事務所を構えると決めたなら、払える範囲内の家賃で、立地のよい場所になるべく立派な物件を借りるだろう。ところが、この弁護士はそんなことなど気に留めないらしい。それがさらに疑問を抱かせる。なぜ彼は気にしないのだろうか。ネイルサロンの奥に隠れた事務所では、クライアントが訪ねてきても簡単には見つけられないだろう。そもそも薄汚れた物置部屋に事務所を構える弁護士をどんなクライアントが雇うのだろうか。

アメリカのドラマシリーズ『ベター・コール・ソウル』のファンなら、これが、ニューメキシコ州アルバカーキで弁護士業を営むソウル・グッドマンだとわかるだろう。彼は、弁護士としては疑わしい倫理観を持ち、法曹界を目指した動機も複雑だ。このキャラクターがソウル・グッドマンだと気づかなかったとしても、この設定が視聴者に与えるものを考えてみよう。まずは、主人公を紹介し、特徴的なディテールを描き、キャラクターの日常的な世界を見せるが、何かが少し普通とは違う。視聴者に次々と疑問を抱かせ、ストーリーに引き込んでいく。これらのディテールはすべて、弁護士ソウル・グッドマンのレンズを通して描かれ、力強い出だしを創り出すのに必要な要素なのである。

仕事はキャラクターの人生の大部分を占めることが多いため、キャラクターの日常世界を読者に見せながら、何かがおかしいと感じさせることが可能だ。職場でのキャラクターの行動に読者は疑問を感じ、ここから何かストーリーが始まるのだなと思わせる。たとえば、読者に次のような疑問を抱かせることができる。

- キャラクターは職場のルールや制約にいら立っているが、仕事に情熱を燃やしているのだろうか。

- キャラクターは過労に苦しんでいるのだろうか。職場で過小評価されていると感じているのだろうか。自分の貢献を認めてもらいたいと思っているのだろうか。

- キャラクターが今の地位から抜け出せないのは偏見の目で見られているからだろうか。もしそうなら、その偏見を打ち破るのだろうか。

- キャラクターは言われたことを大人しくやるタイプなのだろうか。自分はリーダー格というより、脇役だと思っているのだろうか。

キャラクターの人生が変わる前に（できれば好転するのを願うが）、キャラクターが好きではない仕事や合わない仕事から抜け出せずにいる様子など、仕事を通して不幸な姿を読者に見せておくのは有効な手段だ。しかし、このテクニックを最大限に活かすには、キャラクターがなぜその職を選んだのか、その手がかりをストーリーの中に織り込む必要がある。

- キャラクターは支配的な親によってこの道を強制的に歩まされたのではないか。

- この仕事からは何の満足感も得られないにもかかわらず、キャラクターが辞めないのは、何か責任を持たされているからなのではないか。

- これはキャラクターにとって「安全な」選択であって、リスクを冒してより良いものを求めるよりも、むしろ安住したいのではないか。

- キャラクターは他の職には一切向いていないので、これしか仕事がなかったのではないか。

職業は、好むと好まざるとにかかわらず、私たちのアイデンティティの一部になる。私たちは普通自分の仕事を選択する。狭い選択肢しかなく、自分の意思に関係なく仕事が決められているとしてもだ。稀に、思いがけず仕事にありつくことはあるが、その場合もやはりその職に就くという選択をしている。人生においても、ストーリーにおいても、重要なのは常になぜその仕事に就いているのかという理由なのだ。読者は、「なぜなのだろう」という疑問や好奇心に導かれてしまうものなのだ。キャラクターが秘密やつらい過去を抱えている、あるいは、キャラクターがもっと複雑で多面性のある人物だとほのめかされているときは特にそうだ。したがって、書き手はストーリーを進めながら、読者の疑問には必ず応えていく必要がある。

ところで、すべてのキャラクターがストーリーの出だしから惨めな状況に陥るわけではない。逆に、人生バラ色の状態から始まることもある。そういう場合でも、キャラクターの職業を利用して、次に何が起こるのだろうと読者に期待を抱かせることは可能だ。ストーリーの出だしに、仕事を愛し、成功しているキャラクターが登場しても、読者は次に何が起きるのだろうとわくわくしながらページをめくる。それはなぜか。読者は、このキャラクターの人生がこのままの状態で続くはずがないと知っているからだ。読者はこれまでの読書体験から、キャラクターの幸せはいつまでも続かないと感じとる。キャラクターがこれから頭を悩ませるような何かが起き、今の完璧な状況が崩れていくのだとわかっているのだ。

● 仕事はどのようにしてキャラクターを変化させるのか

キャラクターの人生において仕事は重要なため、書き手は仕事を変化を起こす道具として活用できる。ストーリーが始まった頃の主人公は、終わるときには別人のようになっているはずだ。キャラクター・アークでストーリーを描く場合は特に、主役のキャラクター（おそらく他のキャラクターも）は内面の変化を遂げるのだが、その間に自分の内なる力を発揮して失われた自信を取り戻し、恐怖心を手放すことを学んで過去の傷を癒す。だがこの境地に到達するには、自分の人生には何かが欠けているという事実に気づかなければならない。それに気づくとき、キャラクターは不幸になり、空虚で満たされない気持ちになるのである。

欲求が満たされていないというのは少し漠然とした感覚なのかもしれない。キャラクターは何かを切望しているが、それが何であるかはわからない。したがって、その原因を探らなければならなくなる。仕事はキャラクターの人生の大部分を占めているため、このような気づきをもたらす機会には事欠かない。仕事に不満を持っているキャラクターなら、早い段階で点と点を結び付けて全体像が見えるようになるかもしれないが、気づきがあるかないかは、不満の根本的な理由次第だ。

たとえば、家族経営の牧場で働いているアダムというキャラクターを見てみよう。アダムは年老いてきた父親の後を継ぐため見習いをしている。アダムは牧牛の世界しか知らない。毎日牛の世話をし、牧場を囲む柵を修理し、牛の群れを牧草地へ連れていっては考え事をしながら静かな時間を過ごし、また戻って来る。アダムは夕焼けと朝焼けの時刻に広大な野原を馬にまたがって散歩するのをこよなく愛しているが、自分の人生には何かが欠けていると気づいている。そこで、アダムの仕事を利用して、彼の不満の原因を突き止める方法はないか、考えてみよう。

アダムにとって牧場経営が夢ではなく義務だとしたら、どうだろうか。彼は牛を放牧して暮らしているが、本当は違う生活を頭に描いているのかもしれない。街の通りには店が並び、高層ビルの間を縫うように黄色いタクシーが流れているような、きらびやかで賑やかな世界を夢見ているのかもしれない。あるいは、大学に進学して牧場経営以外の可能性を試してみたいのかもしれない。ひょっとしたらアダムは建築に興味があって、様々な形や流線形を持つように美しく設計され、ガラスやスチールで造られた建築物に魅了されているのかもしれない。彼にとって建築物は芸術作品であり、それがどのように造られるのかを知りたいと思っている自分に気づきはじめている。

時が経つにつれ、牧場の仕事は単調でつまらなくなり、嫌な作業ばかりが目につくようになる。高校時代の友人はほとんどが進学して自分の人生を歩みはじめている。アダムは閉塞感と寂しさを感じ、新しい何かを経験したいという思いが芽生える。

この場合、アダムを変化の必要性に目覚めさせる要素は2つある。ひとつは、自分の仕事に対し不満が高まっている点、もうひとつは、チャンスの扉が閉ざされていくと感じている点だ。友人たちは前進しているのだから、自分もそうしなければならない、待っていてはだめだと思っている。この切羽詰まった思いは、アダムにとって何が重要なのか優先順位を考えさせるはずだ。建築家になるために勉強し、今とは違う未来を手にすることを選択するのなら、アダムはその意志を父親に伝えなければならない。

さて次は、アダムが建築家として都会で暮らすなど夢見ていない場合のシナリオを考えてみよう。実は、アダムは牧畜業のすべてを愛している。ところが、アダムの父親は自分のやり方に固執するタイプで、2人はぶつかってばかりいる。父親は細かいことにまで口を出し、息子を褒めるどころか、足りない点ばかりを指摘する。アダムがどれだけ積極的に、一生懸命に仕事に取り組もうと、「何をやっているんだ、お前は」と父親は文句しか言わない。

アダムは次第に不幸になっていく。ある日、大学に進学した友人たちが帰省し、アダムはパブで旧友と再会する。友人たちはそれぞれの大学生活について報告し合っている。アダムはそれを聞きながら、自分は牧畜業に向いていないのではないかと疑問を抱かずにはいられない。父親からは何をやっても批判されているので、独立して、父親と距離を置きたくてたまらない。旧友の中には、勉学に励んでいる人もいれば、新しい大学生活に圧倒され、もしかしたらアダムを羨んでいるように見える人もいる。帰宅途中の車の中で、アダムは自分の気持ちがわからなくなる。隣の芝は青く見えるだけで、自分が思っていたほどすばらしいものではないのかもしれない。

このようにキャラクターに矛盾した情報を与えることで、キャラクターの心に複雑な感情が生まれ、結果的にキャラクターは自分の内面を見つめ、自分が置かれた状況や何が嫌なのかを振り返るようになる。アダムは、嫌なのは牧場での生活ではなく、父親なのだと気づきはじめる。父親と率直に話し合えば、息子を厳しく批判するのは良かれと思ってのことで、牧場経営の厳しさを教えてくれているのだと気づけるかもしれない。そういう父親の視点を理解できればアダムは成長できる。反対に、親子の会話がうまくいかず、父親が支配欲を強める結果になるかもしれない。今回うまく話し合えなければ、いずれまた親子で話し合わなければならないときが来る。そのとき、アダムは自分の牧場を始めたいと告げるだろう。

このような決断は、両者にとってつらいものになる可能性がある。父親は独り立ちを決断した息子に失望して激怒するかもしれないし、そうなれば、息子の決断を理解できるようになるまでに時間がかかるだろう。一方のアダムは、父親の経営努力で利益が出るようになった牧場を引き継がず、リスクを冒してまで独立しようとしている。だがアダムに独立のために闘う準備ができているなら、それは彼が重要な何かに気づいたことを意味する。やりたいことを追求するのは容易なことではないし、リスクも伴う。父親との話し合いが決裂し、今後も親子の確執は続くかもしれないが、自分の意志を貫けば、さらに大きな自信につながるし、自分で何でもできるのだと思えるようになる。アダムが成長するには、自分なりの将来に向かって自分で人生の舵を取る必要があるのだ。

● 職業でキャラクターの内面を見せる他の方法

キャラクターが自分に合わない仕事を辞められずにいる状況だろうと、新しい何かに挑戦している途中だろうと、キャラクターが現在負っている責任や関わる人々を通して、気づきを経験させることは可能だ。

●失墜する同僚

キャラクターが目撃する事柄が、キャラクター自身の問題を映し出すこともある。職場で常に上司と争っている同僚を持つキャラクターがいるとしよう。キャラクターは目の前の2人の関係が悪化していくのを傍観している。遂に上司の堪忍袋の緒が切れ、同僚は解雇される。職場でのこの事の成り行きは、キャラクターを目覚めさせる。実は、彼女は家庭で夫と揉めている。2人は膨れ上がった借金をどう返済していけばよいのか見当もつかない状態で、喧嘩が絶えないのだが、このままでは2人の関係も危うくなるかもしれないと気づくのである。

●目標に向かう同僚

ポジティブな例も、ネガティブな例と同じように、キャラクターに気づきをもたらすことができる。いつも現状維持で満足していてはだめだと気づかせてくれる同僚などがそうだ。主人公が新聞記者で、自分にはどの記事が印刷されるのかを決める権限がない状況に辟易している同僚がいるとしよう。この同僚は、ある日、著作活動に専念したいからと辞表を提出する。

キャラクターもまた、職場での自分の役割に満たされない気持ちを抱いているかもしれないが、安定した給料が手に入るので辞めず今にいたっている。予測のつく生活をするほうが、結局のところ安全なのだ。そうはいっても、自分の向かいにある空いた机をじっと見つめているうちに、キャラクターの心は、実は書きたいと思っている小説に向かい、自分も好きなことをやるために今の安定した生活を棄てるべきなのだろうかとふと思うのだ。

●職場でのポジティブな経験

仕事で強烈な経験をすると、キャラクターの世界観が変わることもある。たとえば、ソーシャルワーカーのサンドラは、複雑な家庭で育ち、心に深い傷を負っている。ずっと前から子どもはつくらないと決めていて、仕事でも被虐待児童と接しているので、彼女の意志は固い。ところが職場で人事異動があり、サンドラの担当も変わって、何らかの危機があって離れ離れに暮らす家族の世話をすることになった。別居生活を強いられた家族の美しい再会の場面に立ち合い、真の愛情に満ちた家族の絆を目の当たりにすれば、サンドラも自分に足りないものに気づくかもしれない。子どもを持つのもいいかもしれないと、彼女の気持ちが変われば、子どもを欲しがっている夫との摩擦も薄れ、関係が修復されていくだろう。

キャラクターとて、自分自身の悩みや欠点、失敗となると、盲点があって自分がよく見えない。しかし、実在する人間と同じように、キャラクターもまた自然に物事を観察し、学習していく。キャラクターを深く心に響くような出来事や状況にさらし、自分の人生に欠けているものを気づかせる瞬間を与えるように書こう。

● 目標達成を助ける、あるいは阻む職業

キャラクターの職業は通常、キャラクターの才能や関心分野に関連してい

るため、ストーリー全体におけるキャラクターの目標を達成するのに役立つ。そこで、映画『インディ・ジョーンズ』シリーズの主人公インディアナ・ジョーンズを見てみよう。もし彼が刺青師やオーケストラの指揮者だったりしたら、アーク（聖櫃）を発見できただろうか。彼がそのような職業の人であっても、面白い映画になったかもしれないが、ジョーンズが考古学者だったからこそ、あのストーリーは伝統的な冒険物語として成立したと言っても異論は出ないはずだ。書き手が、キャラクターがストーリー全体を通して何を達成しようとしているのかがわかっている場合は、その目標達成に必要な知識と経験を提供できる職業を選択するよう検討したほうがいい。

あるいは、目標達成を阻む職業であれば、キャラクターの心に葛藤が生まれるすばらしい機会を提供できる。最高の発明品を破壊しなければならなくなった発明家、1940年代に焚書を余儀なくされた司書、パパラッチに追われ、どうしてもプライバシーが必要であるがゆえに人を殺害し、その死体を棄てる有名人など。

本当はもっと能力があるのに、過去に過ちを犯した罰として、自分の能力以下の職業をキャラクターが選択する場合もある。あるいは、自分に合っていない仕事に就いているが、もっとやりがいのある仕事を求めようとしても失敗するだけだと思い込んでいる場合もある。その代表例として思い浮かぶのが、アメリカのドラマシリーズ『ブレイキング・バッド』のウォルター・ホワイトだ。ウォルターは才能ある化学者なのだが、友人と共同設立した会社が大きくなる前に会社を辞めている。成功は手の届くところにあったのに、ウォルターは身を引いてしまい、それが人生最大の後悔につながっている。彼ほどの能力がある人なら、もう一度起業して成功するかもしれないのに、高校の化学教員という安全な仕事に落ち着いたのはなぜなのだろうか。

だからこそ、ウォルターが「ハイゼンベルク」を名乗り、麻薬の一種メタンフェタミンの製造と販売を手がけ、麻薬王と呼ばれるまでに成長したとき、『ブレイキング・バッド』のファンは満足したのだ。ウォルターが遂に、今までずっと手にしたかった承認と権力を手にするキャリアを選択したからである。しかし、それはみな、ジェシー・ピンクマンの助けがなければ成し得ないことだった。ジェシーはウォルターの元教え子で、ドラッグの密売人をやっていた。ウォルターを麻薬取引の世界へ誘い込んだのはジェシーなのだ。皮肉にも、教員という職業を選択したおかげで、ウォルターは裏社会で暗躍するチャンスを摑んだのだ。

葛藤とは、本当は様々な選択とその結果のことなのだ。キャラクターは望ましくない状況により窮地に追い込まれ、問題に正面から向き合うか、回避するか、または逃げるかの選択に迫られる。どの決断をしても、それぞれに代償あるいは報酬、またはその両方がある。

ポジティブな変化のキャラクター・アークを書いていて、キャラクターのために仕事に絡んだ障壁を選択しなければならない場合は、その障壁がどのようにキャラクターを成長と変化に向かわせ、ポジティブな結果につながるのかを考えよう。この点をよく考えておくと、変化のアークの完成とストーリーの目標達成に必要な変容に向け、キャラクターを一歩前進させられる。反対に、失敗のキャラクター・アークを書いている場合は、キャラクターがついいつも陥ってしまうだめな習癖と防衛メカニズムに頼っている姿を重点的に見せるために葛藤を活用しよう。葛藤はキャラクターの心の奥に何があるのかを垣間見せてくれる。そうすれば、はじめのうちは現実を否定し成長を拒んでいるが、やがて恐怖心から解放されていくキャラクターの姿を描くことができる。

主題設定装置としての職業

ストーリーに独自性を持たせるのに大切なもののひとつが、そこに刻み込まれる書き手の世界観である。この世界観は、ストーリーの中核をなす**主題**（**テーマ**）と、その主題のある側面に関した、書き手の意見である**主題文**を通じて伝えられる。たとえば、主題が「**家族**」だとしたら、主題文は、書き手が読者と共有したいメッセージによるが、「**真の家族は自分が選んだ人々であり、血のつながった家族ではない**」だとか、あるいは逆に「**血は水よりも濃い**」となる。主題文はストーリーに織り込まれるものであり、全体を通じてキャラクターの行動によって支えられている。

では主題文に、「**真の家族は自分が選んだ人々であり、血のつながった家族ではない**」を選んだとしよう。この場合、おそらくストーリーには、主人公の親が親らしく振る舞うチャンスを与えられたのに、そのようには振る舞えなかったというようなシナリオが含まれるだろう。多分この主人公は、家族に裏切られたり、家庭内で孤独や疎外感を味わっていたり、家族の言うとおりにしないと家を追い出されたりする環境にいる。そんな実の家族とは対照的に、友人や隣人、同僚、見知らぬ人ですら、主人公のことを気にかけて擁護してくれる。他人なのに彼らは主人公を尊重し、主人公のためなら少々の不便にも耐え忍び、助ける義理もないのに助けてくれる。主人公は、自分を裏切ったりせず親身になってくれる彼らと接しているうちに、血のつながった家族にずたずたにされた自尊心を取り戻し、「真の家族は自分が選んだ人々だ。なぜならこの人たちは自分を尊重してくれ、自分も彼らを尊重しているからだ」と思うようになる。

書き手によっては、主題や主題文をまず考えてから、執筆作業を進めながらその主題を象徴するディテール（シンボル）を加え、ストーリー全体を通して書き手の視点を補強していく人もいる。また、草稿を書き終えてから、主題がやっと見えてくる書き手もいる。主題が後から見えてくる場合は、推敲時に、読者のためにストーリーの根本に流れる主題を結晶化させるため、それとわかるシンボルやモチーフを埋め込んでいく。

人や場所、あるいは物など、あらゆるものがシンボルになり得るし、それを読んだ読者に何かを連想させることでシンボルは効果を発揮する。ハートは愛を象徴し、白という色は純潔を象徴するように。

驚くかもしれないが、万能なシンボルのひとつがキャラクターの職業なのだ。書き手が細心の注意を払って選んだ職業なら、主題にぴったりと合うだけでなく、仕事絡みの葛藤や責任、試練に対するキャラクターの行動によって主題文が具現化する。

たとえば、犠牲というテーマを例にとって考えてみよう。犠牲とは、高尚な目的のために何か意味のあるものを手放す行為だ。「犠牲」というテーマをキャラクターの職業にどのように反映できるのだろうか。たとえば、あるキャラクターは妻の妊娠を知り、子どもが生まれれば経済的な安定が必要になると悟る。そこでプロの写真家になる夢をあきらめ、教職に戻り、安定した収入を得る道を選ぶ。幼い頃に双子の妹が医者に命を救われた経験をしたキャラクターなら、自分も他の人を救いたいと考え、青春時代を犠牲にして勉学に励み、非常に専門的な移植外科医になる。あるいは、海兵隊員なら、自分の身を挺して任務を果たすだろうし、看護師ならば、患者のケアのために仕事と私生活のバランスを犠牲にしがちだ。いずれの場合も、キャラクターの職業は意図的に選択されていて、犠牲というテーマを明確にしている。

職業を利用して、恐怖のようなテーマを表現することもできる。潜水士として働いていたある男が、あるとき溺れ死にそうになった体験をして、リスクの少ない郵便配達員に転職したとしよう。この男の場合、転職が彼の恐怖を表している。その恐怖はまた、キャラクターの仕事自体を描くよりも、職務中の行動を通して描くことができる。キャラクターがプロのポーカープレイヤーなら、賭け金が高いと自分は負けると思い込んでいるせいで、あまり儲からなそうなゲームばかりに参加しているかもしれない。あるいは政治家なら、有権者に背を向けられるのを避けるため、あらゆる問題に関して中立的な立場を取り続け、結果的に意義のある変化をもたらせないだろう。大したことをせずに、自分の安全圏にとどまって仕事をしているキャラクターを描けば、そのキャラクターの恐怖を読者に明らかにすることができるはずだ。

● 職業、主題、そして心の傷

恐怖がストーリーの中で際立っている場合はおそらく、キャラクターの心の傷が癒えていないために恐怖を感じている可能性が高く、その恐怖は何らかの問題行動として表れる。失敗の忌避や恐怖はもちろん、自己破壊的な行為も、キャラクターが過去の傷に苦しんでいることの表れかもしれない。自分の懐事情も考えず、負ければ自己破産もあり得るのに、わざと賭け金の高いゲームに参加するポーカープレイヤー、あるいは、既成概念の枠を超え、国民を二極化させてまでも間違った変化をもたらそうとする政治家がキャラクターとして登場すると、読者は何かただならぬことが起きるのではないかと感じるはずだ。キャラクターのこうした無謀さは、過去の過ちに対して自分を罰する行為だとも考えられる。そうすると、「過去からは逃げられない」「人を裏切ると、結局自分も傷つく」といった主題文が成立する。書き手がこのような行動をうまく表現できれば、読者は、なぜキャラクターが自分のキャリアを破滅に追い込むような行動をとっているのか、知りたくてたまらなくなるはずだ。

職業はまた、キャラクターの過去の傷が強迫行為として表れているのを明らかにすることも可能だ。たとえば、少年時代を農場の隣で過ごしたキャラクターがいるとする。その農場では家畜たちが狭い場所に押し込められて劣悪な環境で飼育されていたが、少年はそうとは知らずにいた。やがてこの農場経営者は逮捕されたが、目と鼻の先でそんな恐ろしいことが起きていたのに気づきもしなかった少年は自分を許せなかった。そして青年になったキャラクターは、そんな過去を償いたいという衝動に駆られ、虐待動物の保護を専門にした動物救助隊員になり、他の人から見れば、いくら頑張っても救いようのない案件を担当している。キャラクターの熱心な働きぶりは単なる情熱ではなく、何かに突き動かされている。その何かとは、救われない者を救おうとする強迫行動なのだ。キャラクターが選んだ職業と仕事に注ぐ情熱は、過去の出来事を忘れられずにいることや、自分が過去に犯したと思っている過ちから前進できずにいることを象徴しているように読者には読めるのだ。

● 職業と衝突し合う主題要素

職業を利用して、**主題の矛盾**を示すことも可能だ。たとえば、映画『Mr.ブルックス 完璧なる殺人鬼』の主人公アール・ブルックスは有名な実業家かつ慈善家なのだが、実は連続殺人犯でもある。普段は感情を露わにしない慎重なアールだが、実は、黒い衝動に駆られ、人を殺すことがある。綿密な計画を立てて犯行におよぶため、家族でさえ彼が本当は殺人鬼であることがわからない。

ところがある日、アールの大学生の娘が帰省し、衝撃的な秘密を打ち明ける。娘はアールのもうひとつの姿を知らないが、無意識のうちに父親と同じ殺人者になっていたのである。だが、娘は父親のように巧妙な手口と抑制心を持ち合わせていないため、自分が犯人だとばれる証拠を犯行現場に残してしまった。アールは父親として自分が立ち上がらなければ、娘が逮捕されることを知っている。そこで危険を冒して娘が暮らす学生街に行き、娘には揺るぎないアリバイがあることを証言しつつ、模倣殺人を犯し、捜査班の注意をそちらに向けさせる。

このストーリーで働いている矛盾を見てみよう。アールは地域社会の重鎮でありながら、人の命を奪っている。家族を大切にする父親でありながら、もし逮捕されれば、愛する家族たちの人生を台無しにしてしまう。保身のために殺人鬼であるもうひとりの自分を隠しとおしているが、娘への愛情から、自分が逮捕される危険を冒してまで娘を助けようとする。アールは、正反対の2つの人格が交代して現れる二重人格者なのだ。

意図的なコントラストを作るのも、書き手にとっては面白いテクニックだ。たとえば、「権力の腐敗」を主題文に選ぶと、腐敗に現実味を持たせるため、影響力だけでなく、あるのかないのかわからないような道徳観を想起させる職業（権力に飢えた政治家や実業家など）をキャラクターに選びたくなる。しかし、あえて司書や教員、ナニーなどの職業を選んだほうが、「権力の腐敗」という主題文が一層衝撃的になる。

権力とは無縁そうな職業に就きながら権力を欲しているとなると、コントラストが生まれ、興味深くキャラクターを仔細に観察したくなる。なぜキャラクターは権力と引き換えに職権を濫用するのか、どんな欲求や道徳観を持っているのかと、一枚一枚皮をはぐようにキャラクターを知りたくなる。また、書き手としても、このようなコントラストはストーリーの創造性を高めるので、これまでになかったような新たなプロットに挑戦し、司書や教員、ナニーが権力を手にしたい誘惑にどこまで屈していくのかを見せる方法を試行錯誤できる。

また、キャラクターがかつて愛した仕事を捨てて新しい何かを追求しはじめると、書き手が探求したいテーマと結び付いて、コントラストが生まれる可能性もある。例として、世界の富裕層に人気のスイーツをデザインして作る有名なショコラティエのストーリーに、平等というテーマを盛り込んで考えてみよう。このショコラティエは、かつてはチョコレートで人々に喜びをもたらすことにやりがいを感じていたのだが、金持ちのためのお菓子作りに次第に幻滅しはじめる。心境の変化は少しずつ押し寄せていたのだが、最高品質のカカオを調達しに農園を訪れるようになってから、まるで地殻変動が起きたかのように決定的になった。農園を訪ねるたびに、貧困にあえぎ、抑圧されている農民と、自分の顧客である富裕層との格差が目につき、やがて無視できなくなっていく。気がつけばあの農民たちのことばかり考えている。そこで、チョコレートの知識を活かし、助けを切実に必要としている農民たちを擁護する方法はないだろうかと考える。

キャラクターのために職業を選ぶ

ここまでの説明で、キャラクターの職業を厳選しておけば、ストーリーに価値を付加できることを理解してもらえたはずだ。したがって、キャラクターにはどの職業が合っているのかを見極めることが重要になる。その選択には多くの要素が絡んでくるから、書き手としては一つひとつの要素を吟味したい。

● ストーリーへの応用性

キャラクターを知れば知るほど、どの仕事がそのキャラクターに最適なのか把握しやすくなる。しかし、まだキャラクターのことをよく知らない場合はどうしたらよいだろうか。登場人物を決める前にプロットを練り上げるのを好む書き手ならば、ストーリーに必要な職業を決めてから、それにキャラクターを合わせるほうが楽な場合が多い。

ストーリーにある種の職業が必要になる場合が往々にしてある。たとえば、小説『ジュラシック・パーク』(訳注：同タイトルで映画化もされている)には、主人公のひとりに古生物学者が必要だった。同様に、イアン・フレミング著の『ジェームズ・ボンド』シリーズはスパイ小説なので、ジェームズ・ボンドにはスパイという職業しか選択肢はあり得なかった。書き手がプロットを進めるのに必要な職業が何なのかがはっきりとわかっている場合は、その職業を中心にキャラクターたちを設定していこう。

テーマが大きな役割を占めるストーリーの場合は、キャラクター設定よりも、まずテーマからキャラクターの職業選定を始めたほうがよいかもしれない。たとえば、映画『パラサイト 半地下の家族』では、社会的地位と格差の探索が重要なテーマになっていて、主人公のキム一家は貧困から抜け出すために、富に近づける仕事を確保しようとする。この映画のメッセージを視聴者に伝えるには、キム一家の社会的地位を示す職業、そしてその対極にある富裕層の職業を描くことが重要になる。ストーリーが探求するテーマがわかっているなら、どのような職業がそのテーマと結び付くのか、あるいは、そのテーマを象徴するディテール（シンボル）を場面ごとに書き込んでいくのに、選んだ職業でディテールが書きやすくなるのかどうかを考えよう。

● 動機

動機が職業の選択をどう左右するのかについては、これまでにも説明してきた。キャラクターの職業を決める段階になったら、これまで職業選定に関して知り得たことを実践に活かそう。何がキャラクターにやる気を起こさせているのか。前に説明した人間の5つの欲求のうち、どれが満たされていなくて、キャラクターは空虚な思いをしているのだろうか。欲求が満たされていないのは、心の傷が原因なのだろうか。何かが欠けているという思いから、キャラクターはどのように特定の職業に就こうと奮起するのか（または避けようとするのか）。5つの欲求がすべて満たされていて、空虚な気持ちを感じていない場合でも、キャラクターは自分にとって重要な欲求、あるいはすぐに揺らいでしまいそうな欲求をさらに満たそうとして、仕事を追い求めている可能性はないだろうか。

仕事には、相当な時間とエネルギーを注がなければならないだけでなく、ある程度の自己も投影される。つまり、キャラクターが特定の仕事を選ぶ理由はアイデンティティの一部に結び付き、根はどういう人なのか、そしておそらく、どういう人間になりたいと思っているのかが職業に表れ出るのだ。

そこで、キャラクターの深層心理に踏み込んで、個人的充足感と仕事とのつながりを考えてみよう。キャラクターにとって仕事は目的達成の手段である可能性はないだろうか。目的は、安定した収入を得て、仕事以外の何かで自己実現することや、家族を養うことかもしれないし、自分の居場所があると感じたいから働くのかもしれない。また、仕事がやりがいと直結している可能性もある。知識を吸収できるから、人の生活向上に役立ちたいから、自分の信念や価値観に忠実でいられるからなどの理由で仕事にやりがいを感じることもあるだろう。

● 性格的傾向、スキル、そして関心

性格は職業の決定に大きな役割を果たすため、キャラクターの職業を選ぶ前に、そのキャラクターに関する基本情報をある程度知っておきたい。キャラクターはどのようなポジティブな性質を持っていて、どのような欠点があるのか。その欠点のせいでどのような障壁が生まれ、書き手が切望する葛藤が生じるのか。何かに才能やスキル、関心を持っているのか。これらすべての性格的側面はキャラクターの職業選択に反映されるため、必ず考慮に入れておこう。

● 機会

人がどういう仕事を選ぶのかについては、個人的な動機が非常に大きく関わっているが、実は、都合がいいからという理由だけで仕事を選ぶ場合も多い。その場合は、不満や無関心、恨みといった感情につながりやすいことを知っておこう。そこで、次の要因がキャラクターの職業選択に影響をおよぼす可能性があるかどうかを判断してみよう。

距離が近い：職場が自宅や子どもの学校、あるいはバス停などに近い（キャラクターが公共交通機関に頼らなければならない場合）。

家族のプレッシャー：愛する人を喜ばせること、あるいは家業や親の意思を継ぐことが可能。

ある程度の知識や経験がある：両親がある職業（俳優、モデル、実業家など）に就いていて、その業界に関わりが深いため、自分もその分野には詳しいし、安心できる。

縁故：会社で影響力のある人が家族や親戚にいて、その人に頼めば仕事がもらえる。仕事の内容はおそらくキャラクターが本当にやりたいことではないが、もしそれが誰もが羨むような仕事であれば、断るなどあり得ない。

障壁：キャラクターを特定の仕事に向かわせる（あるいは背を向けさせる）障壁にはどのようなものがあるだろうか。文化的偏見にさらされている、十分な教育を受けていない、前科がある、身体的または精神的な課題を抱えている、ホームレス暮らしをしている、仕事に差し障る個人的な義務や責任を負っている、ある訴訟の証人なので個人情報を秘匿しなければならない、などが例として挙げられる。キャラクターの職業の選択肢を制限しかねない事情は数限りなく考えられる。

どの職業がストーリーとキャラクターに最も適しているのかを見つけ出すのに、上記の要因をいろいろと組み合わせてみるのもいいだろう。職業選択に絡んだ要因は、企画段階に探っておこう。十分な情報を集めたら、本書の目次を参考にして、ストーリーのニーズに合った職業がないか探してみる。正しい選択も間違った選択もない。書き手の目的を果たせる職業はいくらでもあるはずだ。まずはひとつ選んで書きはじめ、様子を見てみよう。うまくいかないなら、職業を変えてみる。私たちの転職より、キャラクターの転職のほうがはるかに簡単なのだから。

● 職業対比リストを作る

職業選びに苦労しているなら、職業を対比できるリストを2つ作ろう。最初のリストには、キャラクターにとって完璧だと思われる職業だけを書き込んでいく。ここに書き込むのは、キャラクターの長所や性格が活かせて、関心度も高い、やりがいを与える職業だけだ。そして、仕事と私生活のバランスがとれるかどうか（それがキャラクターにとって重要な場合）、高い報酬や高い評価が得られるかどうか（そのことで達成感が得られる場合）を判断していく。

もうひとつのリストには、キャラクターがやりたくない仕事や、自分には向いていないと感じている仕事を書き込んでいく。性格や倫理観、関心、スキルの点から見て、どのような職業が適さないのか。キャラクターの私生活が脅かされるという視点から見ると、どんなタイプの仕事が悪夢になりそうなのか——家族に負担をかけ、仕事以外の有意義な目標を目指す妨げになり、究極的には不幸につながるのはどんな内容の仕事なのかを判断していこう。

両方のリストが完成したら、2つのリストを注意深く見比べよう。キャラクター・アーク、キャラクターに直面させたい複雑な状況、書き手が探求したい主題、そしてストーリー全体の目標を考えながら比較する。キャラクターの目標達成を助長するにしても、妨げるにしても、どの職業がストーリーにいちばんしっくりくるのか。満たされない欲求や心の傷が原因で、キャラクターが自分に不向きな仕事に就いている場面からストーリーが始まる場合、キャラクターの不満は募る一方で、やがて本当に望む仕事に就きたいと思うようになる。その場合、最初に就く仕事は何で、本当にやりたい仕事は何なのだろうか。

以上の要素を組み合わせていけば、ストーリーとキャラクターの両方の視点から考えて、どの職業を選ぶべきかが見えてくるだろう。複数の要素が絡んだ仕事が見つけられれば、そのほうがより理にかなっている。付録Cには、ここまでの情報をすべてつなぎ合わせられるよう、職業選定に役立つ職業アセスメントが用意されているので、是非そちらを参照してほしい。

職業を描き出すときの追加ヒント

キャラクターに最適な職業が決まったら、その情報をストーリーに織り交ぜていこう。これまでは職業のディテールを書くときに、手を抜いていたかもしれない。もしそうなら、今がその習慣を変えるときだ。キャラクターの人生の大きな部分である職業を描くのは、多面性や信憑性があって、興味深いキャラクターを作り上げる大切なチャンス。雑に書いてしまって、このチャンスを無駄にしないようにしよう。

キャラクター設定で押さえておくべき点がいろいろあるように、職業設定に関してもやはり、避けるべき点や、キャラクターの職業を最大限に活かすための方法がある。

● つまらない部分は省く

キャラクターの職業を描くときは、読者にそれを事細かに説明するのではなく、キャラクターについてできる限り多くのことを見せなくてはならない。本書でもページを割いて「見せることの重要性」を全力で説いている（私たちのWEBサイト「Writers Helping Writers（https://writershelpingwriters.net/）」にある類語辞典もそのためにある）が、それでもまだその重要性が伝わっていないのなら、われわれの手落ちだ。

「説明」は書き手が読者に向かって情報を伝えるテクニックで、読者は受け身にその情報を受け取る。一方の「見せる」は、ストーリーを読者に積極的に読ませることができるという理由から、あらゆる書き手に欠かせないテクニックなのだ。また書き手にとっても、重要なディテールを選び抜き、意味があって簡潔な文章を書くよう心がけさせてくれる。

そこで、次の例を考えてみよう。

　ジャネットは、夏休みの間、ホテルでコンシェルジュのアルバイトをやっている。好きでもない仕事だが、実は目的があってやっている。このホテルのオーナーに近づきたいのだ。彼は自分の父親かもしれないのだ。宿泊客にいいレストランを紹介したり、ショーやアトラクションの情報を伝えたりする仕事は楽しいのかもしれないが、マネージャーがいちいち口うるさい。ジャネットはこのオーナーに関して必要な情報を手に入れたら、さっさとこの仕事を辞めるつもりでいる。

　これは、書き手が読者に説明をしている例だ。ジャネットの仕事が何なのか、彼女がどのような心持ちでその仕事に就いているのかを説明するだけで終わっている。読者にはジャネットがどんな人なのか十分に伝わっていない。「実の父親を見つけようとしている女の子」という読者の興味をそそる情報を与えておきながら、つまらないディテールが連なるばかりで、話が面白くならない。このように単に状況を説明するのではなく、仕事中のジャネットの姿を見せれば、彼女の置かれた状況についてより多くのことが伝えられる。そこで同じ設定を使った次の例を見てみよう。

　レミー・ロラドの声が閑散としたロビーに響き渡った。総支配人と昼食から戻ってきたのだ。自分の父親かもしれないレミーがそばを通りかかると、ジャネットの心臓は、スタートゲートを見つめるグレイハウンドのように高鳴った。コンシェルジュのデスクの上に置かれているチラシの束はきれいに揃えられているのだが、それをさらに揃え、ない埃を拭き取りながら、レミーのほうを盗み見た。彼の髪はジャネットと同じ黒髪だ……いや、あれは整髪オイルのせいで黒光りしているだけなのかもしれない。短くて太いまつげも似ているが、よくある感じのまつげだし、とジャネットは思った。汚れてもいないデスクをごしごしと拭きながら、総支配人がレミーに向かって何か笑わせるようなことを言ってくれればいいのにと願った。先日、レミーがにっこり笑った姿を見かけたとき、えくぼが見えたと思ったのだが、一瞬の出来事でよくわからなかったのだ……。

「こちらはどんな様子かしら？」

突然声を掛けられ、ジャネットはしゃんと背筋を伸ばして作り笑顔を見せた。またか、またこのチビお局が様子をうかがいにきた。どうしてもう少し長く昼休みを取ってくれないのだろう。

「ミセス・フィッシャー、順調です、まったく異常はありません」

カウンターからかろうじて頭が出る程度の身長しかないミセス・フィッシャーは、細めた目をコンシェルジュデスク全体に走らせていた。ジャネットは首に巻いているスカーフに手をやり、ずれていないか確認した。これまでにも一度ドレスコードについてはくどくどと注意を受けたことがある。レミーの前でまた同じことをされたら終わりだ。

「ディナー前の混雑をさばく準備はできていますか。手の空いている時間でもね、やっておくことはいろいろとあります。もうすぐ週末でしょう？　お客様に何か面白いショーやアトラクションはないかと聞かれますよ。ショーの開演時刻や終演時刻は調べておきましたか。チケットの値段は？　家族割引は？」とミセス・フィッシャーは畳みかけた。

「はい。準備万端です」神様、お願い、今質問攻めはやめて。

　お局はまだうるさいことを言っていたが、ジャネットはそれを聞き流しながら、エレベーターに向かうレミーを目で追いかけた。彼に違いない。レミーが肩こりをほぐすように首を回しているのを見たことがある。ジャネットも中間試験の勉強に嫌気がさすと、よくああやって首を回していた。レミーの低音の笑い声も、自分の笑い声と同じだった。それでも、「私はあなたの娘です」と本人に告白する前に、揺るぎない証拠を掴んでおきたかった。ここ何週間もの間、DNAキットをハンドバッグの中に忍ばせ持ち歩いている。自分の生みの親かもしれない人から唾液を収集するにはどうしたらいいのか。それに、もし自分の予想が間違っていたとしたら……。気の毒な母は最後にはほとんど意識が混濁していた。あのとき母が言った名前が間違っていたとしたら……。

「ちゃんと聞いていましたか」とミセス・フィッシャーの声が一段と高くなった。

「はい、もちろん聞いていました」と答えながら、詳細を必死で思い出そうとした。「フェリペズで、えっと、ベジタリアンメニューが増えたのですよね」

　ミセス・フィッシャーはこくりとうなずき、「あそこの炒め物はまあまあです。中級レストランのリストに入れておきなさい」と指示した。

ジャネットはそれを書き留めようとノートを取り出そうとしたが、手が滑ってしまった。レミーがロビーに置いてあるウォータークーラーから宿泊客用に用意されたレモンウォーターを飲もうとしている。プラスチックカップに水を注ぐと、一気に飲み干し、そのカップをゴミ箱に投げ捨てた。

「ありがとうございます、ミセス・フィッシャー」と言いながら、ジャネットは何かをふと思い出したように言葉を止めた。「あの、電話がずっと鳴っていたのですが、オフィスのドアに鍵がかかっていて、電話に出られませんでした。シルク・ドゥ・ソレイユからの電話をずっとお待ちでしたので、その電話かもしれません。おそらくメッセージが残っているのではないでしょうか」

ミセス・フィッシャーが視界から消えると、ジャネットは急いでゴミ箱へと走った。あのカップを手に入れたかったのだ。

2番目の例のほうが、読者はジャネットのことや彼女の仕事についてもっと詳しい情報が得られる。情報を単に並べなくても、ジャネットについて次の事実が明らかになっている。

- ジャネットの職業
- ジャネットの職務の一部
- ジャネットが自分の仕事をどう思っているか
- キャラクター設定の一部（ジャネットは大学生で、母親を失っていて、自分で物事を考えることができ、既成概念にとらわれない発想をする）

- ジャネットがこの仕事に就いた理由。コンシェルジュの仕事に情熱を燃やし、この仕事で能力を発揮したいと思っているわけではなく、生みの父親かもしれない人物に近づくことを目的としている
- 葛藤と職場の人間関係（上司に目をつけられていることや、レミーが本当に自分の父親なのかどうかを知りたいが、心の中で葛藤があること）
- ジャネットの行動や思考から、彼女の性格がわかる
- 最近つらい出来事（母親の早世）を経験し、父親がいないという心の傷が表面化して、より一層うずいている
- 生みの父親を見つけることがジャネットのストーリーの目標である

わずか数段落でかなりの情報が網羅されている。その情報の見せ方は、つまらない講義を聴いているような感じもなく、ストーリーを進めながら読者に明かされていく。主人公ジャネットが一日を過ごす中、すべてが読者と共有され、読者は知らず知らずのうちに彼女と一緒に旅をしている。
「見せる」といっても、ディテールの取捨選択が重要だ。ジャネットの仕事のスケジュール、彼女を取り囲む環境の詳しい説明、他に彼女が仕事でやらなければならないことなど、読者と共有できたであろうディテールは他にもいろいろとあるが、このストーリーにはそうした情報は必要ではなかった。ひとつの場面の中で何を達成したいのかをはっきりさせ、その情報を伝えるためのディテールを選び出すことで、意味のないものを排除している。キャラクターの職業を利用して読者に知ってもらいたいこと、ただそれだけを伝えるために、どの言葉にも目的を持たせている。

● ステレオタイプを払拭する

さて、ここで注意しておきたいのは、真実味のあるキャラクターと陳腐なキャラクターの間には、常に大きな隔たりがあるわけではない点だ。ある職業が特定の性質を持つ人々に向いているからと、その職業と人を単に組み合わせただけでは、フィクションの世界では陳腐になってしまいがちだ。書き手は、ある職業にどういう性格が適しているのかを知っておく必要があり、キャラクターを陳腐な型にはめて露骨に侮辱的に描いてしまわないようにするのも仕事のひとつだ。

主役だろうと脇役だろうと、キャラクターを描くときはありきたりな表現方法に頼るよりも、新鮮なディテールを盛り込みたい。心理セラピストは思いやりがあって洞察力に富んでいる、ヨガインストラクターはスピリチュアルで健康的——そんなふうに描くだけでは、キャラクターは際立たない。どこか特徴のある心理セラピスト、あるいはヨガインストラクターを書くには、よく考えて多面的に描いていく必要がある。フィクションでは平凡であることが命取りになるのだ。

まずは、キャラクターが何らかの方法で型を破るようにすること。キャラクターに、その職業に就いている人々の一般的なイメージにはないかもしれない、変わった特徴を与えてみよう（それでもその特徴は、キャラクターに合ったものでなければいけない）。たとえば、心理セラピストなら、人をやたらと支配したがり、患者を診断しては、命令するかのように治療方針を指図したがるキャラクターにしてみる。ヨガインストラクターなら、スピリチュアルではあるけれど、何かと悲観しがちなキャラクターにして、陰気なヨガの先生にしてしまう。しかもこの意外な特徴がたまたま（仕事で、人生で、またはその両方で）キャラクターをためらわせている場合、それはキャラクター・アークにも絡んで、葛藤や摩擦を生んでいく。

この職業に就いている人にしては意外だと思われるような趣味や才能、癖を取り入れるのもいいだろう。ただし、キャラクター設定は、複数の要素をキャラクターに盛り込めばよいというものではないので注意が必要だ。いろんな野菜をただ放り込めば出来上がる野菜スープとはわけが違う。あらゆる要素が理想的なキャラクター設定に貢献しなければならないので、それぞれのディテールがキャラクターとストーリーにとって意味のあるものになるようにしよう。

キャラクターをどんな職業に就かせるのか、一味違ったキャラクターに仕立てる方法を考えるとき、ジェンダーに対する固定観念に挑戦してみるのもいいだろう。職業によっては、伝統的に男性あるいは女性が圧倒的に多いものがあるが、そのような固定観念にとらわれる必要はない。女性キャラクターの職業は、受付や客室乗務員でもいいし、スカイダイビング・インストラクター、刑務官、バウンティハンターであってもいいわけだ。

キャラクターが端役ならば、その職業を徹底的に計画する必要はない。端役に対して、ジェンダーの固定観念に挑むような仕事を選んでしまうと、変にそのキャラクターを目立たせてしまうかもしれない。また、端役であっても、一般的な職業に縛られず、もっと興味深い葛藤の機会を提供してくれるような、一風変わった職業を選ぶのもいいだろう。

● 具体的にする

興味をそそられるキャラクターとそうでないキャラクターの違いは、ほとんどの場合、ディテールにある。キャラクターの職業選択が少しありふれていると感じる場合は、もっと具体的にしよう。単に教員を選ぶのではなく、特別支援学校の教員にしてみたり、中学生にコンピューターを教えていたりと、教える科目や生徒の種類までも決めてしまおう。また、外国で英語を教えたり、少年院や私立の全寮制の学校で教えたりと、意外な場所で教職に就かせる手もある。職業が何であれ、キャラクターを特徴付け、新鮮な角度やひねりを与えるディテールは数限りなくある。

● キャラクターは自分自身をどうみるか

職業を分けるとすると、究極的には**固定型**と**オープンエンド型**の2種類に分かれる。固定型の職業は決まった道をたどる。看護師なら、学校に入って学位を取得し、看護師として働く。仕事の内容は患者のケアが中心で、勤続年数を重ねながら専門知識を身につけては昇進していく。建設作業員やバスの運転手、弁護士、電気工事士なども固定型の職業だろう。この種の職業は比較的一定したニーズがあって安定しており、知識やスキル、勤労意欲を持っている人が持続可能な生活を営むことができる（社会に大きな変化が起こらない限り）。固定型の職業に就く場合、その仕事人生は道が決まっているので、その道に沿って進んでいけばよい。

一方、オープンエンド型の職業は予測不可能でリスクが高い。というのも、それがどのような職業なのか、キャラクターがどれくらいの成功を手にするのかは、多くの要因に左右されるからだ。たとえば、フリーランスのコピーライター、小企業の経営者、画家、ワインメーカー、あるいはイベントのプロモーターなどがそうだ。成功するか失敗するかは、キャラクターがどれだけ努力しているか、どの程度の才能があるか、キャラクターが提供する製品やサービスに市場があるかどうか、どのくらいの競争があるのかなど、様々な要因の影響を受ける。

将来が予測可能な職業に安心感を覚える人もいる。決まったスタート地点があって、そこから敷かれた道を最終地点まで進んでいく。そうかと思えば、自分でイノベーションを起こし、関心のあるニッチ分野を自由に選んで集中できる職業を選ぶ（または創り出す）のを好む人もいる。

職業の種類を選ぶ際には、キャラクターが、将来が予測できて安定が得られる、伝統的な道を選ぶタイプかどうかを自問自答しよう。もしキャラクターが安定志向であれば、固定型の職業を選ぼう。逆に、キャラクターが開拓者精神を持ち、型にはめられるのを嫌い、同じことの繰り返しや現状維持を好まない場合は、オープンエンド型の職業が最も適していると言える。

筆者から最後に

世の中には数えきれないほど多くの職業が存在する。あまりにも多すぎて、包括的なリストを作るのは不可能だ。それがわかっていたため、本書執筆にあたり何よりも難しかったのは、どの職業をリストに含めるのかを決めることだった。そこで、書き手が幅広くブレーンストーミングできるよう、人気の職業や珍しい職業を取り混ぜた。

これだと思う職業を見つけやすくするため、目次には職業を五十音順に並べ、さらに、目次と同じ職業を基本的な性格別にグループにまとめた付録Bを用意している。それでも見つからない場合は、分野が同じでも別の職業や、似たような職責やリスク、テーマを持つ仕事を探してみるといい。また、ライティングツールを豊富に揃えたサイト「One Stop for Writers（https://onestopforwriters.com/）」にある辞典はページ数の制限を受けないため、本書には掲載できなかった職業も掲載されている。

自分で特定の職業を掘り下げて考えたい書き手のために、本書の辞典部分の後に、付録として空白のテンプレートも用意している。同じものを私たちのブログの「Writing Tools（https://writershelpingwriters.net/）」からもダウンロードできるようになっている（日本語版付録はフィルムアート社公式サイト［http://filmart.co.jp/ruigojiten/］にて公開中）。

様々な職業を簡潔にまとめたリストをチェックしたい場合は、「Writers Helping Writers」サイトのファンたちによって編集された職業リストを参考にするのもいいかもしれない（ただし、これはファンによる投稿なので、内容はこちらで確認していない。項目数が多いので、ヒントを得やすいかもしれない）。

『職業設定類語辞典』の各項目に挙げられている職業に就くためのトレーニング、職務、職業名は、国や地域によって大きく異なる。本書利用の際は必ずこの点に留意してもらいたい。この理由から、本書ではなるべくトレーニングや教育に関しては具体的な情報に触れず、一般情報を記すようにした。ストーリーの舞台になる場所がはっきりしたら、その国や地域に特化した情報を調べるようにしよう。

また、各職業に葛藤のシナリオも多数挙げている。人間関係に摩擦が起きると、場面レベルとストーリーレベルの両方で葛藤が生まれやすくなる。各項目に現実的で創造的な葛藤のシナリオを含めているので活用してもらいたい。『職業設定類語辞典』の情報は様々な情報源から収集され、項目の多くは、その分野で働いた経験を持つ人々によって検証されている。職業の選択（本書に含まれているもの、またはあなたが深く調べてみたい職業）に関してさらに詳しく知りたい場合は、その分野で働いている家族、友人や知人に尋ねてみるといい。人は自分の知っていることについて話すのが好きなので、大抵は質問に喜んで答えてくれるはずだ。

書き手は究極のキャスティング・ディレクターでもある。本書がそんな書き手の一助となれば幸いだ。これまで検討されてこなかった職業の分野を探り、キャラクターにぴったりの職業を与えることで、ストーリーにさらに面白みを加えていこう。どういう職業がキャラクターを目標達成に向かわせるのか、あるいは、混乱に陥らせるのかを慎重に考えること。どの職業を選べば、ストーリー全体のテーマを支えられるのかもじっくりと考えること。キャラクターの職業を単に会話を切り出すきっかけで終わらせてしまっては、あまりにももったいない。キャラクターの職業には複数の要素を結び付け、ストーリーの完成度を高めるようにしよう。

職業設定
類語辞典

本書では 124 種の職業について、様々なケースにおいて活用可能な「設定」として扱うために必要な情報を、以下の分類のもとで集約・紹介している。

この職業に求められるトレーニング
その職業に就くために必要と想定されるトレーニング。

有益なスキル・才能・能力
その職業に就くにあたって、あるいはより良い仕事をするために必要なスキル・才能・能力。

性格的特徴
その職業に就くにあたって有益な性格的特徴（『性格類語辞典 ポジティブ編／ネガティブ編』［フィルムアート社］を併せて参照のこと）。

葛藤を引き起こす原因
その職業設定において、物語創作における「葛藤」を作り出すことになる様々な原因。

かかわることの多い人々
その職業設定において、関わることの多い人々。

この職業は 5 大欲求にどう影響するか
その職業設定が、マズローの 5 大欲求にどのように影響するか。

ステレオタイプを避けるために
その職業設定が陥りがちなステレオタイプを避けるためにできること。

この職業を選択する理由
登場人物がその職業を選択する理由として考えられること。

アウトドアガイド

〔英 Outdoor Guide〕

アウトドアガイドは、自然地域のツアーを案内するのが仕事だ。ツアーは、一回数時間程度のものもあれば、数週間におよぶものもあり、また旅先も一年を通して旅ができる場所がある。アウトドアのスキルと土地に関する豊富な知識を駆使して、経験豊富な愛好家の案内でなければ体験できないツアーを客に提供する。ボートや四輪車、馬、スキー、スノーシュー、犬ぞりなどを使って、景色や野生動物を見るためにグループを案内する。客としては、ガイドの案内で、自分ではなかなか行けない地域を安全に探索できるし、登山なら、山頂に到達することもできる。長期のツアーの場合、ガイドはキャンプの準備もする。テント張りや薪の調達、食事の準備はもちろん、必要ならば水のろ過も行なう。

この職業に求められるトレーニング

正式なトレーニングはほぼ不要だ。ただし、アウトドアの経験が必要で、先輩ガイドに付きながら、地形や様々な移動手段の使い方、地域の気候やリスクなどについて実地研修を受ける必要がある。たとえば、馬でツアーをする場合なら、ガイドは、馬の扱いはもちろん、自然の中で遭遇する可能性のある緊急事態への対処法についても学ぶ必要がある。応急処置の研修を受け、ウィルダネス・ファースト・レスポンダー（WFR）やそれに相当する資格を取得する必要もあるだろう。ガイドは客の安全と健康を預かっているので、銃器使用の訓練を受け、銃を携帯することもある。

有益なスキル・才能・能力

動物の扱いが巧み、アーチェリー、ベーキング、基本的な応急処置能力、人を引きつける魅力、卓越した記憶力、釣り、食料探し、他人の信頼を得る力、人の話を聞く力、優れた方向感覚、痛みに強い、接客力、リーダーシップ、人を笑わせる能力、多言語を操れる、マルチタスクのスキル、天候予測能力、人の心を読む力、調査力、狙撃、体力、戦略的思考力、力強さ、サバイバル能力、人に教える能力、自然の中でも迷わない方向感覚

性格的特徴

冒険好き、用心深い、おだやか、慎重、芯が強い、魅力的、自信家、礼儀正しい、好奇心旺盛、決断力がある、如才ない、規律正しい、おおらか、効率的、熱血、外向的、気さく、ひょうきん、もてなし上手、独立独歩、大人っぽい、自然派、注意深い、楽観的、きちんとしている、雄弁、プロフェッショナル、世話好き、臨機応変、責任感が強い、賢明、素朴、健全、賢い、ウィットに富む

葛藤を引き起こす原因

- 「手つかずの自然」を甘く見て、ご機嫌斜めの客や泣き言を言う客がいる。
- 悪天候のせいでツアーが惨めなものになり、経験できることも限られてくる。
- 器材が故障する。
- 人または（移動手段に使われている場合に）動物が怪我をする。
- キャンプの近くを危険な野生動物が徘徊している。
- 客が野生動物にやたらと

近づこうとする。
- 客同士の性格が合わず、いがみ合っている。
- チップを出し惜しみする客がいる。
- 自然のツアーに必要な体力のない客が参加している。
- 馬が客を振り落とす。
- クーガーや、子熊連れの母熊など、危険な野生動物に遭遇する。
- 客のひとりがグループから離れて迷子になる。
- キャンプ場で病気が蔓延する（食中毒、バクテリアで汚染された水を飲んで下痢になる、など）。
- 疲労困憊してグループから遅れをとる客、またはツアーを断念せざるを得ない客がいる。
- 疲れて客をもてなしたり、励ましたりできなくなる。
- 不慮の事故でツアーに必要な物を失う（熊がキャンプ場に侵入してきた、バッグが下流に流された、など）。

かかわることの多い人々

アウトドア用品店の店員、観光客や地元の人、牧場の手伝い、国立公園の管理人、写真家、アウトドア愛好家、地元の土地所有者

この職業は
5大欲求にどう影響するか

▸▸ 自己実現の欲求：
人に何かをしてもらうのが当たり前だと思っている、失礼で横柄な客に毎日接していると、いくら大自然を愛してやまないガイドであっても、期待と現実とのずれに驚き、やがて不満を抱くようになるかもしれない。

▸▸ 承認・尊重の欲求：
ガイドはあえて孤独を選んでいるように見えるので、世間は彼らを一匹狼だとか、「現実世界」に適さない人なのだと思い込みがちだ。このように勝手に判断されると、ガイドの自尊心が傷つく可能性がある。

▸▸ 帰属意識・愛の欲求：
観光シーズンには一度に何日も留守にすることが多く、忙しいローテーションが組まれているので、長く続く人間関係を築き、育んでいくのは難しいかもしれない。

▸▸ 安全・安心の欲求：
大自然の中では、危険な動物に遭遇し、迷いやすい地域を進むこともある。ガイドはグループの責任者であるため、みんなを守るためにリスクを負うので、怪我をすることも考えられる。

この職業を選択する理由

- 子どもの頃、森の中で迷った経験があり、同じ間違いを繰り返さないように方向感覚を磨いた。
- アウトドアが好きで、その情熱を他の人と共有したいと思っている。
- 独りの生活を好む。
- アウトドアが趣味で関心もあるので、それを仕事にして収入を得たい。

刺青師

〔英 Tattoo Artist〕

刺青師は、針とインクを使って人の皮膚に刺青を彫り、色を入れる。顧客が持ってきたデザインをもとにするか、顧客の要望に基づいてオリジナルのデザインを考案して彫る。スタジオで働く場合もあれば、独立してフリーランスで働く場合もある。

い

この職業に求められるトレーニング

正式な教育や訓練は不要だが、ほとんどの人は見習いからキャリアをスタートさせ、師匠的な存在の刺青師から技術を学んでいく。

有益なスキル・才能・能力

創造性、細部へのこだわり、手先の器用さ、人の話を聞く力、痛みに強い、宣伝能力、体力

性格的特徴

おだやか、自信家、協調性が高い、クリエイティブ、想像豊か、優しい、几帳面、忍耐強い、雄弁、奇抜、責任感が強い、感傷的、協力的、天才肌、寛容

葛藤を引き起こす原因

- 客が優柔不断で、どんな刺青を入れたいのか、なかなか決められない。
- 保健所から仕事に熱心すぎる検査官が来る。
- 客が不快なデザインやタブーなデザインを依頼してきた。
- 客がちょっとしたことでもすぐに痛がる。
- 痛みを我慢できるようにと事前に鎮痛剤を服用するなどして、意識が朦朧としている客に刺青を入れる。
- 衛生管理を怠っているスタジオで働いていて、客が体調を崩す。
- 客が依頼してきたデザインが複雑すぎて、自分の技術では無理。
- 健康上のリスク（血友病、何かのアレルギー症、など）を隠していた客に刺青を入れる。
- 客から病気に感染する。
- 治安の悪い地区にあるスタジオで働いているため、困ったことが発生する。
- 家族がこの職業に道徳的に反対していて対立する。
- 未成年客が年齢を偽る。
- タトゥーインクにアレルギーを発症し、仕事がつらくなる。
- 自分の作風や美学を同業者に真似される。
- スタジオの大家が変わり、新しい大家が刺青を快く思っていない。
- 客が刺青を入れた後に体調を崩したり、アレルギー反応を起こしたりして訴えられる。
- 過去にトラウマを体験し、血を見ると気絶してしまう。
- 恨みを持った客がネット上に悪い評価を書き込み、アーティストの評判を貶めようとする。
- フェイシャルタトゥーを入れたいと客に言われたが、後で顧客の大半が後悔するのを知っている。
- 満足した客がレビューを

残してくれないので、ビジネスがなかなか成長しない。
- デザインを真似するのは得意だが、デザインを一から作るだけの想像力に欠けている。
- 刺青師としての能力を伸ばせなくなる(色盲になる、筋肉が震えるようになる、手指のしびれが起きる疾患を患う、など)。
- 互いに軽蔑し合っている刺青師たちと一緒に仕事をする。
- 躊躇していた客が刺青を入れている途中で決心を翻す。
- 刺青を入れているときにミスを犯す(誤字脱字、重要なディテールを入れ忘れる、など)。

かかわることの多い人々

他の刺青師、大家、事務スタッフ、業者、顧客

この職業は5大欲求にどう影響するか

▸▸ 自己実現の欲求：
クリエイティブな仕事がしたいからと多くの刺青師がこの仕事に就くが、実際には、金儲けのための仕事や、想像力を働かせなくてもやれるような簡単な仕事ばかりをしていると、自己実現の欲求は満たされなくなる可能性がある。

▸▸ 承認・尊重の欲求：
刺青を入れるのは恥ずべきことだという社会通念は薄れたが、この職業を見下す人々や文化はまだ存在する。刺青を否定する人々が、その人の人生に重要な、または影響力のある人物であれば問題になるかもしれない。

▸▸ 安全・安心の欲求：
針を使う、あるいは他人の血液に触れる仕事には、常に健康上のリスクがつきまとう。手抜きをしたり、気が散っていたり、きれいに消毒されていない道具を使ったりして作業をしている刺青師は、客から病気に感染する可能性がある。

この職業を選択する理由

- 幼い頃から刺青は身近にあるものだった。
- かつては自分も差別的な憎しみや偏見を持っていたが、それを乗り越えたので、他の人もそういうものに打ち勝ってほしいと思い、人種差別的な刺青の除去や変更を専門にした。
- アートとしては異色であっても、個人的な意味を持つアート作品が好き。
- 創造性があり、芸術家としてのスキルを持っている。
- 尊敬している人たちが入れている刺青には意味が込められていると話していたのを知って、自分も刺青に興味を持った。
- 傷跡をアートに変えることで、前向きな気持ちになってほしい。
- 自己表現により自分を力づけることは重要だと強く信じている。

ステレオタイプを避けるために

刺青師は自分もかなりの刺青を入れているのが普通だ。そこで、健康上の理由で自分に入れることはできなかったが、創造性を発揮できる仕事を目指して刺青師になったキャラクターというのはどうだろうか。

また、刺青師がどんなタイプの刺青を専門にしているのかも検討してみよう。たとえば、キャラクターが博愛の精神を大切にしているなら、傷跡を隠すアートのような刺青を専門にしたり、昔入れたギャングの刺青、あるいは、囚人や奴隷の印や、強制収容所に収容されていたときにつけられた印などを隠す刺青を専門にしたりするかもしれない。

ウェディングプランナー

〔英 **Wedding Planner**〕

ウェディングプランナーの仕事は、婚約したカップルが幸せに結婚の日を迎えられるよう、ストレスを取り除くことである。2人がどのような結婚式を望んでいるのか、そのための予算を把握した上で、会場や余興、飾り付け、ケータリングなどの業者を選りすぐって提案する。挙式までの準備には何百もの小さな決断を下さなければならず、また思い出に残る一日にしなければならないというプレッシャーから、膨大なストレスが生じやすいのだ。

ウェディングプランナーは、カップルの夢や希望に添って選択肢を絞り込み、意思決定のプロセスが円滑に進むようにする。人脈を駆使して、予算に合った価格でカップルの希望に添える業者（エンターテイナー、ミュージシャン、ケータリング、ケーキデコレーション、フローリスト、カメラマン、ビデオグラファーなど）を探し出す。そして招待状の発送から出欠の返事の確認までを取り仕切ったり、家族間のいざこざをうまく回避できるように助言したりもする（新郎新婦の両親が離婚している場合、家族が仲たがいしている場合、義理の両親がやたらと口を出したがる場合、などへの配慮として）。さらに会場の予約、出席者の座席表の作成、結婚式で出す食事やケーキの試食、メニューの確認、結婚式当日までの予定表の作成、場合によっては、ハネムーンの計画の手伝いまで、様々なサービスを提供する。

挙式当日にはウェディングプランナーは現場に詰め、式が滞りなく進行するようチェックする。何か問題が浮上すればすぐに対処し、結婚式という特別な日を邪魔しようとする力（親族などによるもの）からカップルを守ることも仕事だ。

この職業に求められるトレーニング

トレーニングは不要だが、この職業を目指す人の中には、ウェディングプランニングや顧客関係管理に絡んだ講座や資格プログラムを受講する人もいる。期間は数カ月程度で、オンラインで受講できる場合が多い。

有益なスキル・才能・能力

目立たないように振る舞うスキル、人を引きつける魅力、共感力、優れた聴覚、優れた嗅覚、優れた味覚、卓越した記憶力、他人の信頼を得る力、人の話を聞く力、交渉力、接客力、人を笑わせる能力、マルチタスクのスキル、映像記憶、天候予測能力、宣伝能力、人の心を読む力、再利用のスキル、裁縫のスキル、戦略的思考力、俊足、声のとおりがいい、文章力

性格的特徴

柔軟、分析家、おだやか、芯が強い、魅力的、自信家、協調性が高い、礼儀正しい、クリエイティブ、決断力がある、細部にこだわる、如才ない、規律正しい、控えめ、おおらか、効率的、熱心、気さく、正直、もてなし上手、想像豊か、忠実、人脈が広い、注意深い、きちんとしている、忍耐強い、雄弁、積極的、プロフェッショナル、上品、世話好き、臨機応変、責任感が強い、協力的、倹約家、寛容、仕事中毒、将来を見通せる

葛藤を引き起こす原因

- 新郎新婦の意思を尊重しない親族をなだめる。

- 披露宴会場で家族同士が揉める。
- 会場のトラブル（火事、差し押さえ、など）で急に予約が取れなくなる。
- 結婚式当日近くになって業者が倒産する。
- （配送中に紛失されてしまう、サイズ直しでミスが起きる、など）ブライダルドレスのトラブルが発生する。
- 披露宴会場に運ぶ途中でケーキが崩れてしまう。
- 仲たがいしている親族に、結婚式や披露宴が妨害される。
- 招かれざる客が現れる（元恋人、ダメ親、何かと問題を引き起こすいとこ、など）。
- 予算オーバーする。
- わずかな予算しかないのにカップルが式に非常に大きな期待をしているせいで、ほとんど仕事にならない。
- 支払日までにカップルから代金が支払われない。
- 礼を欠いた新郎新婦のせいで、業者との関係が悪化する。
- 結婚式直前に変更を要求され、対応が難しい。
- 結婚式の出席者の中にアレルギーがあることを申告しなかった人がいる。
- アルコールが回り、家族間の確執が再燃する。
- 食事の給仕がプロフェッショナルではなく、不衛生だったり不適切な振る舞いをしてしまう。
- カメラマンが画像を「削除」してしまう、あるいはケータリング業者が披露宴で出席者全員を食中毒にしてしまうなど、業者が大きなミスを犯す。
- 新婦がウェディングプランナーに内緒で商品やサービスを注文する。

かかわることの多い人々

カップル、家族、業者、ケータリング会社、カメラマン、案内係、会場の管理者やスタッフ、結婚式の出席者、ミュージシャン、教会のスタッフ（教会で挙式を行なう場合）、業者の従業員、配達員、ブライダルパーティーのリムジン運転手（該当する場合）、旅行代理店やホテルのスタッフ（新婚旅行の計画もサービスに含まれる場合）

この職業は
5大欲求にどう影響するか

▸▸ 承認・尊重の欲求：
いい結婚式をプランしてあげたいという情熱を持っていても、整理整頓や予定管理ができない、優柔不断、あるいはプレッシャーに弱いなどの理由があると仕事には苦戦するかもしれない。また、ミスが多いと、ウェディングプランナーとしては成功せず、自信喪失する可能性も。

▸▸ 帰属意識・愛の欲求：
まだ人生のパートナーを見つけていない（そして一生見つけられないのではないかと思いはじめている）人なら、他人が幸せになるのを何度も手助けする仕事はきついかもしれない。

この職業を選択する理由

- ウェディングやロマンス、ハッピーエンドに強い憧れがある。
- 理想の相手を見つけたら、おとぎ話のような結婚式を挙げたい。
- 計画を立てるのが得意で、人を楽しませるのが好き。
- 結婚を成功させるには、完璧なスタートを切らなければならないという迷信を信じている。
- 準備がうまくいかずに結婚式で大失敗した経験があり、他の新婦が同じ轍を踏まないように救いたい。

受付

〔英 Receptionist〕

受付は、クリニックや企業のフロントデスクで勤務するため、顧客にビジネスの第一印象を与える役目を果たす。来客者の歓迎、書類の配布やファイリング、電話応答などが主な仕事だ。また、アポイントメントをとる、事務用品の注文、請求書の作成、簿記、郵便物のチェック、新しい事務員の研修、来客者の館内案内などを担うこともある。時には、建物の修理や企業のウェブサイトのデザインなどの専門サービスを手配し、そのメンテナンスの日時を決めて予定表を作成したりすることもある。

う

この職業に求められるトレーニング

一般的に高卒資格が必要だが、職場によっては、高校生でも雑用係として採用され、受付業務の一部を担当する場合もある。事務所の諸々の決まり事や、会社に導入されている業務システムの使い方など、研修よりは、実際に仕事をしながら学んでいくことが多い。一般的に受付になるには、ある程度のスピードで文字入力ができるなどのタイピングスキルや、文章作成や表計算のツールなど、一般的なソフトウェアが使いこなせるようなスキルが求められる。

有益なスキル・才能・能力

人を引きつける魅力、ハッキングのスキル、細部へのこだわり、卓越した記憶力、数字に強い、接客力、人を笑わせる能力、マルチタスクのスキル、場をうまくとりなす能力、人の心を読む力、調査力、タイピング、文章力

性格的特徴

魅力的、協調性が高い、礼儀正しい、如才ない、効率的、正直、忠実、従順、注意深い、積極的、プロフェッショナル、世話好き、臨機応変、責任感が強い、協力的

葛藤を引き起こす原因

- 年功序列や学歴が高い傲慢な同僚に囲まれている。
- 重要な書類をどこかに置き忘れる。
- 屈辱的な仕事や、契約内容には書かれていない仕事をやれと言われる（清掃、職場の人の個人的な使い走り、上司の配偶者に嘘をつく、など）。
- 憤慨しているクライアントや顧客の応対をしなければならない。
- 同僚同士がいがみ合っている。
- 停電で作業ができなくなる。
- 支払いを拒否する保険会社とやり取りをしなければならない。
- 饒舌な客、または色目を使って話しかけてくる客の応対をしなければならない。
- 患者または同僚から病気をうつされる。
- セクハラや差別に遭う。
- 給料が安く、福利厚生も手薄い。
- 同僚が解雇され、その人の分の仕事も引き受けなければならない。
- 上司が見下すような態度をとる、事細かに管理する、または理不尽な要求をする。
- いつも満足していないように見える客に応対する。
- （病院などの受付の場合）

予約の時間になってもいつも現れない患者がいる。
- 今まで遭遇したことのない複雑な状況に対処しなければならない。
- 事務員の離職率が高く、新しい人を訓練してもすぐに辞めていくので、効率よく仕事ができない。
- 人の話を聞かない、またはプロセスを守らない新人アシスタントを訓練している。
- 勤務中に家族から緊急の連絡が入る。
- うっかりとクライアントの守秘義務を破ってしまう。
- 社内での不審な動きに気づくが、どうすればいいのかわからない。
- 休憩時間がとれない。
- 職場に絡んだ恐怖症のようなものを持っている（医療クリニックで働いているが血や注射の針が怖い、など）。

かかわることの多い人々
患者、クライアントや顧客、他の受付や事務員、職場にいる専門家（会計士、医師、看護師、カウンセラー、弁護士、講師、歯科医、など）、インターンの学生、求人広告の応募者、配達員

**この職業は
5大欲求にどう影響するか**

▸▸ 自己実現の欲求：
受付の仕事は、同じことの繰り返しで退屈になるときがあり、「本当にこんな仕事しかないのだろうか」と思ってしまう可能性がある。

▸▸ 承認・尊重の欲求：
自分の失敗ではないのに自分の責任にされてしまうのは、受付にとって珍しいことではない。逆に、受付が大きな問題を解決しても、その功績が認められることはあまりない。

▸▸ 帰属意識・愛の欲求：
オフィス内の問題解決役である受付が上司や同僚と恋愛関係を持ってしまうと問題になりやすい。職場に不健全なライバル関係が生まれたり、職場で孤立したりする可能性がある。

この職業を選択する理由
- 頼れる交通手段がなく、自宅近くで働ける職場が必要だった。
- あらゆるタイプの人と交流するのが好き。
- 夏の間に経験になる仕事がしたい。
- 整理整頓能力がある。
- 安定した、予測のつく仕事を求めている。
- 自分が関わっている組織に協力したい（非営利団体、我が子が通っている学校、大切な友人が所有している会社、など）。
- 特定の業界で一から経験を積んでいきたい。
- 高等教育を受けていない。

ステレオタイプを避けるために
魅力的で色目を使う、コミカルでだらしない、病的な整理整頓好き、退屈と幻滅に打ちのめされている——受付はそんなふうに描かれることがほとんどだ。こうした陳腐な描き方ではなく、もっと工夫しよう。たとえば、遠慮なくものを言う、はつらつとした性格、またはいつも不機嫌で冴えない性格にしてみる。あるいは、職場の中心的存在として情熱を燃やし、自分のモットーをしっかり持って生きていて、職場のみんなの一日を明るくする人にしてみるのもいいだろう。

運転手

〔英 Driver (Car)〕

運転手は、人を車に乗せて移動し、走行距離に応じて支払いを受け取る。一般的に、タクシー会社やライドシェアサービス会社の下で働く場合が多く、配車係や配車アプリを介して利用者のもとへ向かう。自家用車を使う場合もあれば、会社や雇用主が所有する車に乗る場合もある。お抱え運転手は、企業や富裕層に雇われていることが多く、決められた給料をもらって車を運転する。

う

この職業に求められるトレーニング

有効な運転免許が必要で、採用前にある程度の経験を求めるところも多い。企業お抱えの運転手の場合は、身元調査や指紋採取をして合格し、さらに保険に加入しなければならない。自家用車を使う運転手の場合は、車が仕事用に使えるものかどうかを点検し、車検を通過しなければならないこともある。

近年、配車アプリを使ったライドシェアが一般的な移動手段になってきているが、ライドシェアの運転手になるための要件や免許は時代とともに変化している。キャラクターがライドシェアの運転手である場合は、下調べをして最新の情報を得ておこう。

有益なスキル・才能・能力

優れた方向感覚、安全運転、優れた聴覚、卓越した記憶力、人の話を聞く力、車のキーを使わずに配線を直結させてエンジンをかける技術、人を笑わせる能力、多言語を操れる、人の心を読む力、護身術

性格的特徴

柔軟、用心深い、おだやか、自信家、礼儀正しい、控えめ、外向的、熱心、気さく、注意深い、忍耐強い、積極的、賢明、寛容

葛藤を引き起こす原因

- 交通違反切符を切られてしまい、運転手としての雇用が危ぶまれる。
- 交通事故に遭う。
- 危険な客を拾ってしまう。
- 客と乗車代で揉める。
- 不埒な客を乗せる。
- 政治や宗教などのデリケートな話題を持ち出す客を乗せる。
- 不適切な言動をしたと客に非難される。
- 過剰な料金を請求されたと客に非難される。
- 道に迷う。
- 客に過剰な請求をしたことがばれてしまう。
- 客を迎えに行かなければならないのに時間に遅れてしまう。
- 明らかに病気の客、または酔っぱらっている客を乗せる。
- 酔っぱらい客が車内で嘔吐する。
- 病欠または急に休みを取ることになり、出迎えの予定が入っていたが行けなくなる。
- カージャックされる。
- 車が故障する、または時々エンストを起こす。
- 麻薬の密輸など違法行為に関与しているのではな

いかと疑われる客を乗せる。
- 乗客が警察に指名手配されている犯罪者であることに気づく。
- 乗客が虐待や人身売買などの被害者だと確信する。
- 体調を崩して仕事を続けるのが難しくなる（視力低下、腰痛、など）。
- 利用客の少ない日で、暇を持て余す。
- 客が横柄な態度を見せる、口汚い言葉で罵る、または人種差別的な中傷をする。
- 重大事件が起きたのに防犯カメラの故障で録画されていない（乗客による暴行、強盗、人質事件、など）。

かかわることの多い人々
乗客、配車係、同じ会社の他のドライバー、マネージャー、警察官、車の整備士、洗車やワックスがけ担当の社員

この職業は5大欲求にどう影響するか

▸▸ 自己実現の欲求：
強い野心を持った運転手は、やがて今の職業では満足できなくなる可能性がある。

▸▸ 承認・尊重の欲求：
乗客から見下されたり、邪険に扱われたりすると、自尊心が揺らぎ、なぜこんな職業を選んだのだろうと後悔することも。

▸▸ 安全・安心の欲求：
運転技術が高くても、路上には安全を脅かすような愚かな行為を犯す者が必ずいる。

▸▸ 生理的欲求：
見知らぬ客を拾うときは危険がつきもので、運転手が精神不安定な客や暴力的な客の犠牲になる事件が後を絶たない。

この職業を選択する理由
- 人が好きで人と接するのが楽しい。
- 読み書きが不得手などの障害があり、他の仕事ができない。
- 秘密の貨物（銃、ドラッグ、爆弾や炭疽菌などを仕掛けた小包、など）を搬送する方法を必要としている。
- 子どもが学校に行っている間に働きたい、または仕事を掛け持ちしたいので空いている時間に働きたいなど、柔軟なスケジュールを必要としている。
- 直接的に人の役に立ちたい。
- 身体障害があって、長時間立っていられない。
- 生涯を運転手として生計を立ててきたので、この仕事のことはよく知っている。
- 運転しているときはひとりだし、自由でいられるのが気に入っている。

ステレオタイプを避けるために
運転手という職業に就くと、一般の人が近づけない人物に近づけたり、入れない場所に入れたりすることもある。キャラクターが邪な理由でこの職業を選んだとしたら、一体どんな理由で選んだのか考えてみよう。
LyftやUberのようなライドシェア企業が成長し、運転手の働き方が変わってきている。企業などにフルタイムで雇われる場合もあれば、自分の都合の良いときにだけ働く場合もある。また、都市部で本職を持っている人が、通勤のついでにLyftやUberの運転手になって、同じように都市部に向かう客を拾うという働き方も可能だ。運転手としての働き方が多様化しつつあり、片手間に働けるようになっている。

栄養士

〔英 Dietician〕

栄養士は、患者の食生活を管理し、医療情報と生活習慣に基づいて食生活の改善案を提示する。人間に必要な栄養に詳しい、資格を有した専門家として、食生活絡みの問題を診断して栄養指導を行なう。勤務先は病院や老人ホーム、学校、医療施設など様々だ。

え

この職業に求められるトレーニング

健康関連分野の学士号が必須で、栄養指導を行なうには各州で免許登録が必要になる。免許は、栄養士養成の認定機関によって承認された必須課程を修了すると取得できる。また、国家試験にも合格しなければならない。特定分野で他の専門家とともに働くには、さらにトレーニングが必要になることもある。

有益なスキル・才能・能力

基本的な応急処置能力、人を引きつける魅力、細部へのこだわり、共感力、他人の信頼を得る力、人の話を聞く力、人を温かく迎え入れる力、マルチタスクのスキル、人脈作り、論理的思考力、宣伝能力、人の心を読む力、調査力、営業力、戦略的思考力

性格的特徴

協調性が高い、礼儀正しい、如才ない、控えめ、共感力が高い、熱血、もてなし上手、優しい、面倒見がいい、客観的、注意深い、楽観的、きちんとしている、勘が鋭い、雄弁、プロフェッショナル、臨機応変、責任感が強い、勉強家、協力的

葛藤を引き起こす原因

- 患者が食習慣を変えることに抵抗している。
- 不潔な施設、または病人と接する可能性が高い施設で働いている。
- 必要な診断ツールがない。
- 手術前後や病気治療の一環などで食事療法が必要な患者がいる。
- 家族や友人が栄養士の道を進む自分を応援してくれない。
- 同僚に、医師と同じ訓練を受けていないと見下される。
- 勤務時間外でも常に栄養や食事療法について人に質問される。
- 栄養士は栄養のあらゆる面に専門知識を持っているものだと期待される。
- ダイエット業界が健康によくないものを世間に推し進めている。
- 間違った情報を信じている患者の誤解を解こうとする。
- 患者が食事療法を守っていないのに、効果が出ていないことを栄養士のせいにする。
- 保険会社と揉めている。
- 栄養士なのに太りすぎだと揶揄される。
- 栄養士なのに不健康なものを食べていると後ろ指を指される。
- 家族や友人と一緒に食事をすると、「栄養士の前でこんなものを食べてはい

けないね」と言われてしまう。
- 栄養学の最新情報が収集できない、または変化に対応しきれないために苦労している。
- 患者に誤った情報を提供してしまう。
- 専門家でもないのに、患者が栄養士の提案に同意せず、ソーシャルメディアで見つけてきたエセ科学の記事を引き合いに出して、自分の意見が正しいのだと言い張る。
- 栄養士として、子どもの健康促進のために新しい食習慣を提案しているのに、親がそれを取り入れようとしない。

かかわることの多い人々
患者（大人、子ども）、給食関係者、医師、保険会社、看護師、受付、会計士、施設の職員（病院、学校、老人ホーム、など）

この職業は5大欲求にどう影響するか

▸▸ 自己実現の欲求：
人々の生活に変化をもたらしたくてこの分野に入る人が多い。このようにやる気を持った栄養士が、不健康な食習慣を変えられずにいる患者に手を焼くと、次第に失望し、この道を選んだことを疑問に思う可能性がある。

▸▸ 承認・尊重の欲求：
栄養士として優秀でも、肌が荒れていたり体重過多だったりすると、偏見を持たれて栄養士としての経験までもが疑われかねない。こうした身体的な問題は本人がコントロールできるものではないのに、人に批判され､屈辱的な思いをすると、キャリアだけでなく自尊心まで傷がつくかもしれない。

▸▸ 帰属意識・愛の欲求：
友人や家族が助言を求めてもいないのに、栄養士だからと勝手に食生活にアドバイスをすると嫌がられてしまう。同じことを繰り返していると、人間関係に亀裂が生じるかもしれない。

この職業を選択する理由
- 不健康な食生活または摂食障害を克服した経験があり、同じ問題を抱える人たちを助けたい。
- 子どもの頃、太りすぎてからかわれていた。
- もっと健康的な食生活を送っていたら防げた病気で、愛する人を失った。
- 愛する人が体調を崩していたが、食事療法で改善できた。
- 食と健康に関心がある。
- 人の世話をするのが楽しい。
- 家族全員が医療に従事しているので、自分も医療の道に進むことを期待されている。
- 危険なダイエットや摂食障害など、食べ物とのネガティブな関係を続けている人たちを救いたい。
- 世間に栄養や食生活について正しい情報を伝え、間違った情報が拡散されるのを阻止したい。
- 自分はヴィーガンなので、ヴィーガンダイエットをうまく管理する方法を他の人たちに伝えたい。

ステレオタイプを避けるために
なんといっても栄養士は「絶対に太らない」「健康にいいものしか食べない」などといった固定観念を持たれがちだ。新鮮な視点でストーリーを描くために、体重管理がまったくできていないキャラクターにしてみてはどうだろう。おそらく、キャラクターは自分自身よりも人を助けるほうがはるかに簡単なことに気づくはずだ。
また、栄養士は健康と栄養に関心を持っているために、食生活やエクササイズには狂信的なほどうるさい人として描かれがちだ。そこで、食生活にはこだわりがあるくせに、喫煙も薬物摂取もやる、しかも不衛生で不健康な習慣があって、それを正そうともしないキャラクターにしてみるのはどうだろう。

外交官

〔英 Diplomat〕

外交官は自国を代表して外国に派遣される公務員である。条約の交渉から、情報収集および報告、ビザの発給、海外での自国民の保護まで多種多様な職務を担い、戦争と平和、経済、環境、人権など様々な問題について他国に影響を与える活動をしている。どのような職務を担っていても、常に自国の利益と政策を代表するのが外交官だ。

外交官は自国にとどまることもあるが、大抵は外国の大使館に赴任する。2年から4年の短期の任務であることが多く、その後はまた別の国に赴任する。新米時代は領事業務を経験しなければならないが、ある程度の経験を積むと、他のより望ましい配属先や任務に移ることも可能だ。

外交官と一口に言っても、国によって様々な役職がある。年功序列の高い順に、大使、公使、特使、領事、領事官補などがある。

この職業に求められるトレーニング

国によって必須要件は異なるが、アメリカで外交官を目指すなら、20歳から59歳までのアメリカ市民であることが条件だ。その条件を満たしている者は、筆記の適性テストに合格した後、仕事への適性を判断するための厳格な面接試験を受ける。さらに身元調査に合格したら、外務職員局に入り、最長9カ月間の訓練を受ける。

必ずしも希望の国に配属されるわけではなく、あくまでも人材が必要な場所に配属される。赴任先が危険な場合は、外交官の家族が同行できない場合もある。

有益なスキル・才能・能力

人を引きつける魅力、共感力、平常心、卓越した記憶力、他人の信頼を得る力、人の話を聞く力、交渉力、もてなしの技術、リーダーシップ、友好関係を築く能力、第六感、多言語を操れる、人脈作り、既成の枠にとらわれない思考、場をうまくとりなす能力、宣伝能力、パブリック・スピーキング、人の心を読む力、戦略的思考力、文章力

性格的特徴

柔軟、冒険好き、野心家、分析家、感謝の心がある、大胆、おだやか、魅力的、自信家、協調性が高い、礼儀正しい、決断力がある、如才ない、控えめ、共感力が高い、熱血、つかみどころがない、外向的、気高い、もてなし上手、知的、操り上手、几帳面、詮索好き、きちんとしている、情熱的、忍耐強い、愛国心が強い、完璧主義、粘り強い、雄弁、積極的、世話好き、正義感が強い、粋、疑い深い、寛容、賢い

葛藤を引き起こす原因

- 時事問題や文化的規範について正しい知識がないために、会議でミスを犯してしまう。
- 自分が勤めている大使館が攻撃された。
- 言葉の壁に阻まれてコミュニケーションがうまくいかない。
- 赴任国の政府高官が融通

を利かせないし、非協力的である。
- 家族が同行できない外国に赴任することになった。
- 複雑な政治的摩擦が起き、慎重な対応を迫られる。
- 次の赴任先が決まり、気に入っていた場所を去り、親しい友人に別れを告げなければならない。
- 引越しが頻繁で、我が子が新しい環境に適応するのに苦労している。
- 赴任先に同行した家族がカルチャーショックに悩んでいる。
- 外交の場で交渉が決裂する。
- 殺害の脅迫を受ける、または暗殺の標的にされる。
- 内乱や戦争に巻き込まれる。
- ホームシックになる。

かかわることの多い人々

大使、特使、領事官補、外国の外交官、記者、翻訳者と通訳者、政府高官および首脳陣

**この職業は
5大欲求にどう影響するか**

▸▸ 自己実現の欲求：
政治の世界で働いている人なら誰でも経験することだが、統治者の気まぐれに振り回されてしまう。外交官としての目標を達成しようと一生懸命努力していたはずが、実は政治的策略に利用されていたことに気づくこともある。何度もこのような経験をすると、疲れ果てて幻滅を覚えることも考えられる。

▸▸ 承認・尊重の欲求：
どこの国にも大抵は明確な外交上の序列がある。その序列の底辺にいる人は、自分の立場が尊重されていないことに失望するかもしれない。

▸▸ 帰属意識・愛の欲求：
外交官には柔軟性が求められ、赴任国が決まればそこへ行くし、赴任国は頻繁に変わる。このため、家庭内に軋轢が生じる可能性がある。

▸▸ 安全・安心の欲求：
外交官は、政情不安と社会的な混乱が起きている国で必要とされることが多い。そのような国に赴任すると任務は危険なものになるかもしれない。

▸▸ 生理的欲求：
赴任国の状況が悪化して暴動や戦争に発展した場合、そこにいる外交官の命が脅かされることになる。

この職業を選択する理由

- 政治家一家で育った。
- 家庭生活が嫌で、逃げ出したかった。
- 旅行と異文化探究が好き。
- 人をもてなすのがうまく、説得力のある話し方ができて、人の信頼を得るコツを知っている。
- 世界の平和を推進し、生活水準を改善したい。
- 頻繁な転勤を伴う仕事に就き、私生活で親密な関係を築くのを避けようとしている。
- 特定の国の状況や政府関係者に関する情報を必要としている。

介護助手

〔英 Home Health Aide〕

介護助手は、病気や怪我のせいで自力では暮らせなくなった患者を支援する。住み込みで24時間体制の介護を提供する場合もあれば、訪問介護の場合もある。介護を提供する頻度は、患者の支払い能力と、保険会社がどのサービスをカバーするかによって変わってくる。

医療専門家（通常は看護師）の監督下で、介護助手は様々なサービスを患者に提供する。たとえば、入浴、身づくろい、トイレなどの生活介助、掃除、洗濯、食料品の買い出し、健康的な食事の調理などの家事支援、病院送迎、レクリエーションの付き添い、様々な予約の管理、リハビリなどの機能訓練の手伝い、薬の服用チェックや包帯交換などの医療支援がある。また、患者に提供した介護の内容を記録し、他の専門家と協力し合うことも求められる。

介護助手の中には、独立して仕事をする人もいれば、派遣会社に登録して仕事をする人もいる（その場合、勤務時間は派遣会社が管理する）。

か

この職業に求められるトレーニング

どのような訓練が必要になるのかは、地域によって異なる。派遣会社を通して働くなら、高卒資格だけでなく、介護士の資格も求められるのが一般的だ。実地で介護経験を積んでいく場合もあれば、専門学校や短大で勉強する場合もある。また、介護職に就く人には、経歴審査が行なわれるのが普通だ。

有益なスキル・才能・能力

基本的な応急処置能力、細部へのこだわり、共感力、卓越した記憶力、他人の信頼を得る力、人の話を聞く力、接客力、場をうまくとりなす能力、人の心を読む力、体力、力強さ

性格的特徴

柔軟、愛想がいい、用心深い、おだやか、協調性が高い、礼儀正しい、控えめ、効率的、共感力が高い、気さく、温和、気高い、人を温かく迎え入れる、謙虚、優しい、面倒見がいい、きちんとしている、世話好き、責任感が強い、賢い、協力的、利他的

葛藤を引き起こす原因

- 患者が非協力的。
- 契約で決められたサービス以上の介助を患者が期待する。
- 現状以上に介助が必要な患者を担当しているが、それは患者の支払い能力を超えている。
- 保険会社と揉める。
- 患者の家族の要求が厳しい、または理不尽。
- 患者が介護助手に不健全な愛着を持ったり、依存したりする。
- そばに家族がいない患者、あるいはまったく身寄りのない患者を担当している。
- いつも「難しい」患者や仕事を任される。
- 勤務中に負傷し、仕事ができなくなる。
- 長時間労働や厳しい労働が続く。
- 他の人と仕事を分担していて、患者がもうひとりの介護者からは質の高い介護を受けていないことに気づく。
- 患者が虐待されている、またはネグレクトされている兆候に気づく。
- 介護に訪れている家が不衛生または安全でない。
- 患者やその家族から倫理

に反した行為をしたと非難される。
- 治安の悪い地域に住む患者を訪問しなければならない。
- 介護助手を不安にさせるような同居人や同居家族がいる。

かかわることの多い人々
患者、患者の家族または同居人、医師、看護師、理学療法士、保険会社の社員、他の介護助手、派遣会社の事務員（介護助手が派遣会社に登録している場合）、警察官、ソーシャルワーカー

この職業は
5大欲求にどう影響するか

▸▸ 自己実現の欲求：
この仕事を踏み台にして他の職（看護師など）に就くのを夢見ていても、実現できない場合は息苦しさや限界を感じはじめることも。

▸▸ 承認・尊重の欲求：
介護の仕事をしていても、助手という立場なので見下され、不遇な扱いを受けたり、過小評価されたり、利用されたりするかもしれない。

▸▸ 帰属意識・愛の欲求：
表面的に多くの人（患者）とつながれるという理由から、この職業を選んでいる可能性がある。誰かの人生に長期的にあるいは本気で関わるつもりはなくても、自分の居場所が欲しいのかもしれない。

▸▸ 安全・安心の欲求：
患者を抱き上げたり、移動させたりするときに腰などを痛める可能性がある。また、適切な予防措置を取らないと病気に感染する危険もある。

この職業を選択する理由
- 仕事が必要で、この仕事なら自分に回してくれる人を知っていた。
- 人助けができて、人に感謝されるような仕事を求めていた。
- 高齢の親や親戚を長期間介護した経験がある。
- 孤独で誰も頼る人がいないと感じていて、同じような思いをしている人を助けたい。
- 人の世話をした経験が豊富。
- 非常に思いやりがあって、共感力も強い。
- 自分の家族とは疎遠な状態で、他人の世話をしていると、心の隙間を埋められる。

ステレオタイプを避けるために
フィクションの世界では、低所得者層を介護する介護助手をよく見かけるが、介護は誰もが必要とするものだ。富裕層の介護を専門にした派遣会社で働く、あるいは、大家族や精神疾患を持った患者を扱うといった設定はどうだろうか。

害虫駆除技術者

〔英 Pest Control Technician〕

害虫駆除技術者は、住宅または商業スペースから害虫または害獣を駆除するのが仕事だ。害虫や害獣の種類は場所によって異なるが、アリやゴキブリ、トコジラミ、シロアリ、ダニ、クモ、スズメバチ、ドブネズミ、屋根裏や壁内に棲みつく小さなネズミ（穀倉、畑、果樹園にも棲みつく）などが一般的だ。地域によっては、ヘビやサソリ、ワニ、鳥などの捕獲に呼ばれることもある。害虫駆除技術者は、現場を査定し、スプレー器具、噴霧・噴射機械、毒餌剤、罠などを使用して駆除を行なう。害虫や害獣が巣くっている場所の近くに膝をつく、這いつくばる、狭い所に入り込むなどといったように、作業では不自然な姿勢をとらなければならないし、下水道などの汚れた場所で作業することもあるため、ある程度の力強さと強い精神力が求められる。

この職業に求められるトレーニング

通常、高卒資格またはそれに相当するものが必要で、許可書がないと営業できないことが多い。この職業に就いたばかりの人は、害虫や害獣の駆除に用いる化学物質や殺虫剤について、またその安全な適用方法について実地訓練を受けながら学んでいく。あらゆる駆除作業は、地域の環境保護法や規制に基づいて行なわれなければならない。特に住宅地でこうした化学薬品を用いて害虫を駆除する場合、殺虫剤の適量や作業完了までにかかる時間を正確に計算する数学の知識も必要になる。また、害虫の発生状況や害獣の位置確認のため車で現場に向かい、機材も運搬しなければならないので、有効な運転免許証が必要だ。

有益なスキル・才能・能力

動物の扱いが巧み、基本的な応急処置能力、目立たないように振る舞うスキル、優れた聴覚、卓越した記憶力、餌付け、痛みに強い、機械に強い、俊敏な運動能力、天候予測能力、護身術、戦略的思考力、力強さ、呼吸コントロール、俊足、自然の中でも迷わない方向感覚、木工技能、格闘技

性格的特徴

柔軟、冒険好き、用心深い、分析家、慎重、芯が強い、勇敢、残酷、皮肉屋、規律正しい、効率的、独立独歩、勤勉、注意深い、きちんとしている、忍耐強い、完璧主義、積極的、プロフェッショナル、臨機応変、責任感が強い、意地っ張り

葛藤を引き起こす原因

- 無責任な住宅所有者のせいで、害虫／害獣が発生している（ゴミを捨てない、家をきちんと手入れしていない、など）。
- 特定の駆除方法を使ったが、なかなか害虫／害獣を駆除できない。
- 住宅所有者に八つ当たりされる。
- 狭い所や危険な場所で、毒を持った害虫／害獣を駆除しなければならない。
- 自分が勤めている害虫駆除会社の駆除方法や方針に疑問を持つ。
- そこまで残酷なことをしなくてもいいのに、と思うような駆除をする同僚と一緒に働いている。

- クライアント宅に殺虫剤を噴霧したときに、物を盗んだと非難される。
- 害虫／害獣が保護種であることが発覚し、住宅所有者に駆除は無理だと伝えなければならない。

かかわることの多い人々

住宅所有者や建物の管理者、保健所の職員（大型害虫の場合）、他の害虫駆除技術者、設備や機材の販売会社の人、保健所の検査員、事業主

この職業は5大欲求にどう影響するか

▸▸ 承認・尊重の欲求：
この職業は一般市民がやりたいと思う仕事ではないかもしれない。そういう社会認識がこの職業に就く人の自尊心や自己肯定感に影響を与えるかもしれない。

▸▸ 帰属意識・愛の欲求：
将来、人生のパートナーになるかもしれない人が、不当な思い込みからこの職業に対して嫌悪感を持ち、恋愛がうまくいかなくなる可能性も考えられる。

▸▸ 安全・安心の欲求：
住宅所有者や施設管理者があえて行かないところに足を踏み入れなければならない職業なので、特に毒を持っているなどの危険な害虫／害獣であれば、身の安全が脅かされる。

▸▸ 生理的欲求：
この仕事は危険度が高く、機材や有毒な化学物質の取り扱いを誤ると命に関わる結果になりかねない。

この職業を選択する理由

- 前科があり、雇用の選択肢が限られていた。
- 仕事が必要なときに、この仕事の募集を見た。
- （過去の自分の行ないへの罰として）喜びも満足感も感じない職業を求めていた。
- 害虫／害獣が無残に殺される環境で育ち、過去の罪を償いたい、過去の心の傷に向き合いたいと考えている。
- 害虫を含め虫嫌いで、その恐怖心を克服したい。
- 殺傷に喜びを感じるので、何の咎を受けることもなく何かを殺せる仕事がしたい。
- 家業を受け継いでいる。
- 害虫／害獣が起源の感染病は根絶されるべきだと強く信じている。

ステレオタイプを避けるために

　この職業のキャラクターは、低学歴者や社会不適応者として描かれることが多いが、こうした固定観念からは離れるようにしよう。有毒な殺虫剤を安全基準に従いながら使わねばならないし、時には危険な害虫／害獣を駆除することもあり、安全に仕事ができるだけの知性が必要な職業なのだ。駆除しなければならない害虫／害獣や駆除の場所を工夫して、差別化を図るのもいい。たとえば、歴史的建造物の屋根裏部屋に巣を作って棲みついているリスの集団、住宅の縁の下に棲みついているスカンク、住宅地の貯水池に棲むワニなど、思いがけない駆除作業を頼まれる設定にしてみてはどうだろうか。

看護師

〔英 **Nurse (RN)**〕

看護師（正看護師）は、患者をケアし、病状をチェックして記録し、患者の家族や介護者に治療内容を説明するのが主な仕事だ。看護師の中には、看護学生を教え、看護師長の役割を果たす人もいる。主な勤務先は、病院やクリニック、長期療養施設、小さな診療所、学校、刑務所など。在宅医療を提供する企業に勤務している場合は、患者宅や他の施設に赴いて看護する。どこで働いているかにもよるが、小児科、老年科、形成外科、皮膚科などの専門分野で働く看護師もいる。

か

この職業に求められるトレーニング

正看護師になるには、4年制の大学で看護学の学位を取得し、国家試験に合格しなければならない。大学院の学位を持っている看護師は、ナース・プラクティショナー（医師の行なう医療行為の一部を行なうことが認められている看護専門職）、看護助産師などの専門職に就くために、高度な臨床専門職の資格をとることもある。

有益なスキル・才能・能力

基本的な応急処置能力、共感力、平常心、他人の信頼を得る力、人の話を聞く力、接客力、リーダーシップ、多言語を操れる、マルチタスクのスキル、場をうまくとりなす能力、人の心を読む力、調査力、体力、人に教える能力

性格的特徴

柔軟、愛情深い、用心深い、おだやか、芯が強い、協調性が高い、礼儀正しい、決断力がある、如才ない、控えめ、効率的、共感力が高い、気さく、凝り性、もてなし上手、勤勉、知的、優しい、情け深い、几帳面、面倒見がいい、客観的、注意深い、楽観的、きちんとしている、忍耐強い、勘が鋭い、雄弁、プロフェッショナル、強引、責任感が強い、賢明、勉強家、協力的、利他的

葛藤を引き起こす原因

- 患者が気難しい、または非協力的。
- 患者が本当の病状や健康習慣を隠し、嘘をつく。
- 患者の重要な予兆を見逃す。
- 高齢者または未成年の患者が虐待を受けているのではないかと疑う。
- 患者を助けることができない。
- 好きな患者の最期を看取らなければならない。
- 治療費を払えない患者を目の当たりにする。
- 最近までいた重症患者を見かけなくなった（突然の転居、遠方の施設への転院、など）。
- オピオイドなどの薬物依存症になる。
- 愛する人が末期患者で、余命を生きる手助けをしてほしいと頼まれる。
- 職場の労働環境が望ましくない。
- 担当している患者が医師の指示に従わず、一向に病状が改善されない。
- 威圧的または見下した態度をとる医師と一緒に働く。
- 職場でえこひいきがまかり通っている。
- 予算削減で人手不足になり、医療機器がきちんと

メンテナンスされていない。
- （ホームレス、有害な人間関係、栄養失調、など）看護師では治療できない問題を抱えた患者を看る。
- 患者を手当てしていて、危険な感染症にかかっていることに気づく。
- 医師の過失や無能を疑う。
- 職場でハラスメントの被害に遭う。

かかわることの多い人々

医師、他の看護師、他の医療従事者（理学療法士、精神科医など）、患者、病院の責任者、事務員、患者の家族または介護人、製薬会社の営業

この職業は5大欲求にどう影響するか

▸▸ 自己実現の欲求：
看護はやりがいのある仕事だが、長時間労働を必要とし、精神的に疲弊することもある。職場の人間関係の風通しが悪く、昇進できなかったり、専門分野を変えられなかったりすると、行き詰まりや不満を感じはじめるかもしれない。

▸▸ 承認・尊重の欲求：
看護師を見下すような医師や、看護師の仕事ぶりが気に食わない患者の親族に頻繁に接していると、自己不信に陥る可能性がある。

▸▸ 帰属意識・愛の欲求：
担当する患者にあまりにも強い愛着を持ってしまうと、他の人になかなか愛着を感じられなくなることも。あるいは、私生活で人に心を開きたくないからと、患者につながりを求めてしまい、愛や帰属の欲求が満たされず、空虚な気持ちが生まれたり、その気持ちが強まったりする可能性がある。

▸▸ 安全・安心の欲求：
治安の悪い地域で勤務している、すぐにカッとなる患者を手当てしている、あるいは十分な護身法を身につけていない場合、看護師の身の安全がゆらぐことも考えられる。

この職業を選択する理由
- 過去に人を死から救えなかった経験があり、誰かを看護することで償いたい。
- 医師になりたかったがなれなかった（経済的理由、時間的余裕がなかった、学力的に無理だった、など）。
- 生まれつき面倒見のいい性格で、共感力もある。
- 看護師や医師の家系の出身。
- 自分の人生で大切な人と理解し合えず、患者を看護することで埋め合わせている。
- 社会や世界を変えるような仕事をしたい。
- 薬物に手の届きやすい仕事に就きたい。
- 裕福な医師と結婚したい。

ステレオタイプを避けるために
看護師になる男性は増えているが、一般的には看護師といえば女性を思い浮かべる人が多い。ジェンダーにかかわらず、興味深く意味のある性格を有した看護師を、長所も短所も含めて描くこと。趣向を変えて、勤務先を精神科病棟や寄宿学校などの変わった場所にするといいかもしれない。

機械工学者

〔英 Mechanical Engineer〕

機械工学は、物体の動き、力、エネルギーを研究する学問だ。機械工学を学んだ技術者は、工具やエンジンなどの機械、大規模プラントや工場の研究、設計、建設、維持管理を仕事にする。彼らが製造開発する製品やシステムは、スペースシャトルからエスカレーター、バイオメディカル機器、発電所にいたるまで多岐にわたる。

機械工学のスキルは、航空宇宙や自動車、製薬、ロボット工学、建設、石油・ガス、農業など、様々な産業で必要とされているので、雇用の機会は多い。

き

この職業に求められるトレーニング

この分野で働くには、大学で機械工学の学位を取得する必要がある。大学では、材料力学や静力学、動力学、熱力学、数値法、化学、高度な数学などを学ぶ。この分野では、イノベーションを起こす能力や優れた問題解決能力が求められる。

有益なスキル・才能・能力

細部へのこだわり、手先が器用、数字に強い、機械に強い、再利用のスキル、調査力

性格的特徴

分析家、協調性が高い、クリエイティブ、好奇心旺盛、決断力がある、効率的、熱血、熱心、勤勉、知的、几帳面、注意深い、きちんとしている、積極的、臨機応変、責任感が強い、賢明、勉強家

葛藤を引き起こす原因

- 非協力的な、またはやる気のないメンバーとチームを組んで仕事をする。
- 人種やジェンダーのせいで偏見を持たれている。
- 特定のプロジェクトで解決策を見つけられない。
- 知識や経験があまりない人に率いられて仕事をしている。
- エンジニアなのに、書類の記入などをやらされて、技術的な仕事をさせてもらえない。
- 非現実的な納期を言い渡され、その期限内に仕事を終わらせなければならない。
- プロジェクトの途中で資金が底をつく。
- 知らずに劣悪な部品を使用し、機械が壊れる。
- 機械が故障して怪我をする（または誰かを怪我させてしまう）。
- 本当はやりたかったプロジェクトなのに肩透かしを食らう。
- 特定のプロジェクトにしか携われないように追いやられている。
- 機械は得意だが人間は苦手。
- （上司、チームメンバー、またはクライアントに）アイデアを盗まれる。
- 嫉妬深い同僚や競争相手にプロジェクトを妨害される。
- 外傷性脳損傷や、手や指を動かせなくなるような怪我を負い、仕事ができなくなる。
- プロジェクトが失敗し、上層部にそれに対する非難の責任を取らされた。

かかわることの多い人々

クライアント、上司、事務の人、チームメンバーや同僚、プロジェクトマネージャー、

工事現場監督者や総合建設請負業者、他分野の技術者、企業内の他部署の人々（法務部の弁護士、財務部や人事部の人、など）

この職業は5大欲求にどう影響するか

▸▸ 自己実現の欲求：
この分野は非常に幅広く、人によって目指すものが異なることもしばしばだ。機械工学でも特定の分野を専門にして情熱を注いでいた人が、興味のない製品開発を任されたり、同じような仕事ばかりやらされていたりすると、本当にやりたいことができないと不満を感じるようになるかもしれない。

▸▸ 承認・尊重の欲求：
仕事で同僚に水をあけられ、昇進の機会が訪れても何度も肩透かしを食らっている人は、自分を疑い、職場で自尊心を失いはじめるかもしれない。

▸▸ 安全・安心の欲求：
機械の製造やテストに携わっている場合、機械が誤作動したり、安全基準が守られていなかったりしたときに、怪我をする可能性がある。

この職業を選択する理由

- この分野で働く家族から圧力をかけられた。
- 子どもに大きな期待を寄せ、子どもが期待に応えられない場合は愛情を見せない、厳しい親のもとで育ったため、親の期待に応えたかった。
- 並外れて知的。
- 世の中に広く影響を与えるものを作りたい。
- 科学とイノベーションに情熱を傾けている。
- 物の動きや働きに魅了されているだけでなく、それらを自然に理解できる。
- ある業界に情熱を持ち、その業界を改善するような製品やシステムを作りたい。

ステレオタイプを避けるために

機械工学の仕事をしているからといって、オフィスにキャラクターを閉じ込めるのではなく、プロットを進める上で重要な、興味深い場所で働かせてみよう。

分析力が求められ、しっかりと計画に基づいて行なわれる仕事なので、この職業に就く人は、真面目でオタク、退屈な人に見られる傾向がある。趣向を変えて、そうした性格の少し違った一面を引き出してみよう。趣味や性格的傾向、秘密、恐怖症、風変わりなところなどはみな、「エンジニア」の型にはまらないキャラクター作りに活用できる。また、キャラクターが誰にも解決できない問題も解決できてしまうほどの才能の持ち主という設定なら、雇用者が目をつぶりそうなネガティブな特徴や資質はないか考えてみよう。

客室乗務員

〔英 **Flight Attendant**〕

航空会社により旅客機の乗務員の一員として雇用される客室乗務員は、乗客の安全を確保し、快適な空の旅を提供するのが仕事だ。フライト前には、機長によるブリーフィングに出席し、安全確認、機内の様々な機材の使用方法、予想される乱気流などの天候状況についての説明を聞く。また、乗客リストを見て、小さな子どもやVIPなど特別なニーズのある乗客を確認する。また、離陸前には機内の安全装置を点検し、故障しているものがあれば交換するのも仕事だ。

客室乗務員は、怪しい行動や悪意のある行動をとる乗客がいないかを見極める訓練を受けているので、乗客の搭乗を助けながら怪しい客がいないかチェックする。離陸前には、救命具や酸素マスクの位置やその着用方法、緊急脱出の手順を乗客に説明する。飛行中は、食事や飲み物を提供し、枕や毛布、ヘッドフォンを配るなど、乗客が快適に過ごせるようにする。また、病人がいないか、異常はないか、常に乗客の声や動きに注意を払う。着陸時間が近づくと、機内のゴミ回収、シートベルトや座席のチェックを行ない、着陸の準備に入る。着陸後は、乗客が飛行機から降りるのを手伝う。

この職業に求められるトレーニング

客室乗務員になるための要件は航空会社によって異なる。高卒またはそれに相当する資格を求めるところもあれば、大卒資格を求めるところもある。採用されてから、各航空会社が実施する訓練を数週間受けるのが一般的だが、就職前に自費で訓練を受ける人もいる。

有益なスキル・才能・能力

基本的な応急処置能力、人を引きつける魅力、平常心、卓越した記憶力、優れた身体のバランス感覚、接客力、読唇術、人を笑わせる能力、多言語を操れる、場をうまくとりなす能力、人の心を読む力

性格的特徴

おだやか、礼儀正しい、如才ない、規律正しい、控えめ、効率的、気さく、もてなし上手、注意深い、きちんとしている、忍耐強い、雄弁、プロフェッショナル、責任感が強い、寛容、賢い

葛藤を引き起こす原因

- 安全のためのガイドラインを無視する乗客がいる。
- 不審な乗客がいる。
- 天候や機体メンテナンスにより、フライトが遅れる。
- 航空会社が規定する身だしなみのガイドラインが厳しい。
- 規定サイズを超えた手荷物や、かさばって扱いにくい手荷物を持って乗り込んできた乗客がいる。
- 夜勤、祝日および週末出勤などがあり、勤務スケジュールが不規則。
- 若手のため、緊急フライト要員として待機しなくてはならない。
- 酔っぱらい客や小さな子どもなど、扱いが難しかったり、他の乗客の迷惑になるような乗客がいる。
- 飛行機恐怖症や社会不安障害の乗客がいる。
- 乱気流に巻き込まれる。
- 飛行中に急病人が出る。
- 給料が安すぎる。
- スケジュールが狂ったせいで疲労困憊している。
- 乗客の間で摩擦が生じる

（乗客間の言い争い、夫婦喧嘩、人種差別や偏見に満ちた暴言を吐く、など）。
- 機内のエンターテインメントシステムが故障する。
- 離陸が遅れ、機内に閉じ込められた乗客が騒ぎだす。
- 仕事中にセクハラに遭う。
- 手荷物が多すぎて、頭上の収納棚を独占する乗客がいる。
- 飛行中にトイレが故障し、着陸まで使えなくなる。
- 一カ所（ギャレーやトイレの近く、通路、など）に集まらないよう注意されたにもかかわらず、一部の乗客が集まっている。
- 足の爪を切る、素足を備え付けのテーブルに載せるなど、不衛生な行為をする乗客がいる。

かかわることの多い人々
乗客、機長および副機長、他の客室乗務員、空港の職員（航空整備士や清掃員など）、入国管理局や空港の警察

この職業は
5大欲求にどう影響するか

▸▸ **承認・尊重の欲求：**
客室乗務員の業務のうち、乗客の目につくのが食事や飲み物の給仕である。乗客から「空のウェイトレスやウェイター」だと誤解され、キャラクターの自尊心が傷つくことも考えられる。

▸▸ **帰属意識・愛の欲求：**
勤務時間が不規則で、出張も頻繁、しかも緊急フライト要員として待機することもあるため、友人や家族、恋人との関係を維持するのが難しい。

▸▸ **安全・安心の欲求：**
機内で暴力事件が発生した場合、客室乗務員はそれに直面しなければならないので、身の危険にさらされる可能性がある。

▸▸ **生理的欲求：**
勤務時間が不規則で、タイムゾーンをまたいで働くため、慢性的な睡眠不足や疲労を経験しやすく、健康に悪影響が出る可能性がある。

この職業を選択する理由
- 飛行機に乗って空を飛ぶことへの恐怖心を克服したい、または、空の旅がトラウマになるような経験をしたことがあるのでそれを克服したい。
- 旅行が好きで、自由にあちこちを旅したい。
- 自分の家庭が嫌いで、家族との揉め事からは距離を置きたい。
- 結婚して「落ち着く」などもってのほかで、独身貴族でいたい。
- 地上にいるよりも空を飛んでいるほうが安全だと感じる（何かの恐怖症を持っている、過去の出来事がトラウマになっている、社会や人間に絶望している、など）。

ステレオタイプを避けるために
客室乗務員は、冷静で常に自制心を失わない人として描かれることが多い。そこで少し趣向を変えて、何らかの依存症や閉所恐怖症、不眠症などを抱え、勤務中に冷静さを失いそうになるキャラクターを作ってみてはどうか。
また、客室乗務員は社交的で忍耐強いとも思われがちだ。難癖をつける乗客の相手をするときや、苦手な乗務員と同じフライトになったときに、対人スキルの欠如が露呈してしまうようなキャラクターを描いてみるのもいいかもしれない。

救急医

〔英 Emergency Room Physician〕

救急医は、外傷外科の訓練を受けており、救急治療室に運ばれてきた患者をいちばん先に診療する。外傷外科医とは異なり、救急医は患者に臨床検査やX線検査を受けさせ（その結果を読み取り）、薬を投与し、守備範囲広く怪我や病気を診る。一刻を争う緊急の場合は、基本的な緊急手術を行なうこともあるが、専門医にバトンタッチできるよう、まずは症状の安定化に重点を置いた治療を行なう。救急医は、救命処置を自ら施す場合もあれば、その作業を監督する場合もあり、基本的には、骨折した骨の固定、止血や傷口の処理などを行なった上で、患者を専門医につなぐ（または入院が必要なければ退院させる）のが任務だ。救急治療室で行なわれたあらゆる治療や検査、投与された薬を正確に記録して残し、（該当する場合は）保険から治療費が正しく払い戻されるようにするのも彼らの仕事のひとつである。

き

この職業に求められるトレーニング

救急医になるには、大学卒業後にメディカル・スクールに進み、臨床のローテーション研修を受け、医学学位（MD）をまず取得する。その後、救急医学の専門課程（3年間）に進み、外傷外科、放射線学、整形外科、患者のケア、救急治療室での治療手順、蘇生法、小児の救命救急治療などの分野をローテーションしながら臨床研修を受ける。この課程を修了すると医師免許を取得できるが、それは州ごとに取得しなければならないものである。実在する場所で働く救急医を書く場合は、その州で決められている資格や職務内容の下調べが必要だ。

有益なスキル・才能・能力

基本的な応急処置能力、人を引きつける魅力、平常心、卓越した記憶、他人の信頼を得る力、人の話を聞く力、リーダーシップ、多言語を操れる、マルチタスクのスキル、映像記憶、体力、人の心を読む力、調査力、縫合技能、戦略的思考力

性格的特徴

柔軟、分析家、自信家、決断力がある、規律正しい、熱心、知的、操り上手、几帳面、詮索好き、注意深い、忍耐強い、粘り強い、積極的、プロフェッショナル、勉強家、賢い

葛藤を引き起こす原因

- 大規模な危機が発生し、リソースもスタッフも足りず急患に対処しきれない。
- 暴力的な患者や何をしだすかわからない患者が搬送されてきた。
- 患者が本当の既往歴を言わない。
- 長時間労働のため疲労がたまり、燃え尽きている。
- 病院内の政治が患者の治療の邪魔をする。
- 保険を持っていない患者が搬送されてきて、保険があれば施せる治療があるのにできないため、モラルのジレンマに苦しむ。
- 病欠のスタッフが多く、人手が足りない。
- 職場恋愛をしているせいで、判断を誤ってしまう。
- 誤診、薬のラベルの貼り間違い、カルテの記録間違いなどが、医療事故につながる。

- スタッフが自分の判断で患者を殺す。
- 有名な犯罪者や芸能人が患者として運び込まれ、病院に報道記者やファンが押し寄せる。
- 患者の家族たちが待合室で言い争う。
- 悲嘆にくれる遺族に過失致死で訴えられる。
- PTSDを発症し、それを隠そうとして酒やドラッグに走る。
- 事故で友人または家族が運び込まれ、自分が治療にあたらなければならない。
- 救急治療室に運び込まれたが、入院の必要はないと自宅に帰した患者が帰宅後に死亡する。
- 治療方法について、同僚と意見が対立する。
- 医薬品や医療機器、備品などが盗まれる。
- 患者から医師の間で、あるいは患者間で知らず知らずのうちに感染症が広まる。

かかわることの多い人々

他の医師、外科医、看護師、医療技師、警察官や刑事、救急隊員、患者の家族、保険会社の社員、警備員、製薬会社の営業、配達員、病院の役員や従業員

この職業は5大欲求にどう影響するか

▸▸ 自己実現の欲求：
不適切な理由（家族を誇らしくさせたい、地域社会で尊敬されたい、など）からこの職業を選んだ場合、本人にとっては意味のない動機からこの道に進んだことを後悔することがあるかもしれない。

▸▸ 承認・尊重の欲求：
患者から告訴あるいは非難されると、医師の世界や地域社会での評判が傷つく可能性がある。また、高齢化や病気の発症などが原因で医師としての能力が低下し、自分にまだ仕事が続けられるのだろうかと悶々とし、自尊心が傷つく可能性もある。

▸▸ 帰属意識・愛の欲求：
この職業に就いている限り、人間関係は常に後回しになってしまう。

▸▸ 安全・安心の欲求：
暴力を振るう患者、悲嘆にくれ、復讐を決意する遺族、疑わしい診断、医療訴訟と、救急医の身の安全や仕事の安泰を脅かす要因は尽きない。

▸▸ 生理的欲求：
感染症にさらされやすく、ストレスや睡眠不足なども続くので、救急医の健康に深刻な影響をおよぼす可能性がある。

この職業を選択する理由

- 平均以下または無能な医者が担当したことで、愛する人を失った経験がある。
- 人命を救うことが自分の使命だと信じている。
- 自分は神のように万能な人間なのかもしれないと思うと、やる気が湧いてくる。
- 人体とその仕組みに強い関心がある。
- 家業を継ぐ（代々医師の家系に生まれる、など）。
- 本当はやりたいことがあったが、親に医学の道に進むと約束し、義務感を持っている。
- 条件付きの愛しか示さない親だが、その親に愛され認められたい。

ステレオタイプを避けるために

救急医といえば理知的で健康的、といった完璧なイメージがある。身体に障害や変形を有したキャラクターをつくり、そのハンディキャップを理由に仕事をためらったりするのではなく、それをバネに救急医として突出した才能を発揮する姿を描いてみるのはどうだろう。

救急隊員

〔英 Emergency Medical Responder〕

救急隊員（EMT、メディック、パラメディック［日本における救急救命士］など、様々な呼称がある）は、緊急事態が発生したときに、最初に現場に駆けつける人たちだ。警察や消防士とともに、自動車事故や職場での事故、暴行事件、ネグレクトが発生したとき、あるいは急病（心臓発作、脳卒中、など）患者が出たらそこへ急行し、応急処置を施す。患者の命が危ないと判断したら、適切な病院に患者を搬送し、病院に到着したら救急担当者に病状を報告する。

この職業に求められるトレーニング

救急隊員は18歳以上で高卒資格があり、犯罪歴がないことが条件であるところがほとんどだ。救急隊員が受けられる資格には、基礎、中級、パラメディックの3つのレベルがある。

基礎コースでは、多くの非侵襲的な処置（心肺蘇生法や骨折箇所の固定など）を含めた、一般的な生命維持処置方法を学ぶ。中級はより複雑で、挿管や点滴注射を学び、上級レベルのパラメディックになると、薬の投与（州による）、傷の消毒、X線や検査結果の解読を学ぶ。パラメディックとして認定されるには、2年間の訓練コースと、病院または救急車でのインターンシップを修了しなければならない。

有益なスキル・才能・能力

基本的な応急処置能力、安全運転、細部へのこだわり、手先の器用さ、共感力、平常心、他人の信頼を得る力、リーダーシップ、読唇術、多言語を操れる、マルチタスクのスキル、論理的思考力、場をうまくとりなす能力、調査力、護身術、戦略的思考力、力強さ、人に教える能力

性格的特徴

分析家、おだやか、慎重、挑戦的、協調性が高い、決断力がある、効率的、几帳面、面倒見がいい、注意深い、世話好き、臨機応変、責任感が強い、勉強家、利他的

葛藤を引き起こす原因

- 大柄な患者で体をなかなか持ち上げられない。
- 患者の家族が反抗的、または非協力的。
- ここぞというときに大事な医療機器が壊れてしまう。
- 言葉の壁がある。
- 訴えられる。
- 交通渋滞や事故に出くわし、現場到着が遅れる。
- 悪天候で救急車の運転が困難になり、到着が遅れる。
- 治安の悪い地域へ出動する。
- 救急車の中や閉所から患者を運び出すときなど、長時間不自然な姿勢を強いられる。
- 座って休む機会がなかなかない。
- 精神的に負担のかかる緊急事態への対処が続く。
- 他の医療従事者たちに救急隊員としてのスキルが評価されていない。
- 長時間勤務が続く。
- マストラウマ（自然災害や人災で大勢の人々が同時に負うトラウマ）や、命に関わる緊急事態に対

き

応する。

- 感染症にかかっている患者を搬送する。
- 祝日や週末に勤務しなければならない。
- 混沌としていて相当なプレッシャーにさらされる状況でも冷静でいなくてはならない。
- もう助からないと見込まれる人を救護する。
- 子どもが関わる難しいケースに対応する。

かかわることの多い人々

患者、医師、パラメディック、他の救急隊員や消防士や警察、緊急通報電話オペレーター、患者の家族または友人、看護師、他の医療スタッフ

この職業は5大欲求にどう影響するか

▸▸ 自己実現の欲求：
人助けをしたいと考え、共感力が高い救急隊員なら、同じ状況に何度も遭遇し、時には同じ患者の救護にあたっているうちにフラストレーションを覚えるかもしれない。やがて仕事に疲れ果て、自分のやっていることがはたして世の中の役に立っているのかどうか疑問を感じる可能性もある。

▸▸ 承認・尊重の欲求：
救急隊員の仕事には、ハイリスクな環境でてきぱきと考えて判断することが求められる。失敗はあらゆる職業につきものだが、世間は、この分野で働く人々は「ミスをしない」という期待をしている。救急隊員がミスを犯せば批判を浴び、自分自身を責めてしまい、自己肯定感が持てなくなる可能性もある。

▸▸ 帰属意識・愛の欲求：
夜勤、祝日や週末出勤がある上、長時間勤務のため、私生活の人間関係を犠牲にしてしまう可能性も。

▸▸ 安全・安心の欲求：
救急隊員は呼ばれればどこへでも出動する。治安の悪い危険な地域へも、自然災害の中でも出動するので、頻繁に危険にさらされる。

▸▸ 生理的欲求：
救急隊員の命を奪いかねないリスク要因は複数存在する。

この職業を選択する理由

- もっと早く救助が来ていれば愛する人は助かったはずなのに、失ってしまった経験がある。
- 人の扱いに長けていて、緊急事態でもうまく処理できる。
- 家族に救急隊員や消防士、警察官がいる。
- 自分には万能の力があると信じ、人の生死に関わる仕事をしたい。

ステレオタイプを避けるために

男性が圧倒的に多い職業なので、女性をキャラクターにすると新鮮な視点を作り出せるかもしれない。そこからさらに一歩踏み込んで、独自性あふれる予想外のキャラクターにしよう。強靭な女性救急隊員にするよりも、人の気持ちがよくくみ取れて、自分の心に素直な女性、あるいは小柄なのに、仕事に必要な力強さは持っている女性にしてみてはどうだろうか。キャラクターのあらゆる側面を注意深く考えれば、どんな分野の仕事でもステレオタイプを覆せるはずだ。

給仕

〔英 Server〕

　給仕は、レストランやバー、カフェ、食堂、パブなどの飲食物を提供する場所で接客をする。まず客を挨拶で迎えてテーブルへ案内し、特別メニューがあれば紹介し、メニューについて客に訊かれればそれに答える。注文をとり、客から何か特別な要望や食事制限などがあれば調理スタッフに伝え、料理や飲み物が出来上がるたびにテーブルに運び、客が食べ終わった頃を見計らって伝票をテーブルに運ぶ。つまり、客の外食体験を監督するのが主な仕事である。また、客から食事代を回収し、テーブルの後片づけをし、客が食べ残しを持ち帰りたい場合はそれを梱包する。客からのクレームの応対、サラダやデザートの盛り付けなどを担当することもある。

この職業に求められるトレーニング

　大学などの学位は不要な場合がほとんどだが、最低限、高卒資格を求める店が多い。一流レストランであれば、追加の研修を必要または奨励するところもある。ウェイター／ウェイトレスに、アルコールを給仕する資格を取得するための研修を受けさせる店もある。

　それぞれの店にやり方があるので、給仕は実際に働きながら指導や指示を受ける。たとえば、レストランで使われている予約システムの使い方やクレジットカードの処理方法、料理の準備や安全な扱い方、客の要望を聞いて、それに沿う方法などの訓練を受ける。

有益なスキル・才能・能力

人を引きつける魅力、共感力、優れた聴覚、優れた嗅覚、優れた味覚、卓越した記憶力、人の話を聞く力、接客力、人を笑わせる能力、多言語を操れる、マルチタスクのスキル、場をうまくとりなす能力、宣伝能力、人の心を読む力、営業力、体力

性格的特徴

柔軟、おだやか、魅力的、自信家、協調性が高い、礼儀正しい、如才ない、おおらか、効率的、熱血、外向的、気さく、ひょうきん、噂好き、もてなし上手、独立独歩、勤勉、従順、注意深い、きちんとしている、完璧主義、雄弁、プロフェッショナル、上品、奇抜、臨機応変、賢明、責任感が強い、粋、寛容、ウィットに富む、仕事中毒

葛藤を引き起こす原因

- 失礼な客や、何をしても喜ばない客を接客する。
- 客が食い逃げする。
- 極度の食物アレルギーを持った客が来店し、レストランが自分に合わせてメニューを変えるのが当然だと思っている。
- 調理スタッフのミスなのに責められる。
- 他の給仕にチップを盗まれる。
- 多くのテーブルを担当させられ、質の高いサービスを提供できない。
- 卓越したサービスを提供したのに、チップが少ない。
- マネージャーが事細かく指示したがる。
- 休暇申請が却下される。
- 働いているスタッフの人数が少ないために、客に十分なサービスを提供できない。

- 調理スタッフが注文を間違えたので、自分が客に釈明をしなければならない。
- 嫌がっているのに客が言い寄って来る。
- いいサービスをしようとしない給仕とチップを山分けしなければならない。
- 苦手な人や尊敬していない人と一緒に仕事をしている。
- 生活が苦しい。
- 気味の悪い常連がいて、他人のことを詮索したり、個人的な質問をしてきたり、他の給仕に接客されるのを拒否したりする。

かかわることの多い人々

客、マネージャーや経営者、調理スタッフ、食器洗い担当、レストランの案内係、配達員、食料品店や酒屋の営業、保健所の検査官、(レストランがチェーン店の場合) 地域マネージャーまたは本社の社員

この職業は 5大欲求にどう影響するか

▸▸ 自己実現の欲求:
外食産業では出世の機会は限られている。頑張っているのに公正に評価されていないと感じている場合は特に、出世できないと不満を感じやすくなるだろう。

▸▸ 承認・尊重の欲求:
高収入の仕事や、世間から尊敬される仕事をしている人に囲まれていると、自分の仕事の選択が間違っていたのではないかと思いはじめ、自尊心が傷ついてしまうことも。

この職業を選択する理由

- 他の多くの仕事で必要とされる中等教育を受けていない。
- すぐにお金が必要で、アルバイトをして収入を補わなければならない。
- もともと人当たりのよい性格で、人に楽しいひと時を過ごしてもらいたい。
- 同じレストランで友人が働いている。
- 将来的に外食産業で起業するなどの希望があり、今後のキャリアのために経験を積んでいる。
- 食品を大量汚染したい、特定の客を食中毒などで苦しめたい。
- 店の常連客に権力者がいて、接客時にその客の仕事に関する情報を密かに入手したい。
- インフルエンサー(タレントスカウト、モデルエージェント、など)が店でよくたむろしているのを知っていて、お近づきになりたい。

ステレオタイプを避けるために

給仕は、人生にくたびれ、疲れきった人として描かれることが多い。時には、陽気なだけで「あまり賢明ではない」人物として描かれることすらある。だが現実には、客に「またここに来たい」と思わせるには何が必要なのかを知っている、優秀な人たちもいる。書き手として一本調子で陳腐な描き方を避けるには、優秀な給仕になるために必要なスキルは何なのかを知っておこう。大抵の場合、優秀な給仕の収入の多くはチップである。だからこそ彼らは接客のプロとして、親しみにあふれ、しっかりとしたサービスを提供しようとしていることを覚えておこう。

教員

〔英 Teacher〕

教育分野には幅広い職種があるし、幼稚園から大学まで様々なレベルに教員がいる。公立学校の場合、教員が教える内容は郡や州単位、あるいは国によって定められており、きわめて標準化されている。一方、私立学校で教える内容は各校によって異なる部分が多い。伝統的な公教育のモデルに従う学校もあれば、特定の教育方法（モンテッソーリ教育、など）を採用する学校や、宗教団体が運営する学校もある。

教員の職務と要件は、どういうレベルで何を教えるのかによって異なる。小学校レベルでは、ほとんどの教員が1年を通して少人数クラスを担任し、基礎的な科目（算数、国語、理科、社会）を教える。また、体育や美術、音楽、吹奏楽、コンピューターなどの特別科目のみを教える教員もいる。担任制は中学および高校でも同じように続くが、教員はクラスを移動しながらそれぞれ専門の科目を教える。大学レベルになると教員は教授と呼ばれ、同じように専門の授業を受け持つ。

教員の仕事には、決められたカリキュラムに基づいたレッスンプランの作成、生徒の様々なニーズや能力レベルを考慮した授業の指導、生徒の成績評価、職員会議や教授会への出席、保護者との面談、教員研修への参加などがある。中には、昼食時や休憩時間の学生の監視、スポーツチームのコーチ、その他の部活動や生徒会の指導、一日の授業が始まる前や放課後の庶務を担当する教員もいる。

この職業に求められるトレーニング

教員資格にはいろいろとあり、各資格に課された条件があるので、それを満たさなければならない。アメリカでは、「プレK」と呼ばれる4歳以下の児童を対象にした教育プログラムで教える場合、学位がなくても教員になれるところが多い。小中学校の教員となると4年制の学位が必要だが、修士号や博士号を持っていれば給料が高くなり、管理職に就く機会も得られる。無認可の私立学校であれば、条件がもっと甘いところもある。大学教授の場合は通常、修士号または博士号が必要になる。

有益なスキル・才能・能力

共感力、優れた聴力、他人の信頼を得る力、人の話を聞く力、人を温かく迎え入れる力、リーダーシップ、マルチタスクのスキル、既成の枠にとらわれない思考、場をうまくとりなす能力、調査力、人に教える能力

性格的特徴

柔軟、愛情深い、用心深い、おだやか、協調性が高い、決断力がある、如才ない、規律正しい、控えめ、熱血、温和、気高い、勤勉、影響力が強い、知的、面倒見がいい、客観的、注意深い、楽観的、きちんとしている、情熱的、忍耐強い、世話好き、臨機応変、責任感が強い、勉強家、寛容、賢い、仕事中毒

葛藤を引き起こす原因

- 学校側から理不尽な期待をされる。
- カリキュラムと教授法が頻繁に変わる。

- 統一テストで高得点を取らないと進学に響くので、プレッシャーが生徒にかかる一方になっている。
- 教え方や哲学が自分とは異なる教員と一緒に教えている。
- 予算が限られていて、授業に使う必需品を自腹で購入せざるを得ない。
- (親が教員を支持しない、我が子に優遇措置を求める、などの理由で) 保護者と揉めている。
- 教員としてできる限りの努力をしているのに、特定の生徒が落ちこぼれていく。
- 生徒同士の間で揉め事が起きる。
- 生徒から不謹慎だと非難される。
- 特定の生徒が虐待されているのではないかと疑う。
- 特定の生徒とのつながりが持てず、信頼してもらえない。
- 特定の生徒がいじめを受けていると疑っているが、加害者を捕まえることができない。
- (教室内で問題行動が頻発している、学校の方針で他の科目に重点が置かれている、授業に必要なものが整わない、などの理由から) 基礎科目なのに、それを十分に教える時間をなかなか確保できない。
- 落ちこぼれている生徒とうまくつながりを持てない。
- 生徒の能力レベルに幅のあるクラスを教えていて、どの生徒にも合わせようとしている。

かかわることの多い人々
校長など学校の責任者、生徒、保護者、他の教員、授業補佐、助言者 (先輩教員など)

この職業は5大欲求にどう影響するか

▸▸ 自己実現の欲求：
多くの職業がそうであるように、夢と現実は必ずしも一致しない。教えること以外の雑務に多くの時間をとられてしまうと、「自分は教えるのが好きなのに」と思うたびに不満を覚えるかもしれない。

▸▸ 承認・尊重の欲求：
教員の努力を考えればもっと尊敬されてしかるべき職業なのに過小評価されている。その風潮は変わってきているが、変化はゆっくりとしている (アメリカでは特に高校以下の公立学校の教員の給与は安く、一般に尊敬を集める職業とは言えない)。自分の愛する人には、もっと高収入で名声が得られる仕事に就いてほしいと願う人たちは後を絶たない。親や配偶者など、自分に対し影響力のある人に「もっといい」仕事を見つけるようにとプレッシャーをかけられているなら、自分が選んだ教職という仕事はさほど重要ではないのかもしれないと感じるかもしれない。

▸▸ 生理的欲求：
学校での暴力事件が増えており、教員の命を脅かすような悲しいストーリーも真実味を帯びてきている。

この職業を選択する理由
- 親が望む職業を選んで、喜ばせたかった。
- (自分自身の虐待や酷い扱いを受けた経験から、虐待を受けている子どものサインの見分け方を知っている、といった理由から) 子どもを守るために子どもと関わる仕事がしたかった。
- (小児性愛者である、児童の人身売買をしている、などといった理由から) 人には言えない理由で子どもに近づきたかった。
- 過去に教員とのポジティブな体験があって、自分も教員になって同じように人を助けたい。
- 個人的経験から、一部の子どもにとって学校は逃げ場であり、そんな子どもの人生において教員が果たす役割を知っている。
- 学ぶことが好きで、自分が得た知識を他の人と共有したい。

緊急通報電話オペレーター

〔英 Emergency Dispatcher〕

警察に通報したり、消防車や救急車を呼んだりするときに911番に電話をかけると、最初に応答するのはオペレーターだ。オペレーターはコールを受理すると、相手から重要な情報を収集し、必要とあらば応急処置のアドバイス（心肺蘇生の方法など）を電話越しに伝える。同時に、通報内容に応じて適切な機関（警察、救急隊、消防署など）に情報を回しつつ、関係者全員がその情報にアクセスできるようデータベースに入力する。オペレーターに求められるスキルはかなり専門的だが、手際の良さが何よりも求められる。生死に関わる緊急事態が起きているなか、冷静さを失わず、頭を働かせ、てきぱきと情報を処理しなければならないからだ。そのため、ストレスの多い職業であり、離職率は高い。

き

この職業に求められるトレーニング

高卒資格またはGED（高卒程度の学力を持っていることを証明するテスト）が必要だ。新米オペレーターには、実地研修と長期にわたる講義研修も必要。

有益なスキル・才能・能力

基本的な応急処置能力、優れた聴覚、平常心、卓越した記憶力、他人の信頼を得る力、人の話を聞く力、爆発物の知識、多言語を操れる、マルチタスクのスキル、場をうまくとりなす能力、天候予測能力、人の心を読む力

性格的特徴

分析家、おだやか、芯が強い、協調性が高い、礼儀正しい、決断力がある、控えめ、効率的、共感力が高い、熱心、優しい、客観的、きちんとしている、忍耐強い、勘が鋭い、完璧主義、雄弁、積極的、プロフェッショナル、強引、賢明、協力的、賢い

葛藤を引き起こす原因

- 事件の通報を処理している間に感情的になる。
- 職場でのストレスを家庭に持ち込む。
- 機械の故障など、技術的な問題が発生する。
- 通報者がヒステリックになっていて、なだめられない。
- ミスを犯して誰かを死なせる、または怪我をさせる。
- 一刻を争う状況なのに、頭も手も動かなくなる。
- 新人オペレーターで、その通報を処理できる資格や訓練をまだ受けてもいないのに、対応させられる。
- 知人からの通報を受ける。
- 大規模な緊急事態が発生して通報を受けるが、情報が錯綜していてまだわからない点が多い。
- すぐに助けを必要としている人がいるのに、救急隊の到着が遅れている。
- 通報を処理している間に、トラウマになるようなことが受話器の向こう側で起きた（誰かが死亡した、誘拐された、虐待された、など）。
- 勤務中は感情をオフにしているが、仕事が終わってもなかなか感情をオンにできない。
- 予算が削減され、老朽化して故障の多いシステムを使い続けなければならず、訓練も受けさせてもらえない。

- 通報があったが間に合わず、批判あるいは非難される。
- 気持ちの上で葛藤がある(自分の愛する人が警察官で、その現場に駆けつけなければならない場合、など)。
- 長時間座りっぱなしでコンピューターの画面を見つめているので、目の疲れや肩こりなどに悩まされる。
- 日常的にトラウマにさらされているため、愛する人への心配や不安が高まる。
- オペレーターの人手不足。
- 機器が故障し、通報者の声が聞こえない、またはオペレーターの声が聞こえていない。
- 短時間に集中して、処理が難しい通報が何件もかかってくる。
- 困難な状況(救急車が交通渋滞に巻き込まれて到着が遅れている、警察が現場に到着しているのに建物の内部に進入できない、など)が起きていて、通常よりも長く通報者に話しかけていなければならない。

かかわることの多い人々
危機に直面している人、他のオペレーター、上司、救急隊員や警察や消防士

この職業は
5大欲求にどう影響するか

▸▸ **承認・尊重の欲求**:
これほど責任の重い仕事はない。ひとつのミス、記憶間違い、一瞬手を止めたり頭が働かなくなった瞬間が、誰かの命を奪うことになりかねないからだ。通報の処理に手こずったりすると、オペレーターは自分の判断と能力を疑問視してしまい、さらにへまを犯してしまう可能性がある。

▸▸ **帰属意識・愛の欲求**:
他人の人生の最悪の瞬間を目の当たりにする職業なので、自分の愛する人にも何か悪いことが起きるかも、と恐れを抱く可能性も考えられる。そんな理由からキャラクターが過度に支配的になると、親近者たちは反抗するかもしれない。

▸▸ **安全・安心の欲求**:
仕事中に遭遇する様々な他人の不幸が、積もり積もってオペレーターのトラウマになる可能性がある。犯罪や虐待、暴力の通報に長時間対応した後は、心が麻痺状態になったり、ひとときも安心できずに苦しんだりすることも考えられる。

この職業を選択する理由
- 愛する人が救急隊員に命を救われた経験がある。
- 自分が通報したことで救われた経験があり、恩返しのつもりで誰かを救いたい。
- 困っている人を助けたいという強い願望を持っている。
- 他人を助ける道徳的義務があると信じている。
- 社会に奉仕したいが、障害があってデスクワークしかできない。
- 優れたコミュニケーション能力を持ち、困難な状況下でも人を落ち着かせられる。
- 過去の失敗が今もつきまとい、償いの意味を込めて人を助けたい。
- 家族や親戚の中に警察官、消防士、救急隊員が多い。
- 説得力があり、プレッシャーにも負けない性格の持ち主。

ステレオタイプを避けるために
オペレーターのキャラクターには女性が多いので、男性も検討してみよう。
この職業は、キャラクターを幅広いトラウマにさらすことになるため、ある日の仕事中に何かが引き金となって、その人物が自分自身の過去について思い出してしまうこともあるだろう。オペレーターと通報者との間に見過ごせない共通点を見出した場合などは特にその可能性が高く、ストーリーの展開次第では、面白い深みが生まれるかもしれない。

グラフィックデザイナー

〔英 Graphic Designer〕

グラフィックデザイナーは、クライアントの見込み客の関心を引きつけ、彼らを感動させるためのコンセプトを作り、物理的な媒体やデジタル媒体で使われるデザインを作る。クライアントの会社が他社よりも際立ち、見る人の記憶に残るよう、レイアウトやフォント、色、形、アニメーション、ロゴなどのデザイン要素を厳選して使用する。デザインするのは、パンフレットやウェブサイト、パッケージ、ソーシャルメディア用の素材、広告、本の表紙、雑誌などが一般的だ。

グラフィックデザイナーの中には、デザイン会社に勤める人もいれば、ある企業の一部署に所属している人や、フリーランスで働く人もいる。独立して働く場合は、デザインだけでなく経営面にも精通し、売上を上げるために自分を売り込む方法を知っていなければならない。

この職業に求められるトレーニング

4年制の大学でグラフィックデザインまたは関連分野の学位を取得することが必要。この分野で使われるソフトウェアや新しいマーケティングメディアの使い方を学び、最新のトレンドをキャッチしておくこともデザイナーにとっては欠かせない。

有益なスキル・才能・能力

商才、創造性、細部へのこだわり、卓越した記憶力、人の話を聞く力、交渉力、マルチタスクのスキル、人脈作り、既成の枠にとらわれない思考、宣伝能力、戦略的思考力、文章力

性格的特徴

分析家、クリエイティブ、効率的、熱心、正直、想像豊か、独立独歩、勤勉、几帳面、きちんとしている、雄弁、プロフェッショナル、責任感が強い、天才肌、倹約家、仕事中毒

葛藤を引き起こす原因

- ちょっとやそっとでは満足してくれないクライアントを抱えている。
- クライアントや同僚のビジョンと相反するアイデアを持っている。
- 優柔不断なクライアントが何度も修正を要求してくる。
- 納期が短い。
- 厳しいフィードバックを受ける。
- 日進月歩のテクノロジーについていくのに苦労する。
- 漠然とした指示しか出さないくせに、クライアントが出来上がったものを見てデザイナーを批判する。
- 独自のアイデアを生み出さなければならないプレッシャーを抱えている。
- この仕事を簡単だと思い込んでいる人たちが多い。
- 料金や契約条件（契約した料金で何回まで修正できるか、など）にクライアントが難色を示す。
- 友人や家族から無料でデザインを依頼される。
- スランプに陥って創造力が働かない。
- デザインが盗まれる。
- ソフトウェアやハードウェアの不具合で、せっかく

の仕事が失われる。
- 素人レベルの人が市場にあふれていて、デザイン価格を押し下げている。
- 自分のスタイルに合わないとわかっているのに、特定のプロジェクトを勝ち取ろうとしている。
- 社内でグラフィックデザイナー同士が競い合っている。
- まだ十分なチェックが行なわれていない作品に対し批判を受ける。
- あるプロジェクトで、他人のデザイン要素をうっかり参照、あるいはコピーしてしまう。
- 自分の手に負えないような大きなプロジェクトを請け負ってしまう。
- プロジェクトに時間の余裕を持たせていなかったところへ、不測の事態（自動車事故に遭って怪我の快復に時間がかかる、など）に遭遇し、納期が過ぎてしまう。

かかわることの多い人々

クライアント、アートディレクター、プロジェクトマネージャー、グラフィックアーティスト、プロダクションデザイナー、ウェブデザイナー

この職業は5大欲求にどう影響するか

▸▸ 自己実現の欲求：
グラフィックデザイナーはクライアントや同僚のビジョンに合わせて妥協を迫られ、自分の創造性を十分に発揮できないこともある。また、マーケティング業界で働くことが多いため、はたして自分の仕事が社会貢献につながっているのかどうか疑問に思うこともあるだろう。

▸▸ 承認・尊重の欲求：
質の高い仕事をしようとプロジェクトに多くの時間を費やしても、完成品は、デザイナーではなく、クライアントに紐づけられてしまう。デザイナーが自分の努力を認めてもらいたいと思っていれば、葛藤が生まれる可能性がある。

▸▸ 帰属意識・愛の欲求：
デザイナーが仕事を完璧に近づけていくには、試行錯誤が避けられない。結果的に、どの仕事にも多くの時間を割いてしまう。その上ハードな締め切りに追われるので、私生活で人間関係を築き、維持するのが難しくなることも考えられる。

この職業を選択する理由

- 魅力的なデザインを見極める審美眼を備えている。
- クライアントや同僚とコラボレーションをするのが好き。
- 別の職業（ビデオゲームのデザイン、小説家など）に鞍替えしようとしていて、つなぎとしてグラフィックデザインの仕事に就く。
- テクノロジーに精通しているので、自分のスケジュールは自分で決められる職業に就きたい。
- 心はアーティストなのだが、自分のやりたいことを追求していくだけの自信がない。
- 内向的で、対面で仕事をするより、オンラインで人と一緒に働くのを好む。

ステレオタイプを避けるために

グラフィックデザイナーはたいてい、創造力、分析力、技術力の3つの能力を持ち合わせている。この3つのいずれかの能力が著しく欠けているキャラクターだとしたら、どのような困難が待ち受けているか考えてみよう。

また、クライアントや同僚と密接にコミュニケーションを取りながら仕事を進めるため、対人スキルも非常に重要になる。人の話をよく聞かず、チームワークも不得手で、その上、モチベーションや共感力、忍耐力にも欠けていて苦労するキャラクターを作ってみてはどうだろう。

軍人

〔英 Military Officer〕

軍人は、国の軍隊に所属していて権威ある地位に就く者を指す。部隊を監督する任務を帯び、軍事作戦の計画、作戦での部隊の指揮、部下の管理、会議への出席、訓練の準備、安全訓練の実施、装備のメンテナンス、重要な事務作業などを担当する。軍隊の構成は国によって異なるが、空軍、陸軍、沿岸警備隊、海兵隊、海軍などがある。下士官、准尉、士官は階級名を指す。

［編注：本項目で扱うのは下士官、准尉、士官レベルの軍人］

この職業に求められるトレーニング

下士官（NCO）は基礎訓練に参加し、肉体および精神力を鍛えて軍人生活に備えてから、リーダーシップと専門の軍事教育を受ける。

士官は、下士官よりも序列は上で、一般的に大学で学位を取得してから入隊し（どこの国でも学位が求められるわけではない）、様々な過程を経て士官に任命される。士官学校や国防を専門とする大学、一般大学に設置された予備役将校訓練課程（ROTC）、幹部候補生学校などを卒業して士官になる人もいれば、大学卒業後に下士官になり、さらに訓練や教育を受けて士官へと昇進する人もいる。

准尉は特定技術分野の専門家と考えられ、階級的には、士官より下で、下士官より上である。

追加の軍人教育は、専門軍事教育（PME）を通じて継続的に行なわれる。軍人が昇進していくには、下の者を指導できるよう序列ごとに訓練を受けなければならない。

有益なスキル・才能・能力

基本的な応急処置能力、優れた聴覚、卓越した記憶力、痛みに強い、ナイフ投げ、爆発物の知識、リーダーシップ、読唇術、嘘が言える、多言語を操れる、人の心を読む力、体力の回復力、護身術、狙撃、体力、戦略的思考力、力強さ、呼吸コントロール、サバイバル能力、俊足、自然の中でも迷わない方向感覚

性格的特徴

用心深い、野心家、分析家、大胆、おだやか、慎重、芯が強い、自信家、協調性が高い、規律正しい、効率的、頑固、忠実、従順、愛国心が強い、積極的、プロフェッショナル、卑屈、仕事中毒

葛藤を引き起こす原因

- 指導が下手なリーダーと一緒に働いている。
- 個人的な信念と作戦の目的とが相容れない。
- 不服従行為を目の当たりにする。
- 頻繁に赴任先が変わる。
- 新しい赴任先で孤独感を覚える。
- 同胞を失う。
- 戦闘に加わったときのトラウマに悩まされている。
- 肉体と精神力を鍛えるための厳しい訓練を受ける。
- いつでも戦闘態勢に入れるよう、いつ召集がかかるかわからない訓練生活を強いられる。
- 交際のルールが厳しい。

- 危険な環境で任務に就いている。
- 僻地に派遣されているときに負傷したり、体調を崩したりする。
- 軍人生活のせいで愛する人につらい思いをさせ、関係にすれ違いが生じる。
- 親として子どもに厳しくなりすぎる、または非現実的な期待を抱いてしまう。
- 海外に派兵されている間、配偶者の浮気が発覚する。
- 帰還後、配偶者が浮気をしていた事実が発覚する。
- 一般市民生活になかなか馴染めない。
- （自業自得で、または過小評価されており）低い職務評価を受ける。
- 軍内に派閥が存在し、巻き込まれないようにうまく立ち回らなければならない。
- 身体テストで不合格になる。
- 政治的圧力がかかったせいで、または縁故を利用する人がいるせいで、自分の出世が遅れる。

かかわることの多い人々

部下にあたる士官や下士官、人事担当の軍人、政治家、海外派遣先の地域社会のリーダー

この職業は5大欲求にどう影響するか

▸▸ 承認・尊重の欲求：
下士官は軍の「バックボーン」だと言われているのに、彼らの給与にはそれが反映されておらず、それなりの敬意も払われていない。士官も同様で、弁護士や医師、エンジニアなどの専門職の人々と比較すると、世間的に尊敬されている職業とは言い難い。

▸▸ 帰属意識・愛の欲求：
頻繁に赴任先が変わるため、長期的な人間関係を築くことが難しく、赴任した先々の地域社会に馴染めないかもしれない。特に戦地に派遣されると、愛する人とのコミュニケーションが制限されてしまう。

▸▸ 安全・安心の欲求：
派遣される国によっては生活環境の違いから、様々な疾患や感染症にかかったり、体調を崩したりするリスクが高い。

▸▸ 生理的欲求：
危険な場所で任務に就いている場合には(ミサイル攻撃、地雷、または戦闘の）標的にされ､戦死する危険がある。

この職業を選択する理由

- 軍人家系の出身。
- 大学に進学するのに学費援助が必要だった。
- 他の人を鼓舞し、リードしたい。
- 規律があって組織立ったところに身を置きたい。
- 非常に愛国心が強い。
- 軍隊以外のところでは習得できない専門技術を身につけたい。

ステレオタイプを避けるために

軍人といえば男性で、しかも攻撃的で身体がたくましく、政治的には保守的だと思われがちだ。趣向を変えて、こうしたステレオタイプのいずれかを覆してみよう。また、軍人として認められるためには、隠し通さなければならない秘密や何らかの事情を抱えているキャラクターにしてみるのもいいかもしれない。

警察官

〔英 Police Officer〕

警察官は、公務員として市民を守り、平和を維持し、そのために自らを危険にさらすことも少なくない。その職務の範囲内で法律に従って取り締まり、容疑者や目撃者に聞き取り調査を行ない、緊急事態が発生した場合には現場に駆けつけ、不審な状況または発生した犯罪を調査する。職務を通じて、被害者に思いやりと共感を示しつつ、また警察としての知識とリソースを用いて、困難の最中にいる被害者を支える立場にある。また、最悪の状態（麻薬中毒に陥った、窃盗を犯した、暴力団員になった、など）にある人々に対し、手遅れになる前に人生をやり直すよう働きかけることもある。

警察官は普通、パトロール区域を割り当てられ、パートナーと一緒に協力しながら見回る。どの地域を巡回しているかによって、遭遇する人々や状況は変わる。

け

この職業に求められるトレーニング

教育や訓練の詳細はストーリーの舞台となる町によって異なるが、警察官になるには、まず高卒資格が必要だ。さらに、徹底的な経歴審査に合格し、体調には申し分がないことを証明し、警察学校を卒業しなければならない。警察学校では、州法と憲法、管轄地域の条例、公民権、事故調査方法を学ぶ。また、交通整理や応急処置、緊急時の対応、様々な銃器の使い方、護身術も学ぶ。筆記試験のみならず、身体検査、心理テスト、ポリグラフ検査（嘘発見機にかけられる検査）に合格する必要がある。

有益なスキル・才能・能力

基本的な応急処置能力、目立たないように振る舞うスキル、鋭い洞察力、優れた聴覚、平常心、卓越した記憶力、他人の信頼を得る力、人の話を聞く力、痛みに強い、車のキーを使わずに配線を直結させてエンジンをかける技術、ナイフ投げ、爆発物の知識、読唇術、嘘が言える、人を笑わせる能力、多言語を操れる、場をうまくとりなす能力、映像記憶、人の心を読む力、護身術、狙撃、体力、戦略的思考力、力強さ、呼吸コントロール、サバイバル能力、俊足、自然の中でも迷わない方向感覚

性格的特徴

柔軟、用心深い、分析家、おだやか、慎重、魅力的、自信家、勇敢、決断力がある、如才ない、規律正しい、おおらか、効率的、共感力が高い、熱心、気さく、正直、気高い、独立独歩、公明正大、忠実、客観的、注意深い、きちんとしている、忍耐強い、勘が鋭い、粘り強い、雄弁、積極的、プロフェッショナル、上品、世話好き、臨機応変、責任感が強い、正義感が強い、寛容、賢い、仕事中毒

葛藤を引き起こす原因

- 守るべき市民から警察が見下されている。
- 同僚が殉職する。
- 職務遂行中に人を殺してしまう。
- あらゆる判断が徹底的に調査される。
- 警察内の政治に対処しなければならない。
- 悪徳な警察官のせいで、すべての警察官が悪く見

られてしまう。
- 訃報をその家族に知らせなければならない。
- トラウマになるような状況に何度もさらされ、それをすべて心の中で処理しようとして苦しむ。
- 現場の苦労を知らない「専門家」が警察官の仕事に口を出す。
- 銃を持った容疑者がまだうろついている地域、テロ事件や麻薬密売の現場、化学兵器で攻撃をすると脅迫を受けた場所など、危険な現場に駆けつける。
- 家庭に仕事を持ち込まないようにしたいが、なかなかそうはできない。
- 職務中に巡回するような、一般的に危険とされる場所や状況に遭遇すると、休暇中であってもなかなかリラックスできない（休日に買い物に出て狭い裏道をぶらぶらしている、人混みの中にいる、など）。
- 警察官の仕事を誤解した人たちの応対に追われる。
- 仕事以外の場で人を説得するとき、心理操作をしないように気を付けなければならない。
- 愛する人や友人が嘘をついているとすぐにわかるが、それを指摘してごたごたを起こしたくない。
- 家族が違法行為をし、警察官としての自分の評判に傷がつく。
- 厳しい子育てに我が子が反発し、違法行為をして捕まる。
- 過ちを犯す（通りがかりの人を間違って逮捕する、子どもを銃で撃ってしまう、など）。

かかわることの多い人々

容疑者、犯罪者、マスコミ関係者、消防士、検視官、刑事、FBIなど連邦政府の捜査官、一般市民、被害者とその家族、救急隊員、目撃者、他の警察官、地方自治体の公務員、裁判官、弁護士

**この職業は
5大欲求にどう影響するか**

▸▸ 自己実現の欲求：
世の中を変えようとして警察に入ったのに、自分の無力さに気づいてしまった場合、警察の仕事に幻滅を覚えるかもしれない。

▸▸ 承認・尊重の欲求：
他の警察官が犯したミスが世間を騒がし、一緒にいた自分までもが同罪にされてしまうと、自尊心が傷つけられる可能性がある。

▸▸ 帰属意識・愛の欲求：
長時間勤務が続き、感情的にも様々な葛藤があり、家庭でも仕事のことは詳しくは話せないなどの理由から、人生のパートナーに「自分はいつも後回しだ」と思わせてしまうことも。

▸▸ 安全・安心の欲求：
警察官の仕事は本来危険で、時には安全を脅かされて不安を覚えることもある。脅迫や復讐の標的にされた場合、危険が家族にもおよぶ可能性がある。

▸▸ 生理的欲求：
一般の人が逃げ出す局面でも、警察官は危険に向かって走る。また、治安の悪い地域での巡回が多いため、死の危険に直面することも多い。

この職業を選択する理由

- 警察官の家庭で育った。
- 過去に犯罪の被害を受けた経験があり、自分の力を取り戻すために警察の仕事を選んだ。
- 強い道徳心と義務感を持っている。
- 人々を守りたい、安全な社会を維持したい。
- 犯罪グループの一員で、警察の中に潜り込むよう命じられた。

ステレオタイプを避けるために

怠惰で無能で、騙されやすい、あるいは、傲慢で権力欲の強い警察官というキャラクター造形ではあまりにも陳腐だ。そのような警察官は単に話を進めるための道具としてしか描かれていないので避けること。

救急隊員のような職業から警察官に転職する人もいる。キャラクターが、緊急事態が起きたときに駆けつける職業に求められるスキルを複数持っているとしたら、救急隊員や消防士から警察に転職する可能性もある。なぜキャラクターが転職したのかを掘り下げてみると、もっと読者の関心をそそるプロットが作れるかもしれない。

警備員

〔英 Security Guard〕

警備員は、警備している建物やその周辺の人々の安全を守るため、監視およびパトロールを仕事とする。フリーランスとして働く人もいれば、企業（銀行、カジノ、ナイトクラブ、アパート、ホテル、小売店、学校、など）に直接雇用される人や、人材派遣会社を通して雇用される人もいる。警備といっても、カメラの監視や入口の詰所に待機して警備する「動かない」仕事もあれば、徒歩、あるいは車や自転車などに乗って周辺を見回る仕事もある。

警備員は、法律違反者や、暴動にエスカレートする可能性のある騒ぎを起こしている者、不審者がいないかを見張る。警備員を配置するのは犯罪抑止が第一目的だが、それでも違法行為は起きる。違法行為が起きた場合、警察が到着するまでの間、警備員は何が起きたのかを記録して容疑者を拘束し、裁判になったときには法廷で証言もする。また、防災・防犯システム（火災報知器、デジタルロック、監視カメラなど）がすべて正常に動作していることを確認するのも警備員の仕事だ。警備員は安全で信頼できる人だと見られ、人から道順を訊かれたり、警備を担当している会社の営業時間など、顧客サービス関係の質問を受けることもある。

け

この職業に求められるトレーニング

高卒資格が必要な場合がほとんどだ。また、犯罪歴がないことを証明するため、指紋採取と経歴審査に合格しなければならない。銃器を携帯する警備員の場合は、銃器使用に関する様々な訓練と安全に関する研修を受け、認定書をもらう必要がある（資格は更新し続けなければならない）。

有益なスキル・才能・能力

基本的な応急処置能力、優れた聴覚、優れた嗅覚、平常心、他人の信頼を得る力、直感、読唇術、第六感、多言語を操れる、場をうまくとりなす能力、人の心を読む力、護身術、狙撃、体力、力強さ、俊足、格闘技

性格的特徴

柔軟、用心深い、大胆、おだやか、自信家、挑戦的、支配的、決断力がある、如才ない、規律正しい、熱心、生真面目、公明正大、大人っぽい、詮索好き、客観的、注意深い、執拗、雄弁、世話好き、臨機応変、賢明、疑い深い、奔放

葛藤を引き起こす原因

- 容疑者が非協力的。
- 睡眠不足で反射神経が鈍くなったり、反応が遅くなったりする。
- 退屈していて、または気が散って重要なことを見落とす。
- 退屈を紛らわしている10代のいたずらにひっかかる。
- 警察や消防士の到着にいつもよりも時間がかかっている。
- ある人物が不法行為をしたのではないかと疑っているが証拠がない。
- 容疑者に危害を加えられる。
- 不審者に不必要に手荒なまねをした、または虐待したと非難される。
- （視力の低下、膝の古傷の悪化、一日中歩き回るのがつらい、など）身体が衰え、仕事がしづらくなる。

- えこひいきや偏見のせいで、客観的になれない。
- 警備員としてやれることに限界があり、不満が募る。
- 自分の能力を超えた状況に対処しなければならない（爆弾を発見した、暴力的な容疑者が複数いる、武装強盗が発生し、怪我人が出て救命措置をしなければならない、など）。
- 警備員の仕事が警察や地域社会から真剣に受け止められていない。

かかわることの多い人々

監視エリアでよく見かける人々（顧客、ビジネスオーナー、従業員、歩行者、など）、警備員の雇用主（企業オーナー、警備会社のマネージャー）、他の警備員、警察官、容疑者

この職業は
5大欲求にどう影響するか

▸▸ 自己実現の欲求：
世の中をよくしようと思って警備員になったものの、問題が根深くて付け焼き刃的な対応しかできない、あるいは、社会が根本的な問題に向き合っていないために、同じ問題が何度も起きているのを見ているうちに、やる気が失せてしまうかもしれない。

▸▸ 承認・尊重の欲求：
多くの警備員は、警察官以下の存在、あるいは警察官志望者だと世間に思われている。人から尊敬されていないせいで、自己肯定感に悪影響が出る可能性がある。

▸▸ 安全・安心の欲求：
警備員本人はもちろん、警護対象者にも、怪我をするリスクはある。

▸▸ 生理的欲求：
警備の不備や一瞬の油断で、警備員が殺されることもある。

この職業を選択する理由

- （身体的なハンディ、恐怖心、不安、精神疾患、などが原因で）本当は警察官になりたかったが、なれなかった。
- 過去に暴行や強盗などの被害に遭った経験があり、他の人に同じことが起きないようにしたい。
- （喧嘩を止めに入らなかったために、暴力が激化して死者が出た経験をしたことがある、など）過去の過ちを償いたい。
- 他のことに関心を持っていたり、果たさなければならない義務があり、勤務時間が柔軟な仕事を必要としている。
- 正義を重んじ、地域社会を大切にしているので守りたい。

ステレオタイプを避けるために

警備員が元警察官という設定なら、なぜ警察を離れても一般市民やその財産を守る仕事に就こうとするのか、その理由をよく考えよう。

フィクションの世界では、警備員は単なる障害物に過ぎず、すぐに倒されてしまう存在として描かれることがある。そういう退屈で陳腐な描き方から脱却するには、キャラクターをしっかりと設定する必要がある。警備員として能力を発揮でき、意外性のあるスキルを持っている、あるいは、心のどこかに弱さがあって、本当に向き合わなければならない課題を克服する、そんなキャラクターを考えてみよう。

刑務官

〔英 Corrections Officer〕

刑務官（看守ともいう）は、受刑者の監視が仕事だ。受刑者は刑務所の規則や所内に適用される法律に従って生活しているが、法的権利も持っている。彼らの権利を守るのも刑務官の仕事だ。刑務官は交代で、守衛詰所、監視塔、受刑者の生活の場（居室、診療室、レクリエーションエリア）など、刑務所内の様々な施設を監視する。監視場所によっては受刑者と身近に接し、秩序が保たれているかどうかを監視し、受刑者の人数を確認する任務もあれば、刑務所への持ち込みが禁止されている物品のチェック、事務手続きの監督など受刑者とは直接接する必要のない作業もある。また、受刑者の職業訓練や、彼らが犯した犯罪に絡んだ問題行動の克服の支援もする。

刑務官は、受刑者だけでなく、同僚たちの安全と権利を守る責任もある。受刑者同士の喧嘩が起きた、または所内で救急患者が出た場合は、それに対応しなければならない。各状況で何をすべきかを知っていなければならないし、その間、受刑者に対ししっかりと権威を示す必要もある。受刑者は、常に刑務官の弱点を探る目的で、特に新人刑務官に対しては故意に挑発的な行動をとる。重要なのは、刑務官が規則を遵守し、約束を守り、全員を平等に扱い、プロ意識と自制心を失わないことだ。刑務官の職務内容は州レベルと連邦レベルで異なるので、ストーリーに応じて調査が必要になる。

この職業に求められるトレーニング

連邦刑務所以外の刑務所で刑務官の職に就くには、高卒資格が必要だ。連邦刑務所の場合は、大学の学士号または3年間のカウンセリング経験や人を監督した経験が必要になる。また、どの刑務所に勤めるにしても、身元調査と健康診断（精神と身体の両方）に合格しなければならない。

新しく刑務官に採用されたら、通常は訓練校で講義を受けてから実地訓練に移る。刑務所の様々な手続きや方針、法的権限についての包括的な教育を受けるだけでなく、銃器の使用や護身術の訓練を受け、受刑者を取り押さえて武装解除させ、無力化させる方法を学ぶ。刑務官が連邦刑務所局の特殊部隊（SWAT）の一員である場合は、刑務所内で暴動や人質事件などの危険な緊急事態が発生した場合の対処についても訓練を受ける。訓練は通常継続的に行なわれ、スキルを磨き続けるだけでなく、法的手続きや方針が変更になったときに常に最新の情報を学べるようになっている。

有益なスキル・才能・能力

基本的な応急処置能力、目立たないように振る舞うスキル、鋭い洞察力、優れた聴覚、優れた嗅覚、平常心、卓越した記憶力、他人の信頼を得る力、人の話を聞く力、交渉力、痛みに強い、読唇術、人を笑わせる能力、多言語を操れる、仲裁力、映像記憶、人の心を読む力、護身術、狙撃、戦略的思考力、力強さ、サバイバル能力、俊足、格闘技

性格的特徴

用心深い、分析家、大胆、芯が強い、自信家、挑戦的、支配的、協調性が高い、勇敢、礼儀正しい、如才ない、規律正しい、熱心、気高い、

公明正大、注意深い、きちんとしている、粘り強い、雄弁、積極的、プロフェッショナル、責任感が強い、頑固、寛容

葛藤を引き起こす原因

- ギャング同士の確執をどうにかなだめようとしている。
- 刑務所が過密状態になっている。
- 刑務所内の生活の質が悪く、受刑者が逆上しやすくなっている。
- 刑務所内でレイプや襲撃事件が起きる。
- 刑務官と受刑者との間の不適切な行為が発覚する。
- 信用できない刑務官がいる。
- 夜勤や休日出勤が続いて、あるいは仕事の疲れや不満を家庭に持ち帰ってしまって、家庭不和が起きる。
- 同僚の刑務官と受刑者の扱い方に関して対立する。
- 別の刑務官が賄賂を受け取っているところを目撃した。
- 受刑者同士の喧嘩に割って入らなければならない。
- 刑務所内で暴動が発生する。
- 刑務所内で殺人事件が発生する。
- 不祥事で告発される。
- 精神疾患を患っている受刑者が治療を受けることなく放置されているなど、不正を見てしまう。

かかわることの多い人々

受刑者、刑務所の職員、政府職員、刑務所長、心理学者、医師や看護師、警察官、刑事、FBI捜査官、面会者、弁護士、配達員

この職業は
5大欲求にどう影響するか

▸▸ 自己実現の欲求：
精神的に負担のかかる仕事で、気分も落ち込みやすいため、厭世観に走りがちだ。そのように落ち込んでしまうと、個人的に有意義な人生を追求しなくなり、社会を救う価値などないとすら考えてしまいかねない。

▸▸ 帰属意識・愛の欲求：
夜勤や休日出勤、残業のせいで、家族のつながりを強く保てなかったり、愛情のこもった人間関係を築くための時間が作れなかったりする。

▸▸ 安全・安心の欲求：
受刑者が刑務官の目を欺いて暴力に走ろうものなら、失うものを何も持たない彼らは狂暴になる。そういう意味で刑務官は常にリスクにさらされている。特に、刑務官がひとりで多数の受刑者を監視しなければならない場合は、取り囲まれる危険がある。

▸▸ 生理的欲求：
暴動が発生して受刑者たちに襲われたり、人質に取られそうになったりすると、命が危ない。

この職業を選択する理由

- 自分の家族の間で当たり前のように行なわれていた犯罪行為を道徳的に間違っていると思い、反対していた。
- 刑務所で働くのがその町でいちばん実入りのいい仕事だった。
- 法に背いた過去（起訴は免れた）から立ち直った経験があるので、他の人にも立ち直ってもらいたい。
- 他人を支配することで自分に力を感じたい。
- 非常に庇護意識の強い性格をしている。

ステレオタイプを避けるために

刑務官は、残酷な人、あるいはうすら笑いを浮かべながら権力を濫用する加虐的な人として描かれがちだ。そういう意味では、スティーヴン・キング著の『グリーン・マイル』の主人公ポール・エッジコムは、刑務官に対する固定観念をうまくひねり、温情があって心も広く、人は誰でも尊重されるべきだと信じるキャラクターとして描かれている。キャラクターがどういう道徳観を持っているのかをよく見つめ、刑務官につきまといがちな先入観を払いのける努力を怠らないこと。キャラクターが心の奥にどのような信念を持ち、それが仕事にどのように表れるのかを考えよう。

検視官

〔英 Coroner〕

検視官は地域によって選挙で選出されるところもあれば、任命制のところもある。その職務は、変死やその疑いのある死体の死因を調査して特定する検視が主だが、それ以外にも事件現場での証拠収集、調査の実施、目撃者からの聞き取り、法廷での証言、診療記録や身元の確認、死亡証明書の記入、親近者への通知の手配などがある。各検視官の職務は管轄と経験レベルによって決まる。

け

この職業に求められるトレーニング

検視官は大学の学位（医学など）を持っている人が多いが、アメリカの全域で学位が必須なわけではない。大抵は、テストに合格して職務に必要な基本知識があることを証明せねばならず、さらに、医療関係や捜査の仕事をした経験があるとプラスになる。検視官の正式な職名は管轄区によって異なり、学歴や経験などにより正式な職名が決まる（たとえば、「監察医」には医師の資格が必要）。まずは副検視官としてスタートし、正式な検視官になる前に、一種の見習いをする人が多い。ストーリーの舞台が実存する街であり、検視官の学歴がストーリーの重要な要素になる場合は、その街で検視官になるための必要条件を確認しておこう。

有益なスキル・才能・能力

手先の器用さ、共感力、卓越した記憶力、他人の信頼を得る力、人の話を聞く力、人の心を読む力、調査力、戦略的思考力、死者と対話する力

性格的特徴

冒険好き、分析家、おだやか、慎重、自信家、協調性が高い、礼儀正しい、好奇心旺盛、決断力がある、如才ない、控えめ、効率的、熱心、正直、気高い、知的、公明正大、几帳面、病的、詮索好き、客観的、注意深い、執拗、きちんとしている、情熱的、忍耐強い、粘り強い、プロフェッショナル、強引、責任感が強い、賢明、勉強家、疑い深い、仕事中毒

葛藤を引き起こす原因

- 毎日24時間ずっと待機していなくてはならないため、家族との関係に亀裂が生じる。
- 証拠収集の仕方がまずく、証拠に傷がついてしまう。
- 証拠が故意に改ざんされている。
- 有力者たちから、ある事件で特定の判断を下すように圧力をかけられる。
- 犯罪を疑っているが、それを証明できない。
- 事件現場に到着して遺体を見たら、知人だった。
- 決定的な死因を特定できない。
- 狭い管轄で仕事をしていて、その管轄の権限だけでは解決できない事件に直面する。
- 検視官の地位を他の人と激しく奪い合う。
- ライバルに中傷される。
- 検視官の選出選挙で、自分より経験の浅い候補者に負ける。
- 加害者に法の裁きが下る

ようにと、証拠を改ざんしたい誘惑、あるいは倫理に反した判断をしたい誘惑に駆られる。

- 心をかき乱されるような事件で証言しなくてはならない。
- 心身の不調で仕事に支障をきたしている（物忘れ、指先の神経障害、など）。
- 死因を調べていて、感染症の流行が始まっているのではないかと疑われるものを発見する。
- 検視官の仕事を気味悪がる人と接している。
- 詮索好きな人、または人の死にやたらと関心を示す人から、事件の機密情報について聞かれる。
- 死亡事件のパターンを見ていて、警察が隠蔽工作に関与しているのではないかと疑う。

かかわることの多い人々
警察官や刑事、他の検視官や監察医、副検視官、弁護士や裁判官、公衆衛生当局の職員

この職業は5大欲求にどう影響するか

▸▸ **自己実現の欲求：**
学歴や経験がない場合、やらねばならない職務をすべてこなしきれず、自分の潜在能力を十分に発揮できないと感じたり、思いどおりに人を助けられないと感じたりする可能性がある。

▸▸ **承認・尊重の欲求：**
司法解剖や病理解剖ができる監察医や病理医に比べると、資格や職務が限られている検視官は、彼らに劣等感を感じるかもしれない。

▸▸ **帰属意識・愛の欲求：**
死体を扱う仕事なので、人に気味悪がられ、軽蔑されることもあるかもしれない。恋心を抱いている相手に検視官の仕事を気味悪がられたりすると、誰かと一緒にいたいと思っていても恋が実らない可能性も考えられる。

▸▸ **安全・安心の欲求：**
予防措置は常に講じるべきだが、注意力が散漫になっていたり、決められた手順に従わなかったりすると、感染症を広げてしまうかもしれない。

この職業を選択する理由

- 死が絡んだトラウマに苦しんだ経験があり、殺害され、自分の苦しみを自分で伝えられない犠牲者に代わって、加害者に法の裁きを受けさせたい。
- 本当は警察官や捜査官になりたかったが、障害があったためになれなかった。
- 何でも調べるのが好きで、人体の謎の解明に興味を抱いた。
- 死に興味があり、その好奇心を健全な方向に向けたい。
- 幽霊や死後の世界、または死にまつわる超自然現象に執拗なほど関心を持っている。
- パズルやミステリーなどが大好きで、情報をひとつずつ集め、それらをつなぎ合わせて結論を導き、問題を解決するのが得意。
- 人には言えないような暗い目的のために死体に近づきたい。

ステレオタイプを避けるために
検視官はユーモアのない生真面目な人か、とんでもない変わり者のいずれかに描かれがちだ。キャラクターはなぜこの職業を選んだのだろうか。その理由がわかれば、キャラクターが本当はどういう人なのか、洞察を深められる。

建築家

〔英 Architect〕

建築家は、住宅やオフィスビル、ショッピングセンター、宗教施設、工場、橋といった物理的構造物を、機能や安全性だけでなく、デザイン性も重視して設計するのが仕事だ。

け

この職業に求められるトレーニング

建築の学位が必要で、さらに各州で建築士免許を取得しなければならない。この免許は、建築の実務をこなし、試験に合格した後に付与される。これはアメリカでの話だが、国によって要件は異なるので、ストーリーの舞台になる国が決まったら、そこでの要件をしっかりと調べておこう。

有益なスキル・才能・能力

創造性、数字に強い、マルチタスクのスキル、既成の枠にとらわれない思考、戦略的思考力、構想力

性格的特徴

野心家、分析家、自信家、協調性が高い、クリエイティブ、如才ない、規律正しい、熱心、気高い、几帳面、執拗、きちんとしている、情熱的、忍耐強い、完璧主義、雄弁、プロフェッショナル、責任感が強い、勉強家、天才肌

葛藤を引き起こす原因

- 一度決めたことを二転三転させる優柔不断なクライアントがいる。
- 様々なライセンスや許可を得るために、事務的な手続きを踏まなければならない。
- 建築の検査官がしつこい。
- 建築現場で負傷者あるいは死亡者が出た。
- 完成した建物に欠陥があることが判明し、住民が怪我をした。
- 自分の道徳的信念に相容れないプロジェクトを与えられた（ストリップクラブの建設、ドッグレース場の図面作成、など）。
- 建設作業員が手っ取り早く工事を進めようとし、プロジェクトの安全性が損なわれかねない。
- 昇進を期待していたら肩透かしを食らった。
- あるプロジェクトを実現させようと闘ったが、自分よりも劣った同僚に負けてしまう。
- 自分のデザインの美学や好みとは相容れないクライアントがいる。
- クライアントから設計費を回収できず、諸経費を賄えない。
- もし別れると仕事がやりにくくなるような相手（検査官、役人、など）と恋愛関係になる。
- プロジェクトが予算オーバーしている、または締め切りを過ぎている。
- 不完全な情報しか得られず、クライアントのニーズに応えていないデザインになってしまう。
- プロジェクトを進めていくには賄賂が必要なとこ

ろで仕事をする。
- 変性疾患にかかり、仕事に支障をきたす（記憶力や知的能力が低下する、膝や腰に問題が生じて階段や足場の昇り降りが難しくなるなど）。
- 製図技術の進歩についていくのに苦労する。
- 大事な顧客を失う。
- 創造力が枯渇する（高い創造性が求められる建築物の設計で知られる人物である場合は特に）。
- 大切な時期にエンジェル投資家（創業して間もない企業などに資金を提供する個人投資家のこと）がプロジェクトから手を引く。
- 気候変動や浸食などの環境要因を考慮せねばならず、設計が難しくなる。

かかわることの多い人々
他の建築家、建設作業員、建設請負業者、クライアント、建築設備検査員、許認可に関わる役人、インテリアデザイナー、ランドスケープデザイナー

**この職業は
5大欲求にどう影響するか**

▸▸ 自己実現の欲求：
独創的な設計デザインで活躍したくてこの職業に就く建築家が多いが、必ずしも思いどおりにはならず、たいていはもっとありきたりな設計の仕事に就く結果になる。かつて夢見ていた建築の仕事も、生計のためでしかなく、満足感は得られない。

▸▸ 承認・尊重の欲求：
（面白くもないプロジェクトばかり与えられる、自分よりも才能があってクリエイティブな建築家たちに囲まれている、自分の能力を疑い不安を感じる、などの理由から）建築家として名を成すことができず、同僚や建築家コミュニティから尊敬されたくてたまらなくなる可能性がある。

▸▸ 安全・安心の欲求：
建設現場は危険な場所で、作業員が注意を怠ると事故が多発しやすい。現場で怪我をした経験のある建築士なら、現場に戻って、ベストを尽くしながら仕事をするのが難しいと感じることもあるだろう。

この職業を選択する理由
- 何世代にもわたって愛される建物を設計し、自分の名前を残したい。
- 建物を設計したり建てたりするのが好き。
- 戦略的に物事を考えることができる。
- 芸術的な経歴を持ち、建物や橋などの構造物を造って何かを表現したい。
- 子どもの頃、各地を転々としながら育ったため、またはホームレスだったため、同じ場所に永続するものを造りたい。
- 自分にとって大切だったもの（家族の絆、結婚、家業など）が壊れてしまった経験をしているので、それを補おうとしている。
- 数学に才能がある上、デザインに関して審美眼を持っている。
- 自分の街を愛し、建築を通して街を美しくしたい。

ステレオタイプを避けるために
従来、建築家には男性が多かった。このステレオタイプは変わりつつあるので、女性を建築家にしてみるのもいい。
建築家にある種のフォルムや建物のイメージがつくのもよくあることだ。遊園地や芸術的な建造物などの設計や、中世のデザインなど特別な美学的思想が求められるプロジェクトにキャラクターを関わらせてみてはどうだろうか。

航空管制官

〔英 Air Traffic Controller〕

航空管制官は、飛行機の航行中や離着陸時の交通整理や保安業務を担っている。パイロットに離着陸時の指示を出すだけでなく、飛行経路の監視または変更の指示も出す。飛行機が管制圏内から出れば、他の航空管制センターへ責任をバトンタッチする。また、管制官の訓練や管理を担ったり、チームメンバーのストレス軽減のためバックアップしたりもする。常に集中力と迅速な意思決定が求められるストレスの多い仕事だ。

こ

この職業に求められるトレーニング

軍の支部の多くで、航空保安訓練プログラムが提供されている。軍人ではない人々の場合は、最低でも航空保安の準学士号とアメリカ連邦航空局（FAA）の認定書が必要だ。FAAの認定書を取得するには、筆記試験と実技試験に合格し、規定時間数の経験を積む必要がある。航空保安業務の中でも特殊な業務やセクターに特化された追加の訓練プログラムもあり、それに参加するには通常推薦状が要る。

30歳以上で、この分野での職務経験がない人が航空管制官の職に就くのは稀だ。犯罪歴のある人は不採用になる可能性が高い。

有益なスキル・才能・能力

細部へのこだわり、平常心、数字に強い、多言語を操れる、マルチタスクのスキル、天候予測能力、調査力、戦略的思考力

性格的特徴

用心深い、分析家、おだやか、慎重、規律正しい、熱心、知的、几帳面、従順、注意深い、きちんとしている、愛国心が強い、積極的、プロフェッショナル、責任感が強い

葛藤を引き起こす原因

- 悪天候で視界が悪く、通信に支障をきたしている。
- パイロットが指示や勧告を聞かない。
- 性格や意見、指示の出し方へのアプローチが違うために同僚とぶつかる。
- パイロットや他の航空管制官の話し方に訛りがあってわかりにくい。
- 部署やチーム間でコミュニケーションが欠如している。
- 監視しきれないほど航空機の数が多い。
- 勤務シフトが一定していない、または長時間勤務が続くなど、気を張り詰めている時間が長くなり疲労に悩まされる。
- 監視レーダーが断続的にしか働かず、飛行機の現在位置を正確に検知できないため、通信に支障をきたす可能性が出てきた。
- 人員が不足している。
- 不測の事態が発生し、一刻一秒を争う決断が必要になってきた。
- 複数の作業を同時にこなしている。
- すべての決断に大きな責任がつきまとう（ミスを犯せば重大な事故につながる）。
- 過酷な長時間労働のせいで人間関係がぎくしゃく

している。
- 同僚と親密な関係になり、私生活のパートナーを嫉妬させるかもしれない。
- 勤務シフトが先々まで決まっていないので、家族の予定が立てられない。
- 健康上の問題が浮上し、仕事のパフォーマンスに支障をきたす可能性が出てきた。
- 突然体調を崩し（悪寒がする、胃の調子が悪い、など）、集中できない。
- 私生活でストレスをため込んでしまい、勤務中もそのことばかり考えてしまう。仕事とプライベートをきちんと分けられなくなっている。

かかわることの多い人々
パイロット、他の航空管制官、空港で働く人々、軍人、政府職員、空港の警備員

この職業は
5大欲求にどう影響するか

▸▸ 承認・尊重の欲求：
人命を預かる仕事なので自信は不可欠なのだが、大惨事につながったかもしれないささいなミスを犯してしまうと、自分の能力に疑問を感じるようになり、さらにミスが重なって自己不信に陥る可能性がある。

▸▸ 帰属意識・愛の欲求：
勤務時間が長いため、職場で同僚と親しくなり、私生活での人間関係に亀裂が入るかもしれない。

▸▸ 安全・安心の欲求：
人員が不足し、勤務シフトが追加された場合は特に、睡眠などの基本的欲求が満たされなくなることも。慢性的な疲労や極度の疲労に悩まされがちで、判断や反応に遅れが出るなどの悪影響が出て、人命を危険にさらすことも考えられる。

この職業を選択する理由
- 家族や友人、先輩から強く勧められた。
- パイロットになれず、仕方なく第2希望の航空管制官になった。
- 飛行機事故で愛する人を失った。
- 飛行機が好きで、航空業界でのキャリアを追求したい。
- マルチタスクが得意で、やりがいのあるキャリアを求めている。
- 私生活でうまくいっていない人間関係を避けるため、長時間働きたい。
- プレッシャーをかけられると頑張れるタイプだから。
- 人の安全を守りたい、死亡事故を防ぎたい。
- 飛行機や航空機器を身近に見ることができる。
- 権力や権威を欲している。
- 人の命を預かっているのだと思うと気持ちが引きしまる。

ステレオタイプを避けるために
航空管制官はストレスの多い仕事で、アクションプロットの場合は特に、ロボットや軍人のように描かれがちだ。そこで、読者に人間らしい一面を見せるようにしよう。ユーモアを交えて無駄話をしている場面を入れる、職場での会話の中にも個人的な要素を足す、仕事でのストレスに苦しむ姿を見せるなどして、面白さや現実味を加えてみるのもいいだろう。

ゴーストライター

〔英 Ghostwriter〕

ゴーストライターとは、著者に代わって文章を作成して生計を立てるフリーランスのライターである。企業や雇用主に長期的に採用され、コンテンツ（スピーチ、ツイートの投稿文、手紙、ブログ記事、動画スクリプト、ウェブサイトのコンテンツ、など）を執筆することもあれば、小説やノンフィクションの執筆を契約することもある。コンテンツマーケティング会社と契約を結び、特定のプロジェクトで助けを求めるクライアントとペアを組んで執筆することもある。

大抵の場合、執筆作業ごとに決められた定額料金が支払われる（分割払いの場合もある）が、交渉により前金がまず支払われ、割合を決めて印税の一部が支払われる場合もある。執筆作品のクレジットは、雇用主である著者や企業に帰属することがほとんどだが、交渉次第で共著者や協力者として名前が併記されることもある。守秘義務契約書に署名するよう求められる場合もある。

こ

この職業に求められるトレーニング

ゴーストライターは、自分の名前での執筆実績を持っている人が多い。つまり、ゴーストライターを目指したければ、多くの執筆経験を積み、自分の署名入りの記事を出していなければならない。ノンフィクションのゴーストライターの場合、業界や専門分野で訓練を積んでいれば、正しい知識を活用してコンテンツを書けるし、ゴーストライターを探している雇用主の目にも信頼のおける文章が書けるはずだと認めてもらいやすい。

有益なスキル・才能・能力

創造性、卓越した記憶力、人の話を聞く力、人脈作り、調査力、タイピング、構想力、文章力

性格的特徴

柔軟、協調性が高い、礼儀正しい、クリエイティブ、好奇心旺盛、規律正しい、控えめ、熱血、熱心、正直、勤勉、几帳面、きちんとしている、情熱的、粘り強い、プロフェッショナル、責任感が強い、勉強家、ウィットに富む

葛藤を引き起こす原因

- 執筆してもクレジットされないことへのフラストレーションがたまる。
- クライアントが執筆作業に何を求めているのかを明確に伝えてこない。
- 納品した原稿にクライアントが不満を持っている。
- クライアントが完璧主義、または支配的で、プロジェクトを事細かに管理する。
- 刺激や充実感のないプロジェクトに関わる。
- 締め切りに間に合わない。
- 家族がゴーストライターという仕事は趣味でしかないと思っている。
- ゴーストライターという職業を非倫理的だと考える人がいる。
- 内容が把握しづらいのに文章を書かなければならない。
- 仕事を探すのが難しい。
- 元クライアントが過去に雇用した事実を証明してくれない、または人脈作りに協力してくれない。
- スケジュール管理ができず、締め切りに間に合わなくなる。
- 手根管症候群や慢性疲労

のような、仕事に支障をきたす病気や怪我をする。
- 子どもが病気になり看病が必要になったり、年老いた親を病院に連れていったりと、仕事に支障をきたす不測の事態に見舞われる。
- 気が散って集中できない（エアコンが壊れる、家がリフォーム工事で騒がしい、近所の犬が吠え続ける、など）。
- フルタイムで執筆をしたいが、それができるだけの収入がない。
- 自分が不快になるような内容を書かなければならない（セックスシーン、動物や人間への虐待シーン、など）。
- ゴーストライター業に忙しく、自分の本を書く時間がない。
- 担当したプロジェクトの評価が低い。
- クライアントの干渉が激しく、ストーリーを損なうような書き直しを要求してくる。
- ノートパソコンが故障し、作業中のファイルもきちんとバックアップされておらず、せっかく書いた文章を失う。
- 著名人のクライアントが、誰の手も借りずに自分で書いたと世間に吹聴している。

かかわることの多い人々
クライアント、雇用主、ネットの掲示板や求人掲示板のメンバー、他のライター

この職業は5大欲求にどう影響するか

▸▸ 自己実現の欲求：
自分の本を執筆するために、生計を立てる手段としてゴーストライターの道を選ぶ人が多い。だから自分の本にほとんど時間を割けなくなってしまうと、不満が募るかもしれない。

▸▸ 承認・尊重の欲求：
他人に認められないと自己肯定感を持てなかったり、自尊心が傷ついたりする人だと、ゴーストライターのままでいると虚しさが募るかもしれない。

この職業を選択する理由
- 言葉に魅了され、人に代わってストーリーを書くのが楽しい。
- 収入を補う必要がある（特に自分の本を執筆している場合）。
- （過去の心の傷が原因で、あるいは自分でストーリーを書くような能力はないと思い込んでいるがために）自分のストーリーよりも他人のストーリーを書くほうが楽だと思う。
- 文章を書くのが好きだが、匿名で執筆活動をする必要がある（悪名高い家族がいる場合、など）。
- 小説家として成功するには執筆以外のこと（マーケティング、人脈作り、エージェント探し、など）もやらなければならないが、そんなことに煩わされず、ただ書きたい。

ステレオタイプを避けるために
ゴーストライターは自分の殻に閉じこもり、内向的な人として描かれることが多い。キャラクターをもう少し刺激的にするには、珍しい特徴や趣味を与えてみよう。あるいはキャラクターをとても外向的な人物像にすれば、うまく人脈作りもできて、新規クライアントを獲得しやすいキャラクターになる。
ゴーストライターは複数の仕事を掛け持ちしていることが多いので、本職（または副業）も考慮して、多様性を加えよう。

古生物学者

〔英 **Paleontologist**〕

古生物学者は、恐竜の骨や卵、卵の破片、木、排泄物、植物の葉、足跡、様々な脊椎動物の骨や無脊椎動物が化石化したものを探し出すのが仕事だ。発掘作業は細心の注意を払いながら時間をかけて行なわれる。何時間も土や石をふるいにかけ化石を発見したら、その後は、恐竜や動物の生息した時代や生息地の特定などを、気が遠くなるほど時間をかけて調査する。

多くの古生物学者は、興味深い場所へと調査に出向き、その間、質素な生活をしながら、その地で発見された化石を分析する。分析の結果導かれた推論は、共同研究をすることもある考古学者が古代文明に生きた人々の食生活を理解するのに役立つ。古生物学者は他にも、大学で教えながら論文を執筆して発表したり、博物館で教育プログラムを運営しつつ、コレクションの目録整理や展示物の管理をしたり、民間企業のために調査を行なったりもする。勤務時間は長く、給料は必ずしも高くはないが、自分が立てた仮説を検証し、過去の謎を解き明かし、新たな発見をするのが好きな人にとっては、やりがいのある仕事である。

この職業に求められるトレーニング

雇用されるには、地質学の学位（古生物学専攻）、古生物学の修士号か博士号が必要になるだろう。古生物学のプログラムを提供している大学は少ないので、実存する大学が舞台になっているストーリーの場合は、どの大学に古生物学部があるか下調べが必要だ。

有益なスキル・才能・能力

商才、基本的な応急処置能力、細部へのこだわり、卓越した記憶力、釣り、食料探し、他人の信頼を得る力、多言語を操れる、映像記憶、天候予測能力、宣伝能力、調査力、造形のスキル、戦略的思考力、人に教える能力、自然の中でも迷わない方向感覚、木工技能、文章力

性格的特徴

柔軟、冒険好き、野心家、分析家、慎重、協調性が高い、好奇心旺盛、如才ない、規律正しい、効率的、熱心、凝り性、独立独歩、知的、几帳面、自然派、詮索好き、客観的、注意深い、執拗、楽観的、きちんとしている、情熱的、忍耐強い、完璧主義、粘り強い、臨機応変、責任感が強い、素朴、勉強家、仕事中毒

葛藤を引き起こす原因

- 発掘調査の資金提供が打ち切られる。
- 結果を出せず（資金が底をつく可能性もあり）、ストレスを感じる。
- 厳しい気候の中で調査を続けなければならない。
- 発掘所で盗難が起きる。
- 孤独に悩まされる。
- 僻地で一緒に仕事をしている人たちと性格が合わずに揉め事が起きるが、彼らを頼らないわけにはいかない。
- 文明から遠く離れた場所で感染症にかかる（マラリアや寄生虫による感染症、など）。
- 怪我をしたのに、僻地にいるため十分な治療が受けられない。
- 発見物を誤って壊してしまう。
- 長期不在になることが多く、私生活での人間関係

に軋轢が生じる。

- 労働倫理を同じくしない人や、ルールやプロセスを尊重しない人と一緒に仕事をする。
- 発掘した物が搬送中に破損する、または紛失する。
- 機材や車が故障する。
- 野外調査の合間に慌ただしい社会に戻っても、なかなか馴染めない。
- 長期間発掘現場で働いているのに、何も見つからない。
- 同僚の間で哲学的な議論を交わす。
- 重大な発見をしたかもしれないと興奮したのに、大したものではなかったことがわかり、がっかりする。
- 快適な文明生活が恋しい。

かかわることの多い人々

考古学者、学生、インターン、作業員、運転手、大学のスタッフ、編集者、研究者、地元の人々（必需品や仮住まいを用意する、ガイドを雇う、情報を得るといった理由で）

この職業は 5大欲求にどう影響するか

▸▸ 自己実現の欲求：
新発見や仮説の証明を夢見ている古生物学者は、日々の仕事を面白くないと思ってしまうかもしれない。

▸▸ 承認・尊重の欲求：
同僚やライバルが興味深い発見をしている（しかもその発見で認められている）のに、自分がそうでない場合は、自分の能力や適性を疑問視しはじめるかもしれない。

▸▸ 帰属意識・愛の欲求：
大切な人（子どもがいる場合は子ども）と一緒に時間を過ごさずに、発掘調査で常に家を不在にしている場合、家庭に問題が生じる可能性がある。

▸▸ 安全・安心の欲求：
発掘調査を進めるための資金繰りが難しくなれば、収入の確保も難しくなるだろう。

▸▸ 生理的欲求：
異国の僻地は危険と隣り合わせだ。機を見るのに敏い武装集団や、攻撃的な動物が潜んでいるかもしれないし、ウイルスの脅威にもさらされやすく、運が悪ければ命が奪われることも。助けをすぐには呼べない僻地では、ささいな病気や事故でさえも命取りになりかねない。

この職業を選択する理由

- 子どもの頃は各地を転々としながら暮らしていたので、人里離れたところに住んでいると落ち着く。
- 古代の生物や人類のルーツに魅了されている。
- 世界の過去の認識を覆すような新しい発見をしたい。
- 学者肌である。
- 科学と歴史が好き。
- 現代社会の中にうまく溶け込めず、なるべく多くの時間を過去の世界で過ごしたい。

こ

骨董商

〔英 Antiques Dealer〕

簡単に言えば、骨董商は古い商品を仕入れて売るのが仕事で、本物と偽物を見分ける能力、品物の価値の見定め、販売能力など、幅広い知識が求められる。自分の店を構えている場合もあれば、他の骨董商と一緒に仕事をする場合もある。扱う品も様々で、骨董全般を扱う人もいれば、特定の種類（美術品、家具、コイン、宝石、など）、特定の時代や場所（エジプトの骨董品、ヴィクトリア朝時代の骨董、ハリウッドのヴィンテージ、など）、特定の趣味や関心（カーレース、切手収集、変わったもの、など）を専門にした骨董を扱う人もいる。

こ

この職業に求められるトレーニング

この分野に新規参入する人たちの多くは、まずは老舗の骨董商のアシスタントやオークションハウスのインターンなどを経験してキャリアを積む。高等教育は不要だが、美術鑑賞、歴史、ビジネスの基本などを学び、骨董商としての知識やスキルを身につけていく。

有益なスキル・才能・能力

商才、人を引きつける魅力、卓越した記憶力、他人の信頼を得る力、交渉力、多言語を操れる、宣伝能力、人の心を読む力、調査力、営業力、戦略的思考力

性格的特徴

野心家、魅力的、自信家、協調性が高い、勇敢、礼儀正しい、好奇心旺盛、決断力がある、腹黒い、如才ない、規律正しい、熱血、外向的、気さく、貪欲、勤勉、知的、情熱的、忍耐強い、粘り強い、雄弁、プロフェッショナル、責任感が強い、勉強家

葛藤を引き起こす原因

- 偽物の骨董品を本物に見せかけようとする不誠実な売り手に出会う。
- 野心家な競争相手に顧客を奪われ、商売を邪魔される。
- 自分はある分野での知識が不足しているのではないかと疑う。
- 「骨董の専門家」である共同経営者の目を信用しなければならないが、その人の目が正しいとは思えない。
- 骨董品の在庫を増やすのに必要な仕入金が足りない。
- 高価な骨董品を仕入れたが、買い手がなかなか見つからない。
- 店舗で事故（火事、水道管の破裂、害虫やカビなど）が発生し、在庫が台無しになる。
- 無能な、または骨董に無知な共同経営者が骨董品を高すぎる値段で仕入れる。
- 骨董品を客に売ったが、後で偽物だと判明する。
- 仕入れた骨董品をきれいに修復できない。
- 商売品なのに愛着が湧き、手放せなくなる。
- 売りたいのは山々だが、客はその骨董に手を加えるつもりなので納得できない。

かかわることの多い人々

他の骨董商、顧客、競売人、様々な分野の専門家（歴史専門家、考古学者、など）、博物館のガイドやオーナー、販売員、自分の店の関係者（大家、清掃員、配達員、オー

ナー、など）

この職業は
5大欲求にどう影響するか

▸▸ 自己実現の欲求：
骨董商は、仕事に情熱を燃やし、仕事熱心な可能性が高い。その情熱に水をかけられると、自己実現の欲求が損なわれることも。たとえば、倫理を尊重しない店主が骨董を買い付けるときに意図的に商品を過小評価したり、偽物と知りながら商品を売るように店員に促したりする場合など。

▸▸ 承認・尊重の欲求：
骨董を扱う職業なので、専門知識の有無が商売の明暗を分ける。ある分野の専門知識が自分に不足しているとわかっている場合や、その分野の大家と呼ばれる人々に自分の能力が信用されていない場合、この欲求に影響がおよぶことも考えられる。

▸▸ 安全・安心の欲求：
骨董品は高額かつ貴重品だ。したがって、盗難や強盗に遭う可能性がある。

この職業を選択する理由

- 家族親戚がガレージセールやフリーマーケット、骨董店を回るのが好きで、幼い頃から価値のある骨董を見極める方法を教えてくれた。
- 歴史が好き。
- あらゆる形の美しいものを守りたい。
- 特定の物品を熱心に収集していて、その情熱をキャリアに活かしたい。
- タブーと言われているものや入手困難なもの（ナチス時代のプロパガンダポスター、禁制品、盗品コレクション、など）を手に入れたい。
- 物をため込む傾向があるので、骨董商になれば、物を収集してもそれを売りさばける。
- 過ぎ去った時代に魅力を感じ、昔のようにシンプルに生きたい。
- 宝探しの感覚で、珍しい物を探し出すのが楽しい。
- 骨董品に対する鋭い鑑識眼を持っていて、贋作を見抜ける。

ステレオタイプを避けるために
　骨董品は高価なため、骨董商はおしゃれで上品で、洗練されたイメージを持たれがちだ。ならば、外見はぱっとしなくても、骨董の目が肥えていて、商売上手なキャラクターはどうだろうか。
　骨董といえば、敷物や家具、南北戦争の記念品などが一般的だ。しかし、昔の拷問器具や連続殺人犯に絡んだ品々、または呪われていると言われている古い物など変わったものを扱う骨董商はどうだろうか。
　骨董の知識を一風変わった方法で得る骨董商も面白いかもしれない。たとえば、映画『ハイランダー 悪魔の戦士』の主人公コナー・マクラウドは、不死の者として生き永らえながら収集したものを売っている。

子ども向けエンターテイナー

〔英 Children's Entertainer〕

子ども向けエンターテイナーは、子どもたちが集うイベントでパフォーマンスを披露する。音楽やマジック、人形劇、フェイスペインティング、ジャグリングだけでなく、工作遊びなど幼い子どもたちが楽しめるアクティビティも含めてくれる。各種パーティー、結婚式、地域のイベント、特別な学校行事などで雇われるのが一般的だ。

こ

この職業に求められるトレーニング

正式な教育や訓練は不要だが、子どもたちを遊ばせるボランティア活動で経験を積んだり、既にエンターテイナーとして活躍している人や、幼児教育の専門家などから指導を受けたりするとよい。どのパフォーマンスを専門にするのかにもよるが、演劇やパブリック・スピーキングのコースを受講すると役立つはずだ。

有益なスキル・才能・能力

商才、創造性、手先の器用さ、共感力、優れた聴覚、平常心、他人の信頼を得る力、接客力、和気あいあいとした雰囲気を作れる、人を笑わせる能力、物まね、多言語を操れる、俊敏な運動能力、演技力、パブリック・スピーキング、人の心を読む力、奇術

性格的特徴

冒険好き、自信家、クリエイティブ、熱血、外向的、派手、気さく、ひょうきん、温和、幸せ、想像豊か、優しい、いたずら好き、遊び心がある、奇抜、天真爛漫、活発、奔放、型破り

葛藤を引き起こす原因

- 行儀の悪い子どもたちの前でショーをしなければならない。
- (屋外イベントの場合)悪天候に見舞われる。
- 小道具などショーに使うものを購入する資金がない。
- 子どもから目が離せるチャンスだと考えた親たちにベビーシッター扱いされる。
- スケジュールが突然変わる(キャンセル、突然の会場変更、など)。
- 誤ってダブルブッキングしてしまった。
- 獲れると思っていた仕事をライバルに奪われてしまう。
- 予想以上にショーが長引いてしまう。
- 注文のうるさい親たちの応対に追われる。
- 提供するエンターテインメントの内容が参加する子どもたちには幼すぎる。
- エンターテインメントに使う備品が安物ですぐ壊れる、あるいは機材が故障している。
- 仕事のスケジュールが流動的で、雇用も不安定なので、常に仕事を探さなければならない。
- 報酬が低すぎて、もうひとつ仕事を掛け持ちせざるを得ない。
- クライアントが支払いを滞納している。
- 家族や友人に仕事をけなされたり、軽蔑されたりする。
- 突然仕事が入り、家族の

予定をキャンセルしなければならない。
- 新しいアクティビティを試してみたが、うまくいかない。
- 子どもと接するために、子どもから病気をうつされることが多い。
- 不測の事態（自分の息子が病気で学校を休む、病気のペットを獣医に連れていく、など）が発生し、仕事に支障をきたす。
- 何かの間違いで恐ろしいこと（子どもに不適切に触れた、クライアントの家から物を盗んだ、親に言い寄った、など）を犯したと非難され、二度とこの仕事ができなくなるかもしれない。

かかわることの多い人々

幅広い年齢の子ども、子どもの親、パーティー会場のスタッフ、ケータリング会社などの業者、サーカスのスタッフ、他のエンターテイナー、機材や備品メーカーの人

この職業は
5大欲求にどう影響するか

▸▸ 自己実現の欲求：
情熱を持って特殊なスタイルのパフォーマンス（マジック、歌とダンス、ジャグリング、など）を披露しているのに、観客の関心が薄ければやる気や充足感を失うかもしれない。

▸▸ 承認・尊重の欲求：
エンターテイナーとして生計を立てるのは容易ではない。収入を気にするタイプであれば、高収入の仕事を持つ家族や友人に囲まれていたり、成功していて稼ぎの高い配偶者がいたりすると、劣等感を覚えるかもしれない。

▸▸ 帰属意識・愛の欲求：
子どもたちを楽しませたいという情熱に理解のない家族から、遠回しに失望を伝えられ、この仕事を応援してもらえないかもしれない。そんな場合は、家族関係に亀裂が入ることも考えられる。

この職業を選択する理由

- 失業中にこの仕事の存在を知った。
- 両親が厳格で支配的だったので、幼少期に子どもらしいことをする機会を奪われた。
- 子ども相手に仕事をするのが楽しい。
- 子どもを楽しませる天性の勘を持っていて、パフォーマンスが得意。
- 自分の心の中の子どもらしさに再び触れることができるのが楽しい。
- 愉快な人を演じている間は、つらいことをしばし忘れられる。
- 人を楽しませるのが好き。
- 子どもに簡単に近寄れる機会が欲しい（犯罪者の傾向がある場合）。
- 大人よりも子どもと一緒にいるほうが安心できる。
- 様々なパフォーマンスを披露するのが好きで、観客からポジティブな反応を見るのが好き。

ステレオタイプを避けるために

フィクションの世界において、子ども向けエンターテイナーは、出世しそうもない人や、より一流とされる仕事を求めるほどの野心がない人として描かれがちだ。そこで、この道で長い間活躍し成功を収めているキャラクターにしたり、キャラクターがこの仕事にやりがいを感じている姿を明確に描写したりしてはどうだろうか。

また、帽子からウサギを引っ張り出すマジックや、不気味で不快なパントマイムをやるようなキャラクターを描くと、代わり映えがせず、やや陳腐に見えるかもしれない。伝統的ではないパフォーマンスを披露するキャラクターを描くと新鮮味が出るだろう。

コンシェルジュ

〔英 Concierge〕

コンシェルジュ（ホテルスタッフ）は一般的にホテルに勤務し、宿泊客にできるだけ滞在を楽しんでもらえるよう、様々なサービスを提供する。送迎の車やレストランなどの予約、宿泊客からの問い合わせへの応対、開催中の地元イベントの紹介などが主な仕事だ。最高のコンシェルジュは、期待される職務を超えて、宿泊客に並外れたサービスを提供する。

こ

この職業に求められるトレーニング

高卒資格を持っていてホテルで働いた経験があるとよいが、必須ではない。ホテル周辺地域を熟知し、街で開催中のイベント情報などに精通していることが、優れたサービスを提供するための必須条件となる。また、簡潔で明確な案内ができる能力も大事だ。地域によっては、複数の言語が操れることが必須条件となる場合もある。

有益なスキル・才能・能力

人を引きつける魅力、人の話を聞く力、接客力、多言語を操れる、マルチタスクのスキル、人脈作り、調査力

性格的特徴

柔軟、自信家、礼儀正しい、好奇心旺盛、如才ない、控えめ、熱血、もてなし上手、知ったかぶり、詮索好き、注意深い、情熱的、忍耐強い、勘が鋭い、雄弁、悲観的、プロフェッショナル

葛藤を引き起こす原因

- 手のかかる客や何を提供しても文句ばかり言う客への応対に追われる。
- 職場での立場が劣っていると同僚から見なされ、見下されている。
- 宿泊客との間に誤解が生じる、あるいは他の施設との連絡ミスが起きる。
- コンシェルジュにはどうすることもできない問題が設備や施設で起きる（Wi-Fiがダウンしている、街の人気イベントでオーバーブッキングが発生、フィルターが詰まってホテルのプールが閉鎖される、など）。
- 汚くて不快な環境で働いている。
- 常に即答を期待されている。
- 怪我や身体障害のせいで自由に動けない。
- 薄給なのに長時間労働を強いられる。
- 整理整頓が行き届いていない施設で働いている。
- 地域にまだ馴染みがなく、仕事をしながら学ばなければならない。
- 土日祝日に働かなければならない。
- スタッフに頼まれてコーヒーを淹れる、スタッフのためにレストランの予約を取るなど、コンシェルジュの仕事ではない作業をするよう頼まれる。
- コンシェルジュの時間を尊重しないくどい客を接客している。
- 宿泊客からのチップが少ない。
- 時差ボケの客、酔っぱらい客、騒がしい子ども連

れの客への応対に追われる。
- 夜勤で、特に何もすることがない。
- ホテルにまつわる悪い噂が流れ、地元のレストランなどがホテルと関わりを持ちたがらない。
- メッセージを残したのに、折り返し電話がかかってこない。

かかわることの多い人々
宿泊客、宿泊客の家族や友人、フロントデスクのスタッフ、清掃係、ホテルのマネージャー、ホテルでのイベントのスピーカー、有名人、旅行代理店スタッフ、地域の娯楽施設やレストランのスタッフ、航空会社関係者

この職業は
5大欲求にどう影響するか

▸▸ 自己実現の欲求：
オペラやワインテイスティングに夢中な洗練されたコンシェルジュの場合、客のためにトラクター牽引イベントについて調べたり、世界最大のボールへの道順を説明したりするような、客の興味範囲が自分とは異なるホテルで働くことには不満を感じるかもしれない。

▸▸ 承認・尊重の欲求：
ホテル業界で働く人は、温かなもてなし、プロの接客、顧客のニーズに応える能力で知られている。競合他社で働く同業者ほどには人脈のないコンシェルジュの場合、奥の手を使えないために割引や特典を客に提供できず、自信を失い、自分の能力を疑ってしまうことも考えられる。

この職業を選択する理由
- ホテルのマネージャーから昇進のオファーがあった。
- 低所得者が多く住む観光地で育ち、貧困から逃げ出す機会を探していた。
- 私生活で他人と交流がなく、孤独感に押しつぶされそうになり、それをはねのける必要があった。
- ホテルで宿泊客に究極の体験を提供するのが楽しい。
- 愛想がよく、問題解決に長けている。
- 一度にたくさんのことをこなすのは大変だが、それを楽しめる性格だ。
- 要求の多い配偶者や不満足な家庭状況から逃れたい。
- 他人の私物に簡単に手の届く場所で働きたい。
- この地域にずっと住んでいるため、他の人にこの土地について教えてやりたい。
- 「知り合いがいるんだよ」と言って、他人が手に入れられないものを調達したりするのが好き。
- 立派な制服を着て高級ホテルで働きたい。
- (高級ホテルで働いている場合)富裕層に近づきたい。

ステレオタイプを避けるために
コンシェルジュは、もはや仕事に情熱など感じていない、覇気のない年配男性として描かれることが多い。そこでキャラクターをコミュニケーション能力に優れ、人助けに喜びを感じる若いコンシェルジュにしてみると、この固定観念を打ち破れるかもしれない。
また、コンシェルジュは一日中うとうとしていて、目を覚まして仕事をしていても大して役に立たない人物だと誤解されがちでもある。コンシェルジュの職務を超えて客を助け、仕事上の様々な挑戦を楽しむキャラクターを作り出せば、新鮮なひねりを加えられるだろう。

こ

裁判官

〔英 Judge〕

裁判官の役割は法域によって大きく異なるが、基本的には次のような役割を担う。1）口頭弁論に耳を傾け、提出書類に目を通して事件が裁判に値するかどうかを判断する 2）陪審員選定の監督や、陪審員へ説示する 3）公判を監督する 4）様々な法的権利が適正に守られていることを確認する 5）証拠を確認し、合法で事実であると認定する 6）過去の判例を調べて法を適用する 7）有罪が下された者に罰則を科す 8）行政訴訟を協議する 9）判決を言い渡す 10）捜査令状および逮捕令状を発布する 11）保釈金または釈放条件を決定する 12）結婚式を執り行なう 13）結婚許可証を発行する、など。

この職業に求められるトレーニング

通常、法務経験が必要なため、ほとんどの裁判官は法学位を取得し、弁護士として何年か実務経験を積む。弁護士として活躍する間に、法律の知識を磨き、司法制度がどのように機能するかがわかるようになってくるが、裁判官になるには選出または任命されなければならないので、評判を高める努力をし、影響力のある人々とネットワークを築いていく。法律や法定手続きは変わっていくものなので、裁判官になってからも勉強し続けなければならない。

有益なスキル・才能・能力

細部へのこだわり、共感力、優れた聴覚、平常心、卓越した記憶力、人の話を聞く力、リーダーシップ、人脈作り、多言語を操れる、調停力、パブリック・スピーキング、人の心を読む力、調査力

性格的特徴

分析家、おだやか、好奇心旺盛、決断力がある、如才ない、規律正しい、正直、気高い、知的、公明正大、情け深い、几帳面、客観的、注意深い、思慮深い、勘が鋭い、積極的、プロフェッショナル、上品、正義感が強い、寛容、賢い

葛藤を引き起こす原因

- 常に法律に一字一句厳密に従わなければならない。
- 聞くに堪えない、または見るに堪えない証拠に向き合わなければならない。
- ある種の判決を下すよう、政治的圧力をかけられる。
- 人の命や自由に責任を負うことの重責を感じる。
- 法律に抜け穴があっても、裁判官はその法律に従わなければならない。
- 被告人に共感を覚える。
- 釈放した被告人が後で大罪を犯す。
- 手ごわい弁護士と仕事をしなければならない。
- 裁判官の選挙が行なわれるので選挙運動をしなければならない。
- 名誉を傷つけられるような状況に巻き込まれる。
- 常に変化する法律についていかなければならない。
- 世間の詮索にさらされる。
- 無実の人を有罪にしてしまう。
- 個人的に犯罪の犠牲者になったことがあり、裁判官としての客観性に影響する。
- 仕事で燃え尽きてしまい、困難な訴訟を担当すると、心理的な重圧を感じてしまう。

さ

- 過去に下した判決や政治的立ち位置が理由で脅されたり、狙われたりする。

かかわることの多い人々
裁判所職員、弁護士、被告人、証人、証言に呼ばれた専門家、陪審員、法定代理人、裁判所詰めの記者、傍聴者（被告人の家族、報道陣、法学部生、地域の人々、など）。

この職業は
5大欲求にどう影響するか

▸▸ 自己実現の欲求：
裁判官には、法律を遵守し、事実と証拠だけを見て判断することが求められる。本当は罪を犯したのに証拠不十分でうまく逃れたのではないかと疑う事件が起きると、裁判官は、法制度とその中での自分たちの役割を疑問視するようになるかもしれない。

▸▸ 承認・尊重の欲求：
裁判官は、難しい事件を担当し、賛否両論に分かれる判決を下すことがある。世論の批判にさらされ、法曹界の同僚からも自尊心を傷つけられるような目で見られる結果になりかねない。

▸▸ 帰属意識・愛の欲求：
裁判官は法廷で唯一、究極の権限を持った人であるため、孤独な仕事だと言える。裁判官として知った様々な人々のトラウマも、守秘義務があるために誰にも言えず、私生活での人間関係においても孤立してしまう可能性がある。

▸▸ 安全・安心の欲求：
刑事事件の被告人やその仲間、あるいは不満を持つ市民の反感を買い、裁判官の安全が脅かされる可能性がある。

この職業を選択する理由
- 弁護士や裁判官を数多く輩出した家系の出身。
- 怪しく、偏見に満ちた、あるいは無能な裁判官によって、愛する人の人生が踏みにじられるのを目の当たりにした。
- 法律を尊重し、地域社会に貢献したい。
- 威光と権力を得て、他人（特に家族）を喜ばせたい。
- 何か高次元の仕事に携わり、世の中を変えたい。
- 政治的な力が欲しい。
- 終身任期の連邦最高裁判事を目指している。

ステレオタイプを避けるために
ほとんどの場所で、弁護士の経験がないと裁判官にはなれない。しかし必ずしもそうとは限らないため、弁護士経験のない裁判官が任命された状況を考えてみよう。どのような驚くべき顛末が待っているだろうか。
裁判官には、公正で、法律を遵守することが期待されている。情にもろいキャラクターが法廷で客観性を維持しようと奮闘する姿を描いてみるのもいいかもしれない。

催眠療法士

〔英 Hypnotherapist〕

催眠療法士は、催眠治療の認定を受けている専門家で、医療または心理療法の分野で活躍する。催眠現象を利用して、患者を非常にリラックスした状態に誘導し、特定の考えやタスクに意識を集中させる。患者がこの状態に到達すると、望ましくない行動（喫煙、過食、など）をやめるように促し、患者が恐怖症や、痛みなどの身体的感覚に向き合うよう補助する。また、患者の精神障害や様々な症状の心理的原因の解明、退行催眠療法の施術、患者の心の中にある大人になりきれていない部分（インナーチャイルド）の治療なども行なう。

この職業に求められるトレーニング

催眠療法士になるにはまず、行動医学、心理療法、歯科などの分野で必須の学位および免許を取得しなければならない。それから、州ごとに認定された学校で催眠療法を学び、必須課程を修了する。認定プログラムを修了した後に資格を取得すれば、催眠療法士として仕事ができる。

有益なスキル・才能・能力

人を引きつける魅力、共感力、卓越した記憶力、他人の信頼を得る力、人の話を聞く力、リーダーシップ、人を笑わせる能力、第六感、多言語を操れる、人脈作り、既成の枠にとらわれない思考、調査力

性格的特徴

おだやか、魅力的、自信家、如才ない、控えめ、共感力が高い、知的、面倒見がいい、注意深い、勘が鋭い、プロフェッショナル、賢明、勉強家、賢い

葛藤を引き起こす原因

- 患者を増やしていくのが難しい。
- 催眠療法に懐疑的な人たちが催眠療法士の仕事を合法だと認めない。
- ヘルスケア業界の専門家たちから誹謗中傷を受ける。
- 患者が催眠療法の治療に抵抗感を持っている。
- 患者が本当は自分の行動を変えたいと思っていない。
- 誘導質問や暗示を与えたりしているうちに誤って嘘の記憶を作ってしまう。
- 友人や家族が催眠療法に対する誤解や偏見を持っていて、距離を置こうとする。
- 患者によって精神疾患の症状も違い、必要とする介入も異なる。
- 学習障害があり、一部の事務作業をうまくこなせない。
- 患者が治療中に信頼できない発言をする。
- 患者との信頼関係を築くのが難しいと気づく。
- 患者が非現実的な期待を持っている。
- 患者になかなか診断を下せない、または適切な治療法を見つけられない。
- 患者を診察するのは好きだが、カルテ記入などの事務仕事が苦手。
- 社交の場面で「話題」にするために催眠療法のことを根掘り葉掘り聞いてくる人に対し、この職業に対する敬意がないと感じる。
- 患者が土壇場で予約をキャンセルする、または予約時間になっても現れ

さ

ない。
- クリニックとして借りている場所にカビや害虫が発生する、または雨漏りなどが起きる。
- 経費節約のためにやりたくない作業を自分でやる(職場の清掃、受付業務、など)。

かかわることの多い人々
患者、未成年の患者の保護者、カウンセラー、一般開業医、理学療法士、心理療法士、鍼灸師、受付

**この職業は
5大欲求にどう影響するか**

▸▸ 自己実現の欲求：
催眠療法の目的は、患者が問題を解決するのを手助けすることだ。だが、時に難しい患者や成功体験の少ない患者を診ることもあり、進歩が見られないと催眠療法士としての自分の能力に疑問を抱く可能性もある。

▸▸ 承認・尊重の欲求：
催眠療法に関して、一般の人々は懐疑的で不信感を抱いている。ヘルスケア業界の専門家までもが同じように偏見を抱いている場合は特に、催眠療法士の自尊心を傷つける可能性がある。

▸▸ 帰属意識・愛の欲求：
催眠療法が一般的に誤解されているせいで、催眠療法士が私生活で親密な関係を築こうとしても、うまくいかないこともあるだろう。友人や家族が悪質な目的で自分たちに催眠療法が使われはしないかと恐れている可能性もある。

この職業を選択する理由
- 世間に受け入れられている従来のヘルスケアの選択肢に幻滅していた。
- 催眠療法で自分を治癒できた経験があり、他の人を救いたいと思った。
- 過去に痛みや依存症、トラウマに悩まされたことがある。
- 人の役に立ちたいという強い願望を持っている。
- 民間療法を信じている。
- 権力欲、支配欲が強い。

ステレオタイプを避けるために
患者が催眠療法士と良好な関係を持っている場合、治療への反応がよい。治療中のマナーが悪く、患者の治癒に対しても悲観的で、社交スキルもいまいちなキャラクターを作り上げることで、患者との関係に緊張感を出すことができる。

訓練された催眠療法士なら、そのスキルを合法的に使用して患者を助けるはずだと思われている。そこで、倫理に反して催眠療法を悪用しているキャラクターを考えてみてはどうか（ただし、催眠療法士がやってはならないことを下調べしておくこと)。

催眠療法は、患者の心の奥にある秘密を明らかにし、特定の行動や障害の原因を解明することで、患者を癒すためのものだ。キャラクターが悪の誘惑に駆られ、特定の人に口を割らせるためにこの職業を選んだとしたら、どういう展開になるだろうか。

シークレットサービス

〔英 Secret Service Agent〕

シークレットサービスは、大統領や副大統領、外国から訪れる首脳など、国家要人の護衛が仕事だ。また、マネーロンダリングやサイバー攻撃、詐欺など、金融制度やテクノロジーといった国家システムを脅かす犯罪の調査も行なう。任務によっては、頻繁に出張しなければならず、出張が長期になることもある。

この職業に求められるトレーニング

応募資格は、21歳から37歳までの米国市民で（退役軍人の場合は39歳まで）、矯正視力が1.0、健康な人。筆記試験、身体能力テスト、心理テストがあり、徹底した経歴審査にも合格しなければならない。また、体や顔に刺青が入っていてはいけない。

試験に合格して採用されたエージェントは、合計27週間で、2つの訓練プログラムを受ける。いずれの訓練にも初回で合格しなければならない。訓練が終了してから最初に配属されるのはアメリカ国内の各事務所で、6〜8年間勤務する。それが終わると、3〜5年間警護任務に就く。その後は、海外を含む各地に配属される。

有益なスキル・才能・能力

基本的な応急処置能力、目立たないように振る舞うスキル、ハッキングのスキル、優れた聴覚、平常心、他人の信頼を得る力、人の話を聞く力、直感、ナイフ投げ、爆発物の知識、リーダーシップ、第六感、多言語を操れる、場をうまくとりなす能力、映像記憶、人の心を読む力、調査力、護身術、狙撃、体力、戦略的思考力

性格的特徴

冒険好き、用心深い、分析家、大胆、自信家、挑戦的、決断力がある、忍耐強い、愛国心が強い、勘が鋭い、完璧主義、粘り強い、臨機応変、責任感が強い、活発、疑い深い、利他的

葛藤を引き起こす原因

- 自分が望まない所属先に配属される。
- ある任務に応募するが不採用になる。
- 自分が好きではない活動（乗馬、深海釣り[水深が深いところでの釣り]など）で要人を警護しなければならない。
- 道徳的に合わない、または同意しない要人を警護しなければならない。
- ホテルの外で大統領が群衆と握手するなど、混沌とした状況のため安全確保が難しい。
- ある人物を「大丈夫だろう」と通したら、その人が暗殺未遂事件を起こした。
- 怪我（足首の捻挫、靭帯断裂、など）をして、任務遂行が難しくなる。
- 体調を崩し、仕事に集中できなくなる。
- 暴力的または精神的に錯乱した容疑者を取り押さえる。
- 常に警戒しながら待機し

し

ていなければならないため、疲労を覚える。
- 人を疑うことに慣れてしまい、誰のことも信用できなくなる。
- 仕事を離れるとすぐに退屈してしまう。
- イベント開催場所（ホテル、レストラン、コンベンションセンター、など）のスタッフが非協力的でなんとかしなければならない。
- 家庭よりも仕事を優先してしまい、家族との間に軋轢が生じる。
- ある案件を担当しているが、それが未解決で終わってしまうと、シークレットサービスの沽券にかかわるので、プレッシャーを感じている。
- 部署内にスパイがいると疑っている。
- 無謀な行動をとる要人を警護する。

かかわることの多い人々

警護対象の要人（元副大統領とその配偶者、大統領候補者、外国から訪問中の要人、など）、他のエージェント、脅威になると疑われる人物（群衆の中の不審者、大統領に謁見を求める精神的に錯乱した人、詐欺事件の容疑者、など）、証人、警護中の人が出席するイベントのスタッフ

この職業は5大欲求にどう影響するか

▸▸ 自己実現の欲求：
道徳的な理由で支援していない要人を護衛したり、信じてもいない大義のために戦ってほしいと言われると、フラストレーションを感じることもあるかもしれない。

▸▸ 承認・尊重の欲求：
シークレットサービスのエージェントになるには厳しい競争を潜り抜けなければならない。エージェントになってもエージェントらしく行動できないと、その場で、他人の前でも解雇されることがある。

▸▸ 帰属意識・愛の欲求：
選ばれし者しか入れないエリート組織の中にいると、自分を買い被って、すぐに人を見下す傲慢で生意気な性格になってしまい、他の人とつながりを持てなくなるかもしれない。

▸▸ 安全・安心の欲求：
シークレットサービスは常に危険と隣り合わせの仕事。もしも敵がエージェントを貶めようとするなら、家族まで巻き込まれる可能性がある。

▸▸ 生理的欲求：
要人の警護に就いているエージェントは、文字どおり、自分の身を挺して日々任務に就いているので、死は身近にある。

この職業を選択する理由

- 軍人一家で育った。
- 社会に称えられ、尊敬される最高の人になりたい。
- 国に忠誠を誓い、愛国者として祖国に奉仕したい。

ステレオタイプを避けるために

シークレットサービスのエージェントは、大統領のためなら喜んで銃弾を受ける、国家に忠誠を誓った愛国者として描かれるのが普通だ。そこで、何らかの理由で警護にそれほど情熱を傾けてはいない、心に葛藤を秘めたエージェントにしてみてはどうだろうか。

シェフ

〔英 Chef〕

シェフはプロの料理人だ。メニューを考え、厨房を監督し、下にいる料理人たちに指示を出し、食材を選び、厨房の備品を注文し、厨房のスタッフを管理する。シェフといっても階級が分かれているので、具体的な職務は階級に応じて異なる。

オーナーシェフは、料理長でありレストランのオーナーでもある。料理の味や質だけでなく、経営の観点からもレストランを監督する。レストランのスタッフの雇用（解雇も）や価格設定も仕事のうちで、メニューに関しては最終決定権を持っている。**エグゼクティブシェフ**は、調理の現場を日々監督する総料理長のような存在で、料理の準備から食材の注文、メニューの考案まで担当する。**スーシェフ**は、エグゼクティブシェフの不在時に厨房を監督する。新米シェフを育てながら、厨房から出ていく料理が最高の品質と盛り付けであることを確認するのも仕事のひとつだ。**シニアシェフ**は、部門シェフとも呼ばれ、大きな厨房であればそのうちのどこかに配属され、特定の料理（魚料理、など）や料理の準備（盛り付け、など）を担当する。

シェフと料理人は、同じ厨房で働いていても階級が異なる。料理人はシェフほどの訓練を受けてはおらず、大きな厨房で働く場合は下仕事を担当するか、小さなレストランで働く場合は、そこのシェフの下で働く。

し

この職業に求められるトレーニング

一般的にシェフになるには、調理師専門学校で特定のジャンルの料理を学び、調理師の資格を取らなければならない。調理師専門学校には、栄養学、肉の処理、グリル、お菓子作り、厨房の安全と基本的な応急処置、盛り付け、接客トレーニング、メニュープランニングなどを学ぶコースはもちろんのこと、厨房の運営と管理を学ぶビジネスコースもあって、講義と実地の両方で学ぶことになる。

学校を卒業したら、まずは見習いとして下仕事からスタートし、シェフになるために必要な実務経験を積んでいく。専門職（パティシエ、グリラーダン［直火焼き料理担当］、ガルド・マンジェ［冷前菜やサラダの担当］、アントルメティエ［スープ担当］）に就くには、それぞれ別のトレーニングが必要になる。

有益なスキル・才能・能力

商才、ベーキング、基本的な応急処置能力、創造性、優れた嗅覚、優れた味覚、平常心、卓越した記憶力、接客力、リーダーシップ、多言語を操れる、マルチタスクのスキル、映像記憶、宣伝能力、造形のスキル、力強さ、俊足

性格的特徴

柔軟、野心家、分析家、芯が強い、生意気、協調性が高い、クリエイティブ、規律正しい、熱心、もてなし上手、想像豊か、手厳しい、知ったかぶり、独立独歩、勤勉、几帳面、注意深い、執拗、きちんとしている、情熱的、完璧主義、プロフェッショナル、天才肌、倹約家、仕事中毒

葛藤を引き起こす原因

- 長時間労働。
- レストランの経営者や顧客の注文がうるさい。
- 料理に使われている食材を入れ替えてほしい、取り除いてほしいなど、せっかくの料理を台無しにするような要求を客がしてくる。
- 厨房で怪我をする、または体調を崩す（火傷や切り傷、長時間の立ちっぱなしが原因の腰痛、厨房内が暑いことが原因の脱水症状、など）。
- 休日や祝日も出勤するので、家族の行事に参加できない。
- 厨房のことをほとんど知らないオーナーの下で働いている。
- 厨房の設計がまずく、収納スペースやカウンタースペースが少なすぎる。
- きちんとメンテナンスされていない調理用具や調理機器で作業している。
- 採用したスタッフが実は怠け者だった。
- 調理の息が合わず、配膳のタイミングを狂わせるチームメンバーがいる。
- 客の苦情に対応する。
- 閉店直前に客が入ってきた。
- 翌日のための食材が揃っていないし、きちんと下ごしらえが出来ていない。
- 給仕スタッフのミスなのに厨房スタッフが責められる。
- 料理の腕に関して、シェフ同士の間で競争が起きている。
- 洗練された味覚を持っていないのに経営者がメニューに口出ししたがる。
- 食材の保管ミスや取り扱いミスがあり、あるいは知識不足で、食材を腐らせてしまう。

かかわることの多い人々

客、キッチンスタッフ、ウェイターやウェイトレス、経営者、オーナー、他のシェフ、料理人、配達員、保健所の職員、食料品店の人

この職業は
5大欲求にどう影響するか

▸▸ 自己実現の欲求：
注文のうるさい客や失礼な客の応対に追われ、長時間労働が当たり前で、シェフの技術が評価されない環境にいると、自分は正しい夢に向かっているのだろうかと疑問が湧くかもしれない。

▸▸ 承認・尊重の欲求：
階級が低いシェフは、自分の貢献が認められなかったり、高慢な先輩シェフから不当な扱いを受けたりすると悩んでしまうかもしれない。

▸▸ 帰属意識・愛の欲求：
長時間労働で週末も働き、仕事が終わっても疲れきっているため、私生活での人間関係の維持が難しくなるかもしれない。いつも仕事が優先されるため、家族はキャラクターの仕事を恨むようになる可能性も考えられる。

▸▸ 安全・安心の欲求：
野菜を刻んでいる間に指を失う、熱湯で火傷をして痕が残る、大怪我をする、何度も味見をするせいで不健康なほどに体重が増えて慢性疾患につながるなど、様々な危険が厨房にはひしめいている。

この職業を選択する理由

- 多種多様な料理を楽しみ、キッチンでは試行錯誤が繰り返される家庭で育った。
- レストランなどの飲食業を営む家庭で育った。
- みんなで協力し合いながら食事の準備をする大家族の中で育った。
- 舌が肥えていて、食べるのが大好き。
- 人をもてなすのが大好きで、人を集めて親睦を深めることに満足感を覚える。
- インパクトの強い、楽しい体験を提供することで、人を幸せにしたい。
- 食でアートを表現したいという強い思いを持っている。

歯科医

〔英 Dentist〕

歯科医は、患者の歯の健康をチェックする。歯と歯茎を重点的に診察するが、口の中全体を検査して治療する。具体的には抜歯、歯周病や虫歯の治療、折れた歯の修復などを行なう。また必要であれば、歯科矯正医などの専門家を患者に紹介する。

歯科医の大半は開業医だが、その選択肢しかないわけではない。病院に勤務したり、地域社会で歯の健康を促進する活動をしたり、研究の道を選んだり、教鞭を執る人もいる。

この職業に求められるトレーニング

（アメリカの場合）通常は理学士号が必要で、その後歯学部に進学して4年間勉強する。歯科医師免許を取得するには、実地で専門知識を発揮できることを証明しなければならず、試験には実技と筆記の両方がある。ただし、試験の詳細や資格認定に必要なスキルは地域によって異なる。歯科専門医や教職を目指す場合は、さらに教育を受けなくてはならない。

有益なスキル・才能・能力

商才、基本的な応急処置能力、人を引きつける魅力、手先の器用さ、共感力、他人の信頼を得る力、人の話を聞く力、リーダーシップ、宣伝能力、調査力、人に教える能力

性格的特徴

野心家、分析家、魅力的、自信家、決断力がある、如才ない、規律正しい、控えめ、効率的、共感力が高い、熱心、気さく、正直、気高い、もてなし上手、知的、優しい、几帳面、面倒見がいい、注意深い、きちんとしている、情熱的、勘が鋭い、完璧主義、雄弁、プロフェッショナル、勉強家、倹約家、仕事中毒

葛藤を引き起こす原因

- 治療に不安を感じている患者を診察する。
- 泣きわめいている小児患者をなだめている。
- 患者が遅刻してくる、またはキャンセルの多い患者がいる。
- スケジュールがしっかり管理されておらず、非生産的で、ストレスの多い日を過ごす。
- 学費ローンを組んで進学したので借金がある。
- 正確を要する緻密な作業が続き、体力的にも精神的にも疲弊してしまう。
- 感染病にさらされやすい。
- 開業してひとりで働いているので孤独を覚える。
- 経営のストレスをため込んでいる。
- 歯科衛生士が立場をわきまえずに歯科医のように振る舞ったり、歯科医に意見したりする。
- 長時間、緻密な作業をこなしている。
- 一日の大半を他人と至近距離で接触しながら過ごしている。
- 口臭のひどい患者や歯の状態がひどい患者を治療している。
- 職場で揉め事が起きている。
- 週末や夜間に待機していなければならない。
- 資格を持っているのに、

し

州をまたぐとまた資格を取りなおさなくてはならない。
- 患者の支払いが滞っている。
- 保険会社と揉めている。
- 窓のない小さなオフィスで一日の大半を過ごしている。

かかわることの多い人々
患者、受付、他の歯科医、歯科助手や歯科衛生士、歯科専門医（歯科矯正医、歯周病治療専門医、口腔外科医、など）、歯材販売会社の人、会計士、保険会社、監査人

この職業は
5大欲求にどう影響するか

▸▸ 自己実現の欲求：
開業を考えている場合、学費ローンを完済していない、あるいは、開業したい場所が小さな町で既に町の誰もが通う歯科医院があるなど、開業を阻むものがあると行き詰まりを覚えるかもしれない。

▸▸ 承認・尊重の欲求：
歯医者に行くのが好きな人など稀である。歯科医にとっては面白くない事実で、患者が臆面もなく歯医者嫌いをむき出しにする場合は特に、気分を害するかもしれない。歯医者に行くことを恐れたり、不安がったり、時には怒りすら見せたりする患者を常に相手にしなければならないので、自尊心が傷つくことも。

▸▸ 帰属意識・愛の欲求：
職場の人と同僚以上の親密な関係になると、他の人にえこひいきしていると思われるかもしれない――そんな恐れから、どのスタッフに対しても距離を置き、職場には帰属意識が持てなくなることも考えられる。

この職業を選択する理由
- 幼い頃にネグレクトされたり、愛されなかったりした経験があり、それを補償しようとしている。
- 人を大切にしたい。
- 安定した収入源がほしい。
- 細部にこだわる性格で、医療分野に関心を持っている。
- 実家が歯科クリニックを経営しているので家業を継ぐつもりでいる。
- 清潔な口と歯の衛生にこだわりがある。
- 有意義で長期的な人間関係を築くよりも、一時的に患者と接触しているだけのほうが楽だと思っている。
- 薬や医療品を入手したい。

ステレオタイプを避けるために
歯科医には開業医が多いが、たとえばボランティア活動をしている設定にすれば、第三世界の国にある難民キャンプや田舎の診療所など、一風変わった場所で歯科医を描くことも可能だ。場所を変えるだけで、歯科医のように確立されている職業であっても新鮮なひねりになるので覚えておこう。

指揮者

〔英 Conductor〕

指揮者は、管弦楽団、交響楽団、合唱団、アンサンブルを指揮し、音楽を解釈し、楽員たちのためにテンポを決める。他にも、楽譜の研究、リハーサルの計画と監督、公演の指揮、寄付をしてくれそうな人々との人脈作り、資金調達の支援を担う。音楽監督を兼ねることもあり、公演の演目を選んだり、公演でゲストとして演奏してくれる音楽家のスケジュールを押さえたりもする。

指揮者といえば、世界的に有名な交響楽団や合唱団を率いているイメージがいちばん強いが、実はあらゆるレベルの楽団に必要とされる役割で、学校や大学、コミュニティのグループ、ミュージカル劇団、軍の楽団などを率いる指揮者もいる。

し

この職業に求められるトレーニング

4年制大学の学位が必須で、修士号があればプラスになることが多い。ひとつ以上の楽器の演奏経験も必要だ。実際に指揮経験を積むことが何よりも重要で、志望者の多くは、マエストロのアドバイスを得るためにワークショップに参加したり、大学院に進学して教授の下で勉強したり、小さな楽団やアンサンブルを指揮したりして、実践的経験を積んでいく。

有益なスキル・才能・能力

優れた聴覚、卓越した記憶力、人の話を聞く力、多言語を操れる、マルチタスクのスキル、音楽性、映像記憶、宣伝能力

性格的特徴

用心深い、野心家、分析家、感謝の心がある、大胆、自信家、協調性が高い、決断力がある、規律正しい、熱血、熱心、想像豊か、影響力が強い、几帳面、情熱的、完璧主義、雄弁、勉強家、天才肌、奔放、型破り

葛藤を引き起こす原因

- 花形音楽家的なメンタリティを持つ演奏家を相手にする。
- 批判を受け止められない過敏な演奏家を相手にする。
- 指揮者の権威が問われる。
- 演奏家や作曲家とクリエイティブな差異がある。
- 施設に問題がある（建物の音響がひどい、空調システムが壊れている、など）。
- 言葉の壁がある。
- 公演会やツアーがキャンセルになる。
- チケット販売が芳しくない。
- ショーや公演会が酷評される。
- 大口寄付者やパトロンを失う。
- 演奏家のひとりと恋愛関係になる。
- 健康を害してしまい（聴力や視力の低下、変形性脊椎症などを患い立っているのが困難になる、など）、指揮ができなくなるかもしれない。
- 指揮しなければならない曲に乗り気がしない。
- もっとすばらしいプログラムがあるのに、それを組むことができない。
- 実力以外の理由（縁故、終身契約、誰かを脅迫している、など）でオーケストラに所属している下

手な楽員と一緒に仕事をする。
- オーケストラの一部の楽員をひいきしている、または、ハラスメントなどの不適切な行為をしていると非難される。

かかわることの多い人々
演奏家、音楽監督、作曲家、寄付者やパトロン、他の指揮者、施設スタッフ、ジャーナリスト

この職業は
5大欲求にどう影響するか

▸▸ 自己実現の欲求：
無名の小さな楽団で指揮をしているが、一流の楽団を指揮することを夢見ている場合、昇進できないことに不満を覚えるかもしれない。

▸▸ 承認・尊重の欲求：
仲間から尊敬されていない指揮者なら、憤りや不安を感じはじめる可能性がある。

▸▸ 帰属意識・愛の欲求：
仕事に非常に情熱を燃やしている指揮者なら、他人が自分と同じように時間や情熱を仕事に注いでいないことにいら立ち、仕事への姿勢も違うと感じてしまい、人と有意義な関係を育めない可能性がある。

この職業を選択する理由
- 逃避の手段として音楽を知り、その安心感を他の人にも伝えたい。
- 他の科目では成績が振るわなかったが、音楽だけは優秀だった。
- 音楽をこよなく愛している。
- 音楽に夢中で、没頭している。
- 多くの楽器を演奏でき、音楽の解釈にセンスがある。
- 人生の手本にしている憧れの人が音楽好きだった。
- 音楽以外のことでは人生がうまくいっていないので、音楽で補っている。
- 創造性が非常に高く、音楽を通じて自分を表現したい。
- 音楽の分野で尊敬され、名誉ある地位を獲得したい。
- 交響楽やクラシック音楽に情熱を持った天性のリーダーである。

し

ステレオタイプを避けるために
指揮者には男性が多い。そこでキャラクターを女性にしてみるのはどうだろう。
指揮者といえば、裕福で、気取っていて、お高くとまった人が多いと思われがちだ。そのような固定観念を裏切って、変わり者で臆病、だらしないところがあって無愛想、あるいはがさつな指揮者にしてみるのもいいかもしれない。
一流楽団を指揮するのではなく、知名度のない楽団を検討してみるのも手だ。軍の楽隊やオフブロードウェイ（マンハッタンにある小規模の劇場）のショーを担当するオーケストラ、都市の貧困地区にある子ども合唱団などはどうだろうか。

司書

〔英 Librarian〕

現代の司書は、高等教育を受け、テクノロジーに強い関心を持っている。そして、人々から様々な質問を受け付け、その答えとなるような関連情報を紹介するのが仕事だ。技術の進歩を恐れず、適応力があり、単なる読書好きなようでいて実は知識の吸収に貪欲である。さらに、整理整頓能力に優れ、人と接するのが得意で、熱意を持って教育を促進する役割を果たすだけでなく、厳しい予算やリソースしかなくても、スタッフを管理する能力も求められる。

この職業に求められるトレーニング

司書になるには、大抵の場合、図書館学の学位が必要で、修士号が必要になる場合も多い。専門的な施設で働く場合は、その分野に特化した学位や資格がさらに必要になることも。専門的な学術研究のための情報収集を手伝う司書と、小さな町や学校の図書館に勤める司書とでは、同じ教育を受けていないかもしれない。オンラインの大学プログラムで図書館学を履習することもできる。

有益なスキル・才能・能力

学業優秀、人を引きつける魅力、共感力、優れた聴覚、卓越した記憶力、人の話を聞く力、接客力、機械に強い、多言語を操れる、マルチタスクのスキル、映像記憶、人の心を読む力、調査力、戦略的思考力、人に教える能力、文章力

性格的特徴

柔軟、用心深い、野心家、分析家、芯が強い、魅力的、自信家、協調性が高い、礼儀正しい、クリエイティブ、好奇心旺盛、決断力がある、如才ない、規律正しい、控えめ、効率的、熱心、気さく、もてなし上手、想像豊か、独立独歩、勤勉、知的、面倒見がいい、注意深い、きちんとしている、情熱的、忍耐強い、思慮深い、勘が鋭い、雄弁、世話好き、臨機応変、責任感が強い、正義感が強い、勉強家、倹約家、小心者、寡黙、賢い

葛藤を引き起こす原因

- 迷惑行為をする図書館利用者がいる。
- 本を雑に扱う人がいる。
- 予算が厳しい。
- 人間関係の衝突や予算の都合でスタッフを解雇しなくてはならない。
- 図書館でイベントを開催する予定の高慢な作家や専門家と仕事をする。
- 本を盗む人がいる。
- 本に字を書き込んでいる人がいる。
- 図書館の本が破られたり、コピー機が壊されたり、テーブルに字などを彫り込まれたりする。
- 人気の本をめぐって利用者の間で喧嘩が起きる。
- 図書館の本を返却しない人から、なかなか延滞料を徴収できない。
- 特定の書籍を図書館に置くことに利用者や地域の人たちが反対する。
- 順番を無視して本が本棚に戻されている。
- 図書館で子どもを走り回らせても平気な親がいる。
- 一部の利用者が図書館の

パソコンを独占している。
- 利用者が読みたい本がない。
- 他の公共サービスと同じビルの中に図書館があるが、うるさくて図書館らしい環境にならない（消防署が同じ建物の中にあってサイレンが頻繁に鳴る、パトカーが急発進する音がうるさい、など）。

かかわることの多い人々
他の司書、インターン、ボランティア、研究者、教員、学生、児童の親、利用者、ブッククラブの参加者、著者、修理屋、コンピューター技術者、書店員、配達員、大学教授などの専門家

**この職業は
5大欲求にどう影響するか**

▸▸ 自己実現の欲求：
この職業に惹かれるのは知識を重んじる人だろう。司書として情報を手にできなくなると、ストレスや苦悩を感じることになりかねない。たとえば、プロパガンダにより一部のものの考え方や視点が排除され、焚書や情報検閲がまかり通る時代に生きているなら、偏りのない情報へのアクセスが制限されるだけでなく、書物が誤った情報を事実として提示してしまうこともあるため、書物の軽視につながり、司書としては生きづらい時代になる。

▸▸ 承認・尊重の欲求：
書物を愛する司書なら、仕事を自分の一部だと考える人もいるだろう。予算削減や利用者の減少は、図書館の存続を脅かすだけでなく、司書の自尊心を傷つけてしまうかもしれない。

この職業を選択する理由
- 子どもの頃に本に心を慰められたので、読書のすばらしさを他の人にも伝えたい。
- 文学や読書が好き。
- 誰もが新しい知識を得ることができ、可能性に心を開くようになってもらいたい。
- 読み書きの向上に熱心な活動をしている。
- 過去を大切にし、忘れないようにしたい。
- 生涯学び続けたいと思っていて、知識に無限に触れることができる仕事に就きたい。
- 図書館を地域社会の文化や歴史の中心的役割を果たす場所として捉え、その一翼を担いたい。

ステレオタイプを避けるために
司書は一般市民を相手にし、知識の普及に貢献する仕事を愛している人が多いのだから、50歳に満たない人間を皆嫌う、いつも怒っていて堅苦しい司書といったキャラクターでは意味をなさない。司書にはそのような怖いイメージがあるかもしれないが、イメージとしてはありきたりなので、もっと工夫が必要だ。若くて熱心で、おそらくは美男（または美女）の司書というのはどうだろうか。外見が美しい人はちょっとしっくりこないという場合でも、そうすることで固定観念を打ち破れるなら、考えてみる価値はあるかもしれない。

実業家

〔英 Business Tycoon〕

実業家とは、銀行、ソーシャルメディア、金融、自動車、メディア、不動産など、産業界で大成功を収めている人のことを指す。起業家気質があって、革新的なアイデアや問題の解決策を生み出す力があるので、業界のトップに立ちやすい。ヘンリー・フォード、J.P.モルガン、マーク・ザッカーバーグ、ウォーレン・バフェットなどは、あまりにも有名で一般人にもよく知られているが、業界内だけでのみ名が知られているような実業家もいる。多くの実業家は大資産家なだけでなく、リーダーでもあるために影響力もある。

し

この職業に求められるトレーニング

業界によって異なるが、成功した実業家は大学や大学院から学位を取得している人が多い（複数の学位を持っていることもある）。一方でまったくの独学で成功した人もいる。そうした違いはあっても、成功に向かって前進するためなら、あらゆる手段を使って学び、成長し、改善したいという意欲をほぼ共通して持っている。

有益なスキル・才能・能力

商才、平常心、卓越した記憶力、交渉力、リーダーシップ、マルチタスクのスキル、人脈作り、既成の枠にとらわれない思考、宣伝能力、パブリック・スピーキング、調査力、営業力、戦略的思考力、将来を見通す力

性格的特徴

柔軟、冒険好き、野心家、分析家、大胆、自信家、決断力がある、腹黒い、如才ない、規律正しい、不誠実、効率的、貪欲、勤勉、知的、物質主義、几帳面、情熱的、忍耐強い、完璧主義、粘り強い、雄弁、天才肌、賢い

葛藤を引き起こす原因

- 競争の激しいビジネスの世界で頂点に立っているが、その地位を脅かす競合他社が現れた。
- スキャンダルが暴かれ、ビジネスに不利なニュースが流れる。
- まだ市場には出せない状態なのに慌ててプロダクトやサービスを市場に出してしまう。
- 下手な投資で大きな損失を出してしまう。
- 金を目当てに訴えられる、またはゆすられる。
- 側近の中に不穏な動きがあることを察知する（機密情報を競合他社に漏えいする、財務報告書を意図的に漏らす、社内で妨害工作に従事する、など）。
- ビジネス取引に損害を与えようとする強力な競争相手に狙われている。
- 仕事ばかりしているため、家族との間に軋轢が生じる。
- 解決できない問題がある。
- 金目当てや日和見主義の人が多く近寄って来るので、人の動機を疑うようになっている。
- パパラッチに追われている。
- 私生活での出来事が週刊誌や全国紙に報じられて世間を騒がせている。
- 規制変更があり、自社のこれまでの製造方法を続けられなくなる。
- 内部告発者により、会社の闇が暴かれる。
- 過去の非倫理的な行為が

明るみに出て、評判が脅かされる。

かかわることの多い人々
他の実業家、投資家、取締役会の役員、従業員、報道記者、個人秘書またはアシスタント、業界内の助言者、有名人

この職業は5大欲求にどう影響するか

▸▸ 自己実現の欲求：
倫理に反する行動をとる、仕事中毒になる、富や名声のために不健全な人間関係を築くなど、本来の自分らしくないことをやっている自分に気づき、突然、自分が何者であるかわからなくなる可能性がある。

▸▸ 承認・尊重の欲求：
気概があることを（自分自身や他人に）証明したくてビジネスを立ち上げ、成功したにもかかわらず、まだ自分に自信が持てずにいることも。そんな自分に気づいた人なら、自分が抱える問題の真の根源は何なのか、見つけ出そうとするかもしれない。

▸▸ 帰属意識・愛の欲求：
ビジネスの世界で日和見主義者や言葉巧みに近寄ってくる人々に慣れているため、他人をなかなか信頼できず、自分の心を完全に預けられない。

▸▸ 安全・安心の欲求：
実業家として成功しているため、ストーカーやライバル、不満を持った従業員、または精神錯乱状態の個人に狙われ、身の危険にさらされることも考えられる。

この職業を選択する理由

- 成功した親や兄弟を持ち、自分も成功を目指したい。
- 貧しく育ち、富を蓄えて経済的に余裕のある人になりたい。
- 起業家精神を持っている。
- 社会や世界をよくしたいとビジョンを持ち、そのためのアイデアを持っている。
- 会社を作ってはそれを売却して利益を得る才覚がある。
- 権力を欲し、特定分野（政治、教育、企業改革、など）を支配したい。
- 慈善家気質で、自分が稼いだお金で人助けをしたい。
- （虐待されて育った、有害な人間関係の中で育った、親にネグレクトされた、条件付きの愛しか得られなかった、など）心の傷が原因で、自己肯定感の低さを払拭しようとしている。

ステレオタイプを避けるために

実業家は貪欲で冷淡、非倫理的、私欲を満たすためなら何でもする人のように描かれがちだ。この固定観念から離れ、一味違う実業家にしてみよう。たとえば、謙虚で信念を持った人、あるいは、自分が築いた富と権力を利用して、世界に影響を与え、慈善活動に励む人にしてみるのもいいかもしれない。

実業家という職業も、典型的な億万長者のイメージを超えて考えれば、新鮮な描き方ができるはずだ。金融や不動産以外の分野で偉大な実業家になれる方法はないだろうか。たとえば、外来樹を育ててハイブリッド種の栽培で成功する、公教育システムの立て直しに協力する、カロリーを燃やす食品を発明するなどといった設定はどうだろう。

最後に、実業家の外見を変えてみるのもいいかもしれない。金銭的に余裕のある資産家は外見をよく見せることができるので、一般人より見栄えがする。そこで、一般に身体的な欠点だと思われるものを持っている人が実業家になるという設定はどうだろうか。たとえば、その人は、実業家になって資産を築いても、その欠点を「直そう」とはしない。

自動車整備士

〔英 Auto Mechanic〕

自動車の点検、修理、メンテナンスを行なう。エンジンや部品に関し、全般的な知識を持っている人もいれば、専門の車種のみ（自動車やトラック、大型トレーラー、ボートエンジン、輸入車）や部品（エアコンやトランスミッション）を扱う人もいる。自分の整備工場を持っている場合もあれば、整備士としてディーラーや修理店で勤務する場合もある。

この職業に求められるトレーニング

自動車修理店によっては、中等後教育を必須にし、自動車整備士の職能訓練を受けて資格を取ることを義務付けているところもあるが、すべての修理店がそうしているわけではない。しかし、このような職能訓練を修了すれば、就職しやすくなり、給料も高くなる。整備士の技能は、職業訓練学校や短大、自動車整備士専門学校、または軍隊で学ぶことができる。学校へ行かず、見習いとして実地経験を積んでいくのも非常に一般的である。

また、整備士に自分の手工具を持参させる修理店もあり、一部の人にはこれがネックになって就職できない場合もある。

有益なスキル・才能・能力

手先の器用さ、車のキーを使わずに配線を直結させてエンジンをかける技術、機械に強い、映像記憶、戦略的思考力

性格的特徴

用心深い、分析家、好奇心旺盛、熱心、気高い、独立独歩、勤勉、几帳面、注意深い、臨機応変、責任感が強い、勉強家

葛藤を引き起こす原因

- 車に起きている問題を正しく特定できない。
- 車が動かなくなってしまう問題を見逃す。
- 不注意や疲労が原因で怪我をする。
- 大切な工具や機械を壊してしまう。
- 古い機械や安全基準を満たしていない機械を使わなければならない。
- 猛暑や極寒などの悪天候で仕事がしづらい。
- 客が修理をせかす、あるいはいら立っている。
- 業界の変化についていけない。
- 職能訓練で遅れをとっている、あるいは資格の取得が遅れている。
- 本当は別のことをしたいのに、嫌な作業や関心のない作業に縛られている。
- ガレージの入り口前に客が駐車し、他の車が整備作業エリアに出入りできない。
- 「車が故障したから見てほしい」と絶えず友人たちに頼まれ、代金も払ってもらえない。
- 整備士は詐欺師だと思い込んでいる客から「嘘をついている」と非難される。
- 自分の修理店あるいは整備工場を開きたいができない。

し

- 手抜きをする整備士を採用して、店の評判を落としてしまう。
- 道具をきちんと手入れしない整備士と一緒に働いている。
- 職場で盗難が起きる（工具や部品、機械）。
- 安全規則を守らない整備士がいる。

かかわることの多い人々
車の所有者、他の整備士、修理店のオーナー、業者、検査員

この職業は
5大欲求にどう影響するか

▸▸ 自己実現の欲求：
たとえばレーシングカーの整備士になるための足がかりとして、一時的に一般の自動車整備士になった場合、この仕事に不満を感じるかもしれない。最終目標が実現しなかった場合、この仕事を完全には楽しめず、行き詰まりを感じる可能性がある。

▸▸ 承認・尊重の欲求：
整備士の仕事が重要なのは誰もが認めるところだが、中にはブルーカラーの仕事を否定的に見る人もいる。そのような偏見にさらされる場合は、他人から見下されていると感じることも。

▸▸ 帰属意識・愛の欲求：
経済的に苦しい場合は、家族やパートナーに負担をかけるかもしれない。

▸▸ 安全・安心の欲求：
業界で定められている最低限の安全基準を満たさねばならないのに、けちな人や手抜きをする人と一緒に働いていると、職場の安全が守られず、怪我をする可能性がある。

この職業を選択する理由
- 車を自分でいじりながら育ったので、車に情熱を持っている。
- 乗り物やエンジンが大好きで、いろいろなものを本来どおりに動かすのが得意。
- 手先が器用で、自動車整備士としての勘がいい。
- 独りで働くのが好きで、なるべく人を避けて仕事をしたい。
- 難しい問題の答えを探すのが楽しい。
- 外見に目立つ傷がある、言語障害や認知障害などの理由で、対人恐怖症を持っている。
- 過去のトラウマが原因で自分は人を愛せないと思い込み、自動車を整備することが一種の愛情表現になっている。
- 車が大好きで、その修理方法を教えてくれた故人を尊敬している、あるいはその故人とのつながりを失いたくない。

ステレオタイプを避けるために
ほぼ男性で占められている職業は多いが、これもそのひとつ。（映画『いとこのビニー』のモナ・リサ・ヴィトのように）ストーリーに女性の整備士を入れると、面白いひねりになる。あるいは、ホワイトカラーの家庭で育った人がブルーカラーの自動車整備士を目指すのも面白いかもしれない。

獣医

〔英 Veterinarian〕

獣医は、毛皮や鱗、羽毛などに覆われた人間以外の動物を扱うのが仕事だ。犬や猫など一般的なペットを診る獣医もいれば、エキゾチックな動物（鳥類、爬虫類、齧歯類）、馬や家畜（牛、豚、羊）が専門の獣医もいる。また、獣医の資格を持って保健所に勤め、食用動物の飼育小屋などを訪問して動物や飼育環境を検査し、政府規定の食品衛生基準を満たしているかどうかを確認する仕事の人もいる。動物の研究に携わる場合は、診療所で動物を診察するよりも研究所にいる時間のほうが長く、動物の様々な健康問題に関する臨床研究を行なう。

この職業に求められるトレーニング

アメリカでは、4年間の学部課程と4年間の獣医学部課程を修了しなければならない。外科学、腫瘍学、生殖学などの専門分野で認定を受けるには、さらに教育を受ける必要がある。獣医学科は非常に人気が高く、競争率も高いため、優秀であっても多くの学生が入学許可をもらえない可能性がある。

有益なスキル・才能・能力

動物の扱いが巧み、共感力、他人の信頼を得る力、場をうまくとりなす力、調査力

性格的特徴

愛情深い、大胆、おだやか、協調性が高い、効率的、凝り性、温和、知的、情け深い、面倒見がいい、注意深い、きちんとしている、情熱的、忍耐強い、勘が鋭い、遊び心がある、プロフェッショナル、勉強家、疑い深い

葛藤を引き起こす原因

- 興奮しやすいペット、または神経質なペットを扱う。
- 飼い主が気難しい。
- 動物病院のスタッフの間で揉め事が起きる。
- ペットを安楽死させなければならない。
- 動物がネグレクトされているのに、それに対し何もできない。
- 動物を虐待している飼い主に直面しなければならない。
- 動物病院のスタッフが無礼または無神経で、客が寄り付かなくなる。
- 病院で預かっている動物の間で感染症が蔓延する。
- 待合室で犬や猫が喧嘩をする。
- もっと大きな動物病院が近くにでき、そこが繁盛している。
- 推薦していたペット用品がリコールされる。
- ペットに信頼されない。
- 病院で預かっていた動物が逃げ出してしまう。
- 誤診で動物を死なせてしまい、自分を責める。
- 経営が悪化してスタッフを解雇しなければならない、または諸経費が払えなくなる。
- 共感疲労の症状（無気力、うつ病、薬物乱用、など）に悩まされる。
- 友人や隣人から、無料でペットを診てほしいと頼まれる。
- なぜ「人間の」医者にならなかったのかと人に訊かれる。
- ペットの飼い主が、ネットで読んだ記事や、近所のペットショップの従業員から聞いた話と食い違

し

うと言い張って、獣医のアドバイスを聞こうとしない。

かかわることの多い人々

ペットの飼い主、動物病院の他の獣医、事務スタッフ、獣医技術者、（医療機器、薬、ペット用品などを扱う）業者、ペット救助団体の人々

この職業は
5大欲求にどう影響するか

▸▸ 承認・尊重の欲求：
獣医はペットの幸福に深く関わるため、責任感の強い人が多い。そのせいで何かうまくいかないことがあると（特に自分がミスを犯したと思い込んでいる場合）、自分に責任があると思い込み、自信をなくしてしまうかもしれない。

▸▸ 安全・安心の欲求：
興奮しやすい動物に近づくときは常に注意を払う必要がある。そういう動物は自分の身を守ろうとして、噛む、蹴る、突進する、踏みつけるといった行動に出るだけでなく、そのつもりがなくても人間に大怪我を負わせる可能性がある。また、動物から血液を採取する際には、感染症のリスクがある。

▸▸ 生理的欲求：
病気や怪我をした動物、特に大型動物や行動把握が難しい動物には注意を払わなければならない。

この職業を選択する理由

- 動物が虐待されていた環境で育ったため、動物虐待を撲滅したい。
- 動物の世話をして育った（農家で育った、保護された動物や怪我をした動物を引き取っていた、など）。
- 人間よりも動物のほうが安心できると感じるようなトラウマを経験した。
- 感情支援動物と一緒に育ち、その貢献を称えて獣医になりたい。
- 大の動物好き。
- 動物が傷つけられないように守りたい。
- 家族に動物を虐待した人がいて（闘鶏の手配、劣悪な環境下の犬のブリーディング施設の経営、など）、道徳的に償いたい気持ちがあって獣医になりたい。

ステレオタイプを避けるために

獣医といえば、ほぼ例外なく、動物たちに優しい雰囲気の動物病院で働いている姿が描かれる。そこで設定を変え、動物の健康維持のため、食肉工場に勤務する獣医や、動物そのものよりも試験管や顕微鏡を用いた研究のほうに情熱を注ぐ獣医を描いてみてはどうだろうか。

他には、獣医の専門分野や扱うペットの種類を変えてみるのもいいかもしれない。プライベートの時間に動物保護区や鳥の救助活動でボランティアをしている設定もいいだろうし、動物専門の歯科や眼科という設定も面白いかもしれない。

ジュエリーデザイナー

〔英 Jewelry Designer〕

ジュエリー業界には様々な職業がある。この項目では、ジュエリーのデザインや製造を担う人に焦点を当てる。自分でデザインを考案して一点もののジュエリーを作る人もいれば、大企業に勤めて依頼されたジュエリーを製造する人もいる。

し

この職業に求められるトレーニング

公式な教育は不要だ。成功しているジュエリー職人に弟子入りしたり、下仕事を手伝ったりしながら、必要な実地訓練を受けるところから始める人が多い。ジュエリーデザイナーとして活躍するにはクリエイティブであることが重要だが、独立して仕事をしたいなら、経営やマーケティングの知識も必要になる。

有益なスキル・才能・能力

創造性、手先の器用さ、交渉力、機械に強い、人脈作り、宣伝能力、再利用のスキル、営業力、構想力

性格的特徴

野心家、クリエイティブ、好奇心旺盛、規律正しい、想像豊か、勤勉、几帳面、情熱的、忍耐強い、愛国心が強い、奇抜、臨機応変、天才肌

葛藤を引き起こす原因

- 客に支払いをごまかされる。
- 生活が苦しい。
- 注文を受けてジュエリーをデザインして作ったが、客が満足していない。
- 作業場が狭く、物であふれかえっているため、作業効率が悪い。
- もともと欠陥があって、客から預かっていたジュエリーが壊れる。
- 使っていた宝石が倫理的に調達されていなかったことを知る。
- 業者を変えてみたら、質の悪い材料を扱っている業者だったことが判明する。
- 材料価格が上昇し、販売コストに影響が出る。
- 強盗に襲われる。
- 資金難に陥り、新しい材料を購入できない。
- 自分のデザインが世間や評論家に評価されていない。
- 模倣品を作ることで知られている競合他社にデザインを盗まれる。
- スランプに陥って創造力が枯渇し、新しいアイデアが湧いてこない。
- 手や指を怪我し、作業が難しくなる。
- 友人や家族が無料または割引価格でジュエリーを作ってくれると期待している。
- 独立する力がなく、他人の下で働かなければならない。
- 夢をあきらめ、もっと実入りのいい仕事をしてほしいとせっかちな家族が思っている。
- 従業員がデザインを盗んでいたことが発覚する。
- デザイナーとしての才能はあるが、プロモーションやマーケティングがう

まくない。

- やりたくない作業を外部委託しようと貴重な資金を費やしたが、雇った従業員またはアルバイトにその作業に必要な能力がなかった。
- 商品を郵送したが、小包が紛失する。
- 在宅で働いているため頻繁に邪魔が入る（電話が鳴る、人が訪ねてくる、家族が話しかけてくる、など）。
- 材料費の高騰が原因で、キャッシュフローが厳しくなる。

かかわることの多い人々

顧客、材料メーカーの人、配達員、家主、材料の小売店の人、展示会の来訪者や出展者、ジュエリーショップの関係者、個人の買い物客

この職業は5大欲求にどう影響するか

▸▸ 自己実現の欲求：
クリエイティブな分野で経済的に成功するのは非常に難しい。アルバイトや副業を掛け持ちしたり、関連した内容だが満足とは程遠い仕事に就いたりしなければならない場合、個人的な充足感がすぐに消えてしまう可能性がある。

▸▸ 承認・尊重の欲求：
顧客や批評家、バイヤーが作品に興味を示さなかったり、公然と作品を批判したりした場合、デザイナーの承認・尊重の欲求が傷つく可能性がある。

▸▸ 安全・安心の欲求：
使用している化学物質や金属の扱いに不慣れまたは不注意なデザイナーなら、取り扱いを誤って安全性の問題に直面することが考えられる。

この職業を選択する理由

- 高級ファッションが重視される裕福な家庭または有名な家庭で育った。
- 貧しい家庭に育ち、富裕層の美しく高価な装飾品を羨んでいた。
- 天性の創造力があり、手先が器用。
- 高価なものを嗜好する。
- ジュエリーを自分で作ったり、集めたりするのが大好きだった故人を称えたい。
- つらい記憶から逃れるために何か集中できるものが欲しい。
- 非日常的な、あるいは驚くようなアートを作ることで、自分を表現するのが好き。
- 成功している親や兄弟姉妹などの七光りを受けず、自力でやっていきたい。
- 独立して自分のビジネスを立ち上げたい。

ステレオタイプを避けるために

ジュエリーデザイナーはひとりで仕事をする場合が多いが、パートナーシップを組ませるのはどうか。クリエイティブなコラボレーションはすばらしいものになり得る一方で、実際には緊張と葛藤の機会を数多く提供してくれる。

アートは必ずしも伝統的に美しいものを生み出すとは限らない。愛らしいものを作らず、気味の悪い、おどろおどろしいアクセサリーを専門にするジュエリーデザイナーはどうだろうか。

小規模事業主

〔英 Small Business Owner〕

小規模事業主は、個人事業主、C法人、S法人、LLC（有限責任会社）など、複数の選択肢から自分の企業の形態を決め、主力の事業分野も選択する。傾向として、事業は製品やサービスに焦点を当てたものになりやすく、個人消費者相手の事業（衣料品店、自動車整備工場、陶芸工房、など）、あるいは法人相手の事業（石油会社に安全訓練を提供する会社、クリエーターのための画材店、など）を狙う。時には、その両方を狙うこともある。

小規模事業主はひとりで何役もこなす。何もかも自分でやる場合は、事業のあらゆる側面に秀でている必要があるし、そうでないなら従業員に仕事を任せたり、他企業に業務を委託したりする必要がある。最高品質の製品やサービスを提供すること以外にも、事業開発や顧客維持、市場変化への対応、資金調達、法務（機密情報の適切な保管、保険の加入、資格や許可証の更新、従業員の教育、税金の支払い、など）にも力を入れなければならない。他にも、請求書の支払い、給与計算、キャッシュフローの管理、資産の把握、再投資先の決定（新しい設備の購入、従業員の雇用、ウェブサイトの作り替え、など）といった仕事がある。事業主は、取引先や他の地元企業との良好な関係の構築に力を入れ、マーケティングに精通し、事業計画を練ることに集中すべきだ。長期的に成長するには事業を拡大しなければならないし、経営が苦しい時は、生き残るために事業を縮小しなければならないからである。

小規模事業主は、時間と資金繰りに追われながらも、利益を地域社会に還元することが多い。個人的に地域社会に関与する、イベントのスポンサーになる、慈善の寄付をするなどして、地域社会における知名度を高めていく。

この職業に求められるトレーニング

経営している事業の種類、必要な専門知識、および営業に必要な許可証に応じて異なる。一般的に言えば、経営管理やマーケティング、会計の経歴を持っていると大いに役立つし、事業に影響を与えかねない課題に直面しても、うまく乗り切りやすい。

また、提供するサービスや製品を実際に扱った経験があるとメリットになる。他の誰かの下で働いた経験があって（見習い経験など）、内部からビジネスを知っていると、事業主としてスタートしやすいし、会社を効果的に成長させるのに役立つ。また、企業などで管理職に就いた経験があれば、事業主になってからも管理面の仕事がやりやすい。

有益なスキル・才能・能力

商才、卓越した記憶力、他人の信頼を得る力、交渉力、接客力、リーダーシップ、人を笑わせる能力、機械に強い、マルチタスクのスキル、人脈作り、既成の枠にとらわれない思考、宣伝能力、人の心を読む力、営業力、戦略的思考力、文章力

性格的特徴

野心家、大胆、おだやか、支配的、礼儀正しい、規律正しい、効率的、熱心、正直、勤勉、知的、几帳面、きち

んとしている、情熱的、忍耐強い、完璧主義、粘り強い、積極的、プロフェッショナル、臨機応変、責任感が強い、意地っ張り、天才肌、倹約家、仕事中毒

葛藤を引き起こす原因

- 特定の分野の専門家だが、経営の才能がない。
- 市場が変化し、事業運営にさらにコストがかかるようになる。
- 手取り足取り指導しなければならない従業員がいる。
- 会社の現金の行方がわからなくなる、または従業員やビジネスパートナーなどに着服される。
- (火災、器物損壊、盗難、排水管の破裂などが起きた後に)保険料が高くなる。
- 地元の暴力団にみかじめ料を要求され、金を巻き上げられた。
- 新たな競合他社が市場に参入してきた。
- 商売敵が影響力や権力を利用して、取引を潰したり、評判を貶めたりしようとする。
- 取引先や従業員への支払いに苦労している。
- 離婚し、会社を売却しなければならなくなる。
- 従業員から「社内のある人からハラスメントを受けた」と苦情が出た。
- 仕事を休めない。
- (工場のストライキ、代理店の倒産などが原因で)製品が入手困難になる。

かかわることの多い人々

顧客、会計士、配達の運転手、記者、他の事業主、保健所などの検査員、製品担当者、従業員、宅配便、スポンサー企業を探している非営利団体の代表者や地域社会のリーダー、履歴書を持ち込んだり面接に来たりする求職者、業者(電気工事、配管工事、工務店の人、など)

この職業は5大欲求にどう影響するか

▸▸ 承認・尊重の欲求:
自分が想像していたような事業の成長が見えないと、自分には事業主としての資質がないと思いはじめるかもしれない。

▸▸ 帰属意識・愛の欲求:
仕事を最優先しがちで、長時間働いているので、家庭の大切な人をおろそかにしてしまい、夫婦関係や家族関係がゆらいでしまうことも。

▸▸ 安全・安心の欲求:
都市部の治安の悪い地域で事業を展開していると、強盗の被害に遭う可能性が高くなり、自分だけでなく、そこで働く社員を危険にさらすことになりかねない。

この職業を選択する理由

- 起業家精神があり、自分の事業を経営したい。
- 高齢の親から家業を継ぐ必要があった。
- 世間のニーズを満たせて、人の生活を楽にできるスキルや知識を持っている。
- 自分で一から起業して、事業を軌道に乗せられないかもしれないリスクをとるよりも、既存の事業(家族経営の会社など)を買収したい。
- 兄弟姉妹や仲間に対し、自分には能力があって成功者になれることを証明したい。

し

小説家

〔英 Novelist〕

小説家とは、小説と呼べるだけの長さの架空の物語を書く人を指す。

し

この職業に求められるトレーニング

正式な教育は不要だが、クリエイティブ・ライティング、英語、文学などの分野で学位を取得しようとする人もいる。また、創作や執筆のための本を読み、作家祭やライターのグループ、ワークショップに参加するなどして、業界関連のブログをフォローしながら、執筆の技術を独学で学ぶこともできる。小説家として成功するには、ひたすら書くだけでなく、特に自分の選んだジャンルで広く読書する必要もある。

有益なスキル・才能・能力

商才、創造性、卓越した記憶力、マルチタスクのスキル、既成の枠にとらわれない思考、宣伝能力、パブリック・スピーキング、戦略的思考力、タイピング、文章力

性格的特徴

クリエイティブ、好奇心旺盛、規律正しい、外向的、熱心、想像豊か、独立独歩、勤勉、情熱的、忍耐強い、粘り強い、奇抜、天才肌、倹約家、型破り、賢い、ウィットに富む、仕事中毒

葛藤を引き起こす原因

- スランプに陥り、何も書けなくなる。
- 編集者または校正者からのフィードバックにショックを受ける。
- 編集者に自分の書いた作品を提出したが、まだ返事がない。
- なんとか締め切りに間に合わせようとしている。
- 内向的なのに、ソーシャルメディアで自分を売り込み、人脈を広げなければならない。
- 収入が少なく、経済的に苦しい。
- 執筆活動と、フルタイムの仕事あるいは家庭を両立させなくてはならない。
- 自分が書いた作品の売れ行きが悪い。
- 過去に小説が売れたことがあり、今回も売れるものを書かなければとプレッシャーを感じる。
- 担当のエージェントがいるが、コミュニケーションや営業、作家を売り込むのが得意ではない。
- エージェントを失う。
- 家族が執筆業を応援してくれない。
- 出版社からのマーケティングサポートがあまりない。
- 担当編集者が出版社を辞めたせいで、今まで書いていた本の著作権が誰に帰属するのかわからなくなる。
- 小説に登場する嫌われ者のキャラクターは自分のことだと友人が思い込ん

でいる。

- どの道をたどって出版すべきか悩んでいる。
- 読者や批評をしてくれる人々からの批判に悩む。
- 書評家たちから厳しい批判を浴びる。
- 執筆に使用しているコンピューターや文章作成ソフトに問題が起きるなどして、トラブルシューティングに時間を取られる。
- 執筆とマーケティングやプロモーションに費やす時間とのバランスをとるのが難しい。
- 「小説を書くのは簡単で誰にでもできる」と同僚や友人、親戚に思われている。
- 小説を書いて出版にこぎ着けるまでに時間がかかる。
- 本の執筆をあきらめる決断を迫られている。
- 自分が書きたいことを書くよりも、売れるものを書いたほうがいいのではと誘惑に負けそうになる。
- (学費や教材、コーチング料、など) 収入を手にする前に投資しなければならない。
- 筆が速く、書いたものもよく売れる、または作家としての出世が早い同業者に嫉妬する。

かかわることの多い人々

読者、編集者、文芸エージェント、イラストレーター、司書、書店員、校正者、評論家グループメンバー、信頼のできる読者

この職業は
5大欲求にどう影響するか

▸▸ 自己実現の欲求：
自分の書いた本を出版してくれるところが見つからなかったり、読者を引き寄せられなかったりすると、自分の小説家としての能力に疑問を持ち、小説家は自分が目指すべき職業ではないのかもしれないと考える。

▸▸ 承認・尊重の欲求：
出版にいたるまでの道のりは非常に険しく、競争が激しい。出版されても、書評が厳しく、もっといい本を書かなければならないというプレッシャーが重くのしかかることも。

▸▸ 帰属意識・愛の欲求：
執筆作業は孤独だ。友人や家族はその難しさや、出版にこぎ着けるまでの困難な道のりを理解していないかもしれない。身近な人たちからの支援や応援がないと、小説家は孤独を覚え、誤解されていると感じる可能性もある。

この職業を選択する理由

- ストーリーを生み出すプロセスに癒される。
- 想像力豊かで、言葉を使って表現するのが好き。
- 文学の価値を深く理解している。
- 言葉を使って自分の考えや信念を世界に発信したい。
- 読者を楽しませたい、または読者が逃避できる世界を提供したい。
- 作家になれば名声と富が得られると信じている。

ステレオタイプを避けるために

小説家は筆一本で生計を立てている大物ばかりだと思われがちだが、他にもフルタイムやパートタイムの仕事を持っている人がほとんどだ。昼間は執筆とは正反対の仕事をしている設定にして、こうした誤解を覆してみよう。

小説家は一般に創造性あふれる語り部と考えられているが、紋切り型の小説ばかり書いていて、他の人からアイデアを盗んだりさえする詐欺師のようなキャラクターにしてみるのも面白い。

また、成功した小説家は内にこもりきりで、自分の小説を売り込むのはエージェントや編集者に任せっきりのように描かれがちだ。そんな通念を払拭するには、読者を増やし、ビジネスとして成功させるために、執筆だけでなく営業やマーケティングもひっくるめて自分の仕事として捉える小説家の姿を描いてみよう。

消防士

〔英 **Firefighter**〕

消防士は、人命や建造物、環境を脅かす火災が発生したときには消火にあたり、防災活動を行なうのが主な仕事だ。交通事故や化学物質の流出事故が起きたときや、自然災害時にも出動し、水難事故の救助活動も担う。消防士の中には救急救命士の資格を持っている人も多く、救急隊が到着するまでの間に応急処置を行なう。また、火災予防のため、点検や一般市民への防災対策を呼びかけもするし、特に放火が疑われる火災が発生した場合は調査も行なう。緊急事態に対応していないときは、消防署で待機し、車両や道具のメンテナンス、体調管理、火災訓練を行ない、防災や消火活動をめぐる規制が変われば、その勉強会をする。消防士のシフトは24〜48時間の長丁場になることもあるため、消防署内で食事や仮眠をとるのが一般的だ。

この職業に求められるトレーニング

高卒の資格、またはそれに相当する資格が必要。短大に進学して消防学の準学士号を取得する人もいるが、それが必須というわけではない。消防士は消防学校で訓練を受け、面接と筆記試験、身体検査、心理検査に合格しなければならない。

有益なスキル・才能・能力

基本的な応急処置能力、共感力、優れた聴覚、優れた嗅覚、平常心、痛みに強い、爆発物の知識、体力、力強さ、呼吸コントロール、俊足

性格的特徴

冒険好き、用心深い、分析家、大胆、おだやか、慎重、強迫観念が強い、自信家、挑戦的、協調性が高い、勇敢、決断力がある、規律正しい、効率的、狂信的、熱心、凝り性、生真面目、知的、客観的、注意深い、粘り強い、世話好き、強引、臨機応変、責任感が強い、賢明、利他的

葛藤を引き起こす原因

- 他の消防士、ボランティア、無謀な一般市民など、無能な人のせいで負傷させられてしまう。
- 同僚の消防士が火事で死亡する。
- 命の危険と背中合わせの仕事をしているため、家族やパートナーにも負担がかかる。
- 難しい火災事件の調査を担当している。
- 現場にいない上層部による不祥事や、彼らのまずい意思決定のせいで批判にさらされる。
- 祝日や土日出勤もある、24時間勤務のシフト制で、世間一般の仕事とは異なる長時間勤務をこなさなければならない。
- 性格が合わずぶつかり合う同僚たちと消防署で長時間待機しなければならない。
- 消防サービスを提供する民間企業と人材を取り合っている。
- 他の消防士の前で怖気づいてしまう。
- 心的外傷のストレスに悩まされている。
- トラウマに繰り返しさらされる。
- 重い消火器具を運んだり、高熱の中で作業することで体に負担がかかる。
- 救助者としての責任の重

さを感じてしまう。
- 毎年政府からの助成金を得るために闘わなければならない。
- 火事で犠牲になった人が出たことに、責任を感じている。

かかわることの多い人々
消防署長、他の消防士（ボランティアの消防士も含む［アメリカではボランティアの消防士が多い］）、一般市民、警察官、救急隊員、消防設備点検の有資格者、火災調査官、公務員、報道記者、精神分析医、捜索や救助訓練の専門家

この職業は
5大欲求にどう影響するか

▸▸ 自己実現の欲求：
一刻を争う状況の中では、消防士とて、火を消そう、人命を救おうとしても困難な場合があるだろう。一度に2人は救えない状況などで、難しい道徳的判断を迫られることもあるはずだ。時には、思うように動けない状況に直面し、特に共感力の高い消防士だと、はたしてこれが自分の目指すキャリアなのかと疑問が湧くことも考えられる。

▸▸ 承認・尊重の欲求：
消火活動にあたっている間に人命が失われ、罪悪感にさいなまれたり、自分を恥じたり、心的外傷後ストレスが生じたりする可能性がある。いずれの場合も自己肯定感の低下につながるだろう。

▸▸ 安全・安心の欲求：
消防士は、交通事故現場や損傷した建物、急流の水、鎮火していない火災現場の近くで働くため、常に危険がつきまとう職業だ。

▸▸ 生理的欲求：
消防士は自分の命を張って仕事をすることが多い。

この職業を選択する理由
- 家族の中に消防士がいて、その人を見て育った。
- 過去に人を救出できなかった自分に思い悩み、その過ちを補いたい。
- 有意義な形で世の中のために奉仕したい。
- 他の消防士に対し家族のような強い仲間意識を感じている。
- 刺激あふれる行動に惹かれるので、活動的な仕事をしたい。
- 危険やスリルが大好きで、それを健全な方向に活かしたい。
- 火に魅せられてしまう。

ステレオタイプを避けるために
　消防士の仕事は、連邦政府や地方自治体のためだけにあるのではない。港湾や空港でも、軍隊、あるいは化学、原子力、ガス・石油産業でも活躍している。ここはキャラクターの職場を普通のものとは変えてみることで、新鮮なひねりを加えてみてはどうだろうか。
　消防士は圧倒的に男性が多い職業でもある。消防士に求められる身体や感情、メンタルを有する女性のキャラクターを考えてみよう。
　世間は一般に消防士という職業を信頼している。そのことを念頭に置いて、ステレオタイプには当てはまらない、読者を驚かせるようなキャラクターを作ってみよう。

錠前屋

〔英 Locksmith〕

錠前屋は、住宅の鍵の取り付けと交換、車や建物をインロックしてしまった場合の解錠、鍵付きのブリーフケースやセーフティボックスなどが開けられなくなったときの解錠、金庫の鍵の取り付けとそれを開けられなくなったときの解錠、合鍵の作成など、鍵にまつわる仕事をする。自営の場合もあれば、人に雇われる場合もある。

この職業に求められるトレーニング

この職業に就くには、見習いをしたり職業訓練校で訓練を受ける。防犯に関わる仕事なので、通常は免許や身元保証、保険が必要になる。

有益なスキル・才能・能力

卓越した記憶力、手先の器用さ、機械に強い、人に信頼感を与える能力、営業力

性格的特徴

おだやか、芯が強い、礼儀正しい、控えめ、効率的、気高い、勤勉、忍耐強い、粘り強い、プロフェッショナル、責任感が強い

葛藤を引き起こす原因

- 解錠できない。
- 作業中に客の車や自宅に傷をつけてしまう。
- 短い時間内に作業を終えなければならない。
- 錠前を取り付けた直後に、客の自宅や会社に泥棒が入る。
- 免許または資格の更新を失念し、失効させる。
- 客の鍵を紛失してしまう。
- 客の金庫や家の中から不穏なものを発見する。
- 職場での年功序列が低く、面白くもない仕事ばかり任される。
- 客の住所が見つからない。
- 仕事用のライトバンを運転していて事故に遭い、後ろに積んであった備品が散乱する。
- 仕事の道具を紛失し、自費で弁償しなければならない。
- 収入が低く、生活が苦しい。
- 人に合鍵を作ってほしいと頼まれ、怪しむ。
- 高度な資格（金庫の解錠など）を取得できない。
- 客の家でハラスメントを受ける。
- 強盗の被害に遭い、道具や合鍵を作る機械を盗まれる。
- 「プライバシーは守ってくれるんだろうな」と客に威嚇される。
- 違法行為を迫られる。
- 怪我をして、手や指先がうまく使えない。

かかわることの多い人々

他の錠前屋、顧客、錠前屋を派遣する人、上司（経営者やオーナー）、事務員、業者

この職業は5大欲求にどう影響するか

▸▸ **自己実現の欲求：**
この仕事で生計は立てていけるが、何か他の仕事をしたいと考えているなら（たとえば、クリエイティブな仕事、もっと頭が刺激され

し

るような仕事、など)、この仕事を長く続けると苦悩するかもしれない。

▸▸ 承認・尊重の欲求：
真面目に働いて暮らしているが､給料はあまり高くない。人にどう見られるかを気にしたり、自分と他人を頻繁に比較したりする人は、自己肯定感が持てずにいる可能性がある。

▸▸ 安全・安心の欲求：
仕事上、見知らぬ人の家に入らなければならないというリスクがある。

▸▸ 生理的欲求：
稼ぎのよい仕事ではないので、自分の給料だけでは家族を養えないかもしれない。そこへ事故に遭ったり、病気になったりして治療費が膨らむと、生理的欲求が脅かされることも考えられる。

この職業を選択する理由

- どうしても職が必要なときに、この仕事があった。
- 大学の学費を払えず、トレーニング費があまりかからず、訓練を必要としない職業を探した。
- (押し入れ、タンス、物置、などに) 閉じ込められた経験がトラウマになり、どんな鍵でも開けられるスキルを習得して、トラウマを克服したい。
- 犯罪歴があり、その頃に鍵を開ける能力を磨いた。
- パズルが得意で、問題を解決するのが好き。
- のぞき見が趣味で、この仕事なら見知らぬ人の家に合法的に入れるから。
- 鍵のかかったドアの向こうに秘密が隠されている家庭で育ったために、鍵に魅了されている。
- かつては不法侵入の常習犯だったが、自分が大切にしているスキルを合法的に活かせる仕事に就きたい。

ステレオタイプを避けるために

これもまた圧倒的に男性の多い職業だ。キャラクターを女性にして、シナリオに新鮮さを加えてみよう。

セキュリティや防犯に関わる仕事なので、キャラクターを葛藤させやすい。たとえば、客がマフィアのドンや犯罪者だったり、鍵のかかった容器の中身が麻薬や銃、人身売買の被害者だったりしたら、キャラクターの人生の流れがどのように変わるのかを考えてみよう。

ショコラティエ

〔英 Chocolatier〕

ショコラティエは、アイデアを練ってチョコレートを使ったお菓子や飾りを作る。チョコレート菓子の繊細な製造過程に関わり、アシスタントなどの監督、レシピの準備、チョコレートの選別をする。また、加工技術を駆使し、チョコレートの軟らかさなどを調整して試作品を作るのもショコラティエの仕事だ。チョコレートの歴史や加工技術に深い造詣もあり、それが最終的に出来上がったチョコレート菓子の品質が許容範囲のものであるかどうかの判断に役立つことが多い。

この職業に求められるトレーニング

パンや焼菓子作りなどの専門学校の卒業資格は必須ではないが、あったほうが断然有利になるし、チョコレート菓子作りの専門学校で追加のトレーニングを修了しておくのもプラスになるだろう。見習いをして実務経験を積むのもよい。パティシエやパン職人としてスタートしてから、ショコラティエになる人も珍しくない。

有益なスキル・才能・能力

商才、ベーキング、創造性、細部へのこだわり、手先の器用さ、優れた嗅覚、優れた味覚、マルチタスクのスキル、映像記憶、造形のスキル、体力、構想力

性格的特徴

冒険好き、クリエイティブ、好奇心旺盛、効率的、想像豊か、独立独歩、勤勉、几帳面、注意深い、執拗、情熱的、粘り強い、臨機応変、責任感が強い、天才肌、型破り

葛藤を引き起こす原因

- チョコレートに関する教育をほとんど受けていない人たちと一緒に働いている。
- スタッフがチョコレート作りの厳格なプロセスや温度条件などを守らず、品質に悪影響が出てしまう。
- 機械の故障や環境の変化で製品に悪影響が出てしまう（停電、湿度が高すぎて温度調節が難しい、など）。
- 時間管理ができない同僚と一緒に働いている。
- 一日中立ちっぱなしで、重いトレーを運んだりしながらの長時間労働が体にこたえる。
- 材料が高価なため、利益率の低下を招く。
- 材料の品質にばらつきがあって、菓子の品質も一定していない。
- チョコレートを溶かすのに失敗し、表面に脂肪分が浮き出て白くなり、売り物にならなくなってしまう。
- 品質基準を満たしていない、または品質が均一でない菓子ができてしまう。
- 暑い天候など、出荷条件が厳しい。
- 従業員がチョコレート作りに情熱を持っていない。
- 厨房が保健所の検査員の基準に満たない。
- チョコレートに情熱を持っているが、商売には興味がない。
- せっかちな客や、注文のうるさい客の応対に追われる。

- 不満を持った従業員の手によって作業が妨害される。
- 景気が悪化し、消費者がチョコレートを買い控えるようになった。
- 注文の商品を作った後で、客が注文をキャンセルした。
- 材料や設備、または店舗にハイリスクな投資をした。

かかわることの多い人々
他のショコラティエ、ケーキ職人やシェフ、食品会社や個人経営のベーカリーで働く人々、顧客、食料品店の店員、カカオ農家、設備メーカーの人、保健所の職員

この職業は
5大欲求にどう影響するか

▸▸ 自己実現の欲求：
情熱を持っていて、専門学校で長く勉強してきたにもかかわらず技術が伴っていない場合、有名になろうとしてチョコレート菓子の品評会に出場したり、厳しい市場で店を開いたりしても失敗し、幻滅することも考えられる。

▸▸ 承認・尊重の欲求：
才能があっても、他のショコラティエと同じように評価されない場合（賞の受賞や料理本の出版の経験がなく、メディアから注目されない、など）、自分は頑張ってもいつもだめだと思ってしまう可能性がある。

▸▸ 安全・安心の欲求：
チョコレートを作りながら味見をしなくてはならないため、糖分を過剰摂取する可能性がある。つまり、糖尿病のリスクを高め、体重増加などの健康問題を抱えてしまうかもしれない。

この職業を選択する理由
- 集まればすぐ喧嘩になる家族との休日や集まりを避けられるよう、祝日や週末に働く仕事を望んでいた。
- 実家のチョコレートビジネスを引き継ぐようプレッシャーを掛けられた。
- 貧困の中で育ち、チョコレートは贅沢すぎて買えなかった。
- チョコレート好きで、手を動かすことも好き。
- 芸術的な才能があって何かを作るのが好きで、中でもお菓子作りが好き。
- どんな人にも喜びをもたらすものを作るのが好き。
- チョコレート作りに情熱を持っていて、様々な新しい食べ方を考案したい。
- 幼い頃、祖母や叔父と一緒にチョコレートを作ったいい思い出がある。

ステレオタイプを避けるために
ショコラティエは甘いお菓子を大量に食べるので太っていると一般に思われている。その固定観念を打ち破るには、体型に関係なく健康的な生活を送っているキャラクターにすると、面白い視点が描けるかもしれない。
チョコレートはファンに愛されるもの。チョコレートを食べることだけでなく、チョコレート作りのあらゆる側面に興味を持っている人は多い。たとえば、他の才能（彫刻、デザイン、教育、動画、など）を駆使し、様々な方法でチョコレートを紹介するショコラティエはどうだろうか。リアリティTVの彫刻コンテストに参加したり、10代の若者たちにオンラインでチョコレートの作り方を教えたり、チョコレートの試作品作りを動画にして配信し、チョコレート好きたちにショコラティエの現場を垣間見せたりと活躍させるのもいいかもしれない。

助産師

〔英 Midwife〕

助産師は何千年もの間、女性の健康の柱となってきた。技術や世間の認識は変わっても、助産師の役割はほぼ変わらず、妊婦の健康管理の指導、分娩の介助、産後の母子の体調管理を行なってきた。家族計画や育児、健康、セックスや更年期に関する問題についてもアドバイスする。助産師は正常分娩であれば赤ちゃんを自分で取り上げるが、異常が起きた場合は、医師の治療を受けさせるのも責任のひとつだ。

し

この職業に求められるトレーニング

地域によっては、助産師は大学院や大学で学位を取得してから実地訓練に入ることが義務付けられている。そうした義務付けがされていない地域では、決められた研修課程で助産にまつわる知識と技術を学び、資格を取得すればよい。どのような資格を持っているのかによるが、助産師は病院や助産院に勤務するか、または妊婦宅に赴いて仕事をする。

有益なスキル・才能・能力

基本的な応急処置能力、共感力、平常心、他人の信頼を得る力、人の話を聞く力、ハーブ療法や漢方の知識、接客力、直感、マルチタスクのスキル、場をうまくとりなす能力、調査力、体力、人に教える能力

性格的特徴

柔軟、愛情深い、用心深い、分析家、おだやか、自信家、挑戦的、礼儀正しい、決断力がある、如才ない、規律正しい、控えめ、共感力が高い、凝り性、温和、優しい、忠実、几帳面、面倒見がいい、注意深い、きちんとしている、情熱的、忍耐強い、勘が鋭い、積極的、プロフェッショナル、世話好き、責任感が強い、意地っ張り、協力的

葛藤を引き起こす原因

- 保健機関の役人や病院の責任者が、助産師の仕事に対し旧態依然とした誤解を持ち、偏見の目で見ている。
- 分娩中に不測の事態が発生し、母子の命が危ぶまれる。
- 資格を更新できなかった。
- 新しい資格や研修についていかなくてはならない。
- 死産を経験する。
- 分娩中に異常が発生し、そのことで不当に責められる。
- 妊婦または褥婦（じょくふ）（妊娠・分娩によってもたらされた身体の変化が残っている時期の女性のこと）がアドバイスに従わない、ケアをきちんとしない。
- 問題が生じて助産師では赤ん坊を取り上げられなくなるが、妊婦は変更を聞き入れず、母子の命を危険にさらしかねない。
- 妊婦の親族が横柄な態度をとる、またはヒステリックになる。
- 仲間の助産師が倫理に反する行動をとっていること、または助産師として無能であることを知ってしまう（妊婦のケアにおいて明らかなものを見落としている、妊婦のパー

トナーと恋愛関係になる、など)。
- 助産院の管理者が失礼な態度をとる、または一緒に仕事をするのが難しい。
- 複数の妊婦が同時に産気づく。
- 妊婦が急に産気づいたり、分娩が長引くことで、自身の私生活での重要なイベントを逃してしまう。
- 産後うつなどの精神疾患を抱える褥婦が増えている。

かかわることの多い人々

妊婦、婦人科医療を求める女性、妊婦の家族、他の助産師、助産院や病院の事務員、産婦人科医などの医師、看護師、ドゥーラ(医療行為をせずに、産前産後の妊婦のケアをする職業)、他の医療提供者(精神科医、栄養士、など)

この職業は5大欲求にどう影響するか

▸▸ 自己実現の欲求：
子ども好きが高じてこの仕事を始めたのに、自分が子どもを産めない体であることを知って、ショックを受けることも。

▸▸ 承認・尊重の欲求：
助産師について時代遅れな認識や固定観念を持っている人は今でも存在する。民間の「似非療法」だと非難されたり、他の医療従事者よりも「劣る」と見なされたりして、医療従事者として尊重あるいは認識されないことがある。

▸▸ 帰属意識・愛の欲求：
勤務時間が変則的な上、人の命を預かる仕事なので、助産師の中には、なかなか健全なワークライフバランスを保てず、愛する人を幸せにできないと考える人もいるだろう。

▸▸ 安全・安心の欲求：
ストーリーによっては、マフィアのドン、情緒不安定なストーカー、または有力な政治家の子を密かに身ごもる妊婦も登場するだろう。そのような妊婦を預かる場合は、助産師にリスクをもたらしかねない。

この職業を選択する理由

- 友人が自宅で出産するのを手伝い、自分にも力がみなぎり、満ち足りた思いをした経験がある。
- ドゥーラとして働いており、次のステップとして助産師を目指している。
- ひとりで出産しなければならなかったので、他の人にはそのような経験をさせたくない。
- すべての命はみな神聖だと思っている。
- 子どもを産めない体なので、間接的でもいいから出産を体験したい。
- 面倒見のいい性格なので、どんなタイプのコーチングであっても、人に助言することに満足感を覚える。
- 女性を支援したいという情熱を持っている。

ステレオタイプを避けるために

ほぼ例外なく、助産師は女性である。クライアントが女性によるケアとサポートを望む場合がほとんどだからなのだが、この固定観念を覆して、助産師を男性にするには、ストーリーの中で文化を変える必要がある。

女性助産師は、面倒見がよく、思いやりや共感を示せるなど、生まれ持った性格的傾向があり、フィクションでもそのように描かれていることが多い。しかし医師や看護師の場合と同じように、助産師の中にも、臨床には優れていても、患者に対する態度が悪い人はいる。派手、柔軟性に欠ける、あるいは迷信深いなどの変わった特徴をキャラクターに与えるのもいいかもしれない。

書籍修復士

〔英 Book Conservator〕

書籍修復士（ブック・コンサバター）は、書籍や文書を慎重に取り扱いながら最適な修復方法を決め、さらなる経年劣化を防ぐ。書籍を現在の状態から、手を尽くして可能な限り最高の状態に復元するためには、製本や修復の技術、修復に使う材料、書籍の歴史についての知識が不可欠だ。

この職業に求められるトレーニング

様々な分野における複数のスキルと専門知識が必要とされるため、普通は、文化財保護や保存に関連した修士号が必須だ。インターンシップや見習いとして経験を積むことが推奨され、修復技術を習得しなければならない。書籍修復士には、多言語で読み、話せる人が多い。

有益なスキル・才能・能力

細部へのこだわり、手先の器用さ、卓越した記憶力、多言語を操れる、既成の枠にとらわれない思考、調査力、人に教える能力、文章力

性格的特徴

分析家、芯が強い、好奇心旺盛、効率的、熱心、凝り性、温和、独立独歩、勤勉、知的、内向的、几帳面、注意深い、忍耐強い、粘り強い、世話好き、臨機応変、責任感が強い

葛藤を引き起こす原因

- 修復作業に使われる化学物質を吸い込んでしまう健康リスクがある。
- 長時間同じ姿勢で座っているので肩や腰などが痛む。
- 作業場が片づいておらず、修復作業がはかどらない。
- この世に1冊しかない書籍を修復しているときにストレスをため込む。
- 雇用機会が限られているため、仕事がある場所に引っ越さなければならない。
- 出張が多い。
- 無愛想で無口、または見下した態度の同僚と一緒に働いている。
- クライアントが満足していない、または非現実的な期待をしている。
- プロジェクトに必要な資金や道具が不足している。
- 作業があまりにも細かく、極度の集中力と大変な手先の器用さが求められる。
- 修復作業中に誤って書籍を損傷させてしまう。
- 他の修復士が失敗したプロジェクトを引き継ぐことになった。
- 一度に複数のプロジェクトに取り組まなければならない。
- 特定のプロジェクトに必要なスキルを持ち合わせていない。
- 作業の手を休めたくないのに邪魔が入る。
- どこまで、どのように修復するのか合意していたのに、クライアントが途中で意見を翻す。
- 作業に通常よりも時間がかかってしまい、納期に全然間に合わない。
- 上司が何かと口を挟んで

し

くる、または無能な上司がキャラクターの修復作業を評価していない。
- 偽文書を発見してしまう。

かかわることの多い人々
他の書籍修復士、図書館や博物館の職員、書籍の所有者（個人)、歴史学会のメンバー、修復作業に使用するクリーナーや道具の販売業者

この職業は5大欲求にどう影響するか

▸▸ **承認・尊重の欲求：**
美しく書籍を修復できても、その仕事ぶりはこの職種の訓練を受けていない人にはあまり気づかれない。人から認められたり、褒められたりしないと頑張れないタイプのキャラクターだとつらいだろう。

▸▸ **帰属意識・愛の欲求：**
孤独な仕事なので、外向的な人や話し好きな人は孤独感を覚えるかもしれない。

▸▸ **安全・安心の欲求：**
古書や古文書に付着しているカビは、修復士の健康に悪影響を与える可能性がある。換気の悪い場所で作業している場合や、喘息やアレルギー症などの持病を持っている人にとっては、深刻な健康問題になるかもしれない。

この職業を選択する理由
- 歴史や知識を重んじ、書物を大切にする家庭で育った。
- 歴史的に重要な文書を修復しているときにやりがいを感じる。
- 修復作業に専念しているとリラックスした気持ちになる。
- 特定の文書や情報に触れたい。
- 歴史や知識、文学を愛している。
- 愛国心があり、自国の歴史を守るのが自分の義務だと感じている。
- 人目につかないように、ある種の情報を入手したい。
- 新しい土地を訪ね、他文化への理解を深めることが好き。
- 人に接するのが苦手で、独りで働けるキャリアを求めている。
- 文書偽造の知識と道具を必要としている。
- 読書好きで、調べ物が好き。
- 歴史的遺物を破壊しようとする者からそれらを守る活動をする組織に所属している。
- 過去とのつながりを感じ、新しいものよりも古いものを好む。

ステレオタイプを避けるために
書籍修復士は何でも直せると誤解されがちだが、修理できないものもある。才能があるのに時々修復に失敗するという設定にすれば、この固定観念を覆すだけでなく、現実味のある葛藤のシナリオが生まれるかもしれない。
さらに、書籍修復士は重要な歴史的書物しか修復しないとも誤解されている。そういうこともあるが、普段は日常的な文書を修復していることのほうが多いのだ。個人や小さな施設からの依頼が多い設定にすれば、新鮮な（かつ現実味のある）イメージを創り出せるかもしれない。

私立探偵

〔英 Private Detective〕

私立探偵は、ある情報を収集するために個人や組織に雇われる。フリーランスとして、または興信所に所属して働きながら、個人（不倫の疑いのある配偶者など）の居場所の追跡、雇用候補者の経歴審査、行方不明者の捜索などを行なう。時には、地域社会の著名な人物が犯罪活動に関与しているのを証明する証拠を探したりもする。

こうした秘密調査の過程で、私立探偵は、聞き取りや見張りに多くの時間を費やし、法廷に証言者として召喚されることもある。

この職業に求められるトレーニング

私立探偵になるための訓練は、どこで探偵業を営むかによって大きく異なる。高卒資格があればよい場合や、刑事司法関連の学位が求められる場合があり、最低限の経験が必要になることもある。一般的に年齢や国籍に制限があり、また犯罪歴があると私立探偵になれない。

任意の要件を満たしている人は、私立探偵として仕事をするために免許を取得しなければならない。職務中に銃を携帯したい場合（州や地方自治体が銃器携帯を許可している場合）は、追加訓練と継続的な指導が必要になる。また、探偵業を営む地域の法律に精通し、その法律の範囲内で仕事をしなければならない（もっとも作品の中では法律を破らねばならない場合もあるだろうが）。

有益なスキル・才能・能力

目立たないように振る舞うスキル、人を引きつける魅力、ハッキングのスキル、細部へのこだわり、優れた聴覚、平常心、他人の信頼を得る力、人の話を聞く力、交渉力、読唇術、多言語を操れる、人脈作り、論理的思考力、既成の枠にとらわれない思考、場をうまくとりなす能力、演技力、映像記憶、人の心を読む力、護身術、体力

性格的特徴

冒険好き、用心深い、分析家、大胆、おだやか、慎重、魅力的、挑戦的、協調性が高い、礼儀正しい、好奇心旺盛、決断力がある、如才ない、規律正しい、控えめ、つかみどころがない、熱心、気さく、勤勉、知的、操り上手、几帳面、詮索好き、客観的、注意深い、きちんとしている、忍耐強い、勘が鋭い、粘り強い、雄弁、強引、臨機応変、責任感が強い、疑い深い、仕事中毒

葛藤を引き起こす原因

- 捜査をしていて、相手がカッとなり脅される、または襲撃される。
- 解決不可能な事件を担当していて、欲しい情報が手に入らない。
- 嘘や隠し事をしている人に聞き取り調査を行なっている。
- 車が故障する、または車の故障が頻繁で不安が募る。
- 退屈な張り込みをしている。
- 極悪非道な人間を扱っている。
- 法律によって行動が制限されている。
- 法律を破って捕まる。

- 正体を隠して捜査をしていたのに、正体がばれてしまう。
- 徹底した調査をせず、間違った情報を依頼人に渡してしまう。
- 依頼人が非現実的な期待をし、無理なスケジュールや予算で仕事をさせようとする。
- 新規依頼人をなかなか獲得できない。
- 探偵あるいは探偵の家族が、調査対象者に狙われる。
- 捜査が行き止まり、時間を無駄にする。
- 貴重な情報源を失う。
- 勤務時間が不規則なため、家族との時間をなかなか持てない。
- 長時間机に向かう、または車中で座りっぱなしなことが多いので、体に不調が出る（腰痛、体重増加、など）。
- 自分と同じ秘密を持つ人物を追跡している。
- 普段どおりの調査をしているときに、企業の不正取引を偶然発見する。
- 依頼人から法律を破るよう、または道徳の一線を越えるように依頼される。
- 貴重な情報提供者を失う（情報提供者が刑務所に送られる、殺害される、裏社会から足を洗う、など）。

かかわることの多い人々

依頼人、情報源（捜査対象者の友人、家族、隣人、同僚、など）、事務員や管理職の人（キャラクターが興信所に勤務している場合）、特定の分野の専門家

この職業は5大欲求にどう影響するか

▸▸ 自己実現の欲求：
本当にやりたいこと（警察や軍隊に入る、など）ができずにこの職業を選んだ場合は、不満が募るかもしれない。

▸▸ 承認・尊重の欲求：
私立探偵という職業は、陰で働き、情報が手に入ればそれを興信所の上司に渡す場合がほとんどだ。人に認められ、称賛されたいと望んでいる人は、裏方仕事を続けているとフラストレーションを覚えるかもしれない。

▸▸ 帰属意識・愛の欲求：
愛する人が、私立探偵の不規則な勤務時間と出張の多さに理解を示していない場合、2人の関係が気まずくなる可能性がある。

▸▸ 安全・安心の欲求：
ほとんどの場合、調査対象者は調査されることを望んでいない。私立探偵に私生活を詮索されていると知れば、相手に脅されて口論になり、さらには暴力沙汰になることも考えられる。

この職業を選択する理由

- 物事を調べ上げて、問題を解決する才能がある。
- 詮索好きで、人の秘密を探り当てるコツを知っている。
- 警察などの法執行機関で働いていた経験がある。
- 正義に勝利してもらいたいが、従来の警察の仕事にはいろいろと束縛があって歯がゆい思いをしている。

ステレオタイプを避けるために

私立探偵には警察官の経歴や従軍歴を持っている人が多いが、必ずしも全員がそのような経歴を持っているとは限らない。優秀な私立探偵に必要な経験とスキルをキャラクターに持たせるため、興味深くて独自性のある過去を与えてみよう。

私立探偵が主人公なのか、それとも主人公に対抗する人物なのかによって、この職業への固定観念は違ってくる。「正義の味方」の探偵は、上品で、人間的魅力があり、好感の持てる人物として描かれることが多く、そうした性格を武器にして捜しているものを見つけ出す。一方、「悪の味方」になっている探偵の場合は、だらしなく太っていて、疑わしい倫理観を持っているように描かれがちだ。キャラクターには光と闇の両方の部分があり、長所も短所も兼ね備えていることを忘れずに。その両方の側面を掘り下げて、多面的で個性あふれる私立探偵のキャラクターにしてみよう。

心理セラピスト

〔英 Therapist (Mental Health)〕

心理セラピストは、心の病や悩みに苦しむ人を治療する。どんなクライアントにも門戸を開いて支援する場合もあれば、専門分野（結婚や家族のカウンセリング、薬物乱用、大切な人を亡くしたときの悲しみ、またはライフコーチング［人生における悩み相談のこと、アメリカでは資格が必要］、など）を有している場合もある。独立して事業経営する人もいれば、特定のクリニックや診療所に勤務する人もいる。主な勤務先には病院や刑務所、拘置所、依存症を断ち切るための解毒専門医療センター、更生訓練施設、教会、教育相談機関などがある。オンラインのカウンセリングも助けを求める人々に人気のオプションだ。

メンタルヘルス関連の職業名にはいろいろなものがあり、同義に使われることもあるが、明確な違いがある。臨床心理士はカウンセリングを行なうこともあるが、その多くは大学や病院で研究の道を選んでいる。同様に精神科医は医学士号を持っていて、薬を処方できるという違いがある。

この職業に求められるトレーニング

アメリカでは4年制大学の学位が必要で、カウンセリングの種類によっては修士号が必要な場合もある。カウンセラーとして働きだす前に、多くの臨床経験が必要で、インターンとして学校で決められている時間数の実地経験を積まなければならない。

有益なスキル・才能・能力

鋭い洞察力、共感力、卓越した記憶力、他人の信頼を得る力、人の話を聞く力、人を温かく迎え入れる力、既成の枠にとらわれない思考、場をうまくとりなす能力、人の心を読む力、調査力、人に教える能力

性格的特徴

分析家、おだやか、協調性が高い、好奇心旺盛、如才ない、控えめ、効率的、共感力が高い、気さく、温和、正直、優しい、面倒見がいい、注意深い、楽観的、きちんとしている、忍耐強い、勘が鋭い、粘り強い、雄弁、積極的、プロフェッショナル、責任感が強い、勉強家、協力的、寛容、賢い

葛藤を引き起こす原因

- クライアントに合った解決策を見つけられない。
- クライアントが自分の状況を正直に話せない、または話すつもりがない。
- まだ診療中だったクライアントの症状が悪化し、自殺未遂、児童虐待、殺人などを起こす。
- クライアントの意図を読み間違える、または誤診する。
- クライアントと恋愛関係になる。
- クライアントに対し偏見を抱いている。
- 安全のために守秘義務を破らなければならないが、クライアントの信頼を失うのはわかっている。
- グループセラピーを行なっている間に参加者たちの間で緊張感が高まる。
- クライアントに非協力的な家族や保護者がいて、治療の進捗が妨げられる。
- クライアントが常に精神分析を受けているので、その人の家族など近しい人たちに疎外感を与える。

- 仕事を家に持ち帰ってしまう（クライアントに執着したり、日々クライアントたちから耳にする苦しみを忘れられずにいたりする）。
- 人を助ける方法ははっきりとわかるのに、自分のこととなると見えていない。
- 精神錯乱状態のクライアントがカウンセラーの私生活に入り込んでくる。
- 情緒不安定なクライアント、またはクライアントに近い人にストーキングされる、あるいは襲われる。
- クライアントを個人的に知っているが、プロフェッショナルな関係を維持しなければならない。
- ボランティアであまりにも多くのクライアントを引き受けてしまう。
- 燃え尽きてしまい、共感疲労に悩まされる。
- クライアントが絡んだ事件で法廷で証言しなければならない。

かかわることの多い人々
クライアント（児童、10代、カップル、受刑者、退役軍人、高齢者、など）、クライアントの家族または保護者、他のメンタルヘルス従事者（ソーシャルワーカー、精神科医、など）、医師、事務員

**この職業は
5大欲求にどう影響するか**

▸▸ 承認・尊重の欲求：
心理セラピストだからといってどのクライアントも助けられるわけではないが、クライアントを救えないことが続いた場合、たとえ自分のせいではないとしても、自分の能力を疑いはじめるかもしれない。また、小児性愛者や連続殺人犯などのクライアントをあえて選んだ場合、世間から冷たい目で見られるかもしれない。

▸▸ 帰属意識・愛の欲求：
心理セラピストの中には、自分を治したいという願望からこの職業を選ぶ人もいると言われている。だが、実際に自分を治療するのは難しい。心理セラピスト自身の心の傷が深いと、他人とうまくやっていく、あるいは個人的なレベルで健全な人間関係を築くのは難しいかもしれない。また、人を「治したい」という欲求が強すぎて、愛する人たちにもそのような態度で常に接すると、問題が生じる可能性がある。

▸▸ 安全・安心の欲求：
心理セラピストの勤務先が、治安の悪い地域や警備の厳しい刑務所など安全ではない場所の場合、日常的に安全が脅かされるだろう。

この職業を選択する理由
- 無意識のうちに自分の心の中に棲む悪魔を見つけ出し、それを抹殺しようとしていた。
- 心理セラピストの助けを借りて自分の人生を変えた経験があり、他の人にもそういうチャンスを与えたい。
- 他人の問題に集中していると、自分の問題に向き合わずに済む。
- 社会の特定の層の人々（虐待された子ども、難民、女性、依存症の人、など）を助けたい。
- 洞察力があり、他人に心を打ち明けるように促すのがうまい。
- 自分の助けを必要としていた人を助けられなかった経験があり、その過去を償おうとしている。

ステレオタイプを避けるために
　ストーリーの中では、心理セラピストは助言者の役割を演じる傾向にある。そこで、この職業の人物を悪役として描き、他人の感情をわざと害するような発言をする心理セラピストにしてみたり、主人公の恋の相手が心理セラピストであるがために、主人公に歪んだ葛藤の原因を作り出したりする設定はどうだろうか。

スカイダイビング・インストラクター

〔英 Skydiving Instructor〕

スカイダイビング・インストラクターは、まず地上にて、このスポーツを習得したい生徒に安全なスカイダイビングの基本を教える。その後、実際に飛行機で上空に飛び、パラシュートを装着した生徒が飛行機からジャンプして、ソロまたはタンデム（2人乗り）のいずれかで補助をする。スカイダイビングを教え、パラシュートを準備し、生徒たちの質問に答え、パラシュートの装着を手伝い、すべての安全基準が守られていることを確認するのがインストラクターの主な仕事だ。

インストラクターは、非常に注意深く、おだやかで決断力があり、教えることに専念して意思疎通がしっかりとできる人でなければならない。プレッシャーが重くのしかかる環境でも他の人たちと協力しながら仕事ができ、自信と熱意がにじみ出ていて生徒たちから信頼され、強い勤労意欲を持った人であることが求められる。健全な冒険心とともに、リスクを分析して軽減する能力もこの仕事に役立つ。

す

この職業に求められるトレーニング

スカイダイビング・インストラクターには様々な種類があり、ダイビングの経験回数や資格、関心分野によって決まる。講義を受けて、規定されているダイビング回数をこなすだけでなく、難しい筆記および口頭試験に合格しなければならない。適切な資格があれば、コーチ、スカイダイビングフォトグラファー、AFF（アクセラレイテッド・フリーフォールと呼ばれるスカイダイビングの訓練方法のひとつ）インストラクター、またはタンデム・スカイダイビングのインストラクターになれる。また、専門分野で教える場合は追加訓練が必要になる。

有益なスキル・才能・能力

商才、人を引きつける魅力、平常心、他人の信頼を得る力、人の話を聞く力、接客力、読唇術、人を笑わせる能力、機械に強い、多言語を操れる、映像記憶、天候予測能力、宣伝能力、人の心を読む力、戦略的思考力、力強さ、呼吸コントロール、人に教える能力、声のとおりがいい、自然の中でも迷わない方向感覚

性格的特徴

柔軟、冒険好き、用心深い、野心家、分析家、おだやか、勇敢、決断力がある、如才ない、規律正しい、おおらか、効率的、熱血、外向的、熱心、気さく、独立独歩、几帳面、自然派、注意深い、執拗、きちんとしている、情熱的、完璧主義、雄弁、プロフェッショナル、世話好き、責任感が強い、天真爛漫、倹約家、奔放

葛藤を引き起こす原因

- （ぎりぎりの安全策しかとられていないような）厳しい予算で経営されている会社で働く。
- インストラクターの仕事だけでは生活が苦しい。
- （一部のスタッフが優遇されている、やる気が欠けている、などが原因で）会社のスタッフとの間に亀裂が生じる。
- 生徒が飛行中にスカイダイビングを尻込みする。

- 生徒が指示に従わない、または危険な行動をとる。
- 不注意なスカイダイバーがひやりとするような行動をとる、または衝突事故を起こす。
- スカイダイバーの自動作動装置（AAD）が故障する。
- 飛行機からジャンプした瞬間に、頭の中が真っ白になる。
- 飛行機やドローンと衝突しそうになる。
- カメラが故障する。
- 悪天候に見舞われる。
- 飛行機に問題があって、その日予定していたダイビングがすべてキャンセルになり、誰の給料も支払われない。
- 難しい着地をして怪我をする。
- 生徒から訴えられる。
- スカイダイバー仲間が死亡する（ダイビングの死亡事故が起きる）。
- 景気が変わってコストやレッスン料が上がり、生徒が減る。
- 飛行機の中に不審物を発見する。

かかわることの多い人々

他のスカイダイバー、クライアント、スカイダイビング学校のスタッフ、パイロット、生徒、スカイダイビングに参加する者の家族

この職業は5大欲求にどう影響するか

▸▸ 自己実現の欲求：
スカイダイビングの快感が忘れられなくなり、ダイビングしていないときは、何をしてもなかなか満足感が得られなくなることも。

▸▸ 承認・尊重の欲求：
スカイダイバーとして競技に出場して優勝することを夢見ているのに、他人に教えるばかりで自分の練習ができない場合には、最高のスカイダイバーにはなかなかなれないかもしれない。

▸▸ 安全・安心の欲求：
インストラクターの給料は高くない。スカイダイビングにはお金がかかるので、稼ぎの一部はすぐにスカイダイビングのための費用になってしまう。質素に暮らす性格ではなかったり、養わなければならない家族がいたりすると、金銭的に苦労するだろう。

▸▸ 生理的欲求：
パラシュートの故障などの事故は稀だが、スカイダイビングにはインストラクターの命に関わるリスクが常に存在する。

この職業を選択する理由

- 高所恐怖症、落下や窒息、死の恐れを克服したかった。
- 何かに縛り付けられ、拘束され、あるいは行動を抑えつけられていた過去に向き合いたかった。
- 危険やスリルが好き。
- 自分の人生を束縛していた恐怖を克服し、同じ思いをしている人たちを助けたかった。
- 冤罪で長期間収監されていたため、自由と喜びをかみしめている。
- スカイダイビングの愛好家で、この趣味を続けるための必要な手段だった。

ステレオタイプを避けるために

スカイダイバーは、恐れ知らずな人として描かれがちだが、もともと高所恐怖症を克服するためにスカイダイビングを始めたという人も多い。そうした克服の体験をポジティブに受け止め、インストラクターとしての仕事にそれを活かしているが、恐怖心が完全になくなったわけではない。こうした経緯を踏まえて、型にはまった描写を避けるには、キャラクターの性格や過去、ものの見方にどういった要素を加えるべきかを慎重に考えてみよう。

フィクションの中で、スカイダイバーはしばしば無謀な人として描かれるが、インストラクターはその正反対だ。それはこの仕事が、生徒に対する責任を真剣に受け止め、リスクを理解して軽減する努力をする必要があるがゆえだが、時にはそうしたおとぎ話のような描写を避けねばならないこともある。唯一無二のキャラクターを作るのが書き手の仕事。現実に目を向ければ、インスピレーションを得られるはずだ。

ストリートパフォーマー

〔英 Street Performer〕

大道芸人とも呼ばれるストリートパフォーマーは、街角、ショッピングモール、地下鉄の駅構内などの公共の場で自分の芸を披露する。多くはミュージシャンだが、ダンス、絵描き、曲芸、サーカス、詩の朗読、または講談などを披露する人たちもいる。

場所や状況にもよるが（たとえば、商品を売る場合）、場所を利用するための許可証を取得しなければならない場合もある。

す

この職業に求められるトレーニング

正式な訓練や教育は不要だが、パフォーマーとして成功したいのであれば、自分の専門分野の訓練を受けなければならない。ミュージシャンなら、どんなリクエストにも応えられるだけのレパートリーが必要だし、曲芸師なら人をあっと言わせるような芸をこなさなければならない。アーティストなら、将来的に自分のひいき客になってもらえるよう、観衆を引きつけることに熟練している必要がある。

有益なスキル・才能・能力

人を引きつける魅力、創造性、ダンス、手先の器用さ、平常心、人を笑わせる能力、音楽性、俊敏な運動能力、演技力、宣伝能力、パブリック・スピーキング、人の心を読む力、営業力、手品、体力

性格的特徴

柔軟、用心深い、大胆、自信家、挑戦的、クリエイティブ、如才ない、規律正しい、熱血、外向的、気さく、ひょうきん、衝動的、独立独歩、勤勉、大げさ、いたずら好き、注意深い、粘り強い、雄弁、遊び心がある、奇抜、臨機応変、責任感が強い、天真爛漫、活発、天才肌、奔放

葛藤を引き起こす原因

- いざ大勢の人の前に立って実演するとなると、不安を感じる。
- 予期せぬ悪天候に見舞われ、見込んでいた客が現れない。
- 観客から無礼な言葉、または侮辱的な言葉をかけられる。
- 偽札が投げ込まれる。
- 他に優秀なストリートパフォーマーがいて、自分が目立たなくなる。
- オリジナル曲やダンスなどが他の人に盗まれる。
- 許可が下りず、理想的な場所でパフォーマンスを披露できない。
- 観客から無理なリクエストが出る。
- 体調を崩し、パフォーマンスができなくなる。
- 通りすがりの人に稼ぎを盗まれる。
- パフォーマンス中に怪我をする。
- パフォーマンスの動画や録音を無断でソーシャルメディアに投稿されてしまう。
- 気に入っているパフォーマンス場所へ向かう途中、あるいはそこから去るときに強盗に遭う。
- ファンにストーキングされる。

- 悪天候の中でもパフォーマンスをしなければならない。
- 家族に「まともな」仕事に就けと口酸っぱく言われる。
- 観光客の少ないシーズンや不景気のせいで、経済的に苦しい。
- 自分のいつもの場所を別のパフォーマーに奪われる。

かかわることの多い人々
他のバンドや一座のメンバー(ソロではない場合)、通行人や観客（買い物客、旅行者、バーの客、観光客、など)、警備員や警察官、地元の商店街の人々、他の大道芸人、露店商の人々

**この職業は
5大欲求にどう影響するか**

▸▸ 自己実現の欲求：
ストリートパフォーマーの中には、公共の場で経験を積み、腕を磨いて、いつかプロとして活躍できるようになるまでの手段としてこの仕事を捉える人もいる。下積み期間があまりにも長引くと、不満が募り、もっと違う何かがしたいと思うようになるかもしれない。

▸▸ 承認・尊重の欲求：
ストリートパフォーマーが批判されるのは避けられない。観客の中には、腕に文句をつける人は必ずいるし、中には失礼な言葉や侮辱的な言葉を投げつける人もいる。自分のパフォーマンスを見ている人など誰もいないように思える日もあるかもしれない。このような経験をすると自尊心が傷つけられるだろう。

▸▸ 安全・安心の欲求：
ストリートパフォーマーは必ずしも安全な場所で活動しているわけではない。パフォーマンスに理想的な場所に行く途中、治安の悪い地域を横切ることも多く、自分を危険にさらすこともある。

この職業を選択する理由
- 特定のスキルや才能を磨きたい。
- プロになる足がかりとしてストリートパフォーマンスをやっている。
- 思いがけないパフォーマンスやフラッシュモブ（SNSなどで呼びかけを行ない、公共の場で不特定多数の人々が集まってゲリラ的に行なわれる集団パフォーマンス）など、人とは違った芸を披露して人を楽しませるのが好き。
- 生活費を補うため、または慈善団体に寄付するために。
- 才能はあるが、不安や恐怖症を有していたり、あるいは過去に心が傷つくような出来事を経験したことで「自分なんて」と考えてしまい、プロとしては通用しないと思い込んでいる。
- ひとつの場所に縛られず、自由に旅をしながら生計を立てたい。
- 大勢の人を前に何かをするのが大好きで、生まれながらパフォーマー気質を持っている。

ステレオタイプを避けるために
ストリートパフォーマーは、アコースティックギターを抱えた男性として描かれることが多い。そういう人もいるとはいえ、グループでパフォーマンスする人々も珍しくないし、他の楽器の演奏や、奇術、ダンスなど、他にもユニークな才能を披露する個人もいる。ミュージシャンが描かれることがあまりに一般的なので、別の何かを得意とするキャラクターにしてみてはどうか。子ども向けのマジックショーをやったり、銅像かと見まがうような恰好をして通行人を脅かしたり、コメディショーをやったりする人物も面白いかもしれない。

す

スポーツ審判員

〔英 Referee〕

審判員は、スポーツ選手たちがルールを守ってプレイをし、スポーツマンシップや選手の安全が守られているのを確認しながら試合を審判するのが仕事で、プロから大学や高校、アマチュアまで様々なレベルのスポーツで必要とされている。子どもたちが参加するアマチュアスポーツなら、そのスポーツの知識さえあれば、審判員の訓練を受けていない高校生や大学生でも審判になれる。つまり、審判員は大人だけでなく、若者でも就ける仕事なのだ。

この職業に求められるトレーニング

スポーツの公式試合で審判を務めるには、高卒資格またはそれに相当する資格が必要になる場合がほとんどだ。スポーツごとのトレーニングも必要で、大学やスポーツ団体などが主催してそうしたトレーニングは実施される。スポーツ協会などに登録し、認定書を発行してもらわなければならないこともしばしばだ。審判員を目指す人は、たとえば高校やマイナーリーグなどの試合から始め、徐々に経験を積んで、大きな試合を審判するようになる場合が多い。

有益なスキル・才能・能力

優れた聴覚、平常心、卓越した記憶力、マルチタスクのスキル、場をうまくとりなす能力、天候予測能力、体力、俊足

性格的特徴

用心深い、おだやか、挑戦的、協調性が高い、礼儀正しい、決断力がある、如才ない、規律正しい、正直、気高い、生真面目、公明正大、客観的、注意深い、情熱的、完璧主義、プロフェッショナル、責任感が強い

葛藤を引き起こす原因

- 仕事中に怪我をする。
- ミスジャッジをして試合の結果が決まってしまう。
- 怒りに満ちたファンに脅される、またはストーキングされる。
- 無能な審判員と一緒に試合を審判している。
- 選手が審判判断に抗議し、審判員の間で意見が分かれる。
- 主力選手とぶつかり、怪我を負わせる。
- 特定のルールや、選手が反則行為を犯したときの罰則をなかなか覚えられない。
- ルール改正があったのに、勉強不足で何が変わったのかがわかっていない。
- 個人的にある選手に偏見を抱いていて、偏見に満ちた判断をしてしまう。
- 動揺した選手に食ってかかられ、冷静さを失う。
- 出張が頻繁なため、家族との時間がなかなかとれない。
- 審判員なので采配を振ることに慣れてしまい、家でも同じことをしてしまう。
- 慢性疾患の診断が下り、または慢性的な痛みを感じ、仕事がしづらくなる。
- 仕事は好きだが、経済的に苦しい。
- 昇進できず、大きな試合の審判員になれない。
- 審判員を続けるのに必要

す

な体力作りができておらず、体がついていかない。
- 延長戦に入り、長時間試合を審判している。
- 悪天候の中で審判している。
- 八百長試合に協力するよう賄賂を渡される。

かかわることの多い人々
選手、コーチ、他の審判員、スポーツ施設関係者（グラウンドキーパー、整備係、スタジアム管理者、清掃員）、保護者（子どものスポーツチームの監督をしている場合）

この職業は
5大欲求にどう影響するか

▸▸ 自己実現の欲求：
自分の好きなスポーツの試合や、希望するレベル（NCAAディビジョン1、NBA、NFL、など）を審判できない場合、自己実現の欲求が脅かされる可能性がある。

▸▸ 承認・尊重の欲求：
一般的に情熱を追い求める職業なので、報酬が低くてもやりがいがある。だが、経済的ステータスを重要視する人にとっては、他の職業に就いている友人の賃金と比較し、自尊心と格闘してしまうかもしれない。

▸▸ 安全・安心の欲求：
選手同士が接触するコンタクトスポーツの審判員をしていると、ぶつかり合いに常に巻き込まれるので、怪我をする可能性が高い。実際に怪我を負って仕事ができなくなると、家族を養えないし、経済的に困窮するかもしれない。

この職業を選択する理由
- 誰かを幸せにしたかった（たとえば、10代の子どもが親を喜ばせたくて、弟や妹の所属するスポーツチームの審判員を買って出る、など）。
- スポーツが好きで、チームの仲間意識を大切にしている。
- 年を重ね、試合に出てプレイすることができなくなった。
- 子どもの頃にスポーツを楽しんだ（そしてスポーツに力を与えられた）ので、スポーツに関わりたい。
- もともと公平な心を持ち、チームを尊重し、ルールに従うなど、審判員に必要な資質を備えている。

ステレオタイプを避けるために
審判員といえば男性中心の職業で、女性は徐々に進出してはいるものの、まだ珍しい存在である。女性審判員という設定にすると、ストーリーにこれだと思うひねりを出せるかもしれない。
また、審判員には真面目で杓子定規な人が多い。そこで、派手でいたずら好きな性格、あるいはやたらと神経質なタイプなど、変わった特徴を持ったキャラクターにしてみると引き立つだろう。
伝統的に人気のあるスポーツの審判員を務めるのではなく、ラグビーやラクロス、ローラースポーツ、レスリングなど、それほど知られていないスポーツを検討してみよう。また、オリンピック、あるいはパラリンピックなどの障害者スポーツ大会で審判員を務めるなど、珍しいスポーツイベントを考えてみるのも手だ。
架空の世界に登場する審判員は、プロのスポーツ選手になれなかったから審判員という仕事を選んでいる人として描かれることが多い。そこで、脚光を浴びることを望まない、スポーツと選手たちにひたすら情熱を注ぐ人を描いてみてはどうだろうか。

政治家

〔英 Politician〕

政治家は、出馬した地区の有権者によって選出される。当選ののち、政治家たちは政府を形成し、国政から地方自治体に関連したものまで様々な役割をこなす。選挙で選ばれるため、人々からの支持を集めることが政治家としての成功に不可欠だ。こうした理由から、政治家になる人にはカリスマ性が備わっているのが一般的で、実業界のリーダーとして活躍したり、ボランティアで地域社会を牽引したりして、指導者としての経験を積む。政治家は選挙で選ばれるために、タウンホールミーティングと呼ばれる市民との直接対話を持つ集会や、他の政治家との討論会を開き、インタビューを受け、広報目的のイベント（募金活動、非営利団体のための活動、慈善活動）に参加するなどして、有権者に自分の考えや信念を共有し、自分を売り込むための選挙活動を数多くこなす。

政治家の日々の仕事は役職によって異なる。しかし基本的には、自分たちの支持基盤や理想を維持するのが仕事なので、そのための活動に一日の大半が費やされる。たとえば、多くの会議に出席して、影響力のある人々と共に自分たちの主張を擁護し、目標を同じくする人々と同盟関係を結ぶ（何らかの見返りが期待される）。さらに、法案を読み、草案し、諸問題に取り組んで解決し、戦略を議論し、国民に情報を公開し、政策を方向付ける。

政治家の中には、選挙で選ばれずに任命されて要職に就く人もいる。任命された場合は普通、任命をする側（政権）が交代するまで、あるいは一定の期間、その職に就く。選挙民から直接選ばれるわけではないので、有権者への対応や責任の持ち方は、選挙で選ばれる政治家とは大きく異なる。

せ

この職業に求められるトレーニング

政治職にはそれぞれ独自の要件があり、要件は地域によって異なる。政界に進む人の多くは政治学の学位を取得するが、必須というわけではない。持っている学位にかかわらず、ほとんどの候補者は地方政治で（選挙で選ばれた市長や知事、またはボランティアとして）経験を積んでから、より権威のある国政へと進んでいく。政界においては、マーケティングとプロモーションが非常に重要なので、この分野での知識と経験は必須だ。

有益なスキル・才能・能力

人を引きつける魅力、共感力、平常心、他人の信頼を得る力、人の話を聞く力、人を温かく迎え入れる力、リーダーシップ、人を笑わせる能力、マルチタスクのスキル、人脈作り、組織力、宣伝能力、パブリック・スピーキング、人の心を読む力、戦略的思考力、将来を見通す力

性格的特徴

柔軟、用心深い、野心家、分析家、おだやか、魅力的、自信家、挑戦的、支配的、協調性が高い、礼儀正しい、決断力がある、如才ない、控えめ、熱血、外向的、熱心、理想家、影響力が強い、情熱的、愛国心が強い、粘り強い、雄弁、プロフェッショナル、臨機応変、責任感が強い、正義感が強い、寛容、奔放、くどい、賢い、仕事中毒

葛藤を引き起こす原因

- 公開討論中に言葉に詰まってしまう。
- 発言が文脈から切り取られ、意図とは反して批判を浴びる。
- 強力な対抗馬に立ち向かう。
- 過去の秘密が暴かれる。
- 悪夢のような出来事が起き、評判が下降する。
- 野党に激しく中傷される。
- 信じられないことが起き、自分の理想がひっくり返ってしまう。
- 誘惑に駆られ、倫理に反してしまいそうになる（賄賂を受け取る、不正に目をつぶる、など）。
- 嘘がばれる。
- セックススキャンダルで告発される。
- 長時間勤務で体が疲れきっている。
- 常にスポットライトを浴びているので精神的緊張が続いている。
- 反抗的な子どもや強い意見を持った親戚に決まりの悪い思いをさせられる。
- ストーカー被害に遭う。
- 暗殺されそうになる。
- あらゆる人にアピールしようとして、自分の支持基盤を無視するような結果になってしまう。
- 重要なキャンペーン中に病に倒れる。
- 大切なスタッフが鞍替えをして、対抗馬の陣営で働きだす。
- 公約をしたが、状況が変わってその公約を守れなくなる。
- 野党からの絶え間ない批判の重圧に耐えられなくなる。
- プライバシーがほとんどない。

かかわることの多い人々

他の政治家、ボランティア、インターン、行政関係者、投票者および地元の選挙区民、報道記者、選挙運動本部長、ロビイスト、政治アナリスト

**この職業は
5大欲求にどう影響するか**

▸▸ 自己実現の欲求：
世の中を変えたいのに、特定の人々やグループの利益を守るのに手一杯になっていると、自分の価値観やアイデンティティを見失ってしまうかもしれない。

▸▸ 承認・尊重の欲求：
政治は人気投票のようなもので、政治家は他人の意見に振り回されがちだ。支持率が落ち、国民の関心が薄れてくると、自尊心が傷つく可能性がある。

▸▸ 帰属意識・愛の欲求：
政治家は過密なスケジュールで長時間働くため、家族や友人が後回しになってしまいがちだ。

▸▸ 生理的欲求：
政治家は常に、恨みを抱いた市民や錯乱した市民から危害を加えられる危険と背中合わせで仕事をする。最悪の場合は暗殺される可能性もある。

この職業を選択する理由

- 政治家の家系で育った。
- 地域社会や国を変えたい。
- 注目を浴びたい。
- 権力と名声を手放したくない。
- 公僕という概念を強く信じている。
- 政治方針や理想を持ち、社会問題に情熱を持っている。

ステレオタイプを避けるために

無私の心で国民のために尽くす政治家や、国民のご機嫌取りでしかない政治家を描くのは陳腐なので避けよう。キャラクターが政治家の道を選んだ動機や本人の性格を理解するだけでなく、心にどんな葛藤を抱いているかを深く知ることで、ステレオタイプは避けられる。こうした要素を深く掘り下げていけば、ありふれた描写ではなく、多面的な政治家として描けるはずだ。

聖職者

〔英 Clergy Member〕

聖職者とは、組織化された宗教団体の責任者を指す。宗教によって、牧師、司教、司祭、ラビ、イマームなどと呼称は様々だが、指導的役割を果たす点は同じだ。

聖職者の主な任務には、聖典の解釈、信者の教育、教区の人々や地域社会への奉仕、宗教的義務の監督などがある。宗教的義務は宗教ごとに違い、多種多様だ——生贄を捧げる、預言者となり神意を人々に伝える、懺悔を聞く、洗礼や聖餐、祈りなど、聖なる日に関連付けられた儀式を監督する。キャラクターが現実世界に存在する宗教団体の聖職者という設定なら、その団体について詳しく調べる必要がある。

この職業に求められるトレーニング

聖職者を目指すにあたり、一定期間神学校に通い、学位を取得してから聖職に就くことを義務付けている宗教もある。あるいは、見習いのような形式で既に聖職者として神に仕えている人に付き、その人の下で修行する宗教もある。僻地で神に仕える聖職者なら、宗教への情熱と教義に関する基本的な知識さえあればよく、正式な修行を必要としない場合もある。

有益なスキル・才能・能力

人を引きつける魅力、共感力、他人の信頼を得る力、人の話を聞く力、人を温かく迎え入れる力、リーダーシップ、マルチタスクのスキル、人脈作り、パブリック・スピーキング、人の心を読む力、調査力、人に教える能力、未来像を描く力、文章力

性格的特徴

大胆、芯が強い、魅力的、自信家、礼儀正しい、クリエイティブ、如才ない、規律正しい、控えめ、共感力が高い、熱血、外向的、狂信的、正直、気高い、もてなし上手、謙虚、理想家、影響力が強い、知的、公明正大、優しい、忠実、操り上手、情け深い、面倒見がいい、従順、情熱的、完璧主義、雄弁、哲学的、スピリチュアル、勉強家、卑屈、迷信深い、協力的、利他的、健全、賢い

葛藤を引き起こす原因

- 自分を養えるだけの給料をもらっていない。
- 権威主義的なしがらみのせいで、聖職者として重要な仕事ができない。
- 教義について、教区の信者や宗教団体の上層部と意見が対立している。
- 宗教団体内で権力争いが起きている。
- 信仰する宗教の信念が文化的規範に反しているため、世間と衝突する。
- 教区内で伝統を守りたい信者と現代的な考え方をめぐって衝突する。
- 信者の中に困っている人がいて、その信者には助けが必要なのだが、聞く耳を持たない。
- 信仰する宗教が一般に誤解されていて、不公平な固定観念を持たれているため、釈明に追われる。
- 特定の宗教を信じているために迫害されている。
- 自分が信仰する宗教は法律で禁止されているが、ある聖職者が自分の身を挺して人々を導こうとしているのを知る。

- アルコールや性などの誘惑や依存症に悩んでいる。
- 宗教のリーダーでありながら、心を打ち明けられる人や、助言を求められる人がいない。
- 宗教的イデオロギーに対し個人的な疑問を抱いている。

かかわることの多い人々
教区民や信者、宗教団体の上層部、「教会」には属していないが奉仕の対象になっている人々(ホームレス、社会のはみ出し者、貧困者、など)、メディア関係者、教会や寺院などで働く人々、地元の聖職者、宗教に何か(平和、赦し、知見、コミュニティ、身体的ケア、など)を期待する見知らぬ人々、政治家

この職業は5大欲求にどう影響するか

▸▸ 自己実現の欲求：
スピリチュアリティも、自分自身に忠実であることも、自己実現には不可欠な要素だ。信仰のために個人的信念や欲求を犠牲にし、人生の優先順位を変えなければならない聖職者は、信仰の危機に陥る可能性がある。

▸▸ 承認・尊重の欲求：
聖職者が上昇志向を持ち、宗教団体の中でより強い影響力を振るいたいのに、団体内部の政治的対立がそれを阻んでいる場合、承認と尊重の欲求が満たされなくなる可能性がある。

▸▸ 帰属意識・愛の欲求：
宗教の戒律をあまりにも厳格に解釈する聖職者は、人生のパートナーを見つけるチャンスを失い、無条件の愛に満ちた関係の恩恵を受けられないことも考えられる。

▸▸ 生理的欲求：
多くの文化で、今も昔も、特定の宗教が非合法になることが多々ある。非合法化された宗教を実践すると、投獄や拷問、追放、処刑につながるかもしれない。

この職業を選択する理由
- 何か崇高な力に導かれ、聖職者として神に奉仕する道を選んだ。
- 神の憐れみを固く信じ、人々を同じ境地に導きたい。
- 過去の罪、失敗、過ちを償いたい。
- 教会、家族などに対して義務や責任を感じている。
- 教会に恩返しをしたい。
- 宗教的共同体を形成したい（現代の教区をもっと魅力的な共同体に変えたい、他団体との連携を奨励してより大きなニーズに応えたい、など)。

ステレオタイプを避けるために
虚構の世界では、聖職者といえばこうだと固定観念を持って描かれることがあまりにも多く、描き方がありふれている。たとえば、自分の宗教的信念に固執するあまり、憎しみを露わにしたり、人を罵倒したりする聖職者や、偽善者と性的倒錯者の二面性を持つ聖職者などがそうだ。これらのステレオタイプを考慮に入れつつ、もっと多元的なキャラクターを作ってみよう。

清掃員

〔英 **Janitor**〕

清掃員は、学校やオフィス、病院、店舗、スタジアムなど様々な施設の外観を美しく維持するのが仕事だ。トイレの清掃やトイレットペーパーなどの補充、ゴミの除去、床の清掃、軽いメンテナンスなどを行なう。もっと大掛かりな修理が必要な場合は、管理者に知らせることになる。また契約内容によっては、雪かきを行なったり、道の表面が凍らないように塩や砂を撒いたり、歩道の掃き掃除をしたり、草を刈ったりと、屋外の仕事もする。清掃員の中から選ばれた人は、決められた予算内で、清掃用品の整理や管理、発注を担当する。

この職業に求められるトレーニング

清掃員には普通、事務作業に必要な基本的なスキルがあることを証明するため、高卒資格またはそれに相当するものが必要になる。商業施設の清掃やメンテナンスの経験があれば、より有利になるかもしれない。雇用主から、掃除器具、清掃基準や清掃方法について研修を受ける場合もあれば、経験者が新しい清掃員を訓練する場合もある。

有益なスキル・才能・能力

基本的な応急処置能力、細部へのこだわり、優れた嗅覚、卓越した記憶力、機械に強い、マルチタスクのスキル、再利用のスキル、体力、力強さ、木工技能

性格的特徴

おだやか、芯が強い、協調性が高い、規律正しい、独立独歩、勤勉、従順、注意深い、積極的、臨機応変、責任感が強い、寛容、仕事中毒

葛藤を引き起こす原因

- 賃金が安い。
- 夜勤や週末出勤があり、勤務スケジュールが一般とは異なる。
- 体液や細菌など人が嫌悪するものを清掃しなければならない。
- 世間にネガティブな印象を持たれている（清掃員は無学である、薄気味悪い、またはやる気がない、など）。
- 施設利用者が思慮に欠けた行動をとる（施設をきれいに使わない、など）。
- 清掃先の企業の社員たちがわざと清掃員を困らせるようなことをする（たとえば飲み残したコーヒーが入ったままのカップをわざとゴミ箱に捨てる、など）。
- 他の清掃員やビルの管理者と性格が合わず、衝突する。
- 仕事に刺激を感じない。
- 上司に事細かく管理される。
- 清掃先のビルで働く従業員から尊重されていない。
- 有害なおそれのある化学物質を取り扱わなければならない。
- 離職率が高く、残された清掃員に負担がかかる。
- 勤務終了間際に誰かがビルを汚し、残業が発生する。
- 自分が清掃員であるという事実を家族が恥じている。
- 清掃中に機密情報を発見し（ゴミ箱の中のメモ、など）、誰かと共有すべきだと感じるが、そんなことをすれば仕事を失うかもしれない。
- 一緒に働いている人が怠

けているが、先輩なので注意できない。

かかわることの多い人々
清掃員の作業空間を共有する人（学生、患者、職員、来客者、など）、メンテナンススタッフ、清掃会社の管理職、検査員

この職業は5大欲求にどう影響するか

▸▸ 承認・尊重の欲求：
清掃の仕事は高学歴を必要とせず、体力勝負であるため、世間には見下されがちだ。他の人が働いていない時間帯に作業することが多いため、彼らの努力は施設の利用者たちには認識されていないかもしれない。

▸▸ 帰属意識・愛の欲求：
清掃員は学校や病院のような場所で働くが、その施設の職員としては見られていないので、孤独になりがちだ。

▸▸ 安全・安心の欲求：
清掃員は低賃金で働くことが多く、経済的に安定するのが難しい。また、病院や学校などの公共施設に置いてある化学物質にさらされることもあり、健康リスクが高い。

この職業を選択する理由
- 福利厚生があって安心できる仕事が必要だった。
- 他の人と一緒に働くのではなく、ひとりで仕事をするのを好む。
- 高等教育を受けられない、または受ける気がない。
- 自宅に近いところで働きたい。
- 人のために働き、世話をするのが楽しい。
- 特定の施設（重要な研究開発を行なっている企業、自分の子どもの学校、市のスポーツ施設、など）とつながりを持ちたい。
- 他の目標を追求しながら、収入を得ることができる。
- 子どもが学校に行っている間、夜間、または配偶者が子どもの面倒を見ている間に働くことができる。
- 最近愛する人を失い、気を紛らわすために頭を使わずにできる何かがしたい。
- 社会不安障害を抱えているので、周囲に人がいない時間帯に働ける仕事を必要としている。

ステレオタイプを避けるために
清掃員は教育が十分でないためにこの仕事に就いたと思われがちだが、キャラクターは意図的にこの仕事を選んだのかもしれない。ストレスの多いホワイトカラーの仕事を避けたかったから、あるいは、特定の催事（コンサートやスポーツイベントなど）をのぞき見ることができるからという理由で選んだのかもしれない。あるいは、たとえ清掃員としてであっても特定のビジネスに関わりたかったのかもしれないし、愛する人のそばにいたかったことが理由かもしれない。あるいは掃除や人の世話をするのが好きで、キャラクターにとっては大変やりがいのある仕事である可能性もある。
どうしても清掃員になりたい人というのは想像しづらいが、人目につきにくく、他の人が立ち入ることができない場所へも入れるという利点がある。密かに何か大きなことを企てている人には完璧な仕事になり得る。

潜水士

〔英 Deep Sea Diver (Commercial)〕

深海潜水とは、呼吸装置を付けて水中に潜り、長時間そこにとどまる行為で、目的はレクリエーション、救助活動、ガス・油田開発、海底調査など様々である。ここでは、商業潜水、特にオフショアダイバー（海上工事を担う潜水士）のダイビングに焦点を当てる。主に石油・ガス産業で行なわれ、深海での機材や配管の設置あるいは修理のために特別訓練を受けた潜水士（ダイバー）が潜る。飽和潜水を必要とする作業もあり、減圧症にならないように深海の水圧に体をならす目的で船上の高圧居住室や海中居住施設に長期滞在した上で、潜水士は深海に潜る。

潜水士の作業は多種多様で、どれも特殊技術が必要だ。溶接、水中爆破、工事、パイプの設置および接続部のチェックや点検、故障した機器の修理、海底油田の掘削やパイプラインの固定作業の監督、油田の探索や機材の回収作業、産業機械の運転など、どの作業にも専門知識が必要になる。

この分野で働く潜水士は、非常に過酷な環境での作業を強いられるため、肉体的にも精神的にも頑強でなければならない。仕事の環境も内容も危険なため、若い人が多い。

せ

この職業に求められるトレーニング

商業ダイビングの資格を必要としない国もあるが、北米などの先進国では必要なところが多い。初心者向けの基本訓練期間は約2カ月で、上級者向けになると4カ月から12カ月になる。さらに上級の資格を取得するには実地経験が必要で、経験年数やダイビングの回数が決められている。

潜水士は、物理学を理解し、安全基準を遵守するのはもちろん、応急処置と心肺蘇生法の訓練を受け、潜水中に起こり得る怪我や疾患を知り、治療方法を知っていなければならない。オフショアダイバーの場合は、溶接などの技能も学ぶ。

有益なスキル・才能・能力

基本的な応急処置能力、優れた聴覚、平常心、卓越した記憶力、他人の信頼を得る力、人の話を聞く力、痛みに強い、爆発物の知識、読唇術、機械に強い、マルチタスクのスキル、映像記憶、体力の回復力、再利用のスキル、体力、戦略的思考力、精神力、呼吸コントロール、サバイバル能力、自然の中でも迷わない方向感覚、木工技能

性格的特徴

柔軟、冒険好き、用心深い、野心家、分析家、大胆、おだやか、慎重、芯が強い、協調性が高い、勇敢、規律正しい、効率的、熱心、独立独歩、勤勉、知的、注意深い、粘り強い、積極的、プロフェッショナル、臨機応変、責任感が強い

葛藤を引き起こす原因

- メンテナンスの不備が原因で、エアタンクやダイビング器材が故障する。
- 予算が削減される。
- サメに遭遇するなど、危険な目に遭う。
- 減圧症になる。
- 減圧室が故障する。
- 挑戦的な態度の潜水士や嫌いな潜水士と高気圧室などの密室で一緒になってしまう。
- 神経を尖らせながらの長

時間作業のせいで疲労困憊する。
- 安全基準を守らない人と一緒に作業をする。
- 危険なのに、長時間のダイビングを企業に要求される。
- 作業現場で事故が発生する。
- 厳しいまたは無理なスケジュールで作業を完成するよう、プレッシャーをかけられる。
- 狭い高圧居住室や海中居住施設の中で潜水士同士が対立する。
- 病気になり、ダイビングができなくなる。
- 閉所恐怖症などの恐怖症を発症する。

かかわることの多い人々

船舶操縦士、他の潜水士、プロジェクトマネージャー、船員、石油・ガス会社の社員、医師、科学者、エンジニア

この職業は5大欲求にどう影響するか

▸▸ 承認・尊重の欲求：
この分野で活躍する女性は少ないので、女性だと偏見を持たれ、頭角を現しにくいかもしれない。

▸▸ 帰属意識・愛の欲求：
潜水士は長期間自宅を留守にすることが多く、私生活での人間関係の構築や維持が課題になりやすい。

▸▸ 安全・安心の欲求：
サメと遭遇し、死の恐怖が芽生える、ダイビング中に器材が故障したが間一髪のところで溺死を免れた経験から閉所恐怖症になる、あるいは、作業現場で事故が起き、潜水士の安全が脅かされ、これ以上仕事を続けられなくなるなど、潜水士の仕事には危険がつきまとう。

この職業を選択する理由

- 恐怖症（溺れるのが怖い、息苦しくなるのが怖い、など）を克服したかった。
- 人と一緒にいるより、孤独を好む。
- 未開の地や世界の秘境に魅せられている。
- 「何事も気力で乗り越える」タイプで、自分の体を限界まで追い込むのが好き。
- 世界でも限られた人にしかできないことをしたい。

ステレオタイプを避けるために

キャラクターが隠し通さなくてはならないような弱点や秘密を与えるのもいいだろう。たとえば、サメや暗闇、あるいは溺死を恐れているなど。

総合建設業者

〔英 General Contractor〕

総合建設業者は、建設プロジェクトを全体的に監督する責任者だ。住宅建築や商業建築、高速道路建設などの公共事業など、最初から最後までプロジェクトを取りまとめるため、工事が始まる前段階から仕事に関わっている。

総合建設業者は、落札したいプロジェクトの工賃や資材の価格を決め、予算とスケジュールを組んで入札に挑む。実際に落札できたら工事が始まるが、その間、配管工や電気技師などの専門工事業者を雇い、彼らに責任を持たせながら工程を監督する。また、建設作業員全般を監督するだけでなく、施工主と建築家や技術者との間を取り持つ役目も果たす。

大工仕事や乾式壁工事など、熟練の専門分野を持っている総合建設業者なら、専門分野の工程は自分でやる場合もあるし、何でもこなせる業者なら全工程に関わる場合もある。また、全工程を外注して監督だけに専念し、実際の工事には手を出さないところもある。

そ

この職業に求められるトレーニング

学位は不要だが、経験は問われる。企業によっては準学士号または学士号を取得している人を経験の一部として見なすところも多い。建設業を営むための許可や資格なども必要になる。

有益なスキル・才能・能力

基本的な応急処置能力、細部へのこだわり、手先の器用さ、数字に強い、交渉力、爆発物の知識、リーダーシップ、機械に強い、マルチタスクのスキル、人脈作り、天候予測能力、再利用のスキル、営業力、力強さ、木工技能

性格的特徴

柔軟、用心深い、野心家、分析家、支配的、協調性が高い、礼儀正しい、決断力がある、如才ない、規律正しい、効率的、正直、気高い、生真面目、勤勉、知的、公明正大、知ったかぶり、忠実、几帳面、注意深い、執拗、きちんとしている、忍耐強い、完璧主義、粘り強い、雄弁、積極的、プロフェッショナル、強引、臨機応変、責任感が強い、倹約家

葛藤を引き起こす原因

- 期待していた案件が落札できなかった。
- 建材の価格が変動して建設コストを押し上げてしまう。
- 工事が遅れ、納期に間に合わない。
- 間違った建材や不良品の建材を受け取る。
- 工事現場で怪我人が出た。
- 従業員が現場に現れない。
- 仕事に適した建設作業員が見つからない。
- 理不尽な労働基準法を守らなくてはならず、予定を組むのが難しい。
- 要求のうるさい、あるいは優柔不断なクライアントを相手にしている。
- 勤務中にセクハラが起きる。
- 建設作業員が手抜きをし、品質の低い建物になったり、構造物としての安全性が脅かされたりする。
- 不測の事態が発生し、仕事のコストが上昇する。
- 建築設備検査員が倫理に反した行為をする、あるいは細かいことにうるさい。
- 納期を間に合わせようとしているうちに、家族の大切なイベントを逃して

しまう。
- 悪天候で現場の仕事に支障をきたす。
- 自分の能力を超えた仕事のため、監督しきれない。
- 資金不足に陥り、工事が止まる。
- 競合他社に優秀な業者や建設作業員を奪われる。
- （高所、閉所、地下）恐怖症があり、工事現場を監督するのが難しい。
- 季節によって仕事量が変動するので、計画を立てるのが難しい。

かかわることの多い人々
一般的な建設作業員、専門業者（電気技師、屋根工事士、塗装業者など）、建築士、技術者、クライアント、事務員、企業幹部（総合建設業者が大企業の場合）、建築設備検査員、資材や建材の代理店やサプライヤー、配達員、建築基準法に関わる役人、コンサルタント

**この職業は
5大欲求にどう影響するか**

▸▸ 自己実現の欲求：
技術力を伸ばし、成長したいと思っていても、自分に合った仕事に就けなかったり、社内で出世できなかったりすることでフラストレーションが募り、自分の創造性が活かせないと限界を感じるようになる可能性がある。

▸▸ 承認・尊重の欲求：
ブルーカラーの労働者を見下す人たちの心の狭さにいら立ちを覚えるかもしれない。

▸▸ 安全・安心の欲求：
建築現場では多数の専門業者が同時に作業しているため、危険が多い。たとえば、電気技師が配線作業のために電源を切ったのに、乾式壁を取り付ける作業員が電動工具を動かすために、再度電源を入れてしまうようなことも考えられる。総合建設業者は、こうした事故が起きないように安全策を講じなければならないが、それでも人的ミスは起きてしまう。

この職業を選択する理由
- 人体に有害なカビが発生しやすい建物や、アスベストが使われていた建物の中で育ったことで後遺症に苦しむ人たちを救いたい。
- 家族が経営する建設会社に入社することが期待されていた。
- 今は建設作業員だが、そこから出世したい。
- 大規模なプロジェクトを取りまとめて動かすのが楽しい。
- 多動性障害を抱えていて、じっとしているのが難しい。

ステレオタイプを避けるために
　趣向を変えて、建設現場を工夫してみてはどうだろう。歴史的建造物の改修工事、遊園地建設、この世に2つとない形の橋建設の監督、または人里離れた場所での建設プロジェクトの監督など、選択肢は豊富だ。

葬祭業

〔英 Funeral Director〕

葬祭業は、クライアントの人生の終わりの準備を手伝い、遺体の引き取り、法的書類の作成、遺族と協力して葬儀の手配をするのが主な仕事だ。葬儀の準備には、埋葬または火葬の手配、棺の選択、葬儀のときに流す音楽やスライドショーの選択、葬儀参列者に配るパンフレットの作成、祭壇の花選び、移動手段の手配など、決めなければならないことが多い。葬祭業は、こうした業者と様々な調整をし、葬儀を監督し、故人と遺族の希望に沿って葬儀が執り行なわれるようにする。

葬祭業は遺体そのものの準備もする。遺体の保管や防腐処理（エンバーミング）はもちろん、遺体の身だしなみも整え、火葬まで執り行なうことも多く、その際にはエンバーマーや火葬作業員と呼ばれることもある。

この職業に求められるトレーニング

必要とされる教育は州によって異なるので、実在する場所を舞台にしたストーリーの場合は、その州の要件を調べること。ただし、葬祭業は遺体衛生保全に関係する準学士号や学士号を持っていることが多く、州ごとに免許の取得が必要になる。また、遺体準備にまつわる法律の知識も必要で、様々な法的手続きがスムーズに進むよう、死亡証明書等を取り寄せるだけでなく、様々な記録をとっておくために、厳格なガイドラインと手順に従わなければならない。

有益なスキル・才能・能力

基本的な応急処置能力、目立たないように振る舞うスキル、明確なコミュニケーション能力、共感力、平常心、卓越した記憶力、他人の信頼を得る力、人の話を聞く力、接客力、リーダーシップ、マルチタスクのスキル、場をうまくとりなす能力、営業力、造形のスキル、裁縫のスキル、死者と対話する力

性格的特徴

おだやか、芯が強い、礼儀正しい、如才ない、規律正しい、控えめ、効率的、共感力が高い、熱心、気高い、もてなし上手、勤勉、優しい、大人っぽい、几帳面、病的、面倒見がいい、従順、きちんとしている、忍耐強い、雄弁、プロフェッショナル、上品、責任感が強い、スピリチュアル、協力的

葛藤を引き起こす原因

- 感情をかき乱されるような遺体を扱った（子どもや、無残な死に方をした人の遺体、など）。
- 葬儀の手配をめぐって親族間の争いが起きる。
- 書類の受け渡しを記録できていなかった。
- 葬儀の手配をしてくれる身寄りのない遺体の準備をする。
- ワークライフバランスに悩む。
- この職業に対する社会的偏見にさらされる。
- 遺体を受け取ったものの、必要な書類や指示がない。
- 精神的負担のかかる仕事なので、心にダメージを受けないようバランスを

そ

とるのが難しい。
- 遺体が、あるいは遺体に付随していた宝石類などが盗まれる。
- 遺族たちが支払い能力を超えた葬儀を計画している。
- 葬儀中に問題が発生する。
- 訃報記事や死亡証明書に誤植が見つかる。
- 人手不足に悩まされる。
- 遺体処理に使う設備が故障する。
- 遺体を誤って火葬してしまう。
- 遺族が悲嘆にくれるあまり、単純な決断すらできない。
- 仲の悪い兄弟たちが葬儀の取り決めをめぐって喧嘩になる。
- 夜中、あるいはホリデーシーズンに遺体を受け取りにいかなければならない。

かかわることの多い人々
悲しむ遺族、教会役員、ボランティア、牧師などの聖職者、花屋、ケータリング業者、公民館などの事務局員や教会のスタッフ、葬儀に参列して弔辞を述べる軍の代表者（故人が戦死した場合）、警察の捜査官、検視官、修理工、配達員、葬儀社の従業員

この職業は
5大欲求にどう影響するか

▸▸ 自己実現の欲求：
生きた人間とは気が合わないと思い込んでいる人がこの職業に就いている場合、その思い込みから自分らしく生きる道を見失い、本来自分は何をしたかったのかが見出せず、充足感を味わうチャンスを逃す可能性がある。

▸▸ 帰属意識・愛の欲求：
この職業に就いているせいで人に気味悪がられ、孤立感を覚えるかもしれない。

▸▸ 安全・安心の欲求：
犯罪者やマフィア、FBIが目をつけている人物など、著名なクライアントの葬儀を執り行なう場合、葬祭業も危険に巻き込まれる可能性がある。

この職業を選択する理由
- 死を尊重することを幼い頃に学んでいた（父親が墓地管理人だった、母親が葬儀の司式者だった、など）。
- 臨死体験をしたことで、生と死という人生のサイクルに関心を持つようになった。
- 人の死に直面し、健全な形で死を受け入れることができた体験があり、他の人にもそうしてほしいと願っている。
- もともと霊感が強く、スピリチュアルである。
- 嘆きのプロセスを通して人助けをしたい。
- 人を操るのがうまく、悲しみにくれている人は狙いやすいと思っている。

ステレオタイプを避けるために
この職業に就く人は、普通は死を気味悪がらない。ところがそうではないキャラクターがいたとしたらどうだろうか。そのキャラクターはどんな心の傷や恐怖を持つだろうか。あるいは、なぜこの業界で働こうと思ったのだろうか。

ソーシャルメディア・マネージャー

〔英 Social Media Manager〕

映画製作から健康ビジネス、教育分野まで、今ではほぼどの業界でもソーシャルメディア・マネージャーを雇っている。彼らの仕事は、企業や業界のオンライン上の存在感を作り上げて顧客にアピールし、企業や業界のブランドを推進することだ。具体的には、ブログ運営、電子メールの応対、ウェブサイトのモニターと更新、ソーシャルメディア・プラットフォームの管理などを担当する。

ソーシャルメディア・マネージャーの仕事はオフィスでも在宅でもできる。フリーランスで働く場合は、複数のクライアントを抱えていたり、パートタイムで働いたりもする。

そ

この職業に求められるトレーニング

専門性の高い企業であれば、ジャーナリズムやマーケティングなどの分野で4年制大学の学位を持つ人を募集するところもあるが、必ずしもそうした学位が求められるわけではない。この仕事に応募する人の多くは、自分のソーシャルメディアのアカウントをどのように使っているかを企業側に見せれば、自分の能力とスキルを証明できるので、その点をよく考慮してアカウントを維持しておく必要がある。まずはフリーランスとして仕事を始め、経験を積みながら必要なスキルを学んでいくのも一般的だ。企業に雇用されるにしてもフリーランスで始めるにしても、企業のブランドを促進する目的で顧客と対話し、様々なソーシャルメディアを隅々まで学ぶ機会になる。

有益なスキル・才能・能力

細部へのこだわり、他人の信頼を得る力、交渉力、マルチタスクのスキル、人脈作り、組織力、宣伝能力、調査力、営業力

性格的特徴

協調性が高い、礼儀正しい、如才ない、熱血、気さく、ひょうきん、もてなし上手、勤勉、きちんとしている、雄弁、プロフェッショナル、臨機応変、責任感が強い、正義感が強い、勉強家

葛藤を引き起こす原因

- アカウントがハッキングされる。
- 会社の評判を落とすような怒りのコメントやレビューが書き込まれる。
- 迷惑メッセージやメールが送られてくる。
- 訓練を受けていない仕事を任されたり、必要な資格がないのに仕事をやらなければならない状況に追い込まれたりする。
- フリーランスなので仕事が評価されていない。
- インターネットやWi-Fiの接続がよくない。
- 信頼できる相手から企業が酷評される。
- 会社に恨みを持つ者による嫌がらせ行為をネット上で受ける。
- オンラインで仕事をしているので、他のことについ気がとられてしまう。
- 著作権侵害で訴えられる(他人のブログに使われている写真を無断転載した、引用許可をとらずに引用した、など)。
- ソーシャルメディアのプ

ラットフォームにバグがあり、見込み客が投稿を閲覧できなくなる。
- オンラインでストーカー被害に遭う。
- 家庭の事情で、仕事に支障をきたす（特に在宅勤務の場合）。
- 他の管理職が仕事を怠っているので、それを補わなければならない。
- 仕事に絡んだ健康問題に悩まされる（画面を長時間凝視することが原因で起きる頭痛や偏頭痛、視力低下、長時間座りっぱなしによる腰痛、など）。
- 自分の職務の完遂や時間管理に苦労している。
- 企業がネット検索されやすくするために次々と進歩するアルゴリズムを勉強し、それをソーシャルメディアに取り込んでいかなければならない。
- マーケティングプランの作成は自分の職務ではないのに、マーケティングのパフォーマンスが悪いと非難される。
- オンラインマーケティングをいろいろと展開したいのに、企業のサイトに様々なプロモーションに関する制約が設けられていて、不満を持っている。
- クライアント企業が世間から非難を浴びるような事件を起こし、信用が失墜する（主力製品が顧客に危険だという理由からリコールされる、CFOが不正行為で告発される、など）。

かかわることの多い人々

企業幹部、インターン、ネット上で関わる人々（顧客、ファン、市民活動家、ライバル社など）、ITサポート技術者、マーケティング部門の人々、グラフィックデザイナー、コピーライター

この職業は
5大欲求にどう影響するか

▸▸ **自己実現の欲求：** ソーシャルメディア・マネージャーはブランドを代表しているとはいえ、顧客からの否定的なフィードバックを個人的に受け取らずにいるのは難しい。また、企業の公の顔作りについては、その一端を担っているだけなので、自分の権限ではどうすることもできない局面に立たされ、能力を最大限に活かした仕事ができない場合もある。

▸▸ **承認・尊重の欲求：** ソーシャルメディア・マネージャーという仕事を、一日中オンラインで過ごす「ソフト」な仕事と捉え、軽視する人もいる。自分が企業に与える付加価値が認識されていないと、いら立ちを覚えることもあるだろう。

この職業を選択する理由

- 学位を取得しながら、あるいは親の介護をしながらというように、パートタイムで仕事ができる。
- 自分が信じる大義を広める非営利団体や、親友が経営する会社などといった組織をサポートしたいと考えている。
- オンラインプラットフォームを成功させるコツを知っている。
- 問題を解決し、人間関係を築くことが好き。
- 非常に内向的で、対面で人と接するよりもオンラインで人と交流するほうが気楽に感じる。
- （言語障害がある、精神疾患を抱えているので自宅を離れにくい、などの理由から）できればオンラインで仕事をしたい。

ステレオタイプを避けるために

ソーシャルメディア・マネージャーは、今の文化を熟知している若くて熱心な人物として描かれることが多い。そこで、年配でテクノロジー好きのキャラクターにしてみるのはどうだろうか。あるいは自分と世間との間に隔たりを感じているような人にとって、オンラインでのやり取りはあまり障壁を感じさせないものだという側面を利用して、身体的な不自由を有している人、家族と疎遠な人、あるいは未亡人などのキャラクターをソーシャルメディア・マネージャーにしてみるのもいいかもしれない。

ソーシャルワーカー

〔英 Social Worker〕

ソーシャルワーカーは、どの分野を専門にしているかにもよるが、社会福祉の立場から人と人をつないで様々な状況で仕事をする。たとえば、親のいない子どもに里親や養親を縁組する、高齢者の生活を支える、ホームレスの人々の雇用先を探す、障害者に援助を提供する、様々な依存症の患者に働きかける、など。臨床ソーシャルワーカーならば、患者の障害の診断や治療を含め、より根本的な職務を担う。

ソーシャルワーカーの一日のスケジュールは諸事情に左右されるので、柔軟性が求められる職業だ。クライアントと会って話し合う以外にも、地域社会で利用可能なサービスや、健康や医療の専門家の紹介、弁護士との話し合い、書類整理、自宅や介護施設など施設にいる患者の訪問をはじめ、患者に代わって保険会社に連絡をとることもある。

この職業に求められるトレーニング

大抵の場合は、ソーシャルワークまたは児童心理学などの関連分野の学士号が必要になる。臨床ソーシャルワーカーの場合は修士号が必要で、働きはじめる前に一定の経験を積まなければならない（インターンシップを経験する場合が多い）。どのソーシャルワーカーも学位取得後に資格が必要になる場合がほとんどだ。どういう仕事を追求したいのか、どの学位を持っているのか、あるいはソーシャルワーカーとして働く州が課す条件によって、資格取得への道は異なる。

有益なスキル・才能・能力

細部へのこだわり、共感力、平常心、他人の信頼を得る力、人の話を聞く力、接客力、マルチタスクのスキル、場をうまくとりなす能力、人の心を読む力

性格的特徴

柔軟、愛情深い、大胆、おだやか、挑戦的、協調性が高い、礼儀正しい、決断力がある、控えめ、効率的、共感力が高い、熱心、気さく、温和、気高い、公明正大、優しい、詮索好き、面倒見がいい、客観的、注意深い、勘が鋭い、粘り強い、雄弁、プロフェッショナル、世話好き、強引、臨機応変、正義感が強い、協力的、利他的、仕事中毒

葛藤を引き起こす原因

- 事務仕事や役所仕事で手一杯になっている。
- 一度に多くの案件を抱えている。
- 様々な人の痛みを目の当たりにしているうちに、気持ちが重くなってくる。
- 裁判手続きに時間がかかり、養子縁組手続きが遅れる。
- ある家族に電話をし、悪い知らせを伝えなければならない（難民の再定住にもっと時間がかかる、養子縁組の話が土壇場で立ち消えになる、など）。
- 転居が決まり、これまで担当してきた案件を他のソーシャルワーカーに引き継いでクライアントに別れを告げなければならない。
- 子どもを家庭から引き離すなど、難しい決断をするチームの一員として働いている。
- 明確な解決策がないよう

そ

に思われる状況に立たされている。
- 仕事をそのままにして帰れない。
- 既に困難な状況にある案件なのに、追い討ちをかけるようなことが起きる(学校の勉強についていけない子どもの親が離婚することになった、など)。
- クライアントが電話に出ない、メールに返事をしない、または予約の時間に現れない。
- 家庭訪問中に気がかりなことや不安なことを発見する。
- クライアントが母国語以外の言語で意思疎通を図れない。
- クライアントが真実を隠し、協力しようとしない。
- 何か悪いことが起きていると疑っているが、証拠が摑めず介入できない。
- 先入観や偏見に悩む。

かかわることの多い人々
里親と子ども、他のソーシャルワーカー、子どもの生みの親または保護者、難民、教員、弁護士、警察官、保護観察官、精神疾患を持つ患者、カウンセラーや臨床心理士、医師、看護師、介護施設の入所者とスタッフ

この職業は5大欲求にどう影響するか

▸▸ 自己実現の欲求：
人助けをしたいと思ってこの職業に就いたのに、お役所仕事的な側面や政治に邪魔されて世の中を変えられず、落胆してしまうことも。

▸▸ 承認・尊重の欲求：
ある案件で状況が悪化したり、クライアントを助けられなかったりした場合、ソーシャルワーカーが不当に責められ、それが引き金となって自信を失ってしまうかもしれない。

▸▸ 帰属意識・愛の欲求：
この仕事は要求が厳しく、時には、楽観的な気持ちを維持できなかったり、やる気がそがれたりして、大きな代償を伴うこともある。仕事に疲れ、私生活のパートナーを助け、励まし、前向きな気持ちにさせられなくなると、2人の関係が壊れる可能性もある。

▸▸ 安全・安心の欲求：
仕事で、特定の環境に介入すると、安全上のリスクが生じることも考えられる。また、特定の案件が引き金となって、ソーシャルワーカー自身が向き合ってこなかった心の傷が表面化し、心の健康に影響が出ることもある。

この職業を選択する理由
- 難民キャンプの近くやホームレスの多い街で育った。
- 幼少期に養子として迎えられた、または養子の兄弟姉妹と一緒に育った。
- 子どもの頃、親以外に、自分を擁護してくれる大人が必要な環境で育ったので、自分も誰かのために擁護できる人間になりたい。
- 特定のグループの人々（里子、難民、高齢者など）とつながりを感じる。
- 社会福祉が多くの社会悪の解決策になると思っている。
- 人に強く共感でき、人助けをしたい。

ステレオタイプを避けるために
ソーシャルワーカーは、心身共に疲れきっているか、または、自分に課せられた責任に無自覚と思われるほど盲目的に楽観的であるように描かれることが多い。このような偏りのある陳腐な表現に頼らず、どちらの要素も含んだソーシャルワーカーを描いてみよう。たとえば、仕事に倦み疲れているが、信じられないほど鋭い洞察力があって、クライアントの身の上に何が起こっているのかを本能的に見抜くことができる人、あるいは、能天気なのにクライアントと深くつながっていて、クライアントを大切に扱い、彼らを強く信じて窮地から救う人などを描いてみてはどうだろうか。

ソフトウェア開発者

〔英 Software Developer〕

人々が日常的に使用するコンピュータープログラムの多くは、ソフトウェア開発者によって開発されている。彼らはシステムを一から構築する場合もあれば、追加機能を提供する小型アプリケーションを作る場合もあり、ビデオゲームやアプリ、セキュリティソフトなど開発できるプログラムの種類は多岐にわたる。企業に勤務しているなら企業用に、フリーランスとしてクライアントに雇われているならクライアント用にプロダクトを作るし、まったく個人的な目的でプロダクトを作ることもある。いずれの場合も、プロダクトの設計から、コードの記述、テスト、バグ修正までの一連の過程を繰り返し、将来的にはプロダクトをアップグレードさせる。

ソフトウェア開発者は、フリーランスとして働く人もいれば、企業に勤務する人もいる。ずっと在宅勤務の場合もあれば、オフィス勤務の人もいるし、その両方を組み合わせている人もいる。いずれにしても、定期的にオンライン会議を開き、または実際に会議室に集まって、設計と困難な問題への解決策を話し合い、仕事の進捗状況を確認し、ブレーンストーミングを行なって、新規プロジェクトを計画したりする。

そ

この職業に求められるトレーニング

コンピューターサイエンス（計算機科学）のような学士号を持っていることを条件にしたがる企業もあれば、特定の資格を取得さえしていれば、それ以上のものは求めないところもある。企業が初歩的な内容のソフトウェア開発に携わる社員やインターンを募集しているなら、これらの機会を利用して実地訓練を受け、経験を積むことができる。プログラミング言語だけでなく、コンピューター自体も常に変化しているため、この分野では継続的な学習が非常に重要になる。

有益なスキル・才能・能力

ハッキングのスキル、創造性、細部へのこだわり、ゲームの知識とスキル、リーダーシップ、既成の枠にとらわれない思考、調査力、タイピング、構想力

性格的特徴

野心家、分析家、協調性が高い、クリエイティブ、好奇心旺盛、規律正しい、効率的、熱心、想像豊か、勤勉、知的、几帳面、執拗、きちんとしている、情熱的、完璧主義、粘り強い、積極的、責任感が強い、勉強家

葛藤を引き起こす原因

- 新規プログラムの開発よりも、既存プログラムのデバッグに時間を取られている。
- ベータ版のテスターたちから、開発者が必要とする類のフィードバックを得られない。
- 雇用主から理不尽な要求をされる（納期が厳しい、仕事の範囲が増える、など）。
- きちんと機能する優れたコードを書くか、さっさと仕事を終わらせるかの二者択一を迫られる。
- 大きなプロジェクトを引き受け、圧倒されている。
- 開発者同士で競争している。
- 仕事で何かいい問題解決方法はないかとネットで検索しているうちに、仕事以外のことに目が行き、

気が散ってしまう。
- いい解決策が見つからず、問題がなくならない。
- 新機能をテストしたら、予想以上の数の問題が見つかった。
- 同僚が手を抜いてコードを書いていたことを知ってしまう。
- 建設的な批判なのになかなか受け入れられない。
- 開発以外の仕事（財務管理、契約交渉、など）も任されているので、両立に苦労している。
- 自分には訓練や知識が足りないのに、特定のプロジェクトを任される。
- プロジェクトリーダーが事細かく管理したがり、口うるさい。
- 本人は技術に精通していると思っているが、実際にはそうではない人の下で働かなくてはならない。
- 予想以上にプロジェクトに時間がかかっている。
- ひとりで仕事をしたいが、チームでしなければならない。
- 共同プロジェクトでミスを犯した。
- ソフトウェアの根幹部分について知識がないことがばれてしまうような行動をしたり発言をする。

かかわることの多い人々

他の開発者またはエンジニア、ベータ版のソフトウェアのテスター、顧客、マネージャーやチームリーダー、サードパーティーのサービスプロバイダー

この職業は
5大欲求にどう影響するか

▸▸ 自己実現の欲求：
やりがいのないソフトウェア開発を担当させられたり、自分のやりたい仕事に取り組めなかったりすると、充実感が得られず、仕事への情熱が冷めていくだろう。

▸▸ 承認・尊重の欲求：
明瞭な解決策がないと思い込み問題が長引くと、自分には解決できないのではないかと不安になり、自信が失われていくかもしれない。

▸▸ 帰属意識・愛の欲求：
フリーランスの仕事は非常に孤独になりがちだ。（特に働きすぎると）孤独のあまり、実社会で人間関係を積極的に築いたり、育んだりできなくなるかもしれない。

この職業を選択する理由
- 趣味でソフトウェア開発を楽しんでいたので、仕事にしてみたいと思った。
- 困難な問題の解決策を見つけ出すという知的挑戦を受けて立つのが好き。
- 自分で予定を立てられるので、在宅で仕事をしたい。
- アップルやグーグルなどの一流ソフトウェア企業に勤め、そこで出世したい。
- 几帳面さや細部へのこだわりが求められる仕事が好き。
- テクノロジーを愛し、その開発に情熱を傾けている。
- アイデアを豊富に持っていて、自分の創造性を発揮できる場を必要としている。

ステレオタイプを避けるために

ソフトウェア開発者は、一日中ひとりでコンピューターの前に座って過ごす内向的な人として描かれがちだ。だが実際はそうでもない。オフィスでチームの一員として働き、問題を話し合い、クリエイティブな解決策をみんなで考える人も多く存在する。

また、年配の人はテクノロジーに強くないと思われがちだが、この固定観念を覆すため、定年退職者が自分の自由な時間にソフトウェア開発を始めてみるというのはどうだろうか。

ソムリエ

〔英 Sommelier〕

ソムリエは、通常、高級レストランで働くワインの専門家で、客が注文した食事に合ったワインを選ぶことを手伝う。多岐にわたる種類のワインを知っていて、それぞれの違いを認識できなければならないので、ソムリエの持つ知識は、単に食事に合ったワイン選びにとどまらない。客から要望があれば、ワインをいくつか選定してテーブルに運び、グラスが空けばワインを注ぎ足すし、手が空いたときはレストランのワインの在庫を管理し、必要に応じて在庫を補充する。また、ソムリエの教育に従事したり、セミナーを開いてワインの知識を広めたり、記事を執筆して出版したり、プライベートのテイスティングイベントを開いたりするソムリエもいる。

この職業に求められるトレーニング

（イギリスの場合）ソムリエと呼ばれるようになるには、様々な研修を受け、4段階の試験を受けなければならない。4段階のうちひとつは筆記試験で、後は実技になり、ワインを試飲してその品種や品質を言い当てるテイスティング試験などがある。最終段階の試験に合格すると、マスターソムリエと呼ばれるようになる。「コート・オブ・マスターソムリエ（Court of Master Sommeliers、略してCMS）」（イギリスのソムリエ資格認定機関）によれば、創設以来マスターソムリエの称号を得た人は300人にも満たず、最難関となっている。

有益なスキル・才能・能力

人を引きつける魅力、優れた嗅覚、優れた味覚、接客力、宣伝能力、人の心を読む力、調査力、営業力、人に教える能力

性格的特徴

感謝の心がある、自信家、礼儀正しい、決断力がある、熱血、太っ腹、もてなし上手、情熱的、忍耐強い、完璧主義、雄弁、積極的、プロフェッショナル、賢明、粋、勉強家

葛藤を引き起こす原因

- 理不尽で、要求の多い客、または失礼な客を相手にしている。
- レストランやワイナリーに空き巣が入る。
- 未成年客がやって来て、年齢を偽る。
- 妊娠してワインを飲めなくなった。
- 明らかに酩酊している客を相手にしている。
- 喧嘩中で雰囲気が最悪のカップルのテーブルを担当する。
- ワインの出荷に遅れが出て、予定どおりに到着しない。
- 経営陣に粗悪なワインを客に売り込むように仕向けられる。
- ソムリエよりもワインに詳しいと思っているシェフやウェイターから意見される。
- ソムリエの制服にしみが付き、気になって仕方がない。
- 客が理不尽な要求をし、ソムリエの提案を無視する。
- 食事やワインを楽しめない客が、それをソムリエ

そ

のせいにする。
- ワインと栄養価の高い食事のせいで体重が増え、人の目を気にするようになる。
- ソムリエがいかに豊富な知識を持っているのかを知らない人から見下される。
- 在庫確認でミスを犯す。
- 深夜あるいは早朝まで働く日が多すぎる。
- 風邪をひき、嗅覚や味覚が鈍感になる。
- マスターソムリエになるために勉強しているが、仕事との両立が難しい。
- 客が自身のことをワインの専門家だと思い込んでいる。
- トラウマを抱え、そのせいでアルコール依存症になった。
- アルコールと併用できない薬を服用しなければならない。
- 飛行機に乗るのが怖く、なかなか出張して研修を受けられない。
- マスターソムリエになるための試験に落ちる。
- 同業者がマスターソムリエになって出世するのを目の当たりにする。

かかわることの多い人々

ゲストやひいき客、シェフや料理人、ウェイターやウェイトレス、他のソムリエ、ワイナリーのオーナー、ワインを試飲しに来る人々、ワイン販売業者

この職業は5大欲求にどう影響するか

▸▸ 自己実現の欲求：
マスターソムリエ認定試験は、世界最難関の試験のひとつ。合格率は非常に低く、マスターを目指し、長時間を費やして勉強したのに不合格になると、落胆せずにはいられないだろう。

▸▸ 承認・尊重の欲求：
ソムリエは厳しい訓練を受けている。にもかかわらず、その努力が評価されたり感謝されることはほとんどない。ソムリエたちがあれだけの仕事をするのにどれだけのエネルギーを注いでいるか、ほとんどの人が気づいていない。

この職業を選択する理由

- 自分の家族が経営するワイナリーを継ぐことを期待されていた。
- 富と権力を持つ人たちに近づける仕事を望んでいた。
- ぶどう畑で育ち、自然とワインに興味を持つようになった。
- 貧しく育ち、富や社会的地位に絡んでいることでよく知られる仕事に就きたかった。
- 非常に珍しくて立派な肩書きを追求することにスリルを感じる。
- 洗練された、繊細な味覚を持ち、ワインへ情熱を注いでいる。

そ

ステレオタイプを避けるために

ソムリエは正式な訓練を受け、権威ある肩書きを持っているため、一般的に高級レストランに雇われる。そこで、少し違ったソムリエを描いてみよう。レストランで働く傍ら、副業で客を集めてエキゾチックな場所へのワインテイスティングツアーをやっている、人気のワインブログを書いている、家族や友人を集めて定期的に肩肘の張らないワインテイスティング会を主催しているといった設定はどうだろうか。

富裕層を相手にしたイメージが強い職業なので、ソムリエは洗練されていてマナーがあり、少し気取ってすらいるのではないかと思われるのも当然。そこで、すばらしい味覚を持っているが、ソムリエらしくない武骨な人柄にしてみてはどうだろうか。

大学教授

〔英 Professor〕

大学で教鞭を執るのが教授だ。他の講師と共同で教えることもあり、教える場所も教室に限らず、オンライン講義を行なう場合もある。オンラインの需要が増えたことで、多くの教授にとっては、より柔軟なスケジュールを組みやすくなり、在宅で働ける利便性もある。

授業をどこで教えるかにかかわらず、授業プランの作成、講義やプレゼンテーション、テストや論文の採点、学生との交流、大学が定めた行動規範と責任の遵守などが教授の役割だ。「テニュア」と呼ばれる終身在職権を目指している場合は、自分の専門分野の研究、論文や書籍の出版、学生グループや大学のプログラムの指導、大学で設置されている各種委員会のメンバーになるなど何役もこなす。著名な教授なら、学内イベントの講演だけでなく、学校を代表し学会やワークショップの運営メンバーとして世界各地に出張する。

この職業に求められるトレーニング

通常、博士号を持っていなければならないが、一部の大学や短大なら修士号でも十分な場合もある。分野によっては競争が激しくて、なかなか教職を摑むことができないが、他の学位を持っていたり、実社会での経験や賞を獲った実績、政治的影響力があったりすると有利になる。

有益なスキル･才能･能力

リーダーシップ、マルチタスクのスキル、パブリック・スピーキング、調査力、人に教える能力、声のとおりがいい、文章力

性格的特徴

自信家、クリエイティブ、好奇心旺盛、熱心、気さく、気高い、影響力が強い、知的、公明正大、客観的、きちんとしている、忍耐強い、雄弁、哲学的、プロフェッショナル、上品、賢い、ウィットに富む、仕事中毒

葛藤を引き起こす原因

- 学生がつらい時期を経験しているのに、見ているだけで助けられない。
- 教授仲間から批判される。
- 無礼な行為や迷惑行為をする学生がいる。
- 非常に競争の激しい分野で研究している。
- 大人数のクラスのため、一人ひとりの学生を知ることができない。
- 学習障害を持つ学生、または何らかの問題を抱えた学生がいる。
- 授業に出席したがらない学生がいる。
- 個人的見解や研究内容が原因で、同僚の教授たちに冷たい目で見られる。
- キャンパス内で深刻な事件が発生し、キャンパスが封鎖される。
- 論文の剽窃やデータの不正改ざんなどの罪に問われる。
- 人種や宗教、ジェンダーによる差別を経験する。
- 終身在職権が得られる教職を他の教授と競う。
- 自分が教鞭を執っている学位プログラムを大学が中止する。
- 大学が財政危機に陥り、解雇される。
- ティーチングアシスタント（TA）との関係がうまくいかない。
- 大事な講義の前に、使おうとしていた機材が故障する。

- 伝統を重んじるタイプなので、教育現場で使われる新技術に馴染めない（学生の成績をオンラインで発表する、学生がメールで連絡を寄越す、など）。
- 学生や秘書と不適切な関係を持ちたい誘惑に駆られる。

かかわることの多い人々

学生、他の教授、学部長、卒業生、守衛、IT担当者、大学職員、入学希望者、保護者

この職業は5大欲求にどう影響するか

▸▸ 自己実現の欲求：
大学生は、たとえ本人が希望していなくても、一般教養科目を履修しなければならないのが普通だ。その教材や講義に価値があっても、学生がそうは思わない可能性があるため、一般教養科目を教える教授にとっては、学生のやる気のなさが課題になるかもしれない。

▸▸ 承認・尊重の欲求：
論文を発表できなかったり、褒賞を得られなかったりすると、物足りない気持ちになる可能性がある。

▸▸ 帰属意識・愛の欲求：
教授の仕事量は多い。中には、自分の家族と過ごす時間もないほど仕事に忙殺される人もいる。

▸▸ 安全・安心の欲求：
小さな大学の給料は、大きな大学に比べると少ない。実際、副収入が必要になることがある。

この職業を選択する理由

- 小学校の教員になりたかったが、知識階級に属す家族がその夢を認めないことを知っていた。
- 教育者を多く輩出している家系の出身。
- 自分の選んだ学問分野に情熱を持っている。
- 教えるのが好き。
- 教育に大きな価値を置いている。
- これから社会を担う人材を指導して、世の中に貢献したい。
- 大学時代によい思い出があり、大学とのつながりを大切にしたい。

ステレオタイプを避けるために

大学教授は、真面目でユーモアのない人として描かれることが多い。もっと気軽な性格のキャラクターにしてみよう。たとえば、好きな映画についていつも冗談を言う、あるいは講義中は講義机の上に座っているのが好きなタイプにしてみるなど。

大学教授だからといって、教える科目に人生のすべてを捧げる必要はない。たとえば、週末になると、熱心にファンタジー小説を書いたり、スカイダイビングをしたりと、趣味に没頭しているキャラクターにしてみてはどうだろう。

大工

〔英 Carpenter〕

材木で何かを作ったり修理したりするのが主な仕事で、建設会社などの大工として、住宅、商業施設、橋の建設など大規模なプロジェクトに関わる人もいれば、職人大工として注文キャビネットや廻り縁、ドア、本棚、家具などを誇りを持って作っている人もいる。他にも、コンクリートや石造物の型や土台を作る大工仕事もある。木工技能全般を習得する人もいれば、専門的な技能を追求する人もいる。

この職業に求められるトレーニング

大工の世界に入るには高卒資格が最低でも必要だが、建築関係の準学士号を取得していたり、職能訓練プログラムを修了していたりするほうが就職には有利だ。見習いなどの実務経験も重視される。

有益なスキル・才能・能力

人の話を聞く力、機械に強い、マルチタスクのスキル、構想力、再利用のスキル、力強さ、木の削り出し、木工技能

性格的特徴

野心家、分析家、協調性が高い、クリエイティブ、如才ない、規律正しい、効率的、熱血、正直、気高い、謙虚、勤勉、知的、几帳面、きちんとしている、情熱的、完璧主義、臨機応変

葛藤を引き起こす原因

- 競合他社にプロジェクトを奪われる。
- 雇っている見習いの経験が浅い、または見習いが工具の適切な扱い方を知らない。
- 材料価格が高騰している。
- 非現実的な工期を突き付けられる。
- 間違った材料や壊れた部品を受け取る。
- クライアントが優柔不断、あるいは非現実的な期待を抱いている。
- ジェンダーに基づく差別を受ける。
- やたらと厳しい建築設備検査員が来る。
- 扱いが難しい同僚、あるいは威圧的な親方と一緒に働いている。
- 大工仕事が他の業者（配管工や電気工事士など）に傷つけられてしまう。
- 他の業者が作業を終えるのを待たなくてはならない。
- 抗議グループが建物の前にピケを張って建設作業を妨害している。
- 悪天候の中で作業している。
- 材料の購入資金が足りない、または材料価格が安定しない。
- 高所恐怖症や閉所恐怖症などを煩っていて、仕事のパフォーマンスに影響する恐れがある。
- ひとりで何役もこなさなければならない（自営業の場合）。
- 重い資材を運んでいて腰を痛める。
- 換気の悪い密閉空間で作業をしている。
- 手根管症候群など、細かい手作業がやりにくくなる健康問題を抱えている。
- 暗所で作業しているため眼精疲労が激しい。
- 建築資材が不足している。

た

かかわることの多い人々
土木技師、建築家、他の業者（石工、鉄工、屋根職人など）、クライアント、受付、事業主、現場責任者、建築設備検査員、建築資材業者、配達員

この職業は
5大欲求にどう影響するか

▸▸ **自己実現の欲求：**
自分のビジョンを実現する自由や機会が与えられていないと、行き詰まった気持ちになる可能性がある。優秀な大工なのに経営能力を持ち合わせていない人も同様の思いをするかもしれない。

▸▸ **承認・尊重の欲求：**
知名度を上げ、競合他社との差をつけるには口コミが重要な分野なので、悪評が立つと商売あがったりになる。また、悪評のせいで創造性豊かな大工なのに自分の能力を疑ってしまうことも考えられる。

▸▸ **安全・安心の欲求：**
危険な道具を使って作業するため、怪我をする危険性とは隣り合わせだ。また、橋や高速道路など作業現場によっては、交通量の多い場所、高所や狭所での作業が必要になるので、より危険性は高まる。

この職業を選択する理由

- 親が腕のいい大工だったので、自分も同じ道を選んだ。
- 里親の間をたらい回しにされて育ったため、あるいは家族と共に各地を転々としたため、人に長く大切に使われるものを作る仕事には満足感が得られ、心が癒される。
- 親方に励まされてこの世界に入った。
- 大工仕事をしていると、少年時代に抱えていた問題から逃れられる。
- ぼろぼろの家で育ったので、家族のためにいい家を建ててやりたかった。
- 手を使う仕事が好き。
- 毎回仕事の内容が違うので飽きることなく楽しめる。
- 何もないところから何かを生み出す達成感を味わえる。
- 人のために質の高いものを作りたい。
- 木という媒体が好きで、それでどういうものが作れるのか可能性を試したい。

ステレオタイプを避けるために
大工たちは大学に進学できなかったからその職業を選んだのだと誤解されることが多い。この固定観念に対抗するため、大学教育を受けて木工や芸術的なデザインに情熱を燃やしたうえで、大工になることを選択するようなキャラクターを検討してみてはどうか。あるいは、大工の道を選んだキャラクターが、大卒の人間と同じように成功している姿を描いてみるのもいいかもしれない。才能があり、いいクライアントを多く抱え、商才もあるので、立派に稼いでいる大工は数多い。

た

タレントエージェント

〔英 Talent Agent〕

タレントエージェントは、アーティスト、ミュージシャンやバンド、作家、俳優、モデル、スポーツ選手など、様々な分野で活躍する人々の代理人として、彼らと一緒に仕事をする。(関心や専門性に応じて) 複数の専門分野の人々と仕事をするエージェントがほとんどだ。エージェントの職務は、クライアントであるタレントのマーケティングと、彼らを「売る」のが中心だ。関係者たちに掛け合って仕事の話を進めるだけでなく、人脈作りの手段として、ソーシャルイベントや文化イベントへ参加し、タレントのためにオーディションや重要なイベントのスケジュールを入れ、移動を手配し、契約条件を交渉する。

このビジネスへ新規参入する場合は、まずエージェント会社での雇用を模索し、そこで経験を積んでから独立するのが一般的だ。どこにいても仕事はできるが、特定のタイプのタレントを代表する場合は、そのタレントが活躍しやすい地域に本拠地を置いたほうが、チャンスは広がる (たとえばカントリー歌手ならテネシー州ナッシュビル、俳優ならハリウッド、など)。

この職業に求められるトレーニング

この職業に興味を持っている人の大半は、まずエージェンシーでインターンを始め、そこで働くエージェントたちのアシスタント業を務めたり、受付など別の仕事をこなしたりする。最低限、学士号を持っていることを求めるエージェンシーが多いので、コミュニケーションやマーケティング、または経営のような分野で学位をひとつ取得しておくのは第一歩として有効だ。インターンシップが終わったら、正式なエージェントとしての仕事を探す。

有益なスキル・才能・能力

商才、人を引きつける魅力、細部へのこだわり、他人の信頼を得る力、人の話を聞く力、交渉力、リーダーシップ、マルチタスクのスキル、人脈作り、組織力、既成の枠にとらわれない思考、宣伝能力、人の心を読む力、営業力、将来を見通す力

性格的特徴

野心家、分析家、大胆、冷淡、自信家、挑戦的、支配的、協調性が高い、如才ない、規律正しい、控えめ、効率的、熱血、気高い、忠実、操り上手、几帳面、注意深い、楽観的、きちんとしている、粘り強い、雄弁、プロフェッショナル、世話好き、強引、臨機応変、責任感が強い

葛藤を引き起こす原因

- 他のエージェントやエージェンシーと競争する。
- スケジュールの都合で、タレントがオーディションの機会を逃す。
- タレントや同僚から嫌がらせを受ける。
- 頻繁に何か動きはないかと尋ねてくるタレントの応対をする。
- 子役の親がエージェントに対し厳しい要求を突き付けたり、無礼な言動を向ける。
- 土壇場でフライトやホテルのキャンセルや予約をしなくてはならない。
- タイミングよくコミュニケーションをとらない癖のあるタレントを抱えている。

- 仕事が絶え間なく入り、忙しさのあまり燃え尽きる。
- タレントが理不尽な願望や期待を持っている。
- オーディションを受けるチャンスや、やりたかった役が回ってこなかったことをタレントに伝えなければならない。
- タレントが怪我をして、演奏、舞台、ツアー等ができなくなる。
- チャンスに恵まれず、タレントが落胆する。
- 無責任なタレントや、何でも人にやってもらって当たり前だと思っているタレントを常に事細かに管理しなければならない。
- 長年エージェンシーに在籍していたタレントや有望な新人タレントをライバルに奪われる。
- あるタレントのマネージメントを断ったところ、別のエージェンシーで大物タレントになってしまう。
- 気難しいタレントが後先を考えずに取引先に迷惑をかけ、エージェントが仕事しづらくなる。
- タレントが失態を犯し、最悪のPR騒動に発展する。
- タレントを手放さなければならない。
- タレントが依存症に苦しんでいるのを知っていながら、助けることができない。

かかわることの多い人々
スポーツ選手、モデル、ミュージシャン、歌手、作家、アーティスト、タレントの親（タレントが未成年の場合）、他のエージェント、受付、会計士、映画監督、コーチ、パーソナルトレーナー

この職業は5大欲求にどう影響するか

▸▸ 自己実現の欲求：
「大物」を捕まえられず、中堅タレントとばかり仕事をしていると、自分の活躍の場が限られている現実にいら立ちを覚えるかもしれない。

▸▸ 承認・尊重の欲求：
エンターテインメント業界やタレント業界は競争が熾烈だ。成功しているエージェントと自分を比較してしまうと、すぐに自分の能力を疑ってしまうかもしれない。また逆に、自分が強力なエージェントである場合は、自分の足元にもおよばない者たちを軽蔑することも考えられる。

▸▸ 帰属意識・愛の欲求：
あれこれとお膳立てをしてやらなくてはならないタレントがいると、その仕事はエージェントの肩にかかりがちだ。エージェントは物事がスムーズに進むように、自分の個人的な予定を組み直さなくてはならない。そんな状況が長く続くと、愛する人が後回しにされていると感じるようになり、家庭不和に発展しかねない。

この職業を選択する理由
- 自分には何かで有名になるだけの才能がないと信じて育った。
- 俳優、スポーツ選手、ミュージシャンなどを目指していて、いよいよこれからというときに怪我や病気などに見舞われた。または他の障壁にぶつかった。
- 特定の分野や業界（演技、映画製作、スポーツ、ファッションなど）に情熱を持っている。
- 他の人が才能を伸ばして成功するのを助けたい。
- ハリウッドやブロードウェイなどの華やかなアートシーンに関わりたい。

ステレオタイプを避けるために
タレントエージェントといえば、ハリウッドやロサンゼルス界隈にいる裕福な俳優のマネージメントをするイメージがある。そこで、知名度の低い俳優、あるいはまったく別分野の業種のマネージメントを担当するエージェントはどうだろうか。たとえば、人形遣い、アーティスト、ピエロ、マジシャン、またはこれまでにない新しいジャンルのミュージシャンなどの人物に情熱を燃やしている設定にしてみると面白いかもしれない。

ダンサー

〔英 Dancer〕

ダンサーは、観客を楽しませるために振り付けられた動きを体で表現するプロのパフォーマーだ。通常は劇場やテレビ、映画に参加して踊る仕事をするが、それ以外のときは、リハーサルやスキルアップのためのクラスに参加するなどして時間を費やすことが多い。

この職業に求められるトレーニング

学位は不要だが、認定校での正式なトレーニングや最低限の経験を必須条件にするダンスカンパニーが多い。また、ダンサーは仕事を勝ち取るために、動画を提出するタイプまたは対面形式のオーディションを受ける必要がある。

有益なスキル・才能・能力

創造性、手先の器用さ、優れた聴覚、卓越した記憶力、痛みに強い、模倣力、音楽性、人脈作り、俊敏な運動能力、演技力、体力、力強さ、呼吸コントロール

性格的特徴

野心家、クリエイティブ、規律正しい、熱心、勤勉、影響力が強い、大人っぽい、従順、執拗、情熱的、粘り強い、感覚的、天才肌、倹約家、奔放、仕事中毒

葛藤を引き起こす原因

- 役をめぐって競争する。
- 家族がダンサーの道を選んだことを応援してくれない。
- 授業料や衣装代を払う金がない。
- ダンスカンパニーがダンサーの契約をキャンセルする、または更新しない。
- ダンスカンパニーのトップダンサーになれない。
- 常に他人と比較して、ボディイメージを気にする、または自己肯定できない。
- 良い結果を出さなければならないという強いプレッシャーと、非現実的な期待が重なる。
- アルバイトのスケジュールがダンスの授業や公演時間と重なってしまう。
- 体重が増え、見た目が変わる、または体のバランスが取りにくくなる。
- 長時間の練習やリハーサルのため、家族やパートナーに我慢を強いてしまうし、趣味に割く時間もほとんどない。
- 自分のパフォーマンスに不安を感じる。
- 体に負担のかかる動きをするため、特に足を痛めてしまう。
- 本番の舞台の上で次の動きを忘れる。
- リサイタルがあり、家族の大切な行事に参加できない。
- ダンスカンパニーに消耗品のように扱われる。
- ダンスカンパニーに不当な扱いを受ける、またはカンパニー内でえこひいきが横行している。
- 体形や外見、パフォーマンスを酷評される、またはダンスに専念できていないと批判される。

かかわることの多い人々
他のダンサー、インストラクター、ダンスカンパニーのスタッフ、映画やテレビのプロデューサー、俳優、観客、評論家

この職業は
5大欲求にどう影響するか

▸▸ 自己実現の欲求：
ダンサーは成功するために、自分の持てるものをすべて出しきる。しかし、どんなに技術があっても、年齢を重ねると、頭打ち状態になってそれ以上先には進めない。新進気鋭の若いダンサーたちが頭角を現してくると特に追い討ちをかけられる。

▸▸ 承認・尊重の欲求：
トレーナーやプロデューサーから常に最高のパフォーマンスを求められ、批判にさらされるため、ダンサーは自分の体や能力を否定的に見てしまい、ひいては自尊心を傷つけてしまう可能性がある。

▸▸ 帰属意識・愛の欲求：
ダンサーは常に他の人と比較され、パフォーマンスを評価されるため、ダンスへの愛やダンスカンパニーへの帰属意識が試される。もしダンスカンパニーから解雇されれば、見捨てられたと感じてしまうかもしれない。

▸▸ 安全・安心の欲求：
疲労骨折などの怪我をすることが多い。体重を管理しなくてはならないので、摂食障害にも陥りがち。ダンサーというキャリアを追求するにはコストがかかる上、こうした健康問題を抱えてしまう可能性もあって、経済的な安定を得るのが難しくなる。

この職業を選択する理由
- 幼い頃からダンサーになるのが夢だった。
- 思春期にトラウマを経験し、ダンスを通して心の痛みを乗り越えてきた。
- 身体の感覚が鋭く、音楽に合わせて自然に体を動かせる。
- 舞台芸術が盛んな地域に暮らしている。
- スポーツ選手やダンサーを多く輩出する家系に生まれた。
- 踊ると解放感を覚え、心の鎧を脱ぎ捨て、自分を解き放つことができる。
- 非常に才能があり、競争心や自制心もある。

ステレオタイプを避けるために
小説や映画では、男性ダンサーは他のスポーツ選手のように男性的に描かれないことが多い。男らしさや女らしさは度合いの問題であって、人によって異なる。ジェンダーに対する固定観念に縛られてキャラクターを描かないようにしよう。真実味のあるキャラクターを描くには、キャラクターの性格と行動がいかにつながっているのかを理解すること。傾向的にダンサーには女性が多いので、男性ダンサーの視点からストーリーを伝えると、読者にとっては新鮮な視点になるだろう。
また、日銭を稼ぐためにはエロティックなパフォーマーになるしかないという固定観念もある。キャラクターをバレエや社交ダンス、コンテンポラリー・ダンスなどの伝統的なタイプのダンサーにして成功させることで偏見を打ちやぶるかもしれない。

地質学者

〔英 Geologist〕

地質学者は、火山活動や地震による山や海の地形変化をはじめ、地球がどのように形成されてきたのかについて研究する。企業や環境団体などに雇われ、石油、ガス、鉱業などの産業における企業活動や人間の営みが環境に与える影響をよりよく理解するために研究し、環境保護、土地の開拓や干拓、気候問題などの様々な問題についても助言をする。

地質学者は、地層や地質、水の流れを調査し、土や岩石のサンプルを採取して研究する。また、航空写真や地中レーダー、測量器などを使って地図を作成することもある。研究室では、顕微鏡や地理情報システム、ソフトウェアを使ってデータを分析し、研究成果発表の準備をする。

この職業に求められるトレーニング

地質学者には理学士号が必要で、古生物学、地球物理学、海洋学、火山学などを専門にしたい場合は修士号が必要になる。学歴と実務経験の両方を持ち合わせた地質学者を求めている企業が多く、野外調査を学校教育の一環として経験しておくと役に立つ。

有益なスキル・才能・能力

理系が得意、基本的な応急処置能力、卓越した記憶力、爆発物の知識、機械に強い、多言語を操れる、映像記憶、天候予測能力、調査力、体力、戦略的思考力、自然の中でも迷わない方向感覚、文章力

性格的特徴

柔軟、野心家、分析家、芯が強い、強迫観念が強い、協調性が高い、好奇心旺盛、効率的、熱心、凝り性、独立独歩、勤勉、知的、自然派、客観的、注意深い、きちんとしている、勘が鋭い、完璧主義、粘り強い、積極的、プロフェッショナル、臨機応変、責任感が強い、正義感が強い、勉強家、仕事中毒

葛藤を引き起こす原因

- 研究の舵を取りたい人や研究結果を改ざんしようとする人と一緒に働いている。
- 調査が難しいほどの、または地盤を不安定にするような悪天候に見舞われる（早期雪解けによる河川の増水、予期しなかった降雪、火山爆発、土石流の発生、など）。
- 異常気象（酷暑、極寒、氷雨、など）で調査中に惨めな思いをする。
- 頻繁に出張するだけでなく、時には僻地への移動もあって、キャンプ生活を何日も強いられる。
- 野外調査に出ている間はいろんな機器を運ばなければならない。
- 集めたデータから決定的な答えが得られずフラストレーションがたまる。
- 同じプロジェクトのメンバー同士が性格の不一致で揉め、仲裁に入らなければならない。
- 仕事で利益相反の状況に遭遇する。
- テクノロジーの進歩についていくのに苦労する（再教育を受ける、あるいは新たに教育を受けなければならない）。
- 厳しい安全基準を守りながら仕事をしようとする。

- プロジェクトの経済的および社会的影響と、環境負荷とのバランスをとるのに苦労する。
- ある調査結果を得るためにデータや資料が改ざんされているのではないかと疑う。
- 野外調査に出たいと思っているときに、研究室に閉じこもって研究しなければならない（あるいはその逆のケース）。
- 足首の捻挫や膝の怪我で野外調査に出るのが難しくなる。
- 外国で仕事をしていて、言葉の壁にぶつかる。
- 野外調査をするのに必要な政府の許可が下りず、仕事が中断してしまう、または仕事を始められない。
- 環境保護団体がピケを張って抗議していて、調査地域に入れない。
- 経験の浅い地質学者と一緒に仕事をしていて、質問攻めに遭う。
- 自分の調査結果が他の専門家から疑問視される。

かかわることの多い人々

他の地質学者、学生、安全管理者、作業員や技術者、会社の経営陣、プロジェクトマネージャー、環境保護団体、特別利益団体、政府職員、先住民

この職業は
5大欲求にどう影響するか

▸▸ 自己実現の欲求：
地質学者がデータから重要な発見（たとえば海流の変化や気候変動、など）をしても、雇用主である民間企業との間で秘密保持契約を結んでいる場合、その発見を他の人とは共有できない。もし地質学者がデータを公開しないのは道徳的に間違っていると考えるならば、自己実現の欲求が脅かされることになるかもしれない。

▸▸ 安全・安心の欲求：
気候が不安定な地域を調査しながら移動する場合、危険な状況（鉄砲水や地震などの自然災害や、僻地での事故など）に遭遇する可能性がある。

この職業を選択する理由

- 自然界に魅了されている。
- 理系に強く、野外での仕事に就きたい。
- 公害や廃棄物処理など、重要な社会問題を解決したい。
- 堅実で、手に取って成果が確認できるような仕事をし、安定を求めている。
- 環境への配慮が欠けていた家業を償う仕事がしたい。
- 自然に触れながら仕事をしていると、スピリチュアルなつながりを感じる。
- 分析力が高く、データを使って結論を導き出すのが楽しい。

ステレオタイプを避けるために

地質学者が「科学者」のステレオタイプに陥らないように、キャラクターがなぜこの職業を選んだのかを探ってみよう。否定できない科学的事実だけを重視する地質学者は、社会貢献を目指してなった人とは違うし、単に自然を愛し、その中で働きたいと思っている人とも違うはずだ。性格と動機は切っても切れない関係にあるので、この点をよく考えること。

調教師

〔英 Animal Trainer〕

調教員は、ペットの調教、映画やテレビなどに出る動物の調教、警察犬や盲導犬、介助犬などの訓練を担う。犬や馬、海洋動物、エキゾチックアニマルなど、専門分野を選択することができる。

職場は、どういう種類の動物を調教するかによって変わってくる。海洋動物の調教員なら動物園や水族館に、馬の調教員なら農場や厩舎、あるいは個人に雇われる。ドッグトレーナーなら、動物病院や犬のデイケア、アニマルシェルターに勤務したり、クライアント宅に派遣されたり、捜索救助を担当する警察などで長期契約を結んで雇用されたりする。この職業を目指す人は、フリーランスとして働くか、動物園やアニマルシェルターなどの施設に雇用されるのが一般的だ。

この職業に求められるトレーニング

海洋動物の調教員を目指すなら、海洋生物学、獣医学、動物学などの学位が必須の場合が多い。他の動物を扱うなら高卒資格があれば十分だが、特殊技能を身につけたい場合は、資格認定書やある程度の実務経験が求められる。

有益なスキル・才能・能力

動物の扱いが巧み、基本的な応急処置能力、共感力、他人の信頼を得る力、リーダーシップ、第六感、既成の枠にとらわれない思考力

性格的特徴

愛情深い、用心深い、おだやか、芯が強い、規律正しい、共感力が高い、熱血、温和、優しい、忠実、面倒見がいい、注意深い、情熱的、忍耐強い、粘り強い、雄弁、遊び心がある、臨機応変、正義感が強い、お人好し

葛藤を引き起こす原因

- 動物に危害を加えられる。
- (知能が低い、言うことをきかない、神経質である、などといった理由から)調教困難な動物を調教している。
- ネグレクトまたは虐待された動物を調教していて心が痛む。
- 飼い主が動物を虐待しているのではないかと疑う。
- 飼い主がペットに非現実的な期待を抱いている。
- 飼い主がペットを甘やかし、調教員の苦労がすべて水の泡になる。
- 攻撃的な動物、または人間よりも強い動物を調教している。
- あるペットが調教不可能であることがわかり、飼い主にそれを伝えなければならない。
- 預かっている動物が人を襲い、怪我を負わせてしまう。
- 動物が早死にしてしまう。
- テレビや映画に出演する動物を調教していて、道徳的葛藤に苦しむ。
- 怪我や慢性疾患のせいで、仕事を続けるのが難しくなる。
- 人と接するのが苦手で、クライアントとのコミュニケーションに苦しむ。
- 調教された動物が、命令されてもいないのに敷地内から公道に飛び出すな

ち

ど、やってはいけない行動をして怪我をした、または死んだ。
- 無料でペットを調教してほしいと友人に頼まれる。
- 本来動物には適していない場所や、適切なケアができない場所で飼われている動物（動物園の狭い一角やサーカスで飼われている象、など）を調教する依頼を受ける。
- 調教している動物に対しアレルギー反応を示すようになる。
- 調教していた動物に強い愛着が湧いてしまうが、調教が終われば飼い主の下へ戻さなければならない。

かかわることの多い人々

飼い主、獣医、アニマルシェルターの職員、他の施設の職員やスタッフ（調教員が水族館や動物園などで働いている場合）、他の調教員、動物と一緒に働く人（警察官、レスキュー隊員）、介助犬を必要とする患者

この職業は5大欲求にどう影響するか

▸▸ 自己実現の欲求：
テレビや映画、サーカスなどへ出演させる目的で動物を調教しに行くと、動物たちが劣悪な環境で飼われ、倫理に反した扱いを受けているのを目撃してしまうことがある。それが調教員という職業に道徳的な疑問を呈し、自分のやっている仕事に対する見方が変わる可能性もある。

▸▸ 承認・尊重の欲求：
給料が高い仕事ではないので、質素な生活ぶりを他人から見下されると、もっと金銭的に恵まれていたらと感じてしまう可能性がある。

▸▸ 帰属意識・愛の欲求：
調教員は動物好きなため、動物が嫌いな人と一緒にいると、人間関係のトラブルが起きかねない。

▸▸ 安全・安心の欲求：
仕事中に怪我をする、動物から病気に感染するなど、危険とは常に背中合わせの職業だ。

▸▸ 生理的欲求：
調教員が動物に襲われて死亡するのは稀なことだが、襲撃されることはあるので死の危険はある。

この職業を選択する理由

- 動物に囲まれて育ったので、動物に関わる仕事をしたい。
- 子どもに恵まれないので、動物が子ども代わりになっている。
- 人間は信頼できないが、動物は信頼できると信じている。
- 身体的、精神的、または社会的なハンディを抱えているため、人と一緒に仕事をするのが難しい。
- 動物が好き。
- 人と有意義なつながりを持てないせいで、帰属意識・愛の欲求が満たされていない。
- 障害を持った人を愛しているので、介助犬を訓練する仕事に就いて、愛する人の役に立ちたく、障害者コミュニティにも貢献したい。
- 動物の気持ちがわかり、動物とコミュニケーションがとれる特殊な能力を持っている。

ステレオタイプを避けるために

調教員には、面倒見がよくて、規律に厳しいタイプが多く、優しいが毅然としている。そういう一般的なイメージとは少しかけ離れたキャラクターにするのもいいかもしれない。変わり者、気まぐれ、慌て者、無愛想といった個性的な特徴を織り交ぜてみよう。

動物よりも人が苦手な調教員もよく描かれる。キャラクターがそういう性格の持ち主ならば、なぜそういう性格になったのか、読者にとっては意外な、または驚くような理由を考えてみよう。

ツアーガイド

〔英 Tour Guide〕

アウトドアガイドと同様、ツアーガイドもツアー客の安全を確保しながら学びの機会を提供し、知識豊富な案内役を果たす。違いは、案内先がローカルな観光スポットである点である。ツアーの種類にもよるが、案内にかかる時間は数時間から数週間になる。名所や史跡などの興味深い場所へとツアー客を案内し、彼らに旅先の文化に触れてもらい、アクティビティや食事、アドベンチャーを思う存分楽しんでもらえるように促す。

長期ツアーの場合、ツアーガイドは添乗員として、ホテルやレストランのスタッフ、交通会社、様々な体験イベントの担当者と連絡を取り合うし、言葉の壁があれば通訳もする。案内中、ツアーガイドは団体客に土産物の購入方法をアドバイスし、自由時間に見るべきものややるべきことを提案する。また、現地の法律や習慣をツアー客に伝え、注意点があればそれも伝える。国内の街中にある観光スポットを案内する場合もあれば、市街地から離れた場所へ案内したり、海外旅行に付き添ったりすることもある。

つ

この職業に求められるトレーニング

学位は不要だが、履歴書を魅力的に見せるため4年制大学で学位を取得する道を選ぶ人は多い。実際に仕事に就いてから、ツアーの内容に関連してさらに補足的な研修が必要になる。たとえば博物館や史跡の案内をする場合は、展示物や歴史を熟知していなければならないので、おそらく関連学位（たとえば美術史、など）を持っている人のほうが有利だろう。ある町や都市を案内する場合は、その土地の歴史やランドマーク、文化、芸術、言語について詳しくなくてはならない。こうした専門知識があれば、ツアー客たちからいろいろな質問を受けても答えることができる。

長期の旅を担当するガイドであれば、訪問各地の知識が必要となるため、より幅広いスキルを身につけている。海外旅行の場合は国境を越えるため、ツアー客たちが出入国や通関の手続きをスムーズにできるように案内しなければならないし、国内旅行とはかなり勝手が違う。ツアーガイドはツアー客の安全に責任を持たなくてはならないため、旅行会社から研修を受ける。

有益なスキル・才能・能力

基本的な応急処置能力、人を引きつける魅力、卓越した記憶力、優れた方向感覚、交渉力、接客力、人を笑わせる能力、多言語を操れる、マルチタスクのスキル、場をうまくとりなす能力、天候予測能力、宣伝能力、パブリック・スピーキング、人の心を読む力、調査力、体力、声のとおりがいい、自然の中でも迷わない方向感覚

性格的特徴

柔軟、冒険好き、おだやか、魅力的、自信家、礼儀正しい、如才ない、規律正しい、控えめ、おおらか、効率的、熱血、外向的、気さく、ひょうきん、噂好き、もてなし上手、知的、内向的、詮索好き、注意深い、楽観的、きちんとしている、情熱的、忍耐強い、正義感が強い、活発、倹約家、寛容、健全、

賢い、ウィットに富む

葛藤を引き起こす原因

- ツアー客のひとりが史跡の立入禁止区域に入る、または器物を破損してしまう。
- ツアー中に客が迷子になってしまう。
- (ホテルの部屋数が足りない、部屋が理想的とは言えない、など) 宿泊先に問題が生じる。
- ツアー客同士の間でいがみ合いが起きる。
- 交通手段が故障するなどして、旅の予定が狂う。
- ツアー客のひとりがスリに遭う。
- ツアー客のひとりが、自国では違法にはならないが旅先の外国では違法な行為をする。
- ツアー客のひとりが怪我をして、または体調を崩してしまい、病院に運ばなければならない。
- 乗り換えがうまくいかない (予約していた車が到着しない、トゥクトゥクが来ない、など)。
- ツアー客の一部が遅刻し、全員が待たされる。
- 言葉の壁がある。
- 人に世話をしてもらうのを当たり前に思っていて、団体行動のルール (時間厳守、荷物の整理整頓、グループ全員が使用した場所の清掃、など) を守らないツアー客がいる。
- 個人的な嗜好や欲求を満たしてもらおうと要求の過剰なツアー客がいる。
- ツアーに便乗して、代金も払わずにガイドの案内を聞こうとする観光客たちがいる。

かかわることの多い人々

旅行者、バスやタクシーの運転手、他の団体旅行客の引率者、税関職員、博物館の学芸員や職員、警備員、ホテルの従業員、空港の職員、レストランスタッフ、土産物店などの店員

この職業は
5大欲求にどう影響するか

▸▸ **帰属意識・愛の欲求：**
ツアーガイドは家庭を留守にすることも頻繁で、長期間 (または一般の人が休んでいる時間帯) に仕事をする。他人の世話をしなければならないことや時差ボケで、仕事にエネルギーを吸い取られてしまうことも。そのために私生活で特定の人間関係を維持するのが困難になるかもしれない。

▸▸ **安全・安心の欲求：**
ツアー客の一部が観光先の危険を理解していないと、ガイドも含めツアーグループ全体を危険にさらすことになりかねない。

この職業を選択する理由

- 子どもの頃に何度も引っ越しを経験し、移動の絶えない生活に慣れている。
- 旅行が好きで世界を見たい。
- 他人の知識を広げ、他文化に関心を持ってもらえるよう手助けをしたい。
- 移動が激しい仕事なので気に入っている (過去から、あるいは後を追いかけてくる人から逃れられる)。
- 深い関係になるのを避けながら、新しい人々と出会える。
- 特定の地域や歴史に情熱を持っている。
- 特定の場所や偉人などに個人的なつながりがあり、そこから離れたくない。

通訳者

〔英 Interpreter〕

通訳者は、ある言語で話された言葉を、口頭または手話で別の言語に通訳する。似た仕事に翻訳があるが、翻訳者は書籍や文書など書かれた言葉を訳す。通訳者が活躍する場として最も一般的なのは、病院、学校、裁判所などだが、会議や政治の舞台で活躍することもあるし、警察などの場で言葉の壁に阻まれコミュニケーションが取れないときに呼ばれて仕事をすることもある。通訳者は長時間にわたり頭を使うので、頭を休めるためにチームを組んで交代で働く。通訳者は通訳派遣会社に所属している場合もあれば、フリーランスで活動している場合もあり、直接現場に出向くのが一般的だが、在宅でリモート通訳することもある。

この職業に求められるトレーニング

通訳者になるには学士号を必要とする場合がほとんどで、どの通訳者も少なくとも2言語に堪能でなくてはならない。それ以上の語学研修を受ける必要こそないものの、経験があればあるほど有利なので、自分の扱う言語および文化圏で過ごした経験があれば、なおのことよい。医療や法律などの分野で働く場合は、その分野の知識があれば、より精度の高い通訳ができるだろう。

有益なスキル・才能・能力

人を引きつける魅力、優れた聴覚、卓越した記憶力、人の話を聞く力、読唇術、多言語を操れる、マルチタスクのスキル、人の心を読む力

性格的特徴

柔軟、用心深い、魅力的、自信家、協調性が高い、礼儀正しい、決断力がある、腹黒い、如才ない、熱心、気さく、正直、気高い、公明正大、詮索好き、客観的、注意深い、プロフェッショナル、単純、勉強家

葛藤を引き起こす原因

- 迅速かつ完璧な通訳を期待するせっかちなクライアントに付く。
- さほど堪能ではない言語での通訳を依頼される。
- 会話の前後関係がわからず、正確に通訳できない。
- 体調が悪く、仕事に集中できない。
- 周囲がうるさく、クライアントの言葉が聞き取りにくい。
- 道徳的に葛藤してしまうような発言を耳にする（通訳者がうまくごまかして伝えたほうが最善だと思われる発言、クライアントからわざと不正確に通訳してほしいと言われる、など）。
- 長時間の通訳で頭が疲れ、通訳能力が低下している。
- 自分よりも知識の深い同業者がいる。
- 刺激がない、または興味がない通訳の仕事を引き受けなければならない。
- 標準以下の能力しかない通訳者と一緒に仕事をする。
- 職場の政治が原因で、誰もがやりたがる仕事が、一番能力があるわけではない通訳者に常に割り振られる。
- 出張で家を留守にすることが多く、家族との間に軋轢が生じる。
- 容疑者または目撃者が非

つ

協力的で、言葉の壁を逆手にとって、自分が不利になるような状況を避ける、または他人事に首を突っ込まないようにしている（目撃者が外国人で強制送還を恐れている場合や、警察に協力すると後で報復されるのではと恐れている場合、など）。
- 毎日同じようなつらい話を通訳し、心が痛みはじめる（児童養護施設や警察の取調室、裁判所などで通訳している場合）。
- リモートでできる仕事を希望しているのに、現場での仕事を依頼される。
- 聞いてはいけないことを通訳中に耳にしてしまう（通訳者がそれを外部に漏らせば、自分の身を危険にさらすことになるような情報、など）。
- 文化固有のスラングや、通訳者がよく知らないスラングを正確に通訳しようとする。

かかわることの多い人々

他の通訳者、通訳エージェンシーの事務員、通訳の仕事で接する人々（医師、看護師、患者、弁護士、裁判官、ソーシャルワーカー、職員、生徒と保護者、教員、外交官、外国のリーダー、CEOなどのビジネスマン、警察、など）。

この職業は5大欲求にどう影響するか

▸▸ 自己実現の欲求：
どんな職業でもそうだが、仕事が充実していないと自己実現の欲求が危うくなる。なぜキャラクターはそもそもこの職業を追求したのか、（あるとすれば）何が原因で、今、仕事で不幸を感じるようになったのか、他にやりたい仕事があるのか、それは何か、なぜそれがやりたいのかを書き手として自問すること。

▸▸ 承認・尊重の欲求：
自分の通訳能力を上回る同僚が現れると、この欲求が危ぶまれる可能性がある。自分の能力を落とさないよう馬車馬のごとく努力しなければならないのに、同僚は大した努力もなしに成功しているように見えたりする。

▸▸ 帰属意識・愛の欲求：
通訳者なら、自分の話す言語に情熱を持っているだろう。もしも配偶者やパートナーがその言語を学ぼうとしない、またはその言語の文化を知ろうともしない場合、2人の関係に亀裂が生じる可能性がある。また、仕事で出張が頻繁だと、私生活で揉め事が起きやすい。

この職業を選択する理由

- 言葉の壁（発話障害など）を克服したことで、通訳に必要なコミュニケーション能力を得た。
- 聴覚障害を持つ家族がいて、権利擁護と支援を必要としている。
- 様々な言語に深い関心があり、発話の抑揚やニュアンスを聞き分けるのが好き。
- 人には言えない秘密を知るのが好き、または蚊帳の外に置かれるのを恐れる。
- 人の世話を焼くのが好きで、人と人をつなげるのが好き。
- 旅に出て、異文化の人々と交流するのが好き。
- 自分のスキルを使って、特定のグループの人々（難民キャンプで暮らす人々、亡命申請をしている移民、児童養護施設で暮らす子どもたち、外交官、など）を手助けしたい。

付き人

〔英 Personal Assistant to a Celebrity〕

（芸能人の）付き人は、自分が付いている芸能人に呼ばれればすぐに駆けつけられるよう、常に待機状態で、多種多様な仕事をこなさなければならない。出演交渉、イベントの取り仕切り、ソーシャルメディアへの情報発信、仕事関連の資料集め、移動の手配、個人的な機密文書や重要物の手渡し、芸能人の個人的な予定と仕事の予定の管理にはじまって、ナニーやパーソナルトレーナー、ヘアスタイリスト、メイクアップアーティスト、ファッションコンサルタント、芸能エージェントなど、担当する芸能人を取り巻く重要な人々とのスケジュールを調整する。他にも、雑事的な仕事（芸能人の飼っている犬の散歩、子どもたちの送迎、クリーニングの受け取り）もこなすし、変則的なとんでもない仕事を頼まれようとも、それをこなす。たとえば、誰かの電話番号を入手する、外国からキャンディやコーヒーを取り寄せる、レストランの閉店後にプライベートな食事をするためにレストランのオーナーを説得する、個人的な買い物を代行する、芸能界で関わりのある人々への贈り物を買って届ける、高級品を購入するといったことまで。

付き人には自分の時間はないも同然で、私生活を楽しむことは難しい。芸能人と同じスケジュールで働き、同じイベントに赴いて、移動にも同行するからだ。

付き人は、芸能人と苦楽を共にするので、芸能人にとって親友のような存在になりやすく、秘密を打ち明けられることも多い。芸能人がスキャンダルを起こせば、それを隠蔽し、ダメージを最小限に抑えなければならない。また、頼まれれば違法な物資を調達することもあるし、個人的な道徳の線を越えて問題をもみ消すために金で解決することもある。このような理由から、芸能人との関係について話すことを禁じた守秘義務契約書に署名しなければならないのが普通だ。

この職業に求められるトレーニング

学位は不要だが、芸能界の中にコネがあると仕事を得やすい。「いい人を知っている」と言えるような強力な人脈を持っていることが鍵となるので、業界内に信頼できるコネがたくさんあるか、またはそうしたコネを築いていく意欲を持っていることが肝心だ。

有益なスキル・才能・能力

目立たないように振る舞うスキル、人を引きつける魅力、鋭い洞察力、細部へのこだわり、共感力、優れた聴覚、卓越した記憶力、他人の信頼を得る力、人の話を聞く力、交渉力、接客力、読唇術、嘘が言える、人を笑わせる能力、第六感、多言語を操れる、マルチタスクのスキル、人脈作り、場をうまくとりなす能力、映像記憶、天候予測能力、宣伝能力、人の心を読む力、裁縫のスキル、戦略的思考力、俊足、文章力

性格的特徴

柔軟、用心深い、大胆、おだやか、魅力的、協調性が高い、礼儀正しい、クリエイティブ、決断力がある、如才ない、規律正しい、控えめ、効率的、もてなし上手、忠実、大人っぽい、几帳面、従順、注意深い、きちんとしている、積極的、プロフェッショナル、世話好き、臨機応変、責任感が強い、粋、寛容

葛藤を引き起こす原因

- 無理難題を押し付けられる。

- 不快なことを頼まれる。
- 芸能人が動揺し、八つ当たりされてしまう。
- 芸能人が仕事仲間としての一線を越え、不適切な行動をとってくる。
- 芸能人がしでかしたことなのに、その評判を守るために自分が責任をとらされる。
- 別の芸能人に引き抜きの打診をされる。
- 怪我または病気を患い、付き人としての責任が果たせなくなる。
- 芸能人が付き合う友人たちがまずいことをしているのに気づき、それを隠蔽するように頼まれる。
- 芸能人のナルシストな欲求を満たすため、私生活を犠牲にしなければならない。
- 仕事で緊急な用ができ、大切なプライベートのイベントをキャンセルせざるを得なくなる。
- 芸能人に「忠誠心があるところを見せろ」と言われ、違法行為に手を染めなくてはならなくなる。
- 芸能人の情報を得るのに必死なパパラッチの標的になる。
- 芸能人の贅沢なライフスタイルが付き人の私生活にまでおよび、出費がかさんで家計が逼迫しはじめる。

かかわることの多い人々

芸能人の家族や友人、エージェント、様々な専門家や身の回りの世話をする人々(パーソナルトレーナー、栄養士、セラピスト、医師、ナニー、コーチ、家庭教員、運転手、マネージャー、など)、旅行会社の社員、ホテルの経営者やスタッフ、会場スタッフ、楽屋マネージャー、芸能事務所の幹部、他の芸能人やその付き人、企業の経営幹部、ファン、クラブのオーナー、ファッションデザイナー、カメラマン、パパラッチ、アーティスト、芸能界の重鎮

この職業は 5大欲求にどう影響するか

▸▸ 自己実現の欲求：
付き人という仕事から抜けられなくなると、一生自分の情熱や夢を追求できなくなる可能性がある。

▸▸ 帰属意識・愛の欲求：
この仕事には大変な時間と労力を注がなければならない。だが、それを理解できずに憤慨している家族がいるのなら、その人々は自分たちがいつも後回しにされることに疲れてしまうかもしれない。また、仕事が多忙すぎて、私生活で人間関係を育む時間やエネルギーが残っていない場合、自分に愛情を注いでくれる人を求めたり、その人の前では自分は完璧でなくても大切にされ、自分らしさを認めてもらえる、といった人間関係に飢えたりする可能性もある。

▸▸ 安全・安心の欲求：
狂信的なファンを大勢持っている芸能人に付いていると、身の安全が脅かされることもあるだろう。そういうファンの中には、ストーカーと認定されている人もいて、彼らはどんな手を使ってでも芸能人へ近づこうとし、芸能人に関する情報を得ようとするかもしれない。

この職業を選択する理由

- 突出した才能を持った兄弟姉妹と一緒に育ち、サポート役に慣れていた。
- 自己不信に悩まされ、芸能人としてはやっていけなかった。
- ハリウッド風のライフスタイルに憧れているが、芸能の仕事を追求していくだけの才能がない。
- 人前に立つのが怖い、またはあがり症で、脚光を浴びる職業には就けない。
- 親族に有名人がいて、その人を必死で応援し、搾取されないようにいつも気にかけている。

ステレオタイプを避けるために

付き人は芸能人の親戚や友人であることが多い。趣向を変えて、昔はある芸能人のライバルだったが、今は付き人として最高の人材だと目されている人にしてみるのはどうだろう。

あるいは、かつては芸能人だったが人気が下降し、今はなんとかして芸能界に復帰する機会をうかがっている人、その人気急落を招いた人を捜し出し、復讐を目論んでいる人といったような設定はどうか。

動物救助隊員

〔英 Animal Rescue Worker〕

動物救助と一口に言っても、多種多様な仕事がある。アニマルシェルターのオーナーや管理者、獣医や動物看護師、トレーナー、動物救助隊員、動物管理センターの職員、野生動物のリハビリテーターなどが挙げられる。この項目では、窮地に陥っている家畜やペットの状況を査定し、必要とあらば救護のために出動する動物救助隊員に焦点を当てる。動物たちが危険にさらされる原因としては、劣悪な環境に閉じ込められる、捨てられる、犯罪組織が賭博目的で犬を闘わせる、劣悪な環境で犬のブリーディング（交配）を行なう、食肉の大量生産目的で家畜を工場で飼育する、災害でペットが飼い主と引き離されるなどといったことが挙げられる。

動物救助隊員は、募金活動や一般市民の意識を高める啓蒙活動を手伝うこともある。救助活動のビデオ撮影、ソーシャルメディアでの情報発信、地域社会との情報交換などを担当する。

この職業に求められるトレーニング

動物救助隊に所属するには、一般的には高卒資格があればよい。チームに所属してから、動物の状態や年齢、動物が虐待されているかどうかの様々なリスクの判断、怪我や病気の特定などについて、必要なアセスメントトレーニングを受ける。また、動物の安全な扱い方やリスク、基本的なケアやリハビリ方法についても訓練を受ける。基本的な経験を積んでから、さらに専門的な仕事や管理職を目指す場合は、その分野に関連した準学士号が必要になるだろう。動物救助隊員の中には、心理学の経歴を持っている人や、動物を虐待している飼い主との衝突が起きたときの状況緩和に役立つ教育を受けている人もいる。

災害時のペットの救護には、活動拠点の設置や安全基準の遵守、ボランティア集めと管理、他の支援活動グループとの連携、物資の確保、動物の応急処置、飼い主探しなどの追加訓練を受けることになる。

有益なスキル・才能・能力

資金集め、動物の扱いが巧み、基本的な応急処置能力、卓越した記憶力、他人の信頼を得る力、多言語を操れる、マルチタスクのスキル、映像記憶、宣伝能力、俊足、自然の中でも迷わない方向感覚

性格的特徴

柔軟、冒険好き、愛情深い、用心深い、おだやか、慎重、協調性が高い、勇敢、規律正しい、狂信的、優しい、情け深い、自然派、面倒見がいい、きちんとしている、情熱的、粘り強い、雄弁、世話好き、強引、正義感が強い

葛藤を引き起こす原因

- 飼い主が動物を手放そうとしない。
- 動物が虐待されているのがわかっているのに、それを証明できない。
- 救助した動物が重い怪我や病気で苦しんでいるので、安楽死させなければならない。
- 虐待されている動物が発見されたのに責任者が見

つからない。
- 動物を劣悪な環境に閉じ込め、虐待を繰り返している人に向きあわなければならない。
- 動物愛護活動の資金集めに常に悩まされている。
- 共感疲労に悩まされている。
- うつ病に苦しんでいる、あるいは自殺を考えている。
- 虐待された動物や病気の動物に噛まれた。
- 動物を劣悪な環境に閉じ込めているのに、動物を一時的にどこかへ隠し、取り上げられないようにしている飼い主と直面する。
- 動物を気の毒に思い、個人的に引き取りたい思いに駆られるが、動物救助隊員の給料ではたくさんの動物を飼うことはできない。
- あまりにも多くの動物虐待事件を取り扱っているせいで、実際には起きていないのに虐待が起きているのではないかと疑ってしまう。
- 一日中歩いて回り、長時間労働の日々が続いている。
- 怯えた動物におしっこをかけられる。
- 仕事をほったらかして、動物たちと戯れようとするボランティアがいる。

かかわることの多い人々

他の動物救助隊員、ペットの飼い主、牧場や農場の経営者、警察官、他の動物愛護団体の人たち、獣医、動物看護師、動物病院のスタッフ、アニマルシェルターの職員、ドッグ・グルーマー、動物リハビリテーター、動物の里親、動物愛護団体

この職業は
5大欲求にどう影響するか

▸▸ 自己実現の欲求：
人間の残虐行為を目の当たりにし、人を信じられなくなるかもしれない。

▸▸ 承認・尊重の欲求：
間に合わなくて動物を救出できなかった場合、仕事を誇らしく思ってきた自分や自分の能力に疑問を持ち、心の痛みを内在化させ、自分を責めることも考えられる。

▸▸ 帰属意識・愛の欲求：
仕事上、移動が頻繁で長時間労働なので（個人的にも動物を世話している場合は特に）、私生活で他の人のためにあまり時間をとれないかもしれない。

▸▸ 安全・安心の欲求：
暴力的な飼い主や、闘犬などで利益を上げている犯罪組織に接する場合もあるし、救護の対象になっている動物自体も狂犬病にかかっていたり、暴れたりする可能性があるので、状況判断を誤れば、自分の身に危険をもたらす可能性がある。

この職業を選択する理由
- 家庭でネグレクト（養育放棄）や虐待を受けて育ち、将来は何かを慈しむことができるような道を選ぶつもりでいる。
- 動物愛護活動に携わりたい。
- 動物が好き。
- 過去の過ちを償おうとしている（ペットを何匹も飼っていたが劣悪な環境に閉じ込めていた家庭で育った、など）。
- 人間のほうが怖く、動物のほうが安心できると信じている（暴力を受けた経験から人間不信に陥ったり、人を恐れたりするようになったため）。
- 過去に人や動物を救えなかった経験があり、自分を責めているので、何かの形で償いたい。
- あらゆる命は尊く、守られるべきだという強い道徳的信念を持っている。

特殊清掃業

〔英 **Crime Scene Cleaner**〕

特殊清掃業の仕事は、事件が起きた場所を人が入らないように閉鎖してから、汚れを洗って除菌することだ。時には、血や体液で汚れた寝具や家具、カーペットなどを廃棄することもある。また、フローリングを交換し、壁に開いた穴を塞いで塗装するなど、ちょっとした家の修繕をすることもある。事件が起きた家の家族や家主が自分で清掃すると精神的に参ってしまう可能性もあるために、特殊清掃業が呼ばれることが多い。

この職業に求められるトレーニング

実地で経験を積むのが何より大切な仕事なので、高卒資格またはGED（高卒程度の学力を持っていることを証明するテスト）さえあれば雇ってもらえるはずだ。訓練の一環として、特殊清掃業の派遣会社は、血液媒介性感染症についての知識の習得や、危険物の取り扱い方法、大型機械や工具の操作方法、安全基準等に関する資格の取得を義務付けるところも多い。清掃する場所によっては、さらに免許や許可証が必要になる場合もある。清掃士としての経験は必須ではないが、関連分野（公衆衛生や科学捜査など）で仕事をした経験があると有利になる。

清掃の仕事は、特に勤務時間が長引いたり、突発的に発生したりして疲れやすい。長期的にやっていくためには、不屈の精神と頑強な肉体が求められる。

有益なスキル・才能・能力

目立たないように振る舞うスキル、共感力、平常心、マルチタスクのスキル、整理整頓の能力、体力

性格的特徴

冒険好き、慎重、自信家、協調性が高い、勇敢、礼儀正しい、規律正しい、控えめ、おおらか、効率的、熱血、熱心、凝り性、生真面目、勤勉、情け深い、几帳面、病的、きちんとしている、完璧主義、プロフェッショナル、責任感が強い、協力的、寛容

葛藤を引き起こす原因

- 家族や友人と会えない時間が長い。
- 凄惨な事件現場の清掃を担当し、精神的に参る。
- 治安の悪い地域で働いている。
- 清掃中に他人の体液に触れることがあるので、健康を害するリスクがある。
- 警察官や捜査官が清掃士やその仕事を見下している。
- 不快な環境で作業しなければならない。
- クライアントが清掃の仕事に対し、非現実的な期待を持っている。
- 防護の役目を果たせない防護服を着用して、あるいはきちんとメンテナンスされていない機械を使用して作業しなければならない。
- 洗剤などの清掃用品が足りない。
- 誤って証拠を破壊または破損してしまう。
- 車や換気扇、機械など、清掃しにくいものをきれいにしなくてはならない。

- 不快な臭いが充満している場所で作業しなければならない。
- ガラスの破片など、尖ったものや危険物が散乱する中で作業しなければならない。
- 被害者の家族や友人が清掃の邪魔をする。
- バケツなどの容器が不良品で、使用中に壊れたり、こぼれたりする。
- 努力しても感謝されない。
- 作業を早く終わらせるよう圧力をかけられる。

かかわることの多い人々

警察官、捜査官、消防士、監察医、労働安全衛生管理局や労働安全衛生研究所、環境保護庁、運輸省などの関連省庁の職員、故人の家族または同僚、秘書、工場長や会社の管理職

この職業は5大欲求にどう影響するか

▸▸ 自己実現の欲求：
仕事に正確さが求められ、手順やルールにきちんと従う必要があるため、創造性の高いキャラクターやバラエティに富んだ仕事を好むキャラクターだと、この仕事に苦戦するかもしれない。

▸▸ 承認・尊重の欲求：
事件現場でひっそりとやる裏方仕事なので、自分に注意を引くことも、周囲に注意を払うこともできる限りしない。人から認められたい、褒められたいと思う人は、この点で不満を感じるかもしれない。

▸▸ 帰属意識・愛の欲求：
仕事で人が目を覆いたくなるようなものを目にするので、気持ちの整理に苦労する人もいるかもしれない。無感情になったり、自分の感情を抑えつけたりしている人は、人間関係の問題に直面する可能性がある。

▸▸ 安全・安心の欲求：
仕事中に危険物質や化学物質を扱うのは避けられないため、身体的なリスクがある。また、凶悪犯罪の現場を何度も清掃しているうちに、心的外傷を受けることも考えられる。

この職業を選択する理由

- 愛する人を失った家族を慰めたい。
- 清掃が好きで、血痕を見ても動揺しない。
- 事件に関する情報を直接得たい。
- 憧れの警察官や捜査官たちに交じって仕事がしたい。
- 殺人を隠蔽する方法を知りたい。
- 自分も愛する人を失っていて、その喪失感と折り合いをつけたい。
- 人生の最もつらい時期を経験している人たちの役に立ちたい。
- 汚れたものや「ダメになったもの」を新品同様の状態に戻すことが大好き。

ステレオタイプを避けるために

この仕事は事件現場だけを扱うと誤解されがちだが、自然死が発生した家庭や企業の清掃に雇われるほうが多いのが現実だ。共感力や霊感の強いキャラクターが、最近亡くなった人の霊を感知して、残された家族に慰めを提供するという設定にしてみるのも面白いかもしれない。

また、凄惨な現場を清掃するので、清掃士は冷淡だと思われがちだ。トラウマを受けた人々に思いやりを持ち、同情を寄せるキャラクターを作ると、このステレオタイプを払拭できるかもしれない。

ドッグ・グルーマー

〔英 Dog Groomer〕

ドッグ・グルーマーは、様々なハサミやバリカン、ブラシ、シャンプーなどを使って、犬の毛をカットしてきれいに維持するのが仕事だ。飼い主の要望に応じて、犬の毛を洗い、乾かし、カットして形を整える。他にも、犬の爪切りや歯磨き、耳掃除をし、皮膚に腫れやただれ、かさぶたはないか、ダニなどの寄生虫がいないか、皮膚病に罹っていないかなどのチェックも行なう。グルーマーの中には、犬の毛染めやおしゃれカットなどの追加サービスを提供しているところもある。

グルーマーは一般的に、シェルターや犬舎、ペットショップ、大型動物病院で働くか、出張サービスで飼い主の家を訪問したり、自宅で営業したりする。

[編注：いわゆる「トリマー」は基本的には体毛のカットやケアを専門に扱う職種で、「グルーマー」はそれを含めた全体的な健康のケアを行なう職種のこと]

と

この職業に求められるトレーニング

グルーマーになるには、大抵の場合、高卒資格が必要になる。実地研修と先輩からの指導に加え、公認グルーミングスクールや獣医学校の実習プログラムの修了証明書が求められることもある。

有益なスキル・才能・能力

商才、動物の扱いが巧み、基本的な応急処置能力、人を引きつける魅力、共感力、優れた聴覚、優れた嗅覚、卓越した記憶力、他人の信頼を得る力、マルチタスクのスキル

性格的特徴

柔軟、愛情深い、おだやか、芯が強い、魅力的、おおらか、効率的、共感力が高い、熱心、気さく、凝り性、温和、勤勉、面倒見がいい、注意深い、プロフェッショナル、責任感が強い、頑固、天才肌、倹約家、寛容、仕事中毒

葛藤を引き起こす原因

- 犬やグルーミングに使うシャンプーなどにアレルギー反応を示すようになる。
- 同僚のグルーマーが突然辞めてしまい、仕事が手一杯になってしまう。
- 飼い主に厳しい要求を突き付けられる（飼い主が完璧を期待する、難しいカットを要求する、など）。
- 飼い主以外の人を怖がる、扱いの難しい犬を任される。
- 人に虐待されたことがあって、人を噛んだり引っ掻いたりする犬を任される。
- 犬が予防接種済みであることを証明する最新の書類の提出を飼い主が拒否する。
- ゲートが開いたままになっていて、犬が逃げ出してしまった。
- 飼い主がけちで、犬のグルーミング代に文句をつける、またはチップを払わない。
- 誤って犬を怪我させてしまった。
- 飼い主によって犬が虐待されていることに気づき、報告しなければならない。
- グルーマーの給料は安く、生活が苦しい。
- グルーミングに使うシャ

ンプーなどに犬がアレルギー反応を示す。
- 飼い主が犬の体調やアレルギー反応の有無などを開示しない。
- 飼い主が、必要もないのにまたは危険なのに、犬を丸刈りしてほしいと要求してくる。
- 飼い主が予約時間より早く来る、または遅れてくる。
- クリエイティブに犬をカットしたいのに、厳しいガイドラインに従わなければならない。
- 退屈または不快な仕事をしなければならない（商品の棚入れ、トイレ掃除、など）。

かかわることの多い人々
犬の飼い主、ペットシッター、ペットショップの従業員や動物病院のスタッフ（グルーミングスペースがペットショップや動物病院内にある場合）、他のグルーマー、商品や備品の配達員

この職業は5大欲求にどう影響するか

▸▸ 承認・尊重の欲求：
顧客の中にはグルーミングの値段だけを気にして、犬の世話にかかる時間や労力を理解してくれない人もいるため、自分の仕事が評価されていないと感じるグルーマーもいるかもしれない。

▸▸ 帰属意識・愛の欲求：
グルーミングの予約がいっぱいで、長時間労働で疲れきってしまい、私生活に注ぐエネルギーがほとんど残らず、愛する人から不満が出ることもあるかもしれない。

▸▸ 安全・安心の欲求：
高収入を期待できない仕事なので、他の家族が家計に貢献してくれないと、経済的安定を得るのは難しい。

この職業を選択する理由
- 動物、特に犬が好き。
- 人よりも動物の心のほうが読みやすく、一緒に居やすい（過去のネガティブな経験が原因）。
- 人間不信に陥っていて、犬と絆を築くほうが容易だと気づく（犬は本質的に人を信じる動物だから）。
- 過去に動物絡みのトラウマを経験したが（犬に噛まれたことがあり、犬が怖い、など）、それを乗り越えたい。
- 動物が虐待されていることを察知できるようになってなんとかしたいと思っている。
- 心の苦しみや悲しみを抱えていて、動物に慰められている。
- 獣医や調教員としては働けなくなり、ドッグ・グルーマーなら、動物とふれあいながら仕事が続けられると考えた。

ステレオタイプを避けるために
動物に関わる仕事をする人は、面倒見がよくて心優しく、少し変わったところのある人として描かれることが多い。その固定観念を覆し、人付き合いが苦手、あるいは精神的な問題を抱えているなどの理由から、人と接するよりは動物と接したいと考える人をグルーマーにしてみてはどうだろうか。あるいは、自分のことばかりに気を取られ、犬一匹にも時間や労力を割くことができない余裕のない人や、悪意とともにグルーマーを選んだと思われるような残酷な人、という設定にしてはどうだろう。職業はキャラクターを特徴付け、この仕事を選んだ背景には何らかの事情があるということを示唆するために有用だ。ステレオタイプを避けるには、なぜキャラクターがこの仕事を選んだのかを掘り下げて考えよう。

トレジャーハンター

〔英 Treasure Hunter〕

トレジャーハンターは、強い探究心で調査力を駆使し、失われた、盗まれた、忘れられた財宝を探し出す。土に埋もれ、海中に沈められ、どこかに隠されている財宝の回収や歴史的発見を目指して、あるいは富豪による懸賞金を目当てに、宝探しをする。

この職業に求められるトレーニング

回収される財宝の種類に応じて異なるタイプの訓練が必要になり、そうした訓練がトレジャーハンターの成功を支える。たとえば、難破船を探し出すにはダイバーの資格、ボートを操縦する能力が必要になる。トレジャーハンターには、それぞれの宝探しに特化したトレーニングやスキルが必要なのだ。歴史の知識、地図の読み方やナビゲーションスキルはもちろんのこと、特定の文化に精通し、珍しい言語や文字が読め、各地の習慣や迷信を理解し、宝を隠した人物のことも詳しく知っていなくてはならない。また、金属探知機、海底の財宝を引き揚げるために必要な機材、爆発物などの装備も必要になるので、それらの使い方に精通していなければならない。

有益なスキル・才能・能力

商才、基本的な応急処置能力、優れた聴覚、卓越した記憶力、食料探し、他人の信頼を得る力、人の話を聞く力、交渉力、読唇術、嘘が言える、機械に強い、多言語を操れる、既成の枠にとらわれない思考、天候予測能力、宣伝能力、人の心を読む力、再利用のスキル、調査力、護身術、狙撃、奇術、体力、戦略的思考力、呼吸コントロール、サバイバル能力、自然の中でも迷わない方向感覚

性格的特徴

柔軟、依存症、冒険好き、用心深い、野心家、分析家、大胆、おだやか、生意気、勇敢、好奇心旺盛、決断力がある、腹黒い、規律正しい、控えめ、不正直、つかみどころがない、熱心、想像豊か、独立独歩、勤勉、知ったかぶり、男くさい、操り上手、物質主義、几帳面、注意深い、執拗、楽観的、きちんとしている、忍耐強い、粘り強い、雄弁、臨機応変、意地っ張り、迷信深い、疑い深い、倹約家、非倫理的、賢い

葛藤を引き起こす原因

- ライバルのトレジャーハンターに先を越される、または同時に謎を解く。
- 地元民が部外者を信用せず、口がかたい。
- 地図が経年劣化し、読みづらい。
- 機材が古すぎてほとんど機能しない、またはここぞというときに壊れてしまう。
- 手がかりが間違っていて、時間を無駄にするばかりかライバルを有利にして

と

しまう。
- 役人や警察官を買収しようとして裏目に出る。
- 財宝を見つけたが、他の人がそれは自分のものだと主張する。
- ライバルに罠を仕掛けられ、機材や車が使えなくなる。
- 船の乗組員同士やグループ内で揉め事が起きる。
- 財宝に関する言い伝えに結びついた呪いが本物だと知る。
- オークションやガレージセールで宝を見つけて購入したが、偽物であることが発覚する。
- 法律の裏をかこうとして逮捕される。
- 財宝を探し出している最中に襲われる、または怪我をする。
- 財宝のある場所にたどり着いたが、先客がいた。
- 財宝が見つかる前に、宝探し依頼者の資金が底をつく。
- 手がかりをたどっていくと、保護地区や感染病の蔓延で検疫下に置かれている街など、トレジャーハンターが入ることのできない領域にたどり着く。
- 大変な思いをして探しに行ったのに、見つけた財宝には価値がないことを知る（空気などに触れて腐食していた、壊れていた、依頼者が期待していたものではなかった、などの理由で）。
- 倫理的ではないパートナーに訴えられる。
- 家庭で不測の事態が発生し、宝探しを中断しなくてはならない。

かかわることの多い人々

博物館の学芸員、考古学者、歴史学者、警察、政府役人、現地ガイド、運転手、使役人、宝探しの仲間、船長、専門家、資金提供者

この職業は
5大欲求にどう影響するか

▸▸ 自己実現の欲求：
トレジャーハンターが莫大な財宝を見つけたいという感情にただただ突き動かされていて、結局財宝が見つからない場合、自分を見失い、人生を無駄にしてしまったのではと思ってしまうかもしれない。

▸▸ 承認・尊重の欲求：
他のトレジャーハンターに常に先を越されている場合、自己肯定感を保てなくなる可能性がある。

▸▸ 安全・安心の欲求：
トレジャーハンターは財宝を探して危険な場所に入り込むこともある。財宝を探し当てた者には多額の懸賞金が約束されている場合は、競う他の人間も危険な存在になりかねない。

この職業を選択する理由
- 子どもの頃に貴重な物（隠されていた物、埋められていた物、あるいは失われたはずの物、など）を発見した経験がある。
- ギャンブル好きの親が大金を当てたことがある。
- 骨董品や収集品、修繕された高級品を集める家庭で育った。
- 親が考古学者や博物館の学芸員で、貴重な遺物を扱っていた。
- 特定の地域の歴史に思い入れがある。
- 失われた物をふと見つけられる、あるいは見つけてしまう超能力がある。

ステレオタイプを避けるために
トレジャーハンターは男性として描かれることが多いが、女性にも冒険魂はある。次の主人公は女性のトレジャーハンターにしてみてはどうだろうか。

泣き屋

〔英 Professional Mourner〕

泣き屋は報酬をもらって、葬儀に参列し、嘆き悲しむふりをする職業。家族や愛する人が死去したときに、この職業が雇われることがあり、故人に親近者がほとんどいない場合や、遺族が故人を実際よりも人に慕われていたように見せたい場合などに雇われる。

泣き屋は葬儀のときに、遠縁の親戚や、交流の途絶えていた昔の友人、かつての同僚、知人などの役を演じる。他の弔問客と交流さえするが、決して正体を明かしてはならない。

宗教や文化によって葬儀のしきたりは異なるため、泣き屋の仕事内容はその都度異なる。弔問客の中に溶け込むには、各葬儀に見られる文化的規範や宗教的慣習に精通している必要がある。

この職業に求められるトレーニング

正式な教育や訓練は不要だが、演技や即興のクラスを取ると役に立つかもしれない。求人情報は普通一般公開されないため、泣き屋の仕事を探すには少し努力が必要になる。

有益なスキル・才能・能力

目立たないように振る舞うスキル、創造性、細部へのこだわり、卓越した記憶力、嘘が言える、多言語を操れる、場をうまくとりなす能力、演技力、人の心を読む力、死者と対話する力

性格的特徴

柔軟、芯が強い、礼儀正しい、クリエイティブ、控えめ、共感力が高い、忠実、大人っぽい、病的、従順、忍耐強い、雄弁、上品、協力的、非倫理的

葛藤を引き起こす原因

- 弔問客の中に怪しみだす人がいて、質問攻めに遭う。
- うっかり正体を出してしまう。
- 遺族にあまりにも大きな期待を持たれてしまう。
- 馴染みのない宗教の葬儀に参加する。
- 故人が犯罪に巻き込まれていて、殺害されたのではないかと示唆する証拠が出てきた。
- 遺族間の確執に巻き込まれる。
- 葬儀で知人に出くわす。
- 他人の悲しみに常にさらされる仕事なので、つられてつらくなる。
- 葬儀でプライベートなことを小耳にはさんでしまう。
- 遺族や他の弔問客から嫌がらせを受ける。
- 葬儀に向かう途中で車が故障する。
- 同じ葬儀にもうひとり泣き屋が来ていて、自分と張り合おうとしている。
- 実は自分が故人の遠縁にあたると知る。
- 泣き屋が雇われていると知って遺族が動揺する。
- 弔問客に本当の遺族でもないのに家庭内のプライベートな相談を持ちかけられ、泣き屋を引き受けた自分がまるで人を騙しているかのような気分にさせられる。
- 葬儀中に起きたあることがきっかけで、泣き屋になっている自分に恥や罪悪感を覚え、弔問客のふりをしているのがつらくなる。

- おしゃべり好きな弔問客に声をかけられ、気まずい質問をされる。
- 著名人の葬儀なので報道陣がいて、ある記者に不審がられ、自分が泣き屋であることを調べ上げられて世間に公表され、以後仕事ができなくなる。
- 泣き屋ならば訴訟を起こさないだろうと踏んだ遺族が料金を支払わない。

かかわることの多い人々
故人の両親や兄弟姉妹、それ以外の家族や友人、牧師や神父などの聖職者、同じ葬儀に参列する他の泣き屋、葬儀社の社員、花屋、ケータリング業者

この職業は
5大欲求にどう影響するか

▸▸ 承認・尊重の欲求：
とりわけ人が気弱になりやすい時に泣きまねや虚言などを行なうことは倫理に反すると感じる人もいる。そういう人たちが泣き屋に厳しい批判を向けることも考えられる。

▸▸ 帰属意識・愛の欲求：
泣き屋を世間があまり受け入れていない場合、この職業に対するある種の思い込みや理解のなさから、泣き屋が世間一般の人たちと有意義なつながりを持てない可能性がある。

▸▸ 安全・安心の欲求：
葬儀は、参列者たちの感情が高ぶりやすい場所だ。弔問客の中に泣き屋がいるとばれた場合、罵声を浴びせられるだけでなく、暴力をふるわれる可能性もある。

この職業を選択する理由
- 自分の家族が死んだとき、親族が葬儀に参列しなかったため、失礼だと思って失望した経験がある。
- 演技するのが好き。
- 死、葬儀、悲嘆のプロセスに大いに関心を持っている。
- たった短時間のことであっても、家族の一員であるかのような気持ちになりたい。
- 誰かのふりをして生きることにスリルや興奮を覚える。
- 本当の自分をなかなか受け入れられない現実に向き合わず、誰かのふりをしていられる。

ステレオタイプを避けるために
伝統的に、泣き屋といえば女性が多い。多くの文化で、女性は男性よりも感情を露わにすることが社会的に受け入れられていたのが理由だ。現在でもその点は変わっていないのかもしれないが、泣き屋を男性にしてみると、ストーリーに役立つかもしれないし、検討の価値はあるだろう。
「嫌な」仕事なだけあって、実際にそれに携わっている本人も、いやいやながらやっていて、早く仕事を終わらせたいと思っている。その通念をひっくり返して、そのような仕事でも自分の仕事を愛し、楽しんでいるキャラクターという設定はどうだろうか。

ナニー

〔英 Nanny〕

ナニーはプロの育児係のことで、主に雇用主の家庭に入って子どもの面倒を見る。慈しみにあふれた安全な環境を作って育児をし、必要に応じて子どもをしつけ、教育する。食事の準備や、ちょっとした家事を担当し、子どもの学校や病院へ送り迎えし、習い事に連れていくこともある。状況によっては、家族の休暇に同行し、休暇先でも子どもの面倒を見るよう求められることもある。

職務内容をすべて書き出した契約書を交わすべきだが、そうしているナニーは少なく、雇用主である親が相談もなしに次々と役割を足していくために、仕事の内容は時間とともに増えていく。仕事はフルタイムまたはパートタイムで、住み込みの場合もある。ナニーは、面倒を見ている子どもだけでなく、その家族全員に強い愛着を持っているのが一般的だ。

この職業に求められるトレーニング

ナニーに求められる教育レベルは仕事内容によって異なるが、一般的に、教育レベルが高ければ高いほど給料は高くなる。雇用主の家庭の事情などに応じて、ナニーに求められるスキルは異なり、複数の言語を話せる人や体力のある人が求められることもある。また、子どもが学習障害などの発達障害や身体障害を抱えている場合は、そういう子どもの育児や教育の経験がある人が求められる。

有益なスキル・才能・能力

ベーキング、基本的な応急処置能力、周囲に溶け込むスキル、人を引きつける魅力、鋭い洞察力、共感力、優れた聴覚、優れた嗅覚、卓越した記憶力、他人の信頼を得る力、ゲームのスキル、人に温かく接する能力、直感、和気あいあいとした雰囲気を作れる、人を笑わせる能力、多言語を操れる、マルチタスクのスキル、場をうまくとりなす能力、映像記憶、人の心を読む力、体力、俊足、人に教える能力

性格的特徴

柔軟、愛情深い、用心深い、おだやか、芯が強い、魅力的、自信家、協調性が高い、クリエイティブ、如才ない、規律正しい、控えめ、おおらか、効率的、共感力が高い、熱血、気さく、不真面目、ひょうきん、太っ腹、温和、幸せ、正直、気高い、もてなし上手、想像豊か、独立独歩、勤勉、優しい、忠実、面倒見がいい、従順、注意深い、きちんとしている、情熱的、忍耐強い、雄弁、遊び心がある、世話好き、責任感が強い、賢明、寛容

葛藤を引き起こす原因

- 親が事細かく管理してきたり、不当な要求をしたりする。
- 親がナニーに模範的に振る舞うよう期待しているくせに、親自身はそのように振る舞わない。
- 子どものことや毎日の出来事をナニーと話し合う時間を、親が作らない。
- 仕事に見合わない不当な賃金しか支払われない。
- 昇給もなしに仕事が追加されている。

- 相談もなしに新たな仕事が追加されている。
- 他の大人との交流がない日が続き､孤独感を覚える。
- 子どもに愛着を持っているので、雇用条件に不満を抱いているものの我慢する。
- しつけや子育てをめぐって、子どもの親と意見が合わない。
- 親が子どもをネグレクトしたり、子どもに理不尽な要求をしたりするのを目にする。
- 福利厚生や健康保険がない。
- 複数の家族が集まったときに、他家の子どもの面倒まで見るよう期待される。
- 不測の事態が発生し、子どもの面倒が見られなくなるが、そのせいで予定が狂ってしまった親がナニーに共感や理解を示さない。
- （現金払いで給料をもらっている場合）税金で苦労している、または銀行から信用してもらえない。
- 仕事でエネルギーを使い果たし、疲れきっている。
- 子どもと強い絆を築いているので､親に嫉妬される。
- 親が子どもにペットを与え、ペットの世話まで期待されてしまう。
- 子どもから何かを感じとり、他の人に相談しなければならないと思う（親に虐待されている、ドラッグを使用している、ポルノ依存症になっている、など）。

かかわることの多い人々
親、配達員、学校の教員、司書、コーチや習い事の先生､子どもの友だちやその親、医療従事者（小児科医、歯科医など）

この職業は
5大欲求にどう影響するか

▸▸ 自己実現の欲求：
ナニーが自分の子を持つことができない場合、この仕事は、子どもが欲しいという欲求を満たしてくれる一方で、自分は子どもを持てないという事実を常に思い知らされてしまう。

▸▸ 承認・尊重の欲求：
ナニーとしての勤務時間やスケジュール、スキルやニーズを尊重しない家庭に雇われている場合、自尊心を傷つけられるかもしれない。

▸▸ 帰属意識・愛の欲求：
住み込みで働くナニーの場合、人生のパートナーを見つけたり、恋愛関係に注ぐエネルギーを維持したりするのは難しいかもしれない。また、自分の子どもを持っている人なら、一日の仕事が終わると、実子に注ぐエネルギーが残らないかもしれない。その場合、子どもが不満に思い、親子関係に軋轢が生じる可能性も考えられる。

この職業を選択する理由
- 子どもをネグレクトする親を持ち、酷い家庭環境で育ったので、他の子どもを守りたい。
- 外国への移住を希望していたところ、ナニーの仕事が見つかり、希望が叶った。
- 育児を通して、子どもたちが自己を発見できるように支援したい。
- 我が子を失った経験があり、子どもと過ごす時間を大切にしている。
- 学費や生活費を払っていけるよう、安定した収入を必要としている。
- 旅をしたい、世界を見てみたい。
- 子どもと過ごす時間を楽しんでいるが、自分の子どもは欲しくない。

ステレオタイプを避けるために
ナニーは、外国生まれの移民として描かれたり、雇用主を誘惑しようと家庭に入り込んだ性的魅力のある人として描かれたりすることが多い。こういう陳腐な描き方を避け、保育関係の仕事に就くため経験を積もうとしている、心理学の論文執筆のために研究をしている、ひとりっ子の我が子を失い、心の空白を埋めようとしているといったように、キャラクターがナニーになろうと思った様々な動機を検討してみよう。

農業従事者

〔英 Farmer〕

作物を植えて育て、収穫する、または主に食用に家畜を飼育する。

この職業に求められるトレーニング

農業従事者になるには正式な教育を必要としないが、経験は成功につながる。作物を栽培するなら、それが穀物、野菜、ベリー系などの果物、ナッツや種子でもなんでも、栽培する品目に精通していなければならない。各品目が何を必要とし、どういう栽培地が適しているのかだけでなく、害虫や病害を防ぐ方法、収穫した作物の保管や販売、輸送方法も知っておく必要がある。食料の生産から流通までのプロセスには様々な人が関わっているので、細かい点まできちんと管理しておかないと、消費者のもとまで無事届けられない。

家畜を飼育するなら、当然畜産の技術と知識が必要になる。家畜にとって健全な環境を維持して適切な栄養を与えて世話をし、畜産業界の安全衛生基準を遵守して家畜検査に合格しなければならない。家畜を販売する準備ができたら、輸送を含めた手配をするのも農家の仕事だ。

農業はビジネスである。得意先の管理から、諸経費の支払い、農場で働く人々の管理、借金の返済（ローンを組んでいる場合）、帳簿の残高チェック、機械などの購入と修理、小屋や農地の維持、農産物や畜産物を市場に届けるための手配まで、すべて農業従事者が手がけなければならない。マージンは厳しく、市場は変動しやすい。農家が最終的に手にする利益は常に、天候や政策、価格設定に影響される。

有益なスキル・才能・能力

商才、動物の扱いが巧み、基本的な応急処置能力、優れた聴覚、優れた嗅覚、優れた味覚、卓越した記憶力、農業技術、栽培技術、数字に強い、交渉力、機械に強い、マルチタスクのスキル、天候予測能力、再利用のスキル、体力、将来を見通す力、木工技能

性格的特徴

柔軟、野心家、分析家、おだやか、強迫観念が強い、規律正しい、効率的、独立独歩、勤勉、知ったかぶり、几帳面、自然派、面倒見がいい、注意深い、忍耐強い、積極的、臨機応変、責任感が強い、正義感が強い、倹約家、健全、仕事中毒、心配性、賢い

葛藤を引き起こす原因

- 作物や家畜を壊滅させる病害に見舞われる。
- 気候変動や異常気象で、早霜、長期にわたる干ばつ、洪水などに見舞われる。
- 負債が増大していく。
- 政策や市場の変化のせいで、消費者に商品が届きにくくなる。
- 農作物の価格が低下していく。
- 市場が飽和状態になって

いる。
- 農家の家畜が野生動物に襲われる。
- 病気や怪我に見舞われ、農業ができなくなる。
- やらねばならない仕事が多いのに、時間が足りない。
- 市場のニーズに合った作物を作らなければならないことにプレッシャーを感じる。
- 作物や家畜を壊滅させる事件が発生する。
- 政府の支援が足りない。
- 税金が高すぎる、規制が多すぎてコストがかかる。
- 家族の中に田舎暮らしに辟易し、都会暮らしを希望する者がいて、家庭内で軋轢が生じる。
- 最悪のタイミングで機械が故障する。
- 農業ビジネスの今後について家族間で意見が対立する。
- どういう農業を営むかをめぐり、モラルの葛藤がある（たとえば、工場方式の畜産なら利益率を上げられるのはわかっているが、家畜の飼育場所を狭めて行動を制限するのは間違っていると感じている、など）。
- 10代の子どもたちが田舎暮らしに不満を持っている。
- 信頼できる農場労働者がなかなか見つからない。
- 農地やその経営責任に縛られ、自由が制限されている。

かかわることの多い人々

他の農家、近所の人、機械の修理工、農機や肥料などの販売店の人、顧客、検査官、獣医、家族、地元の人々

この職業は5大欲求にどう影響するか

▸▸ 自己実現の欲求：
田舎暮らしが好きで働き者でも、やっと生活がしていけるだけの日常に疲れ、自分が選んだ道に疑問を抱くかもしれない。

▸▸ 帰属意識・愛の欲求：
農場経営方法や、どの程度の借金を背負うか、どういう作物に投資するかなどについて家族内で意見が対立すると、関係がこじれる可能性がある。また、成人した子どもたちが農業以外の進路を望んでいるのに、地元にとどまり農業を営むよう親がプレッシャーをかける場合も、親子関係がこじれ、修復が困難になる危険がある。

▸▸ 生理的欲求：
農業従事者にとって、借金は大きな苦しみ。しかも、自分たちではどうにもならない物事が起きて、借金が膨らむことも多い。返済の闘いに負けてしまえば、自分と家族たちが路頭に迷うことになる。

この職業を選択する理由

- 農家で育った。
- 家業である農業を継ぐことが期待されていた。
- 自給自足しながら田舎暮らしをしたい。
- 自然を愛し、広々とした土地が好き。
- 土地を耕していると神とのつながりを感じる。
- 動物好きで、畜産業も気に入っている。
- 食料生産業の現状を憂いて、どうにかしたいと思っている。
- もっと伝統的な生活に戻って、シンプルな暮らしをしたい。
- 核戦争や大きな自然災害に見舞われても生き残れるように、あるいは世界滅亡の日が来ると信じて、持続可能な環境を作ろうとしている。

ステレオタイプを避けるために

農業従事者は多くの場合男性として描かれ、女性は農場を営む家族の一員として描かれるにすぎないことが多い。そこで、キャラクターを女性にし、彼女を中心に農場を経営している、あるいは、様々な事情を抱えて社会復帰が困難な女性たちの助けを借りて農業を営むといった設定などはどうだろうか。そんなキャラクターであればラベンダーやクリスマスツリー、マリファナなど、少し変わった品目を栽培しているかもしれない。農業従事者は一般的な職業だが、農業を多角的に考察することで、人間として深みや面白みのあるキャラクターを設定してみよう。

パーソナルショッパー

〔英 Personal Shopper〕

パーソナルショッパー（買い物代行）は、クライアントの買い物に付き添って専門的なアドバイスをしたり、クライアントに代わって買い物をしたりする。ギフトの購入に雇われることもある。パーソナルショッパーは常にトレンドを追っているのでその専門知識を活かし、クライアントの好みを把握しながら、個々のニーズに合わせて買い物サービスを提供する。小売店に雇われている場合もあれば、フリーランスでクライアントの買い物に付き添う、またはオンラインで注文を受けて買い物をする場合もある。

この職業に求められるトレーニング

正式な教育は不要だが、ファッションマーチャンダイジングなどの小売業や業界関連の学位があれば、役に立つかもしれない。特に、小売業などでの販売実績と、顧客満足度の評価が高かった実績を証明できることが鍵になる。

有益なスキル・才能・能力

人を引きつける魅力、卓越した記憶力、他の人の信頼を得る力、人の話を聞く力、交渉力、マルチタスクのスキル、人の心を読む力、営業力

性格的特徴

魅力的、自信家、協調性が高い、クリエイティブ、如才ない、控えめ、おおらか、効率的、浪費家、気さく、正直、知ったかぶり、忠実、面倒見がいい、客観的、きちんとしている、雄弁、臨機応変、粋、活発、天才肌、倹約家

葛藤を引き起こす原因

- 要求のうるさいクライアントが非現実的な期待を持っている。
- 変更の提案をしてもクライアントが抵抗する。
- クライアントにフィードバックするとき、本心を伝えながらも相手を傷つけないようバランスをとるのが難しい。
- トレンドについていかなければならないプレッシャーに苦しむ。
- クライアントが太り、大き目のサイズを提案しても、試着しようとしない。
- 販売ノルマの達成を期待されている。
- クライアントが買い物仲間を連れてきたので、その仲間の相手もしなければならない。
- 他のパーソナルショッパーと競争しなければならない。
- クライアントのニーズに応えるため、変則的な時間に働かねばならない。
- 自分に自信のないクライアントの相手をしている。
- 収入が不安定（特に歩合制で働いている場合）。
- クライアントに納得してもらえるような流行の服を着ていなければならず、洋服代がかかる。
- クライアントとおしゃべりをしながらも商品を買ってもらわなければならないので、そのバランスをとるのが難しい。
- クライアントに満足してもらうために、自分の個人的な好みを差し挟まないようにしなければならない。
- クライアントの予算が限

られている。
- 聞きたくない噂話をクライアントから聞かされる。
- あまりにも表面的または物質主義的なクライアントの対処に悩まされる。
- クライアントのために商品を購入しているのに、自分もその商品が欲しいと思ってしまう。
- ある商品を売るとリベート（卸や小売店から謝礼として支払われる払い戻し金）が発生するので、クライアントにとって一番のものを提案せずに、リベートがもらえる商品を押し付け、道徳的葛藤に苦しむ。
- 裕福なクライアントなので、こっそりと自分のものも買って支払わせても気づかないだろうと誘惑に駆られる。
- 本当はひとりで仕事をしたいのに、おしゃべりで外向的なクライアントと一緒に一日を過ごさなければならない。
- 複数のクライアントから注文を受け、ネットショッピングをしていたが、混乱して注文を取り違えてしまう。

かかわることの多い人々
クライアント、販売員、ファッションデザイナー、店長、他のパーソナルショッパー

この職業は
5大欲求にどう影響するか

▸▸ 承認・尊重の欲求：
パーソナルショッパーの仕事は買い物をするだけだと思われがちなので、見下されたり、軽薄な仕事だと見られたりする。新規顧客を獲得し、既存顧客を維持するのに必要な業界知識を持ち、事業主としての能力もあるのに、過小評価されたり、見下されたりすることが多い。

▸▸ 帰属意識・愛の欲求：
長時間労働かつ待機時間も長いので、私生活での人間関係をうまく育めない可能性もある。

この職業を選択する理由
- 小売やファッションのトレンドを理解している。
- 優れた対人スキルを持っている。
- クライアントの好みに合わせ商品を選ぶのが楽しい。
- 物を売って目標を達成するスリルが好き。
- 他人を美しく見せ、気をよくしてもらうことにやりがいを感じる。
- ファッション業界が好きだが、デザイナーになる才能を持ち合わせていない。
- 富裕層に近づきたい。

ステレオタイプを避けるために
「パーソナルショッパーは言えば何でもしてくれる」とクライアントに思われているのであれば、キャラクターに不遜な態度を植え付け、クライアントの言いなりにはならないようにしてみてはどうか。
　パーソナルショッパーの生活は、トレンドの知識とクライアントが財布の紐を緩めてくれるかどうかにかかっている。強い意見の持ち主で、クライアントがいないところでは物質主義的な物事やお金を毛嫌いしているキャラクターはどうだろうか。
　買い物といえば女性を連想しがちだが、その固定観念を覆し、男性のパーソナルショッパーにしてみる、あるいは、クライアントを男性にしてみるのもいいかもしれない。

パーソナルトレーナー

〔英 Personal Trainer〕

パーソナルトレーナーは、1対1で、または少人数のグループのクライアントを受け持って、彼らの運動目標の達成を支援する。通常、健全なレベルの体重に到達するための運動を指導したり、食事制限などのアドバイスをしたりする。ヨガ、エアロビクス、筋力トレーニングなど、特定タイプの運動を専門に指導する場合もある。勤務先はジムなどが一般的だが、大企業などでは、従業員が利用できるようにフィットネスセンターを設置し、パーソナルトレーナーを雇うところも今は多い。また個人的にパーソナルトレーナーを雇うクライアントもいて、そういう場合はクライアント宅に出向いて指導する。

この職業に求められるトレーニング

健康やフィットネス関連の学位を持つトレーナーを好む企業が多いが、資格さえあればよしとする企業もある。また、運動能力強化、リハビリ後のトレーニング、シニア向けトレーニングなどの専門分野の資格を持っていると役に立つ。基本的な心肺蘇生法（CPR）や応急処置などの追加訓練も必要になる。

有益なスキル・才能・能力

基本的な応急処置能力、痛みに強い、俊敏な運動能力、営業力、体力、力強さ、呼吸コントロール、人に教える能力

性格的特徴

大胆、自信家、協調性が高い、礼儀正しい、規律正しい、共感力が高い、熱血、影響力が強い、注意深い、楽観的、粘り強い、雄弁、協力的

葛藤を引き起こす原因

- トレーニング中にクライアントが怪我をする。
- トレーニングに必要な設備や器具を購入する余裕がない。
- 独立開業したいのに、今の仕事を辞めることができない。
- 怪我をしたり病気にかかって、トレーナーとしての健康を維持するのが難しくなる。
- クライアントの目標達成を支援できない。
- クライアントが正直に体重や食生活を話してくれないので、フィットネスの目標をなかなか達成できない。
- クライアントに恋愛感情を抱くようになる。
- 職場で他のトレーナーと互いを貶めるような競争をしてしまう。
- セクハラの被害に遭う、あるいはセクハラされたと告発される。
- 疑わしい方法で見事な体格を維持していると非難される（ドーピング、利尿剤の乱用、シリコン挿入のための外科手術を受けた、など）。
- 本当はプロのボディビルダーやウェイトリフターなどになりたいが、それを追求する時間がない。
- 家族との時間、自分のワークアウトなどの時間をとるのが難しい。
- ジムに雇われていて、他のトレーナーとスケジュールを調整しながら働かなければならない。
- 新しいツールやトレーニング方法を試したいのに、ジムのオーナーが導入に

関心を示さない。

- 栄養補強ドリンクなどの製品を推薦していたが、後で効果がなかったことが発覚する（健康食品のはずなのに化学物質が多く含まれていた、市場に出す前に十分なテストが行なわれていなかった、など）。
- クライアントの個人的な生活に関わりすぎる。
- クライアントの都合がつく夕方や週末に働かなければならない。
- 資格の維持にお金がかかる。

かかわることの多い人々

クライアント、ジムに入りびたりの人々、他のパーソナルトレーナー、ワークアウトのパートナー、ジムのマネージャーやオーナー、ジムの受付、トレーニング中に遭遇する人々（スピンバイクのクラスの参加者、ヨガインストラクター、地元の競技場のトラックで走っている人々、など）。

この職業は5大欲求にどう影響するか

▸▸ 自己実現の欲求：
特定の競技のスポーツ選手になりたくてこの職業を選んだのに、仕事にあまりにも多くの時間をとられると、自分の夢を追求できずに後悔するかもしれない。

▸▸ 承認・尊重の欲求：
トレーナーの目が人の体に向かうのは当然のこと。だが、他人と比べて自分に足りないものばかりが気になりだすと、自尊心の問題に発展しかねない。

▸▸ 帰属意識・愛の欲求：
恋人になる可能性のある相手が自分のルックスだけに興味を持っている、または、今の体格を維持しないと相手の興味が薄れてしまうと思っていると、本当の意味での恋愛関係をなかなか築けないかもしれない。

▸▸ 生理的欲求：
健康的でありたいと思うのは健全だが、その思いがあまりにも強すぎると不健全になってしまい、健康そのものだけでなく、命すらも危険にさらすことになりかねない。

この職業を選択する理由

- 生活習慣を変えて減量に成功し、これからも健康的でいたかった。
- 摂食障害を克服し、健全でポジティブなボディイメージを持ち続けたかった。
- スポーツ選手としてキャリアを積めなかったが、アスリートと関われる仕事がしたかった。
- プロのボディビルダーを卒業し、別のキャリアが必要になった。
- 肉体の鍛錬、健康、栄養管理に情熱を注いでいる。
- ある種の健康問題（肥満、心臓病、怪我のリハビリ、多発性硬化症、など）を抱えている人を助けたい。

ステレオタイプを避けるために

冷徹で、罵倒まがいの声かけをするパーソナルトレーナーがクライアントに向かって怒鳴ったり、顔に唾を吐いたりする姿を描くのはあまりにも陳腐。お色気たっぷりのセクシーな女性トレーナーもそうだ。別の角度からパーソナルトレーナーを描いてみよう。

バーテンダー

〔英 Bartender〕

人が集う場所で客にアルコールを給仕するのが仕事。働く場所は、クラブやスポーツバー、パブ、レストラン、または、結婚式やプライベートパーティー、コンサート会場や劇場などの特別イベントなどだ。アルコールを給仕できる法定年齢に達していなければならないだけでなく、各場所で決められている要件を満たす必要がある。

この職業に求められるトレーニング

バーテンダー養成学校に通う人もいれば、独学で学ぶ人もいる。人気のドリンクと、そのレシピや混ぜ方について幅広い知識を持ち、ビールの種類（ラガー、エール、IPAなど）を理解し、客にドリンクを勧められるかどうかが優秀なバーテンダーになる秘訣だ。ワインバーに勤めるならワインに詳しく、スコッチバーならスコッチに詳しくなくてはならない。

ストーリーの場所設定にもよるが（街や店、あるいは会場）、アルコールを給仕するのに必要な免許などの取得が必要になったり、アルコールの危険性を理解するための講習を受けたりしなければならない場合がある。食事も出すパブやレストランで働くなら、食品衛生責任者の資格が必要になるだろうし、著名人が集まる店で働く場合は、身元調査に合格しなければならないだろう。

有益なスキル・才能・能力

人を引きつける魅力、優れた味覚、平常心、卓越した記憶力、他人の信頼を得る力、人の話を聞く力、接客力、人を笑わせる能力、場をうまくとりなす能力、人の心を読む力、護身術

性格的特徴

柔軟、用心深い、おだやか、魅力的、クリエイティブ、如才ない、控えめ、効率的、誘惑的、気さく、ひょうきん、もてなし上手、勤勉、きちんとしている、勘が鋭い、雄弁、天真爛漫、天才肌、ウィットに富む

葛藤を引き起こす原因

- 酔客に対応している。
- 客の間で家庭内虐待（パートナーに暴力を振るう、など）が繰り広げられている。
- セクシーなバーテンダーを客が個人的に誘い出そうとする。
- 客が勘定を払えない。
- 酒を飲みながらドラッグあるいは処方薬を服用した客が酩酊する。
- 酔った客にタクシーで帰宅するように勧めているのに、客はそれを拒否して自分で運転して帰宅したがっている。
- 勘定をめぐって揉め事が起きる。
- スタッフの誰かがチップを盗む。
- パーティー客たちの間で揉め事が起き、口論や喧嘩に発展する。
- 酩酊している客にこれ以

は

上酒は出せないと断ると、客が喧嘩腰になって難癖をつける。
- ある客が別の客の飲み物にドラッグを入れているところを目撃した。
- 未成年客が偽のIDを使って酒を注文しようとしている。
- 強盗に襲われる。
- 給仕スタッフとキッチンスタッフとの間で摩擦が生じる(口論になる、など)。
- 勤務中なのに同僚が酒を飲んでいる。
- 注文した材料がすぐに届かない、あるいは人気のドリンクが手に入らない。
- 人でごった返しているイベントで、誰が何を注文し、勘定を済ませたのかがわからなくなる。
- セクハラを受ける（客に体を触られる、あるいは野卑な言葉をかけられる、など)。

かかわることの多い人々

ウェイターやウェイトレス、経営者、客（酔っぱらい、しらふ、ドラッグでハイ状態、色気を出して誘う、など)、配達員、調理人、警察官、バウンサー（クラブやバーなどの入り口に立っている警備員。詳しくはp. 258)、酒屋、保健所の職員

この職業は5大欲求にどう影響するか

▸▸ 自己実現の欲求： 場所によっては、売上が上がるからという理由で魅力的な女性バーテンダーを雇いたがるところもある。この種のジェンダーや外見に対する偏見は、容姿に関する要件を満たさない人たちからチャンスを奪い、どうせ自分には無理だと夢をあきらめさせてしまう。

▸▸ 承認・尊重の欲求： 男女どちらのキャラクターであっても、外見のせいで給料が少なく支払われていることを知った場合、劣等感を感じる可能性がある。

▸▸ 帰属意識・愛の欲求： バーテンダーは給料をチップで補っている。客にチップを弾んでもらおうと、思わせぶりな言動をすることもしばしばだ。恋人連れの客が、実は自分の恋人とバーテンダーが深い仲になっていると思い込み、嫉妬してしまうこともある。

▸▸ 安全・安心の欲求： バーでの喧嘩、騒々しい客、様々な違法行為は、従業員の安全を脅かす危険性がある。

この職業を選択する理由

- チップをたくさん稼いで収入を補いたい。
- クラブでナイトライフを楽しみたい。
- 新しい人と出会うのが好き。
- 時間の融通が利く副業が必要。
- 将来的にバーやクラブ、パブ、レストランを持ちたいと思っている。
- 結婚など難しいことを気にせず、恋愛が楽しめる相手を探している。
- 本名を伏せなければならない、あるいは身を隠す必要がある。
- アルコール中毒者なので、アルコールに簡単に手が届くところにいたい。
- 何らかの睡眠障害を抱えていて、活気のある場所にいると起きていられるから。

ステレオタイプを避けるために

美貌だけが売りのバーテンダーよりも、面白い性格で、大げさな口調や仕草をしたり、新しいカクテルを生み出したりする創造性を持っていたりと、バーテンダーとして成功しやすい何かを持ったキャラクターにしてみよう。ややこしい客のあしらいもうまく、客の心も読めて、ボトルを空中に投げて曲芸のようにカクテルを作れたりするキャラクターがいるかもしれない。既成概念にとらわれずにキャラクターを考え、読者が初めて出会うような独自性のあるバーテンダーにしてみよう。

俳優

〔英 Actor〕

あまりにも身近すぎて定義する必要のない職業は少なからずあって、俳優もそのひとつである。様々な役柄を演じる俳優は、観客を楽しませ、時には啓発し、観客の感性を試しては感動させようと努力する。テレビや映画、または劇場に出演するのが一般的だ。

この職業に求められるトレーニング

俳優になるための正式な学校教育はないが、この職業は競争が熾烈で、供給過多である。つまり、少しでも自分の有利になるように努力したほうがいい。俳優の卵なら、演劇のクラスをとる、演劇学校に通うなどして、演技力を高めたほうがいいだろう。

才能が必要とされる一方で、コネも非常に重要なので、エージェントの目を引くことも含めて、コネ作りも仕事の一部だ。駆け出しなら、コマーシャルやボイスオーバー、エキストラの仕事などから始めるのが普通だ。

俳優には、出演時間に加えて、セリフの暗記やリハーサル、役の研究が必要だ。自分が演じる役が何か技術を持っている場合は、その習得も必要になる。体形維持のためのエクササイズもこの分野で成功するには欠かせない。複数の才能があれば、他の俳優よりも抜きんでた存在になれるのだから、歌やダンス、脚本の執筆に長けた俳優になれるよう努力することも求められる。

有益なスキル・才能・能力

人を引きつける魅力、創造性、人の話を聞く力、人を笑わせる能力、マルチタスクのスキル、演技力、映像記憶（目に映ったものを映像として記憶する力)、宣伝能力、パブリック・スピーキング、調査力、文章力

性格的特徴

柔軟、冒険好き、野心家、大胆、魅力的、自信家、協調性が高い、クリエイティブ、好奇心旺盛、熱血、外向的、派手、熱心、気さく、ひょうきん、物質主義、大げさ、執拗、情熱的、忍耐強い、完璧主義、粘り強い、雄弁、奇抜、責任感が強い、感覚的、天真爛漫、活発、勉強家、協力的、天才肌、奔放、ウィットに富む

葛藤を引き起こす原因

- うぬぼれた、または自己陶酔した同業者と一緒に仕事をする。
- わずかな数の役しかないのに大勢の俳優たちが競い合う。あるいは、ライバルに役を奪われる。
- 大事なキャスト募集があったのに忘れていた。
- 俳優仲間の間に創造力の差がある。
- 難しい、あるいは非現実的な要求をする監督の下で仕事をする。
- 同じような役ばかり与えられる。
- セクハラ（または他のハラスメント）を受ける。

は

- 獲れると思っていた賞を受賞できなかった。
- ひどい内容の契約を結んでしまう、あるいはエージェントに騙される。
- 常に脚光を浴びているため、プレッシャーから機能不全に陥る（何かの依存症になる、不倫関係に陥る、など）。
- 他の出演者と恋愛関係を持つ。
- インフルエンサーから酷評される。
- 役の中で、自分の道徳観に反したことをやれと言われる。
- プライバシーがない、パパラッチに取り囲まれる、ストーキングされる。
- 個人的な信念に従ってとった行動がメディアで誹謗中傷される。
- 世間に知られたくない秘密が明るみに出て、キャリアが脅かされる。
- 過密なスケジュールのせいで、家庭内で揉め事が起きる。
- キャリアを追求するか、家庭を持つかの選択を迫られる。
- 有名になってしまい、長年の友人たちとの関係に距離が生まれる。

かかわることの多い人々

他の俳優、監督、プロデューサー、エージェント、メイクアップアーティスト、スタイリスト、付き人、パーソナルトレーナー、スタッフ（カメラマン、脚本家、セットデザイナー、など）

この職業は
5大欲求にどう影響するか

▸▸ 自己実現の欲求：
固定観念を持たれてしまい、いつも同じ役柄に配役されたり、将来に行き詰まりを感じはじめたりして、自分の可能性を十分に活かしきれていないと悩む可能性がある。

▸▸ 承認・尊重の欲求：
俳優としてのキャリアにつまずくと、自分自身または自分の能力に疑問を抱きはじめることも。

▸▸ 帰属意識・愛の欲求：
俳優業には過酷な労働や長い移動時間がつきもので、疲れから自分に対して疑心暗鬼になったり、人に嫉妬したりすることもある。成功している俳優なら、自分に恋心を抱く人が現れると、その人の誠実さや、自分に近づいてくる意図を疑うことも考えられる。

▸▸ 安全・安心の欲求：
俳優業の様々な側面が依存症や薬物乱用を引き起こし、心身の健康を危険にさらす可能性も。

▸▸ 生理的欲求：
精神錯乱状態の暴力的なストーカーを引き寄せる可能性がある。

この職業を選択する理由

- 有名な芸能一家で育った。
- 虐待されながら育ったために自己肯定感が低く、別の誰かになって自分から逃れたい。
- 人に強い印象を与える華のある性格をしている。
- 有名になって親に承認されたい。
- ハリウッドのきらびやかさや有名人たちに魅了され、自分も彼らのようになりたい。

ステレオタイプを避けるために

俳優が登場するストーリーは数多く存在し、当然、俳優に対するステレオタイプも数々生まれている。代表例として、セックスアピールしかない無愛想な女優、メソッド演技法を取り入れ、無気力な雰囲気を漂わせている俳優、芸能界にとどまろうと必死で、どんな役でも引き受ける落ち目の俳優などが挙げられる。

このような陳腐な描き方を避けるには、多面的で独自性のあるキャラクターを描くこと。キャラクターのポジティブな部分とネガティブな欠点は何だろうか。キャラクターはどこで道徳的な線を引いているのだろうか。俳優になった動機は何か。ステレオタイプからは離れ、他の人とは一味違うところを持ったキャラクターを描こう。

パイロット

〔英 Pilot〕

パイロットにも、航空会社、軍隊、民間と、いくつかの種類がある。

名前が示すように、航空会社のパイロットは旅客機を操縦する。民間のパイロットは、民間企業で働くか自分で事業を経営し、乗客や貨物の搬送、救助活動、農薬の散布、空撮などを行なう。軍のパイロットは言うまでもなく軍用機や戦闘機を操縦し、航空士官になる場合もあれば、パイロットとして戦地に赴く人もいる。飛行訓練と経験を積んでいるので、除隊後は問題なく民間パイロットに転向できる。

航空会社のパイロットは、朝9時から夕方5時までの仕事ではない。何日間か連続で勤務したら、その後に数日間の休みを取るのが普通だ。民間パイロットの1週間の労働時間は、事業内容により規制されている。年齢制限もあり、航空会社のパイロットは23歳以上でなければならないが、それ以外の民間パイロットは18歳以上となっている。

この職業に求められるトレーニング

パイロットになるには、地上訓練（講義を含めた、地上で行なわれるあらゆる訓練）と飛行訓練を受けて、資格を取得する必要がある。訓練は、航空学校、大学のプログラムに入って受ける場合もあるし、個人的にインストラクターを雇って訓練を受ける場合もある。健康診断書（航空会社のパイロットの場合は第1クラスの診断書、商業パイロットの場合は第2クラスの診断書［パイロットとして就労するのに必要な健康診断書には3クラスがあり、検査項目や診断書の有効期限などが異なる］）も必要になる。

資格だけでなく、民間企業の仕事に就くには、一定時間の飛行経験が求められることがほとんどだ。飛行訓練だけではこの規定時間を満たせないことが多く、就職を希望する会社に応募する前に実務経験を積む必要がある。軍用機パイロットの要件はまったく別の話で、国によっても違うし、空軍、陸軍など各軍で必須要件は異なる。

有益なスキル・才能・能力

細部へのこだわり、平常心、卓越した記憶力、優れた方向感覚、数字に強い、リーダーシップ、機械に強い、マルチタスクのスキル、天候予測能力

性格的特徴

柔軟、冒険好き、用心深い、自信家、協調性が高い、決断力がある、規律正しい、熱心、几帳面、完璧主義、責任感が強い、勉強家

葛藤を引き起こす原因

- 気難しい、または怠惰な副操縦士と一緒に飛ぶ。
- 機械的に問題のある飛行機を操縦する。
- 悪天候の中を飛ぶ。
- 不時着をしなければならない。
- 客室乗務員と恋愛関係になる。
- 薬物検査で失格する。
- テロやハイジャックに直面する。
- フライトが遅れ、子どもの誕生日会や、大切なカウンセリングの予約など大事な用事を逃してしまう。
- パイロットの中での年功序列が低いため、あまり

担当したくないフライトに割り振られる。
- 仕事のために、住みたくもない町に住んでいる。
- キャリアを脅かす健康問題を抱えている。
- 家庭の事情で、なかなか長期間留守にできない（深刻な病気にかかっていると診断された、伴侶が昇進して出張が増える、など）。

かかわることの多い人々
副操縦士、航空管制官、客室乗務員、空港職員、組合職員、乗客、地上勤務員、シャトルバスの運転手、ホテルに勤務する人

この職業は 5大欲求にどう影響するか

▸▸ 自己実現の欲求：
必要資格を取得できなかった場合、パイロットの仕事を続けられず、満足のいかない仕事しかできなくなることも考えられる。また、個人的な事情で、勤務スケジュールにもっと柔軟性がある、朝9時から夕方5時までの一般的な時間帯に働ける仕事に就かなければならなくなった場合にも、同じような気持ちになるかもしれない。

▸▸ 帰属意識・愛の欲求：
変則的な勤務スケジュールや、家を離れる時間が多いせいで、家庭に問題が起きる可能性がある。パートナーと別れたり、子どもとの関係がぎくしゃくしたり、あるいはその両方を経験するかもしれない。

▸▸ 安全・安心の欲求：
どんなに訓練を受けて経験を積んでいても、飛行機の操縦には危険がつきまとう。パイロットが自分の身の危険を感じるような状況に遭遇すれば、その体験は尾を引き、恐怖心から再び操縦席に就けなくなることも。

この職業を選択する理由
- 本当は宇宙飛行士になりたかったが、向いていなかった。
- 親が航空関係の仕事に携わっていた（飛行機整備士、パイロット、空軍の軍人、など）。
- 飛行機や空を飛ぶのが好き。
- 他の人が行けない場所に行き、そこでしか見られないものを見たい。
- 高所恐怖症を克服して、飛行機に乗りたい。
- 責任を持たされ、指揮を執るのが好き。
- 旅好きで、見知らぬ土地を訪ねるのが楽しい。

ステレオタイプを避けるために
パイロットには男性が多い。女性パイロットの設定にしてみると、新鮮なひねりになるだろう。
パイロットは、非常に冒険心の強いスリル好きか、真面目で杓子定規な人のいずれかとして描かれがちだ。ストーリーに登場するパイロットをどのような性格にしようかと検討中なら、パイロットらしくない特徴を考えてみよう。たとえば、感傷的、哲学的、怠惰、病的、または話のくどいパイロットにしてみるなど。

バウンサー

〔英 Bouncer〕

バウンサー（用心棒）は、アルコール飲料が提供される場所（クラブやライブハウスなど）の警備員として雇われる。入り口に立って、客が飲酒年齢を越えているかどうか、泥酔していないかをチェックし、条件を満たさない客を追い払うのが主な仕事だ。さらに、会場内や店内でアルコールやドラッグが乱用されて問題が起きないように、また、店が訴えられそうな状況を未然に防ぐためにも監視する。

バウンサーは体を鍛えている人が多く、体格がいかつい。必要であれば、威圧的な言動をとって客を黙らせることもあるが、力で客を追い出すのは最後の手段になることが多い。相手を下手に挑発しないよう機転を利かせ、冗談を交えながら客を注意し、威嚇されても冷静を保つことが重要になる。暴力に発展しそうな場合や、誰かが危険にさらされている場合は警察を呼ぶ。

客を追い出すためにやってもよいこと、あるいはやってはいけないことは、各州の法律によって異なるので、実際にバウンサーを描く場合は、ストーリーの舞台となる町の法律を調べておこう。大抵の場合、バウンサーには警察に与えられているような権限はなく、一般市民と同じ扱いになるので、バウンサーは自分自身や、警備している会場や店が訴えられるような行動は避けようとする。護身目的で直接行動に出ることはあっても、過剰な防衛は認められない。たとえ合法であっても武器を携帯しない場合がほとんどだ。仕事の服装はイベントの内容や場所によって変わる。ジーンズと店のロゴ入りシャツなどカジュアルな場合もあれば、ビジネススーツを着用する場合もある。

この職業に求められるトレーニング

仕事に何が求められているのかをよりよく理解するため、研修に参加したり、勤務先で訓練を受けたりする。薬物検査に合格し、身元調査を受け、高卒資格がないと雇われない場合もある。

主な勤務先としては、クラブやコンサート会場、ビアガーデン、有名人のイベント、祝賀パーティー、ストリップクラブ、招待制のプライベートイベント、カジノ、レストラン、バーなどがある。バウンサーの役割は場所やイベントに合わせて調整される。

有益なスキル・才能・能力

基本的な応急処置能力、目立たないように振る舞うスキル、人を引きつける魅力、鋭い洞察力、共感力、優れた聴覚、優れた嗅覚、卓越した記憶力、他人の信頼を得る力、交渉力、痛みに強い、接客力、読唇術、人を笑わせる能力、多言語を操れる、場をうまくとりなす能力、人の心を読む力、護身術、力強さ、声のとおりがいい

性格的特徴

柔軟、用心深い、分析家、おだやか、慎重、芯が強い、魅力的、自信家、勇敢、礼儀正しい、如才ない、規律正しい、控えめ、おおらか、効率的、共感力が高い、つかみどころがない、生真面目、せっかち、頑固、男くさい、注意深い、粘り強い、雄弁、積極的、プロフェッショナル、世話好き、責任感が強い、賢明、疑い深い、気分屋、寛容、ウィットに富む

葛藤を引き起こす原因

- 未成年客が偽のIDで入場しようとする。
- 店内でドラッグディーラーが取引しようとしている。
- 客が酒やドラッグ、武器を持ち込もうとする。
- 男性バウンサーが女性客同士の喧嘩を仲裁しなければならないとき。
- バーテンダーやウェイターが客に脅されている、あるいは殴られている。
- イベント会場でスリを発見する。
- セキュリティに不備のある大きなイベント会場で働く。
- 客が殴りかかってきて、自己防衛のつもりが過剰防衛になってしまう。
- 性犯罪者が餌食を狙っている。
- トイレや廊下、その他密閉空間を監視して回る。
- 友人たちに置き去りにされた酩酊した客がいる。
- ライバル同士、または元恋人同士が鉢合わせする。
- 会場や店内に、視界を遮ったり見回りの邪魔になる障壁（祝賀会用の飾り付けや衣装、あるいは有名人のゲスト目当てで集まった報道陣、など）がある。

かかわることの多い人々

客、バーテンダー、マネージャー、酒類の営業販売担当、有名人、有名人のガードマン、重要人物、ウェイターやウェイトレス、タクシーの運転手、警察官、イベントを取材するメディア

この職業は5大欲求にどう影響するか

▸▸ **承認・尊重の欲求：**
バウンサーが権力を持つ立場にあると、エゴが肥大しやすく、仕事上のミスにつながりかねない。

▸▸ **安全・安心の欲求：**
酒を飲み、ドラッグを使用している疑いのある客に注意する場合、客が逆上して暴力的になる可能性があり、バウンサーが怪我を負うことも考えられる。

この職業を選択する理由

- 怪我をしてしまって、自分の体格を活かした夢（プロスポーツ選手や軍人など）の仕事ができなかったから。
- 威圧的な体格をしていて、それを利用したいと考えている。
- プロのボディビルダーを目指している間に、安定した収入が欲しい。
- 失敗を恐れ、自分が本当に望むキャリアを目指せないでいる。
- 友人たちが「タフな」仕事に価値を置き、そういう仕事しか受け入れてくれない。
- 人を助けて平和を守りたい。

ステレオタイプを避けるために

どのバウンサーもがっしりとした体格で怖そうな男というわけではない。女性でもバウンサーになれるし、むしろ身体的な威圧感がないため、男女を問わず客をなだめやすかったりする。場所によっては、女性のバウンサーを常駐させ、女性が頻繁に出入りするエリア（トイレなど）の見回りや、エゴやプライドから互いを挑発し合う客たちのなだめ役をさせているところもある。

バウンティハンター

〔英 Bounty Hunter〕

バウンティハンターは、法の裁きから逃げている逃亡者を捕まえるのが仕事だ。普通、被疑者は裁判所に出頭する日を待つ間、保釈金を払って拘束を解いてもらう。被疑者自身が保釈金を払えない場合は、保釈保証業者にそれを立て替えてもらい、被疑者が指定日に裁判所に出頭しなかった場合は「逃亡者」となる。保釈保証業者は、逃亡者を捜し出すためにバウンティハンターを雇うことがあり、逃亡者が見つかれば、保釈金の一部をバウンティハンターに支払う。バウンティハンターは、保釈保証業者に直接長期雇用されている場合もあるし、フリーランスとして毎回契約を結ぶ場合もある。

バウンティハンターは、ある意味警察官ほど法律で縛られることがなく、家宅捜索令状なしに逃亡者の自宅に入ることができ、州境を越えて逃亡者を捕まえることもできる。逃亡者の家族や友人から話を聞き、近所での聞き込みや張り込み、通話記録やナンバープレートの追跡はもちろん、逃亡者が発見されたときに立ち向かうのもバウンティハンターの仕事だ。仕事の性質上、危険が伴うため、チームやペアで働くことがほとんどだ。

［編注：上記でも説明されているように、本項はたとえば西部劇など過去の時代の職種として扱われる「賞金稼ぎ」のことではなく、現代のアメリカ合衆国において多くは免許制で営まれている民間業者の職種を示す］

この職業に求められるトレーニング

アメリカでは、バウンティハンターになるには、21歳以上で高卒資格またはGED（高卒程度の学力を持っていることを証明するテスト）に合格している必要がある。元警察官や元兵士がこの職を目指す場合が多いが、公式の教育は不要だ。ほぼ全州で免許が必要なため、この分野の法律と規制を学んで試験に合格しなければならない。新人は、経験豊富な人の見習いになって経験を積むことが多い。

有益なスキル・才能・能力

基本的な応急処置能力、目立たないように振る舞うスキル、人を引きつける魅力、鋭い洞察力、ハッキングのスキル、平常心、卓越した記憶力、他人の信頼を得る力、人の話を聞く力、交渉力、痛みに強い、ナイフ投げ、第六感、人脈作り、既成の枠にとらわれない思考、俊敏な運動能力、人の心を読む力、護身術、狙撃、体力、戦略的思考力、力強さ、サバイバル能力、俊足、格闘技

性格的特徴

冒険好き、用心深い、大胆、冷淡、慎重、挑戦的、決断力がある、控えめ、熱心、生真面目、勤勉、公明正大、操り上手、詮索好き、注意深い、執拗、忍耐強い、粘り強い、雄弁、世話好き、強引、反抗的、臨機応変、責任感が強い、荒っぽい、賢明、疑い深い、奔放、執念深い、賢い

葛藤を引き起こす原因

- 非協力的な情報提供者から情報を聞き出そうとしている。
- 法律に縛られる。

は

- 逃亡者を捕まえるために法律の裏をかきたい誘惑に駆られる。
- 逃亡者を見つけられない。
- 情報提供者から誤った情報を受け取る。
- 予算やスケジュールを超えた仕事になってしまう。
- 重要な情報提供者（主任捜査官や保釈金保証人など）が仕事を辞めてしまう。
- 気持ちの上で葛藤がある（逃亡者を個人的に知っている、自分の家族が逃亡者から被害を受けている、など）。
- 怪我を負い、仕事に支障が出る。
- 逃亡者に怪我を負わされる、または捕まる。
- せっかちな保釈保証業者と一緒に仕事をしている。
- 自分以外に複数のバウンティハンターが雇われている案件に関わる。
- 自分の仕事のやり方に慈善家ぶった人間が苦言を呈する。
- 治安の悪い地域に入り、短気な人たちを相手に聞き込み捜査をしなければならない。
- 仕事と自分の個人的な道徳観が衝突する（我が子を暴行しようとした人間に報復した親が、暴行罪で起訴されて逃亡し、今度はその親のことを捜索しなければならないといったケース）。

かかわることの多い人々
保釈保証業者、警察官やFBI、逃亡者と関わりのある人（家族、友人、近所の人、元上司など）、よく捜索する地域内の情報提供者（店主、ウェイターやウェイトレス、セックスワーカーなど）、事務員

**この職業は
5大欲求にどう影響するか**

▸▸ **自己実現の欲求：**
目指していた職業（軍人や警察官、FBI捜査官、など）には就けず、バウンティハンターの道に進むが、やがていたたまれなくなり、満たされない気持ちになる可能性がある。

▸▸ **安全・安心の欲求：**
捜索中の逃亡者、捜索のために頻繁に足を運ぶ治安の悪い地域など、この職業には多くの危険が絡んでいて、常に自分の身を危険にさらしている。

▸▸ **生理的欲求：**
逃げとおすためなら何でもやるつもりの危険な逃亡者を追跡しているうちに、バウンティハンターが命を落とすこともあるかもしれない。

この職業を選択する理由
- 除隊後に仕事が必要だった。
- 支配欲を満たしたい（仕事以外のことで支配できないものがあるため）。
- ある特定の街とそこの住民をよく知っている。
- リスクと危険に満ちた逆境に強い。
- 人を守る仕事がしたいと思っている。
- 正義を尊重している。
- 犯罪小説やミステリー小説が大好きで、そうした趣味を仕事にしたい。
- 犯罪の被害者になった過去があり、しかも加害者が法の裁きを逃れたという心の傷を持っている。

ステレオタイプを避けるために
荒っぽい性格で、薄汚れた姿で描かれることが多いバウンティハンターだが、そんな外見が逃亡者の潜伏地域に溶け込むのに一役買うこともある。少し趣向を変えて、世間が注目する要人が逃亡したケースだけを扱うバウンティハンターにしてみるのはどうだろう。要人を捜すのだから同じように高級感のある外見をしていなければならない。

剥製師

〔英 Taxidermist〕

剥製師は、多種多様な動物の生存時の美しさと強さを引き出しながら、生き生きとした状態に復元する保存技術を持っている。ペット、魚、爬虫類、鳥、小動物、または大型動物など、特定の動物を専門にしている人が多い。ペットや地元に生息する野生動物を扱う人ならその地域に店を構えるが、ハンティングトロフィーを専門にしている人なら、エキゾチックな動物を扱うこともあるので、ハンターがよく訪れる特定の地域や国に店を持っていたりする。また、人数は少ないが、自然博物館に雇われ、教育目的で使用される展示物を作ったり、既存のコレクションを修復したりする高度な技術を持った剥製師もいる。

一般的に剥製師は、剥製技術を通した生命の再現に情熱を注ぎ、この職業を芸術だと考え、強い誇りを持っている。仕事は散発的に、または狩猟シーズンを中心に発生するので、自分の技能でやれると感じた仕事は何でも引き受ける人もいる。一方で、倫理を重視し、絶滅危惧種の動物の保存やスポーツハンティングで仕留められた動物の保存は引き受けない人もいる。

クライアントは、スポーツハンティングの愛好家、最愛のコンパニオンだったペットを失ってその亡骸を手放せずにいる人、死んだ動物を見つけてその身体的な美しさを保存したい人などである。

この職業に求められるトレーニング

資格や学位取得のためのプログラムがいくつかあるが、学位は必須ではない。これらの学習課程では、皮のなめしや羽毛の処理、生息地の再現、様々な姿勢に仕立てる方法、エアブラシなどの仕上げ方法を学ぶ。多くの場合、既に資格を持っている剥製師の下で見習いながら技能を学び、必要に応じて講義を受講するか、特定の分野に特化してスタートする。

営業するには免許を取得しなければならない。渡り鳥や絶滅危惧種の動物を扱う場合は、さらに特別な許可が必要な場合もあり、魚類野生生物局（米国内務省にある組織）が定めた規制に従わなければならない。

実物そっくりの剥製を作るには、動物の身体的構造や動きを理解するための研究を重ねる必要がある。したがって、剥製師は参考書や写真、ビデオなどの資料を大量に持っているのが普通だ。

有益なスキル・才能・能力

動物の扱いが巧み、創造性、手先の器用さ、共感力、マルチタスクのスキル、映像記憶、再利用のスキル、造形のスキル、裁縫のスキル、戦略的思考力、木工技能

性格的特徴

おだやか、慎重、芯が強い、クリエイティブ、熱心、想像豊か、独立独歩、病的、自然派、注意深い、臨機応変、天才肌、倹約家、引っ込み思案

葛藤を引き起こす原因

- 顧客が代金を払わない、または無理な要求をする。
- 不法に殺された動物を剥製にしてほしいと依頼される。
- 剥製師の仕事を差別的に見る人々がいる。

- 繁閑の差が激しい商売を維持していくのに苦労する。
- 剥製師の倫理に反するようなプロジェクトを依頼される。
- 動物の形を崩すなどミスを犯し、何らかの形で台無しにしてしまう。
- 泥棒が入る。
- 景気が悪化し、剥製師の商売にも影響が出る。
- 社会のものの見方が変化し、剥製が悪く見られるようになる。
- ペットを失い悲しんでいた顧客が、完成した剥製に失望する（慰めのために注文したはずなのに、といった理由で）。
- 材料の仕入先を変えたが、品質の悪い化学薬品が届く。
- 化学薬品の扱い方を誤り、体調を崩す。

かかわることの多い人々

近隣の人々、ハンター、魚類野生生物局の人、スポーツハンティングの関係者、配達員、ハンティングが行なわれる地域の地元民

この職業は5大欲求にどう影響するか

▸▸ 自己実現の欲求：
動物が生きていたときの美しさを再現し、死んだ動物を弔うのが剥製師の仕事だと思っていた。ところが、剥製を作るときに使う化学薬品のせいで自分の健康が悪化し、引退を余儀なくされると、大きなショックを受けるかもしれない。

▸▸ 承認・尊重の欲求：
剥製を作る作業を病的だと思う人がほとんどの世の中では、この職に就いていると誤解される可能性が高い。この仕事を世間に受け入れてもらおうとすると、一般的な認識との差に苦労するかもしれない。

この職業を選択する理由

- 剥製師をしている人が親近者にいて、その人の身近で育った。
- 幼い頃に最愛のペットを失い、その剥製をプレゼントされて慰められた経験があり、他の人にも同じ思いをしてほしい。
- 動物を崇拝していて、死後もその美しさを保ってやりたい。
- 健全な（または不健全な）形で死に魅せられている。
- ハンティングの愛好家で、仕留めた動物を無駄にせず、あらゆる部分を使いたい。
- 珍しい媒体を使って芸術作品を作りたい。

ステレオタイプを避けるために

ユーモアを取り入れた剥製を作ることで知られている剥製師なら、コレクターに人気の作品を作るかもしれない。人気に火が付けば、この職業に対する世間の態度が和らぎ、剥製作りがクリエイティブで芸術的だと見直される可能性もある。あるいは、（憐れみよりも残酷さを表現する形で動物を展示する、または人体を題材にする、といった）タブー視されているようなプロジェクトで知られる剥製師をキャラクターにするのも、興味深い選択肢かもしれない。

発明家

〔英 Inventor〕

発明家は、問題解決や既存の発明品の改良目的で、新しい製品や技術を作り出す。発明品を保護するためには特許を申請し、他人がまったく同じ物を作ったり、そのプロセスを模倣したりするのを防ぐ。特許が取れれば、その製品の販売、またはライセンスの許諾が可能になる。

発明家が企業に勤めている場合は、発明家に代わってその企業が特許を申請する。その場合、会社と従業員との間に結ばれた契約条件に従い、企業が特許権を所有することがある。

この職業に求められるトレーニング

発明家になるための正式な訓練はないが、科学や数学、工学、IT、および消費者市場についてしっかりとした背景知識があれば役に立つだろう。発明家が特定の分野で仕事をしている場合は、その分野に関連した教育と経験がないと、核心を突いたニーズを特定したり、改善の機会を発見したりするのは難しい。

有益なスキル・才能・能力

商才、創造性、機械に強い、マルチタスクのスキル、人脈作り、既成の枠にとらわれない思考、映像記憶、宣伝能力、再利用のスキル、調査力、戦略的思考力、将来を見通す力、文章力

性格的特徴

野心家、分析家、クリエイティブ、好奇心旺盛、熱心、理想家、想像豊か、勤勉、几帳面、注意深い、楽観的、きちんとしている、粘り強い、臨機応変、天才肌、倹約家

葛藤を引き起こす原因

- 失敗と拒絶を何度も経験して悩む。
- 発明の能力はないけれど、他の面で仕事ができる人には仕事を委託したくない。
- 早期段階に投資家を確保できない場合は特に、金銭面で苦労する。
- 他の発明家と競争している。
- 発明という仕事に懐疑的な家族や友人に「地に足の着いた仕事」に就くべきだと諭される。
- 思わぬ（負の）結果を伴う発明をする。
- 実績が少ないため自己不信に陥る。
- 投資家へのプレゼンや売り込みをしなければならない（発明家にそういう才能がない場合は特に葛藤する）。
- 新しいアイデアを考案しなければならないプレッシャーに苦しむ。
- 特許侵害をめぐる訴訟に巻き込まれる。
- 特許を出願するのが遅すぎた（そのために競合他社が利益を得ている）。
- アイデアや材料が盗まれる。
- 発明を売ったが、その価値に見合った金額を得ていないことに後から気づく。
- 「手を貸してやる」と言って近寄ってきた悪質な投資家やビジネスパートナー、または親戚に騙される。
- 発明にいたるまでの過程で重要な部分だったのに理解が足りず、それが原因で時間と金を無駄にした（間違った材料を使用した、間違った基準に基

は

づいて製造業者や販売業者を選択したなど）。

- 発明品を市場に出す準備段階で、市場調査員から厳しいフィードバックを受け取り、最初からやり直さなければならなくなる。
- エンジェル投資家（創業して間もない企業などに資金を提供する個人投資家のこと）が手を引く（景気が後退して気が変わった、などの理由で）。

かかわることの多い人々

他の発明家、特許専門の弁護士、特許庁職員、市場調査会社の人、発明品のターゲット層、雇用主、投資家

この職業は
5大欲求にどう影響するか

▸▸ 自己実現の欲求：
クリエイティブでうまく考えられたアイデアを実用化できれば、人々の生活を直接改善できる。実用化できなければ、強いプレッシャーがかかって、自分の能力に疑問を抱くことも。

▸▸ 承認・尊重の欲求：
発明への道は失敗と却下の連続で、自尊心が傷つきやすい。発明家は、成功の保証がないにもかかわらず、精神的にも経済的にも自分を脆弱な立場に置かねばならないことが多い。ある面で発明家自身よりも優秀な技能を持つ人々に仕事を外注しなければならない場合も、発明者の自尊心を脅かす可能性がある。

▸▸ 生理的欲求：
発明に大変な希少価値がある場合は、それを手に入れるためならどんなことも厭わないと、発明家の殺害を企てるような人物を引き寄せてしまう可能性も考えられる。

この職業を選択する理由

- 以前、発明で成功した経験がある。
- 問題を解決するのが好きで、既存の製品や技術にある欠陥を容易に見つけられる。
- 何かに突き動かされ、「次の大ヒット」を見つけ出さなければと思っている。
- 新しい発見につながる実験や試行錯誤のプロセスが好き。
- 理想主義者で、世界をよりよい場所にしたいと考えている。
- 愛する人が人生を十分に楽しめない運命にあり、その運命を変えたいと決意した。
- 常にアイデアをたくさん持ち、自然と既成の枠にとらわれない発想ができる。

ステレオタイプを避けるために

発明家はリスクを厭わない人だと思われがちだ。そこで消極的な発明家というキャラクターはどうだろう。すばらしいアイデアを持っているのに、その実用化に苦労するのではないだろうか。仕事を一部外注するにしても、外注先に任せず、自分で何でも管理したがったり、失敗を恐れて前進できずにいたりするかもしれない。

一般的に、発明家は、人間の生活改善を目指して様々な問題の解決策を見つけ出す人だと思われている。その固定観念を裏切って、陰湿で、不吉な目的のために発明をしているキャラクターはどうだろうか。

年齢や人間としての成熟度に関係なく、発明家気質は育つ。科学技術に焦点を当てたSTEM教育（科学、技術、工学、数学を組み合わせた教育）の授業が増え、子どもたちがアイデアを考案する機会もかつてないほど増えている。子どもまたは10代による重要な発明をストーリーに盛り込むと、面白い変化球になるかもしれない。

パラリーガル

〔英 Paralegal〕

パラリーガルは、弁護士に雇われ、訴訟事件のための調査など様々な法律事務を行なう資格を持った人である。クライアントから直接話を聞き、訴訟の事実関係を理解して文書にする、関係者のスケジュールを押さえて会議を設定する、様々な調査をして証人や専門家らの面接を設定する、弁護士用に法的書類を準備する、証拠を整理する、メモを取る、期限までに書類を準備して提出する、裁判所職員と訴訟関係者との間に立って連絡係になる、様々な期日を管理するといったように、弁護士が必要とするものがあれば用意するのが主な職務だ。パラリーガルは「弁護業」にあたる仕事、たとえばクライアントから仕事を引き受ける、法的助言を提供する、クライアントを代弁する、弁護料を決めるなどといった行為が法律で禁じられている。

この職業に求められるトレーニング

2年間の資格コースを修了するか、または学位を取得する必要がある。幅広い範囲の作業をこなすので、ほとんどのパラリーガルは、優れたコンピュータースキル、文章力、コミュニケーションスキルを持ち、理路整然と物事を処理できる能力を持っている。また、クライアントが弁護士事務所に連絡を取るとき、まずはパラリーガルと接するので、事務所を代表してクライアントと接する訓練も受けている。わずかなミスが訴訟に大きな被害をもたらすこともあるので、パラリーガルは細部にまでしっかりと目を光らせ、情報の整理にも長けている。

有益なスキル・才能・能力

目立たないように振る舞うスキル、人を引きつける魅力、細部へのこだわり、優れた聴覚、卓越した記憶力、他人の信頼を得る力、人の話を聞く力、多言語を操れる、マルチタスクのスキル、映像記憶、人の心を読む力、調査力、戦略的思考力、文章力

性格的特徴

柔軟、用心深い、分析家、自信家、協調性が高い、決断力がある、如才ない、規律正しい、控えめ、効率的、共感力が高い、熱心、正直、気高い、謙虚、独立独歩、勤勉、知的、忠実、几帳面、従順、執拗、きちんとしている、完璧主義、粘り強い、雄弁、積極的、プロフェッショナル、世話好き、臨機応変、責任感が強い、意地っ張り、仕事中毒

葛藤を引き起こす原因

- 仕事量が多すぎててんてこ舞いなのに、弁護士事務所がパラリーガルをもうひとり追加採用しようとしない。
- 仕事が過小評価されている。
- 物事がうまく運ばなくなると、偉そうにしているくせに内心は弱々しい弁護士から八つ当たりされる。
- 調査、専門家への聞き取り、書類をすぐに必要とするような、整理整頓が不得意な弁護士をサポートしているためにストレスがたまる。
- 残業が多い。
- 週末に出勤しなければならない。

- 仕事ばかりしているので家族が腹を立て、家庭に問題が起きる。
- ルールを理解しながらお役所仕事的な手続きをうまくこなさなければならない。
- 自分と同じ労働倫理を持っていない同僚に憤りを覚える。
- 弁護士の不倫や依存症（薬物、ギャンブル、など）を知ってしまったが、秘密にしておいてほしいと頼まれる。
- 倫理観がいい加減な弁護士の下で働いているので、道徳的葛藤がある。
- 裁判所が書類を誤ってファイリングしたりミスを犯したせいで、法的手続きが遅れてしまい、時間のロスが発生する。
- えこひいきを目撃し、親密な関係が重視され、努力が報われない職場だと痛感する。
- 怪しい目撃者や協力に消極的な目撃者になかなか連絡がつかない。
- 無能、あるいは怠惰な弁護士がミスを犯し、パラリーガルが必死でやった仕事が水の泡になる。
- 領収書を紛失し、立て替えた経費が払い戻されない。

かかわることの多い人々

弁護士、他のパラリーガル、弁護士の助手、クライアントと証人、管財人、裁判官、文書整理係、裁判所詰めの記者、犯罪者、鑑定人（捜査官、心理学者、会計士、など）、事件関係者、配達員、法律図書館の司書、法律事務所の他のスタッフ、クライアントの家族

この職業は5大欲求にどう影響するか

▸▸ 自己実現の欲求：
パラリーガルは、仕事で得る知識や経験、スキルをいくら伸ばしても、権限が限られている。好きなことをしているにもかかわらず、将来性があまりないせいで、自己実現できていないのではないかと思ってしまうかもしれない。

▸▸ 承認・尊重の欲求：
大変重要な仕事をしているのに認められず、自己肯定感が薄れていくのも珍しいことではない。

▸▸ 帰属意識・愛の欲求：
自分がサポートしている弁護士のほぼ言いなりになって働いているため、私生活での人間関係に亀裂が生じる可能性がある。重要なライフイベント（記念日、子どもの週末のサッカーの試合、など）を逃がしたり、休日にエネルギーが残っていなかったりすると、配偶者や子どもたちとの関係がうまくいかなくなるかもしれない。

この職業を選択する理由

- 正義を否定された経験がある。
- 弁護士になりたくてもなれなかった（学費を捻出できなかった、ロー・スクールを中退した、勉強する時間がなかった、など）。
- 愛する人を弁護してくれる人がいなかったので、大切なものを失うのを見た。
- 法曹界に自分が尊敬する人や家族がいた（弁護士、検察官、など）。
- 司法制度を尊重している。
- 理路整然と物事を処理する能力が抜群で、主体的に動けて調査が得意。
- 法律に情熱を持っているが、法廷には立ちたくない。
- 脇役を務めるほうが自分に合っている。

バリスタ

〔英 Barista〕

　バリスタとは、コーヒーやエスプレッソなど、コーヒードリンクを作る人のことで、国によっては他の飲み物も作る。チェーン店も含め多くのカフェでは、必要な機械の操作や、顧客サービスが求められる。コーヒー専門店や独立系カフェのバリスタは、豆の産地や栽培方法、味、焙煎の度合いなど、商品について豊富な知識が求められることもある。また、豆を挽いたり、器やラテアートなどで美しく見せたりするのも仕事のうちだ。
　バリスタはどこで働いていても、接客はもちろん、商品の在庫管理、レジ業務、清掃なども担当する。この仕事は、他の仕事への足がかりとして見なされることが多いため、10代の若者や、つなぎの仕事を探している人に適した選択肢になる。

この職業に求められるトレーニング

　正式な教育は不要で、仕事に就いてから実地で学ぶことがほとんどだ。

有益なスキル・才能・能力

人を引きつける魅力、創造性、優れた嗅覚、優れた味覚、人の話を聞く力、接客力、マルチタスクのスキル、宣伝能力、営業力

性格的特徴

柔軟、おだやか、魅力的、協調性が高い、礼儀正しい、効率的、熱血、平常心、ひょうきん、正直、もてなし上手、優しい、注意深い、情熱的、責任感が強い、賢明

葛藤を引き起こす原因

- 故障した機器を使って作業している。
- 備品や材料の在庫が尽きそうになっている。
- 従業員が突然病欠の電話を入れる、または無断欠勤する。
- 不誠実、怠惰、あるいは非協力的な同僚と一緒に働いている。
- 口うるさい上司に対応している、あるいは不在の上司に代わって自分が店を切り盛りしている。
- 注文がうるさい客、難癖をつける客に対応している。
- 保健所の検査で不合格になる。
- アレルギー症の客にアレルゲンが含まれたドリンクを提供してしまう。
- 店内で客が滑って転倒してしまう。
- ドリンクの器見本の確認や、食材価格の高騰により在庫が底を尽きはじめている件について店長に呼び出される。
- 狭いスペースで働かなければならない。
- 店の評判を落とすような事件が起きる。
- 自分はコーヒーに対する情熱であふれているのに、店のオーナーはそれほどでもないか、まったく興味を持っていない。
- アレルギーや過敏症を発症し、カフェで働きにくくなってしまう（つわりでコーヒーの匂いに耐えられなくなった、など）。
- 悪質な業者から豆を購入しているなどといった、何らかの不正行為を発見する。
- 同僚からただで店の商品を飲ませろと圧力をかけられる。
- カフェで働きたいという

友人の人柄を保証したのに、その友人の勤務態度が悪いことが判明する（怠け者、無断で辞める、同僚と協力して仕事ができない、カフェの商品や備品を盗む、など）。

かかわることの多い人々
他のバリスタや従業員、店長、店主、配達員、客、保健所の職員

この職業は5大欲求にどう影響するか

▸▸ **自己実現の欲求：**
コーヒーに情熱をかけているのに、マネージャーや店主が代わり映えのしないコーヒーばかり出している場合、その熱意がそがれてしまい、バリスタとしての充実感が得られなくなることも。

▸▸ **承認・尊重の欲求：**
短期的な仕事だと見られることが多い。バリスタとして幸せにやっていて、これをずっと続けたいと思っているのに、もっと違う職を目指すべきだと家族や友人に諭された場合、決めつけないでほしいと思うかもしれない。

▸▸ **安全・安心の欲求：**
小売業の仕事はおしなべてみな安全だが、強盗に押し入られた場合や、店舗が治安の悪い場所にある場合は、身の危険を感じることも考えられる。

この職業を選択する理由
- より高収入な仕事に就けるような教育を受けていない。
- 人と接するのが好き。
- コーヒーに情熱を持っている。
- 店の従業員、あるいはその店に来る客に近づきたい。
- 勤務時間に融通が利くので気に入っている。
- 車やバイクを持っておらず、自宅から歩いて行ける場所にカフェがあった。
- 年齢が若く、その年齢層の求人が少ない。
- 短期間で稼げる副収入が必要（クリスマスのため、参加したいスポーツキャンプや夏期講習の費用を支払うため、などの理由で）。

ステレオタイプを避けるために
短期的にバリスタになる人が多いが、キャラクターがこの仕事を長期的に続けようと思う場合、その原動力にはどんなものが考えられるだろうか。
バリスタの仕事を面白く見せるため、カフェ自体の設定を変えてみるのもいいだろう。カフェがベーカリーや文房具店の中に併設されているとか、隣にライバルの店が並んでいるとか、立地を工夫すると面白くなるかもしれない。猫の養子縁組を行なうカフェなど、何かの慈善事業を支援している設定もいいかもしれない。

パン・焼菓子職人

〔英 Baker〕

パン・焼菓子職人は普通、店舗や工場で働き、パンやクッキー、ケーキ、パイなど、店が得意とする商品を作るために、バターを混ぜながら生地を作り、焼き上がったものにデコレーションを施すのが仕事だ。製品の品質を管理し、材料を仕入れ、注文を取るのも仕事のうちだし、衛生安全基準に従った調理だけでなく包装もし、試作品を作ったり、既存のレシピを改良したりもする。設定にもよるが、個人客を相手に商売する場合もあれば、卸売業者として大口注文をこなす場合もある。

この職業に求められるトレーニング

料理学校で勉強するか、見習いになって実地で経験を積む場合が多いが、正式な教育が不要な場合がほとんどだ。就職先はベーカリーやレストラン、パン工場などで、普通はそこで必要なスキルを実地で学んでいく。ただし、経験があれば有利だし、食品安全の基本知識は必須である。まずは初心者レベルの仕事から始め、徐々に専門分野に進むのが一般的だ。パン職人が店のオーナーでもある場合は、経営、従業員の雇用と監督、在庫管理などの経験や、マーケティングと販売の知識も求められる。

有益なスキル・才能・能力

商才、ベーキング、創造性、手先の器用さ、優れた嗅覚、優れた味覚、マルチタスクのスキル、営業力

性格的特徴

冒険好き、クリエイティブ、好奇心旺盛、効率的、想像豊か、独立独歩、勤勉、情熱的、天才肌、奔放、型破り、仕事中毒

葛藤を引き起こす原因

- 店に人気があって客が多すぎる、あるいは客がまったく来ない。
- 在庫が少なくなっている。
- 調理機器が頻繁に故障する。
- 指示どおりに働かない従業員と一緒に働いている。
- チームワークが苦手な従業員がいる、あるいは、従業員同士がいがみ合っている。
- 客にせかされる。
- 一からの起業に苦戦している。
- 店の立地が悪く、商売として成長しない。
- 同じ地区内に商売がたきがいる。
- 暑くて雑然とした環境で働いている。
- 商品の生産に必要な道具が不足している。
- 従業員が不足している。
- 手根管症候群や関節炎など、仕事のパフォーマンスに支障をきたす可能性のある病気を患う。
- 夜勤や早朝勤務が多く、勤務時間が不規則。
- 納品の時間にいつも追い立てられている。
- ほとんど休まずに長時間立ちっぱなし。
- 他人のレシピやデザインを盗んだと非難される。
- パン・焼菓子作りは得意だが商売が下手。
- 食中毒が発生し、保健所の検査員による検査が入る。

かかわることの多い人々
他のパン職人、上級シェフやパティシエ、客、見習い、食料品店などの仕入れ先の人、機器メーカーの人、保健所の職員

この職業は
5大欲求にどう影響するか

▸▸ 自己実現の欲求：
有名なパン・焼菓子職人になりたいと思っていても、手先の器用さや創造性など、卓越したパン職人に求められる能力や技術がない場合、夢に別れを告げ、仕事の目標を調整する必要に迫られるかもしれない。

▸▸ 承認・尊重の欲求：
どんなクリエイティブな分野でもそうだが、他人と自分を比べてしまいがちな職業だ。自分に足りていないものについ意識が向き、自分のアイデアを具現化できないときには、劣等感や低い自己肯定感に悩まされる可能性がある。

▸▸ 安全・安心の欲求：
熱いオーブンや鋭利な包丁、熱した油が入ったフライヤーなど、取り扱いを誤ると怪我や事故につながる可能性がある。

この職業を選択する理由
- 家族が外食業界で仕事をしていた。
- 通勤が楽なように、近所でできる仕事を必要としていた。
- 有名シェフを見て育ち、自分も同じような生活をしたい。
- 今は亡き親からパンや焼菓子の作り方を教えてもらい、キッチンにいると、親が今もそばにいてくれるような気持ちになる。
- パン・焼菓子職人として、その創造性や味について腕を磨くのが楽しい。
- 芸術的で手先が器用。
- パンや焼菓子を作っていると不安やストレスを解消できる。
- キッチンでの子ども時代の思い出がたくさんある。
- おいしいものは人を喜ばせるが、その中でもお菓子がいちばん大きな喜びをもたらすと信じている。
- 一般の人が休んでいる時間に働くのが好き。
- 独立して自分で店を持ち、地域社会の一員になりたい。

ステレオタイプを避けるために
　パン・焼菓子職人は「太っている」と誤解されがちだ。このステレオタイプに対抗して、健康的なライフスタイルを維持し、体を鍛えているキャラクターにしてみるのもよい。
　この職業に新鮮なひねりを加えるもうひとつの方法として、作る商品の種類について慎重に考えてみよう。ありきたりな商品を作るのではなく、伝統にとらわれないヴィーガン用のデザートや珍しい味の焼菓子などを専門にする設定もいいかもしれない。

被験者

〔英 Human Test Subject〕

被験者は、報酬を受け取って科学実験に参加する。臨床実験に参加する場合は、ある薬、ワクチン、サプリメントを服用したり、ある医療機器を使用して、その効果を確認に協力する。あるいは、研究用に、血液や唾液、精子、尿、皮膚細胞、フケなどを提供する場合もある。行動分析を目的とした社会科学実験に協力する場合なら、具体的な質問に答えて、認知的作業をし、心や体、感情の状態を変化させるような条件にさらされることもある。いずれの実験に参加しても、被験者はテストグループまたはコントロールグループに振り分けられ、被験者自身は普通どちらに振り分けられているかはわからない。また、体に負担のかからない安全な実験もあって、アンケート用紙の記入、市場調査のためのパネルディスカッションへの参加、製品テスト、模擬トライアルへの参加などがある。

実験によっては、ある条件を満たした被験者が選ばれることもある。たとえば、ある種類のがん患者である、事故の後に前頭葉に損傷を受けた、共感覚を持っているなどの理由で選ばれる。実験期間中は、ある種の運動メニューをこなし、睡眠や食事のパターンを守り、薬やサプリメント、または気分安定薬の服用を控えるように求められたりする。

被験者になる場合は、研究の参加に同意しなければならない。また、参加すると報酬が得られる。合法的な研究では、倫理に反した実験が実施されないよう規制されている。

この職業に求められるトレーニング

訓練は不要だが、実験の条件に適合していなければならない。被験者グループが無作為に選択される場合を除き、何らかの条件が課される。たとえば、実験で指定されている範囲内の身長と体重であることや、概ね健康であること、禁酒などの条件を満たさなければならない場合もあれば、実験開始前の1カ月間は（市販のものであっても）薬やサプリメントを服用してはならないと指示されることもある。

有益なスキル・才能・能力

人を引きつける魅力、卓越した記憶力、人の話を聞く力、痛みに強い、マルチタスクのスキル、体力

性格的特徴

柔軟、冒険好き、無感動、おだやか、協調性が高い、好奇心旺盛、規律正しい、おおらか、熱心、正直、衝動的、従順、注意深い、忍耐強い、単純、正義感が強い、奔放

葛藤を引き起こす原因

- トライアルの一環として、不快、苦痛、屈辱的なことを要求される。
- 同じことを繰り返したり、長時間作業をしたり、いくつも質問に答えているうちに飽きてしまう。
- 同じテストグループに、うっとうしい人や非協力的な人がいる。
- 期待される症状なのかどうかはわからないが、何らかの症状が出る（急激な性欲減退、頭痛、あるものが欲しくなる、頻尿、など）。
- 研究者に操られている気がする。
- 副作用に悩まされ、治療が必要になる。

ひ

- 実験期間中、軽度の副作用に悩まされるが、耐えなければならない(吐き気、頭痛、四肢の痙攣、不眠、など)。
- 副作用が出て仕事を休んでも補償されない。
- 実験終了後も副作用が長引く。
- 参加したことを後悔しているが、最後までやり通さねばならない。
- 実験参加に家族が反対し、口論になる。
- トライアル実験を終え、報酬がリスクに見合わないと感じる。
- 禁酒と言われていたのに飲酒したり、食事を禁じられている時間帯に食べたりして、トライアル実験のルールを破ってしまい、失格者になる。
- 一度に何日も隔離されるので退屈で仕方がない。
- 頻繁に採血しなければならない。

かかわることの多い人々
他の被験者、研究者、事務員、精神分析医、医師、栄養士、医学生

この職業は
5大欲求にどう影響するか

▸▸ 自己実現の欲求：
実験のせいで、スキルや能力を低下させるような副作用が続いた場合、被験者が人生において有意義な目標を達成できなくなり、研究者に騙されたと感じてしまう可能性もある。

▸▸ 承認・尊重の欲求：
被験者になる道を選ぶ人は、健康への配慮が足りず、自己肯定感が低い可能性がある。あるいは、手っ取り早く金を稼ぐことしか頭になく、健康に悪影響が出るリスクなど少しも考えず、後になって、必要でもないのに無謀なことをしたと気づく可能性も考えられる。そうすると、自尊心が傷ついてしまうかもしれない。

▸▸ 帰属意識・愛の欲求：
被験者になるという選択を家族や親しい友人に理解されず、あるいは支持されず、人間関係がぎくしゃくする可能性も考えられる。

▸▸ 安全・安心の欲求：
実験によっては（特に臨床実験）、長期的な悪影響をもたらすリスクがあっても、それが何年も何十年も表面化しない場合があり、気づいたときにはもう遅いというケースもあるかもしれない。

この職業を選択する理由

- 金が必要だった（膨らむ借金を返済するため、学費を払うため、など）。
- 科学が好きで、この分野に関連した仕事がしたかった。
- 過去の心の傷が原因で自傷行為に走りやすい。
- 何としても医療の助けを必要としている。
- 衝動的で今のことしか考えず、将来のことなど頭にない。
- 難病を患っていて、その疾患の研究が行なわれれば、自分は最適な被験者になれると思っている。

ステレオタイプを避けるために
リスクのある仕事に従事する人は、金銭的に困窮している人として描かれることが多い。そこで、特定の病気を撲滅したいと情熱を燃やしている人、あるいは自分を罰したいという潜在意識を持っている人などが被験者に名乗り出るという設定を考えてみてはどうか。

美術館・博物館ガイド

〔英 Docent〕

美術館や博物館などで働くガイドは、館内の展示物を解説しながら来館者を案内し、時には実演などの司会もする。館内の展示物やコレクションについて説明ができるよう研修を受けているだけでなく、その施設で行なわれている研究プロジェクトに参加することもある。館内ガイドはボランティアであるのが一般的だが、報酬が支払われる場合も多い。

この職業に求められるトレーニング

正式な教育は不要だが、高卒以上の資格を持っていることが望ましいとする施設が多い。教職経験があると有利だが、必須ではない。一般的に、施設が提供する研修を受けてからガイドとして働くようになっている。

有益なスキル・才能・能力

細部へのこだわり、接客力、人を笑わせる能力、演技力、映像記憶、パブリック・スピーキング、人の心を読む力、調査力、体力、人に教える能力

性格的特徴

自信家、礼儀正しい、好奇心旺盛、効率的、熱血、派手、熱心、気さく、ひょうきん、正直、影響力が強い、大げさ、客観的、きちんとしている、情熱的、雄弁、正義感が強い、勉強家、寛容、奔放、ウィットに富む

葛藤を引き起こす原因

- 来館者がルールを守ろうとしない。
- 学芸員や同僚たちがガイドの立場を見下している。
- 管理がずさんな施設で働いている。
- 偏りのある情報を提示する施設で働いている。
- 予定が狂い、大きなグループを案内するはめになる。
- ガイドとして適切な研修を受けていない。
- 展示品が壊れている、または故障している。
- 美術館あるいは周辺地域が工事中。
- 展示品を誤って壊してしまう。
- 騒がしいグループを引率している。
- 来館者の質問に答えられない。
- 案内しているグループが退屈している、またはよそ見をしている。
- 声が出なくなる、または喉を痛めている。
- 言語や文化の壁がある人たちを案内している。
- 邪魔や雑音が入って、展示の説明の妨げになる。
- 館内ガイドにふさわしい服の持ち合わせがない。
- 来館者がゴミをポイ捨てする、または展示物を粗雑に扱う。
- 何度も同じ質問に答えなければならない。
- 展示とは関係のない、質問者が目立ちたくてする質問（たとえば「あなたもこの時代の男性は完全に女性を蔑視していたと思いますか」といったようなもの）に対応しなければならない。
- 嫌なグループの案内係、または美術館の中でも苦

ひ

手なエリアの案内係をさせられる。
- 身体障害者なのに、バリアフリーでない施設で働いている。
- 社会見学の学童を案内しているが、保護者が注意を払わず大声でしゃべっている。
- 案内しているグループのひとりが、故意にあるいは気づかずにグループから離れていく。
- 準備不足で、案内のネタに尽きてしまう。
- 体調を崩しているのに、一日中歩いて仕事をしなければならない。

かかわることの多い人々
来館者、学芸員、アーキビスト（目録作りなど文書管理の専門家）、美術品の修復家、教員や講師、学生、展示デザイナー、歴史専門家、博物館や美術館で講師を務める人、警備員、展示の搬入や設営係、広報担当者、レジストラー（美術作品等の履歴管理の担当）

この職業は5大欲求にどう影響するか

▸▸ 自己実現の欲求：
毎日変化を好み、ガイドラインや決まった予定に従うことを嫌うキャラクターなら、この職業に息苦しさを覚えるかもしれない。

▸▸ 承認・尊重の欲求：
この仕事は人に認められたり褒められたりすることが稀なので、承認・尊重の欲求の強い人には、面白くないこともあるかもしれない。

この職業を選択する理由
- 地元の美術館で求人広告を見て、応募することにした。
- コミュニケーション能力が高く、何事も率先して行なう。
- 関連分野を勉強していて、ガイドの仕事をやれば経験になる。
- 来館者を歓迎する雰囲気を作りたい。
- 子どもの頃に美術館でのいい思い出があり、他の人にも楽しい経験をしてもらいたい。
- 自分が知っていることを他の人に伝えると、達成感を覚える。
- 歴史的事件についての間違った情報を正さなければならないと義務を感じている。
- 地域社会に貢献したい、地域の人たちとつながりたい。
- ある文化や時代に精通しているので、自分の知識を他の人と共有したい。

ステレオタイプを避けるために
美術館や博物館のガイドといえば、定年退職した高齢者として描かれることが多い。そうした固定観念から離れ、歴史好きの大学生や、子どもが学校に行っている間にガイド役を務める専業主夫など、アルバイトのガイドにしては意外な人選を考えてみよう。
またガイドといえば、歴史にばかり没頭していて、時事とは無縁な人のように誤解されることも多い。過去の出来事だけでなく、現代の出来事も同じように熱心に追いかけている人をガイドに検討してみよう。もしかしたら、そういう人は歴史的な出来事を説明するのに時事問題を織り交ぜて、教訓話として来館者を楽しませてくれるかもしれない。

ファッションデザイナー

〔英 Fashion Designer〕

ファッションデザイナーは、服飾をデザインして作るのが仕事だ。コンセプトを練るところから、様々な素材を調達し、それらを使って統一感のあるデザインを作り上げるまでの、あらゆる過程に関与する。こうして作られた服はその後、個人や企業（小売店やデザイン会社など）に販売される。

ファッションデザインと言えば服を連想することが多いが、デザインするのは服に限らない。眼鏡や靴、アクセサリーを手がけることもある。特定の層（男性や子どもなど）向けにデザインしたり、特定のタイプの衣服（水着、ビジネススーツ、レジャーウェアなど）を専門にデザインしたりすることもある。デザイナーは自分なりの美学を持ち、自分のデザインに合った特別な素材を活用することで有名な人が多い。独立してオリジナルブランドを立ち上げる人もいれば、他のファッションブランドで働く人もいる。

この職業に求められるトレーニング

正式な教育は不要だが、ファッションデザインまたは関連分野の学士号を持っているのが一般的だ。自分のブランドや服のラインを確立させるには、ビジネスやファッションマーチャンダイジングの知識や経験があると役立つ。独立して活動しているデザイナーであれば、経営や販売促進、成功するブランドの構築方法の基本的な知識がなければならない。

有益なスキル・才能・能力

商才、創造性、細部へのこだわり、手先の器用さ、数字に強い、マルチタスクのスキル、人脈作り、論理的思考、既成の枠にとらわれない思考、宣伝能力、人の心を読む力、再利用のスキル、営業力、縫製技術、構想力

性格的特徴

柔軟、野心家、クリエイティブ、好奇心旺盛、規律正しい、熱血、派手、熱心、想像豊か、独立独歩、勤勉、物質主義、大げさ、几帳面、注意深い、きちんとしている、情熱的、粘り強い、雄弁、強引、奇抜、臨機応変、賢明、社会意識が強い、天真爛漫、活発、勉強家、天才肌、奔放、型破り

葛藤を引き起こす原因

- 出張が多くて家族と離れている時間が長い。
- 締め切りが近づくと長時間労働になる。
- 締め切りが重なる。
- クライアントがいない。
- 自分のデザイン案が盗まれたりコピーされたりする。
- 資金不足で材料が買えない。
- 収入が変動するので、予算や計画を立てにくい。
- 自分のデザインが厳しい批判にさらされる。
- 評判や知名度を上げることがなかなかできない。
- あら探しばかりして絶対に満足しない顧客がいる。
- この仕事を支持しない家族や友人がいる。
- 業界や最新トレンドの知識が不足している。
- スケジュールが頻繁に変わり、振り回される。
- 怪我をして、手や指を自由に動かせなくなる。
- 上司からの要求が高い。

- 薄暗い照明の中で作業しているため眼精疲労が激しい。
- 仕事に必要な道具を持っていない。
- 道具や材料がうずたかく積まれた狭い場所で仕事をしなければならない。
- 人脈作りや、ショーで紹介されたりするのが苦手で人疲れする。

かかわることの多い人々
個人のクライアント、主任プロジェクトマネージャー、アシスタント、他のデザイナー、パタンナー、裁縫職人、生地の販売業者、メーカー、小売店の従業員、有名人、ファッションインフルエンサー、カメラマン、メイクアップアーティスト、ブランドの代理店、ヘアスタイリスト、ファッション評論家

この職業は5大欲求にどう影響するか

▸▸ 自己実現の欲求：
手がけているプロジェクトの数があまりにも多く、長時間労働の日々が続くと、燃え尽きてしまうかもしれない。創造性が低下してしまうと、これこそが天職だと思っていたのに、喜びを感じられなくなることも。

▸▸ 承認・尊重の欲求：
常に他人と比較される業界なので、自分のデザインに対し、これでいいのかと疑問や不安を感じやすい。

この職業を選択する理由
- 子どもの頃、おさがりや時代遅れの服ばかり着ていたためにからかわれていた。
- 大好きな叔母がモデルやファッション評論家として業界で活躍していた。
- ファッションが好きで、トレンドを追いかけている。
- 創造性にあふれ、プレッシャーにも負けず働くことができる。
- 幅広くいろんなプロジェクトに関わっているので、毎日が違って楽しい。
- ひどいデザインの服から人々を救うという使命感を持っている。
- ひとりでできる仕事だから気に入っている。
- 有名になりたいし、他人が自分のデザインした服を着ているのを見るとやる気が湧く。
- 服飾はアートを表現するための道具だと思っている。

ステレオタイプを避けるために
　ファッションデザイナーは常にビシッと決まった、または目立つような服装をしていると思われがちだ。このステレオタイプに対抗して、他人が自分の外見をどう思うか気にも留めないキャラクター、あるいは目立たないように地味でシンプルな服を好んで着るキャラクターにしてみるのもいいかもしれない。
　架空の世界では、女性向けの服やハイファッションのラインを作るデザイナーがよく描かれる。そこで、メンズウェア、靴、プラスサイズの服、特定のテキスタイルやプロセスを活かしたアパレルなど、虚構の世界ではあまり描かれることのないものを手がけるデザイナーに焦点を絞ってみるのも面白いかもしれない。

ファンドレイザー

〔英 **Fundraiser**〕

ファンドレイザー（資金調達の専門家）は、企業や団体、非営利団体を代表して資金を調達するのが仕事だ。資金集めのキャンペーンやイベントの企画および実施、ボランティア要員のトレーニング、資金調達のためのソーシャルメディアの活用、寄付してくれそうな個人やスポンサーへの連絡、助成金の申請、販促物の作成、寄付者データベースの作成などを主に行なう。

どのアプローチやイベントが各クライアントに最適なのかを判断する必要があるため、様々な選択肢に精通し、過去に何がうまくいったのかを評価できなければならない。資金調達の成功は、他者との取引に大きく依存するので、ファンドレイザーは優れた対人スキルを持ち、人脈作りがうまい人でなくてはならない。フリーランスで働く場合もあれば、コンサルティング会社に勤務している場合もある。

この職業に求められるトレーニング

ファンドレイザーに学士号、特にビジネスや広報、行政などの分野の学士号を求めるクライアントや企業もあるが、学位よりも経験を重視するところも多い。インターンシップやボランティア活動で経験を積んでいけば、必要なスキルは身につけられる。

有益なスキル･才能･能力

商才、人を引きつける魅力、創造性、共感力、卓越した記憶力、他人の信頼を得る力、人の話を聞く力、接客力、マルチタスクのスキル、人脈作り、宣伝能力、人の心を読む力、営業力、文章力

性格的特徴

柔軟、分析家、おだやか、魅力的、協調性が高い、礼儀正しい、クリエイティブ、如才ない、効率的、共感力が高い、熱血、外向的、寛大、もてなし上手、理想主義、想像豊か、勤勉、几帳面、楽観的、きちんとしている、情熱的、忍耐強い、粘り強い、雄弁、プロフェッショナル、臨機応変、責任感が強い

葛藤を引き起こす原因

- 大きなイベントが失敗に終わる。
- 寄付者が寄付すると言ったのに、約束を守らない。
- キャンペーンの目標を達成できない。
- クライアントが非現実的な期待を持っている。
- クライアントが細かいことにまで口を差しはさむ。
- 資金調達が困難になるような、社会的に受け入れられない大義名分を謳うクライアントと契約を結ぶ。
- キャンペーン中に、企業の過去の秘密が発覚する。
- 予定していたイベントの会場や業者が土壇場でキャンセルになる。
- コンピューターやハードドライブがクラッシュし、寄付者データなど重要な記録が失われてしまう。
- 個人的にスキャンダルを起こし、人が去っていく、または寄り付かなくなる。
- 大口スポンサーの経営が苦しくなり、これまでの社会慈善事業予算を削減する。
- 仕事を続けるのが困難になるような怪我や病気を

患う。

- 扱いの難しい、あるいは無能なボランティアがいる。
- 重要な仕事を任せたのに、ボランティアがきちんと最後までそれをやり遂げない。
- 集めた資金の多くが、それを必要とする人々にではなく、資金調達を依頼した事業主に回っていることを知る。
- 仕事で忙しく、夜や週末を家族と一緒に過ごせない。
- 出張が頻繁で家庭で揉め事が起きる。
- 大きなイベントの直前に不測の事態が発生する。
- 悪評高いクライアントや、ほとんどの人の心に共鳴しないブランドを持つクライアントと仕事をする。
- 裏方の仕事（電話応対、事務処理、など）を希望しているのに、表舞台（イベントの司会、寄付者の接待、など）に引っ張り出される。

かかわることの多い人々

非営利団体の代表や企業経営者、事務職員、ボランティア、他のファンドレイザーやコンサルティング会社の上司、ベンダー、会場のスタッフ、寄付をしてくれそうな個人、著名な寄付者（芸能人、億万長者、など）、慈善家、ジャーナリスト、メディア関係者

この職業は5大欲求にどう影響するか

▸▸ 自己実現の欲求：

ファンドレイザーは社会貢献に情熱を持っている人が多い。ただし、希望する団体と仕事ができない、あるいは尊敬できないクライアントと仕事をすると、自分の本来の能力を発揮できていないと感じるかもしれない。

▸▸ 承認・尊重の欲求：

価値ある団体なのに、自分の失敗やいたらなさが原因でどうしても必要な資金を集められなかったりすると、自分の能力を疑問視するようになるかもしれない。

▸▸ 安全・安心の欲求：

クライアントの成功を願わない、高飛車な、あるいは過激なライバル勢力がいる場合、彼らは資金調達の努力を妨害しようとし、ファンドレイザーはその争いの間に挟まれる可能性もある。

この職業を選択する理由

- いつも家族を助けながら育った（親代わりになって弟や妹の面倒を見た、成功している兄弟姉妹を応援した、など）。
- 外向的な性格で、新しいことや困難に挑むのが好き。
- 特定の大義のために募金活動をし、世間に意識を高めてもらい、変化をもたらしたい。
- 社会活動のためにイベントを主催したり、その活動を推進したりするのが好き。
- 人と接するのが得意で、説き伏せるのがうまい。
- 人を引きつける性格で、説得力もあるので、それらを活かして慈善活動をしたい。

ステレオタイプを避けるために

架空の世界において資金集めの活動は、裕福なクライアントを集める派手なイベントとして描かれることが多い。実際には、中小企業や非営利団体も資金を必要としているわけで、どこかで調達する必要がある。そこで、小さな地域社会の慈善団体（動物殺傷を行なわないアニマルシェルターなど）や病院、あるいは子どもの課外活動のために資金集めに奔走するキャラクターはどうだろうか。

フードスタイリスト

〔英 Food Stylist〕

フードスタイリストは、料理本や雑誌、広告、映画、テレビ番組などに登場する料理の準備や盛り付けをするのが仕事だ。食材の色合いや質感、形、調理方法によって最終的に出来上がった料理の見栄えがどのように変わるのかを考慮し、料理をできるだけ魅力的に、食欲をそそるように見せるのが腕の見せどころになる。プロのフードスタイリストの中には、アートディレクターやカメラマンと協力して視覚的な美しさを追求する人もいるし、フードブロガーなどであれば、撮影から料理が出される食卓の演出まで、ほぼすべての作業を自分でこなす人もいる。フードスタイリストは、仕事で使う料理を自分で調理するのが普通で、必要な視覚効果を得るために食べられないものを使うこともある（プラスチック製のアイスキューブ、湯気の代わりにお香を焚く、スプレーの消臭剤を使って料理を輝かせる、など）。

この職業に求められるトレーニング

活躍しているフードスタイリストの間では正式な教育を受けている人が多いが、必須ではない。フードスタイリングという学位はないが、料理学校でこれを学ぶ人は多い。仕事を探すときは、学歴よりも、強力なポートフォリオと履歴書のほうがはるかに重要になる。まずはシェフとして働き、先輩のフードスタイリストに付いて修行してから、独立するというのが一般的な道だ。

有益なスキル・才能・能力

ベーキング、創造性、細部へのこだわり、手先の器用さ、もてなしの技術、人脈作り、既成の枠にとらわれない思考、宣伝能力、造形のスキル、文章力、構想力

性格的特徴

柔軟、協調性が高い、クリエイティブ、好奇心旺盛、熱心、凝り性、想像豊か、勤勉、内向的、几帳面、注意深い、情熱的、完璧主義、粘り強い、奇抜、粋、天才肌、型破り

葛藤を引き起こす原因

- 見た目にバリエーション豊富なポートフォリオを作ろうとしている。
- 食材費や備品代がかさむ（在宅勤務の場合）。
- フードスタイリストのビジョンと、カメラマンやアートディレクターのビジョンがぶつかる。
- 出来立ての料理をすばやく撮影しなければならない。
- 料理に使う食材を煮崩れさせたり、焦がしてしまい、最初からやり直さなければならない。
- 料理が美しく見えるようにしながらも、「これなら私にも作れそう」と読者や視聴者に思わせるよう、バランスを考えてスタイリングしなければならない。
- 料理が引き立っていない写真をカメラマンが撮る。
- 道徳的ジレンマに悩む（ヴィーガンなのに肉を扱わなければならない、など）。
- アレルギーがあって、手で触れない食材がある。
- 必要な食材や備品が手に入らない。
- 撮影前にろくに試作もされていないクライアントの料理を魅力的に見せようと努力するが、難しい。

- 一日に数多くの写真を撮ろうとして、いくつもの料理をスタイリングする。
- クライアントの期待になんとか応えようとする。
- クライアントが難しい食材や見た目がよくない食材を使うよう指定してくる。
- スランプに陥り、自分の思いどおりの撮影ができない。
- 裏方的な職業なので、もっと認められたいと思う。
- 湿気の高い場所など、料理が崩れやすく、盛り付けしづらい場所でスタイリングしなければならない。
- (妊娠中で匂いに敏感なときなどに) 匂いのきつい料理を作っていて気分が悪くなる。
- 馴染みのない食材を使っていて、手がべとべとになるなど面倒な作業が発生する。

かかわることの多い人々

カメラマン、アートディレクター、編集者、シェフ、レストランのオーナーなどのクライアント

この職業は5大欲求にどう影響するか

▸▸ 自己実現の欲求：

アートディレクターやカメラマン、クライアントと一緒に仕事をしなければならないため、自分の創造性を最大限には引き出せないと感じることもある。

▸▸ 承認・尊重の欲求：

フードスタイリストの仕事は舞台裏で行なわれるので、そのクリエイティブな仕事ぶりは特に消費者には認められにくい。フードスタイリングには細かい技がいろいろと必要で、手間もかかるのに、一緒に働いている人たちからもあまり評価されていないのではないかと思うこともあるだろう。

▸▸ 安全・安心の欲求：

アレルギー反応が出てしまう食材がある場合、取り扱うときに手袋を使えなかったり、食材の粒子を吸い込んだりすると、身に危険が迫ることもある。

この職業を選択する理由

- シェフとしては成功しなかったが、食に関わる仕事を続けたい。
- 心の傷が原因で摂食障害に苦しんだ経験があり、フードスタイリングの仕事は、自分を食べ物に対する強迫観念に向き合わせてくれるし、健全な形で前進するのに役立っている。
- 料理やベーキングが好き。
- バランスのとれた美しい盛り付けで料理が出てくると喜びを感じる。
- 雑誌業界で働く人（カメラマン、デザイナー、など）が多い家系の出身。
- 食でアートを表現したい。
- 手で何かを作り出すのが非常に得意で、その創造性を何かに活かしたい。
- 大切な感覚（嗅覚や味覚）を失ってしまい、食べ物を美しく見せることができれば、苦しみにも耐えられる。

ステレオタイプを避けるために

フードスタイリストは、自分で作った料理をすばやく盛り付け、スタイリングしなければならないことが多く、手際のよさや、問題を予測して行動する能力が求められる。そこで、完璧主義者で、チームの人がイライラするほど手の遅いキャラクターにしてみるのはどうだろう。

スタイリングのビジョンを作り上げるときは、他人とうまく協力しなければならない。そこで、才能やビジョンは確かで見事なフードスタイリングをすることはできるが、自分を曲げないせいでチームの他の人とは衝突しがちなキャラクターはどうだろうか。

吹きガラス職人

〔英 Glassblower〕

吹きガラス職人は、吹き竿に息を吹き込む手法やより高度な方法でガラスを成形し、花瓶、食器、ジュエリー、窓ガラス、置物、アート、装飾品などの様々な形に仕上げる。美術館や大学、工房、あるいは工場に勤務し、注文を受けて、商用あるいは化学実験用のガラス製品や作品を作る。見習い工に技術を教えたり、美術館や工房を訪ねる人々のためにガラス作りを実演したりすることもある。中には、自分の工房を持ってそこで作品を作り、ギャラリーや蒐集家に作品を売る職人もいる。

この職業に求められるトレーニング

技術専門学校や一部の大学で授業を受けられるが、この分野で技術を習熟するには見習い工として師匠に付くのがいちばんだ。

有益なスキル・才能・能力

創造性、細部へのこだわり、手先の器用さ、人脈作り、実演のスキル、宣伝能力、営業力、体力、人に教える能力、構想力

性格的特徴

用心深い、おだやか、協調性が高い、クリエイティブ、規律正しい、熱血、贅沢、熱心、ひょうきん、凝り性、想像豊か、勤勉、情熱的、忍耐強い、完璧主義、粘り強い、ウィットに富む、責任感が強い、型破り

葛藤を引き起こす原因

- もっと収入の高い職業を探すべきだと家族や友人に思われている。
- 競争心や嫉妬心の強いライバルがいる。
- 自分が住んでいる近隣地域では吹きガラスの腕を磨く機会が限られている。
- 怪我をして仕事が困難になる。
- 自信が持てなくなり、自分の能力を疑問視している。
- 金銭的に苦しい。
- 競争の激しい市場で勝負しなければならない。
- 景気が悪化する、材料の市場が寡占状態になっている、材料メーカーが変わるなどの変化が起き、劣悪な材料を使って作品を作らなければならない。
- 高価格帯の市場へなかなか参入できない。
- 収入を補うため、教えたくはないが吹きガラスを人に教えなければならない。
- 恩師の期待に応えられる作品が作れない。
- 要求の厳しい顧客が出来上がった作品をこれみよがしに批判する。
- 自分の作品作りに集中するための時間やエネルギーが残っていない。
- 同じものばかりずっと作らされている。
- 集中力、あるいはやる気のない見習いと一緒に仕事をする。
- 近隣の他の職人が安く売っているため、自分の作品が売れない。
- 仕事中に怪我をする。
- 注文作品用に完璧な色を出したいが苦戦している。
- 高温の中で作業しなければならない。
- 手間をかけて作った華奢な作品が手荒な扱いをされて壊れてしまう。

ふ

かかわることの多い人々
見習いや学生、吹きガラスの名工や講師、工房の家主、ギャラリーのオーナーや訪問者、ショールーム担当者、配達員、クライアント

この職業は 5大欲求にどう影響するか

▸▸ 自己実現の欲求：
生計を立てるために教職や製造業の仕事を引き受けてしまうと、自分が本当にやりたいことを犠牲にして、やりたくもない仕事を続けてしまう可能性がある。

▸▸ 承認・尊重の欲求：
この分野で活躍するプロや愛する人に作品を批判されたり、自己批判をし続けたりすると、この欲求が満たされなくなる。

▸▸ 安全・安心の欲求：
北米の吹きガラス職人の平均年収は約3万ドル。副業を持つか、異例な成功を収めるかしなければ、経済的に安定した生活を送るのは困難だ。

この職業を選択する理由
- 家業を続けたい。
- 見習いをするチャンスがあったので、やってみたら今までとは違う（より良い）人生を送るきっかけになった。
- 芸術に造詣が深く、自分でも美しいものを作りたい。
- 豊かな想像力の持ち主で、どんな出来上がりになるかを可視化できる能力がある。
- ガラス細工で世界的に有名な町や地方に住んでいる。
- 手を動かして何かをするのが好きで、体力的にきつい仕事でも構わないと思っている。
- 自分の創造性を発揮できるものが必要で、何か変わったことや人とは違うことをしたい。

ステレオタイプを避けるために
　ガラス職人の大半は男性なので、キャラクターを成功した女性ガラス職人にすると、新鮮な変化になるはずだ。
　この分野で腕を上げるには、高温に熱したガラスを扱う訓練が必要になるので、ガラス職人はたいてい大人である。10代の若者がこの仕事に携われるような状況を作り出せば、ストーリーに面白いひねりを加えられるだろう。
　吹きガラスの美しさと芸術性から、作品が装飾品やジュエリー、皿、オブジェなどお決まりのものになりがちだが、一風変わったシナリオを作るには、それ以外の珍しいものをキャラクターに作らせてみるのも手だ。

不動産エージェント

〔英 Real Estate Agent〕

不動産エージェントは、住宅や不動産の売買を仲介するのが仕事だ。売り手側または買い手側に立って売買を仲介し、案件に応じて様々な業務を担う。たとえば、不動産物件を比較調査する、売り手に代わって物件の広告を出す、オープンハウスの準備をする、買い手を連れて内見に行く、売り物件に寄せられた質問に答える、オファーを出す、当事者間に入って交渉する、といった仕事をする。

この職業に求められるトレーニング

エージェントは、不動産仲介業者の資格を取得する前に、講義を受ける（国や州によって期間は異なる）。この講義では、不動産業界の慣習、融資のルール、手付金、銀行によるローン審査、住宅価値の査定方法、仲介者および交渉者としての心構えなどについて学ぶ。この講義を修了したら試験を受け、試験に合格したらライセンス料を払い、晴れて営業ができる。

駆け出しの頃は、ブローカーと呼ばれる不動産会社に入れば、その会社の不動産情報ネットワークを利用できるので仕事をしやすい。経験を積んだら独立を選択する場合もある。人口の多い都市部などでは、特定の地域を専門にしたり、住宅または商業スペースに特化して仕事をする人もいる。あるいは、牧場や農場を専門にしている人、特定の価格帯の物件しか扱わない人もいる。小さな町のエージェントなら、その土地で生活していけるだけの手数料を稼げるクライアント数と物件数があるだろう。

有益なスキル・才能・能力

商才、人を引きつける魅力、卓越した記憶力、他人の信頼を得る力、人の話を聞く力、交渉力、接客力、読唇術、嘘が言える、人を笑わせる能力、多言語を操れる、マルチタスクのスキル、人脈作り、映像記憶、天候予測能力、宣伝能力、人の心を読む力、調査力、営業力、文章力

性格的特徴

柔軟、野心家、分析家、大胆、おだやか、魅力的、自信家、決断力がある、如才ない、規律正しい、効率的、外向的、几帳面、きちんとしている、勘が鋭い、雄弁、プロフェッショナル

葛藤を引き起こす原因

- 買う準備ができていないのに、どんな物件があるのかを見たいだけで、時間を無駄にさせられるクライアントを抱えている。
- 同じ物件を狙って競争しているエージェントがいる（物件数が少ないのに不動産エージェントの数が多い）。
- クライアントが遅刻してくる、またはやたらと要求が厳しい。
- 内見が始まるのに、クライアントが家の中を片付けられない、または家をぐちゃぐちゃのままにしている。
- オープンハウス中に盗難が起きる。
- ローンの事前承認を銀行などから取り付けておかなければならないのに、そうしておかなかったクライアントがオファーを出した不動産を取得できずに八つ当たりする。
- クライアントが、自分の家には大変な価値があると非現実的な意見を持っている。

ふ

- 期待ばかりが大きくて予算が少ないクライアントを内見に連れていく。
- 内見の間クライアントから不適切なコメントを聞かされ続け、我慢する。
- 余憤さめやらぬクライアントがエージェントの評判をわざと貶めようとする。
- 交渉が決裂して、売買が成立しない。
- 書類に不手際があり、クライアントに迷惑をかけてしまう。
- 問題のある家（銀行に差し押さえられている物件、埋立地や工場など望ましくないものの隣にある物件、自殺が起きた事故物件、など）を売ろうとしている。
- 同じブローカーに所属する不動産エージェントにクライアントを奪われる。
- 景気悪化で住宅価格が下がり、手数料が安くなる。
- 売り物件がきちんと施錠されておらず、不法侵入が発生する。
- オープンハウス中の物件が傷つけられる。
- クライアントと2人きりでいると不安になる。
- 購入の準備ができているクライアントと会うため、家族のイベントをキャンセルしなければならない。

かかわることの多い人々

事務スタッフ、銀行員や住宅ローンのブローカー、フリーランスのカメラマンやコピーライター、他の不動産エージェント、住宅診断士（ホームインスペクター）、住宅所有者、住宅購入者、クライアントの家族、物件を修繕するために雇われた建設工事業者（塗装、造園、外壁洗浄、など）

この職業は5大欲求にどう影響するか

▸▸ **自己実現の欲求：**
クライアントのために膨大な時間を費やし、勤務時間が不規則なため、私生活で有意義な目標を追求したり、他の分野で知識やスキルを伸ばしたりする時間がなかなかとれないかもしれない。

▸▸ **承認・尊重の欲求：**
この業界では、四半期ごとと年間の売上高が、エージェントの能力を判断する指標として常に使われ、競争が激しい。売上の冴えない月が1、2カ月続くと、売上が悪いまま1年が過ぎてしまうこともある。営業成績が落ち込むと、自己不信に陥り、自己肯定感を持てなくなるかもしれない。

▸▸ **帰属意識・愛の欲求：**
勤務時間が変則的な上、常に仕事に追われるので、家族やパートナーとの関係が二の次になってしまい、家庭内で恨みが募る可能性がある。

▸▸ **安全・安心の欲求：**
誰がアポイントメントをとってやってくるのか、オープンハウスに誰が来るのか必ずしもわかっているわけではないので、不審な人と二人きりになり、危険な状況に陥ることもあるかもしれない。

この職業を選択する理由

- 他人の家探しの手助けをすることに喜びを感じる。
- 家や家庭というものに愛着を感じている。
- インテリアコーディネートでモデルルームのような空間を演出するのが好きだが、それでは生計を立てていけないと思っている。
- 自分の家があると思ったことはないが、他人の家探しを手伝うことで、自分の家を見つけているような気持ちになる。
- 本能的に強いマッチングスキルを持っていて、家と人のマッチングに役立てている。
- 自分が住む町の人全員を知っているので、不動産業でうまくやっていけると思っている。
- 大した努力をせずに不動産業で大金を稼げると思い込んでいる。

ステレオタイプを避けるために

フィクションにおいて、不動産エージェントは少し強引で、やたらと親しげで、物件に関してはいいところしか言わない人として描かれるのが常だ。そういうエージェントとは倫理観や価値観が異なり、正直すぎて、物件を売るのに苦労しているキャラクターにしてみるのはどうか。

不動産エージェントは普通、身だしなみが整っていて、口達者な人が多い。そこで、商売には非常に長けているが、外見を気にせず、しわくちゃの服を着て、言葉遣いが荒くても許されるようなキャラクターにしてみてはどうだろう。

ブラウマイスター

〔英 Master Brewer〕

ブラウマイスターは、ビール醸造に関する広い知識と経験を持ち、醸造所の生産工程を監督し、仕込んだビールが完璧かつ効率的に仕上がるようにする。ビールのレシピや銘柄を共同開発することもあるが、ビールの品質に関しては、最終的な決定権と責任を持っている。醸造所で働く人々の人事管理だけでなく、財務にも責任を持つ場合が多い。

［編注：ドイツにおけるブラウマイスター（Brau Meister）は国家資格として扱われる］

この職業に求められるトレーニング

ブラウマイスターになるための道は複数あるが、ビール醸造に関する幅広い知識と経験を持つ人でなければ、「職人」とは呼ばれない。まずは、ブルワリーや大手の醸造所、または小さな地ビール工場で働きはじめ、そこから昇進していく人が多い。職人を目指すほとんどの人が自家醸造やアマチュア醸造の幅広い経験を持っている。知識を高めるため、大学で発酵学などの学位取得を目指したり、様々な資格を取得したり、醸造に特化した研修などに参加したりする（ただし、勉強して学位や資格を取ってもブラウマイスターになれるわけではない）。ブラウマイスターになるための道は明確に定義されていないが、長年の経験とあくなき知識の追求があってはじめて職人と呼ばれる。

有益なスキル・才能・能力

商才、アルコールに強い、創造性、優れた嗅覚、優れた味覚、卓越した記憶力、接客力、機械に強い、宣伝能力

性格的特徴

クリエイティブ、好奇心旺盛、規律正しい、熱血、謙虚、想像豊か、勤勉、注意深い、きちんとしている、情熱的、忍耐強い、粘り強い、奇抜、勉強家、天才肌、仕事中毒

葛藤を引き起こす原因

- 仕込んだビールがだめになってしまう。
- 景気が低迷し、資金繰りが悪化する。
- 仕込みを監視しているときのデータ収集にエラーがあった。
- 仕込みを手伝うアシスタントがいるが、主に雑用をやらせているので不満をつのらせている。
- 機器が故障し、高額な修理代がかかる。
- ビールの新レシピがなかなか開発できない。
- 職場には圧倒的に男性が多く、女性は自分しかいない。
- 醸造所のオーナーが交代する。
- オーナーが事細かに管理したがる。
- 他の醸造所と競争している。
- 事業計画がまずい。
- 化学薬品や熱に触れ、やけどをする。
- 受け取った材料が粗悪品だった。
- 保健所の検査に合格しなかった。
- 自分のレシピが競争相手の醸造所に漏えいしている。
- 醸造所の移転を余儀なく

される（賃貸契約が更新されない、など）。
- 資金不足で高品質の材料を購入できず、最高の設備に投資できない。
- 情熱と知識にあふれた醸造家ではなく、ビール作りが趣味の人たちと一緒に仕事をしている。
- 仕入先を変更しなければならないが、候補の仕入先が扱う材料の品質に不安がある。
- ビールのことを知らない、またはあまり関心のないオーナーの下で働いている。
- 新ビールを発売したが、顧客の反応がぱっとしない。

かかわることの多い人々
醸造所のオーナー、ヘッドブリュワー（ブラウマイスターが複数いる場合の職人の代表）、ビールの研究開発担当者、シフト交代で働く職人、アシスタント、セラーマネージャー、保健所の検査員、配達のドライバー、事務員、修理技術者、顧客、仕入業者

この職業は5大欲求にどう影響するか

▸▸ 承認・尊重の欲求：
醸造所が世間に認められても、そこで働く個人の絶え間ない努力は見過ごされることがある。醸造所が成功したのは、技術を切磋琢磨し、新しい人気のレシピを開発してきたブラウマイスターの献身によるところが大きい場合は特に、不満に感じられるかもしれない。

▸▸ 安全・安心の欲求：
ブラウマイスターは危険な化学物質や高温にさらされ、大型の機械の周りで作業する。注意を怠ったり、誰かが安全基準に従わなかったりすると、怪我をする可能性がある。

この職業を選択する理由
- ビールとその歴史が好き。
- 化学やバイオテクノロジーに関連した課題に取り組みたい。
- 化学はアートを表現するための手段だと思っている。
- 人と接するのが好きで、思い出に残る味を他の人に体験してもらいたい。
- 情熱と趣味を仕事にして、金を稼ぎたい。

ステレオタイプを避けるために
ブラウマイスターは伝統的に男性の仕事で、今でもフィクションにおいて男性として描かれることが多い。それを才能豊かでビール好きの女性に変身させることで、現代らしくしてみてはどうか。
ブラウマイスターは高度な教育を受け、長年の醸造経験を持っているが、読者の予想を裏切るような、まったく異なる経歴を持ったキャラクターにしてみてはどうだろう。

プロスポーツ選手

〔英 Professional Athlete〕

プロスポーツ選手はスポーツで生計を立てている。スポーツイベントのチケット売上、大会で獲得したメダルや賞金、コマーシャル契約、スポンサー企業との契約、助成金、およびグッズ販売から収入を得ることが多い。中には、生活費を稼ぐために（多くの場合、スポーツ関連分野で）パートタイムで働く人もいる。スター選手が手にする名声や億万長者レベルの富に達する人は稀だが、健康で活躍している限りは、スポーツ選手として生計を立てられる場合が多い。

選手は練習に多くの時間を費やすが、その他にも、過去の試合の映像を確認して相手の動きを分析する、筋力トレーニングや厳しいダイエットを実践する、宣伝活動に参加する、エージェントやコーチ、チームメンバーとのミーティングに参加するなど、やることは多い。選手は自分の希望地に住み、試合があればそこへ向かうという生活ができる場合もあるし、経営者の判断でトレードされ、別のチームへ移籍しなければならない場合もあり、キャリアを通して何度か移籍することもある。

この職業に求められるトレーニング

プロスポーツ選手は、強い克己心を持ち、長年にわたり一生懸命練習を積み重ねてきたからこそ、プロのレベルに達している。技術習得のスピードを速めるため、個人的にコーチと契約を結んで指導を受ける選手は多い。また、子どもの頃からスポーツを始め、高校や大学までその能力を磨き続ける人がほとんどだ。高校卒業後にすぐにプロの世界に入る選手もいるが、大学で活躍してからプロのチームにドラフトされる選手が大多数を占める。したがって、学業でも大学に入れるだけの成績を維持しなくてはならず、大学在籍中にプロになれる機会が来るのを待つ。

有益なスキル・才能・能力

基本的な応急処置能力、手先の器用さ、平常心、痛みに強い、リーダーシップ、競技力、宣伝能力、体力、戦略的思考力、力強さ、俊足

性格的特徴

野心家、分析家、自信家、挑戦的、協調性が高い、決断力がある、規律正しい、熱血、熱心、影響力が強い、執拗、情熱的、完璧主義、粘り強い、責任感が強い、勉強家、天才肌、奔放、仕事中毒

葛藤を引き起こす原因

- 痛みが消えない、または選手生命を脅かすような怪我をする。
- ソーシャルメディア上で他の人々とネガティブなやり取りをしたことが蒸し返され、評判を落とす。
- 誤った人（強欲なエージェント、自分の名声や富に群がる友人、など）を信じてしまう。
- 薬物検査で不合格になる。
- 若くて才能のある選手に自分の地位を受け渡す。
- 内外から、試合に勝たなければならないというプレッシャーをかけられる。
- 自信がゆらぐ。
- トレードされて、別のチームに移籍しなければなら

ない。

- 遠征中に誘惑に負ける（誰かと一晩だけの関係を持つ、ドラッグに手を出す、など）。
- 経営陣やコーチングスタッフが交代し、自分の意に染まない人々と仕事をすることになった。
- コーチがえこひいきをする。
- 資産管理を誤り、莫大な金を使い込んでしまう。
- セクハラで告発される、または「この子の父親はあなただ」と言う人が現れる。
- ツアー中または遠征中にセクハラの被害に遭う。
- 大切なスポンサーまたはコマーシャル契約を失う。
- 試合中に他の選手を怪我させてしまう。
- 自分が優秀な成績を出したり、成功したりしたときだけ愛してくれる親を持っている。
- 恥ずべき行動をしていて捕まる（ドラッグを購入している、バーでの喧嘩に巻き込まれる、不法侵入している、犯罪者だと知られている人と付き合っている、など）。
- 引っ越して、我が子が新しい街になかなか順応できずにいる。
- ある種のパブリックイメージの維持に苦労している。
- （年齢、怪我、精神的不安、などが原因で）成績が落ち込んでいる。

かかわることの多い人々

チームメイト、ライバル選手、コーチ、エージェントやマネージャー、パーソナルトレーナー、栄養士、医師、理学療法士、ファン

この職業は
5大欲求にどう影響するか

▸▸ 承認・尊重の欲求：
絶え間ない批判はこのキャリアにつきものだ。批判にうまく対処できないと、すぐに自尊心が傷つき、落ち込んでしまうことも。

▸▸ 帰属意識・愛の欲求：
遠征に出ていると家を空けることが多く、一時的にしろ、家族と離れて移動しなければならないため、愛情あふれ、誠実な恋愛関係を維持するのは難しいと感じるかもしれない。

▸▸ 安全・安心の欲求：
脳震とうなど、選手生命に終止符を打つような危険な怪我を負うこともあるだろう。スポーツの選手にとっては、大怪我が選手としての命取りになりかねない。

この職業を選択する理由

- スポーツが得意で、生来、競争心が強く、目標に向かって努力するタイプ。
- 家族や社会からの期待に応え、注目分野で成功したい。
- 貧困など、つらい生活環境から抜け出したい。
- 富と名声を求めている。

ステレオタイプを避けるために

スポーツ選手が登場するストーリーといえば、勝ち目のないヒーローが、資金力もコネもあり、長年王者として君臨してきた強い選手に立ち向かうというような話が多い。この視点を逆転させ、キャラクターを王者の視点から描くと、新鮮になるかもしれない。

また、キャラクターがどんなスポーツをやっているのかもよく検討してみよう。人気のスポーツはストーリーの材料としては人気があるが、憧れる人が少ないスポーツを選んでみてはどうか。スキート射撃、馬術、フェンシング、レスリング、ボート、パラリンピックの競技などを選べば、人気のスポーツと同じように激しい競争が描けるし、ストレスの多い環境を提供できる上、読者のために新境地を開拓できるかもしれない。

ベビーシッター

〔英 Babysitter〕

ベビーシッターは、子どもの親が家を留守にしている間、子どもたちの面倒を見るのが仕事だ。一般的には、日中に子どもを遊ばせ（一緒にゲームをする、映画を見る、近くの公園で遊ばせる）、簡単な夕飯を用意し、枕元で本を読み聞かせながら子どもを寝かしつける。時には頼まれて、夕飯後の食器を洗ったり、子どもが寝てからおもちゃを片づけたり、いくつか雑用をこなすこともある。ベビーシッターは、責任感のある10代の若者や大学生が学校に通いながら、小遣い稼ぎにあるいは生活費を補うためにやることが多い。

この職業に求められるトレーニング

ベビーシッターのスキルを向上させる訓練プログラムはあるが、トレーニングや資格がなくてもかまわない。ただし、心肺蘇生法（CPR）や応急処置の訓練を受けた人や、一定の年齢の人をベビーシッターに雇いたいと思う親は多い。親がベビーシッターを面接するときは、人柄や経験、子どもに対する態度、CPRや応急処置のトレーニングを受けているかどうかなどを尋ねるのが一般的だ。仕事の内容と給料の交渉が済んだら、ベビーシッターとして仕事を始められる。

有益なスキル・才能・能力

基本的な応急処置能力、人を引きつける魅力、創造性、共感力、音に敏感、優れた嗅覚、平常心、他人の信頼を得る力、交渉力、直感、和気あいあいとした雰囲気を作れる、人を笑わせる能力、場をうまくとりなす能力、人の心を読む力、体力、俊足、声のとおりがいい

性格的特徴

柔軟、冒険好き、愛情深い、用心深い、おだやか、魅力的、自信家、支配的、クリエイティブ、如才ない、おおらか、派手、気さく、想像豊か、独立独歩、知ったかぶり、大人っぽい、面倒見がいい、従順、注意深い、妄想症、雄弁、遊び心がある、責任感が強い、天真爛漫、活発、寛容、型破り、賢い

葛藤を引き起こす原因

- ベビーシッターが決めたルールやベビーシッターを子どもが甘く見る。
- 親の躾がゆるく、甘やかされていて、要求が激しく、人に何かをしてもらうのが当たり前だと思っている子どもの面倒を見ている。
- ベビーシッターをやっている家で違法行為や薬物使用の兆候など、何か不穏なものを発見する。
- 子どもの言葉から家族の秘密を知ってしまう。
- ベビーシッターをやっている家に急に来客が現れる。
- 緊急事態が発生し、親と連絡を取ろうとしても取れない。
- 面倒を見ている子どものひとりが暴力的になってきている。
- 子どもがこっそり家を抜け出す、または逃げようとする。
- 子どもがマッチや包丁で遊ぶなど、危険なことをしようとする。
- 帰宅時刻になっても親が帰ってこないので、ベビーシッターの予定が狂う。

- ベビーシッター代が安すぎる。
- ベビーシッターをやっている家に友達が押しかけ、一緒につるもうとする。
- 子どもの親が、帰宅するまでにいろいろな家事も済ませておいてほしいと期待している。
- 親が子どもたちに特定の遊び（テレビやパソコン、外遊び、など）を禁じているので、ベビーシッターとしては仕事がやりづらい。
- 緊急事態（怪我、停電、子どもが行方不明、不法侵入、など）が発生する。
- 子どもの少ない地域に住んでいる（ために、ベビーシッターの競争が激しい）。
- いつも自分を指名してくれていた顧客を失う（転居、子どもの成長、などが原因で）。
- スケジュール管理がずさんで、ダブルブッキングが発生したり、学校の行事や自分の家族の予定とぶつかったりしてしまう。
- やってもいないことで訴えられてしまう（窃盗、児童虐待、ネグレクト、など）。

かかわることの多い人々
子どもの親、子どもの友達や兄姉、近所の人

**この職業は
5大欲求にどう影響するか**

▸▸ 承認・尊重の欲求：
裕福な家庭でベビーシッターをやっていると、その家庭の子どものひとりと年齢が近い場合は特に、自分が低所得者層であることに劣等感や羞恥心を抱いてしまうかもしれない。

▸▸ 帰属意識・愛の欲求：
家族が強い絆で結ばれた愛情深い家庭でベビーシッターをしていると、愛情のない家庭で育った自分を思い出してつらくなることも。

▸▸ 安全・安心の欲求：
ベビーシッター先の家族が犯罪者に狙われている場合（治安の悪い地域に住んでいる、家庭が裕福、などの理由で）、ベビーシッターも巻き込まれる可能性がある。

この職業を選択する理由
- ほんの短い間だけでもいいから、苦しい家庭状況から少しでも逃れたい。
- （不法滞在、指名手配中、などの事情があり）法の目をかいくぐって現金払いで給料がもらえるところで働きたい。
- 子どもと一緒に何かをするのが好き（おそらくは自分に兄弟姉妹がいないなどの理由から）。
- 大学の授業料や車の購入など、大きな出費の予定があるので貯金しているから。
- 現状から逃れるために貯金する必要があるから。
- 他人の家に入りたい（人の家庭をのぞき見たい、不法侵入を計画している、気づかれないように小物を盗むため、などの理由で）。
- 学校や他のアルバイトとの両立が可能な融通の利く仕事を必要としている。

ステレオタイプを避けるために
小説や映画では、女性のベビーシッターが多いが、収入が必要な人なら、ジェンダーに関係なく誰にでも就ける仕事だ。少し余分な稼ぎが欲しい男性キャラクターを考えてみるのもいいかもしれない。
また、小説や映画の中のベビーシッターは裏表があるように描かれがちで、子どもの親の前では責任を持って行動しているくせに、親の姿が見えなくなると、子どもを放置したり失礼な態度をとったりする。新しくやってきたベビーシッターがナルシストな10代で、子どもたちに嫌われて親に告げ口されるというような、使い古された描き方は避けるようにしよう。

弁護士

〔英 Lawyer〕

弁護士は司法試験に合格して弁護士の資格を取得し、個人事業主として事務所を開くか、企業に就職して働く。入社した企業の規模や種類に応じて、一般的な法律を扱ったり、家族法や離婚手続き、刑事法、移民法、会社法、民法、または動物愛護法などの専門的な法律を扱ったりする。

弁護士は、法律の相談に乗り、訴訟事件などにおいて当事者などから依頼を受けて代理人となる。弁護士はクライアントの権利を守りながら、法的文書を準備し、法廷で弁護または告訴し、法律を調べ、証拠を用意するといった職務をまっとうする。弁護士の役割や法律は州ごとに異なるので、弁護士のキャラクターを書くには、どの州で弁護士業を営む設定なのかによって、さらに下調べが必要になるだろう。

この職業に求められるトレーニング

（アメリカの場合）専攻は問わないが4年制の大学で学位を取得してから、ロー・スクールに進学しなければならない。ロー・スクールでは、法律を学び、法律事務所でのインターンシップを経験し、最終的にはジュリス・ドクター（J.D.）と呼ばれる法務博士号を取得する。卒業後にどの州で弁護士になるのかによるが、州の司法試験を受験して合格しなければならない。

有益なスキル・才能・能力

人を引きつける魅力、卓越した記憶力、他の人の信頼を得る力、人の話を聞く力、交渉力、多言語を操れる、演技力、説得力、宣伝能力、調査力、戦略的思考力、文章力

性格的特徴

柔軟、用心深い、野心家、分析家、決断力がある、規律正しい、効率的、熱心、気高い、勤勉、知的、公明正大、操り上手、几帳面、客観的、注意深い、きちんとしている、粘り強い、雄弁、プロフェッショナル、臨機応変、責任感が強い、賢明、正義感が強い、賢い

葛藤を引き起こす原因

- クライアントと見解が一致しない。
- 信頼できない、または好ましくないクライアントがいる。
- 相手側の弁護人に立ち向かう。
- 事件捜査官や警察と連携して働く。
- 学生ローンを抱えている。
- 仕事と私生活のバランスが悪く、家族や友人との関係がうまくいっていない。
- 夜遅くまで働き、休日出勤も避けられないハードスケジュールをこなしている。
- 競争心の激しい同僚が担当案件やクライアントを盗もうとする。
- 秘書が無能。
- 倫理的に白黒が曖昧な案件を抱えている。
- クライアントが弁護士料を払わない。
- 顧客への請求可能時間数が決められている弁護士事務所で勤務している。
- 薬物乱用や依存症などが弁護士の間で広まっており、自分もそうなるのではないかと不安を感じている。

- 適切な証拠が揃わず、自分が弁護している案件で勝てないかもしれない。
- クライアントが偽証罪で捕まる。
- (自分の弁護に不備があるのではないかと一抹の不安を感じていても) 何としても訴訟で勝たなければならないプレッシャーを感じる。
- 注目度の高い案件を担当しているが、あまりにも多くの邪魔が入る (マスコミの関心、弁護士事務所による絶え間ないチェック、など)。
- 正義を勝ち取るためなら、少しぐらい悪いことをしてもいいのではないかという誘惑に駆られる。
- 小さな弁護士事務所で働いていて、様々な支払いに困っている。
- 弁護ミスで咎められる。

かかわることの多い人々

裁判官、共同弁護士、相手側の弁護士、クライアント、被告人、事務員、裁判所職員、警察官や特別捜査官、鑑定人、裁判所が任命した後見人または補佐人、保釈保証人、参考人、インターン、私立探偵

この職業は
5大欲求にどう影響するか

▸▸ 自己実現の欲求：
時に正義は盲目だ。法の抜け穴が常に利用され、証人が不正確な証言または虚偽の証言をしたり、政治的圧力がかけられたりするのを目の当たりにしているような弁護士だと、この職業に幻滅する可能性が考えられる。

▸▸ 承認・尊重の欲求：
自分が担当した案件なのに、弁護士事務所のシニアパートナーが手柄を取ると、自分は軽視され、評価されていないと感じてしまいがちだ。重要な訴訟で敗訴する場合 (または次から次へと敗訴が続く場合) も自信喪失につながる。

▸▸ 帰属意識・愛の欲求：
弁護士は仕事を家に持ち帰ることが多い。また、職務上、人間の最悪な姿を目にしがちで、自分の知人に対しても、いつか最悪な姿を見てしまうのではないかと思ってしまい、人を信用できず、愛情にあふれた人間関係を築けなくなる可能性もある。

▸▸ 安全・安心の欲求：
刑事事件の被告人、恨みを持ったクライアント、クライアントの元配偶者、または判決に不満を持っている誰かから脅迫を受けることがある。

この職業を選択する理由

- 両親とも弁護士だった。
- 無能だったり腐敗した弁護士のせいで不正を経験した。
- 自分が世の中を変えられると楽観的に信じている。
- 人権や環境問題などを擁護したり、冤罪を晴らしたりしたい。
- 大金を稼ぎたい。
- ゆくゆくは政治家または裁判官になりたい。
- ディベートが好き。
- 権力と名声が欲しい。
- 正義感があり、壊れた社会の修復に役立ちたい。

ステレオタイプを避けるために

弁護士は、感情を表に出さず常に分析的な人として描かれがちだ。この固定観念をひねり、創造性や共感力、遊び心にあふれた、弁護士らしくないキャラクターを作ってみるのはどうだろう。

フィクションの世界において、弁護士は富裕層として描かれることが多い。そこで、公益弁護活動ばかりを引き受けている、または、ギャンブル依存症や買い物依存症だったりするような、金儲けとは縁のない弁護士にしてみるのはどうだろうか。

ポーカープレイヤー

〔英 Professional Poker Player〕

プロのポーカープレイヤーは、ポーカーをプレイした時間で収入を稼ぐのではなく、賞金で生計を立てる。カジノやプロのポーカールームで直接対戦することもあれば、世界中の誰とでも対戦できるオンラインでプレイすることもある。プロの中には、多額の参加料が必要なトーナメントに参加する人もいて、こうしたトーナメント戦は何時間、あるいは何日と続くこともある。旅好きなプレイヤーなら国際トーナメントを渡り歩くが、近隣での対戦を好むプレイヤーもいる。

この職業に求められるトレーニング

どんなスキルでも、練習をして磨かなければならない。ポーカーも例外ではなく、友人と気軽にプレイしたり、掛金の少ないゲームに参加したりして、1日に平均8時間を練習に費やすプレイヤーもいる。プロのプレイヤーは、プレイするゲームの種類によって「アンティ」や「ブラインド」(いずれもポーカーをプレイする際に、ラウンドごとにプレイヤー全員が支払う一種の掛金のこと)の金額が上がったり、ルールが違うため、ポーカーについて知っておくべきことをすべて勉強する必要がある。賢くギャンブルし、掛金の管理ができなければならないので、プレイヤーは数学に強く、分析力を身につける必要がある。

有益なスキル・才能・能力

商才、鋭い洞察力、手先の器用さ、平常心、数字に強い、直感、嘘が言える、映像記憶、人の心を読む力、手品のような巧妙なごまかし、戦略的思考力

性格的特徴

用心深い、野心家、分析家、大胆、おだやか、規律正しい、熱心、操り上手、注意深い、執拗、忍耐強い、迷信深い、天才肌、倹約家、寡黙、引っ込み思案

葛藤を引き起こす原因

- いかさまをしている人とプレイする。
- そろそろ「きちんとした仕事」に就くべきだと家族が口うるさい。
- 度を越えてポーカーにのめり込む(睡眠不足になる、覚せい剤を乱用する、運動不足になる、など)。
- 掛金の計算を誤る。
- 依存症になる(ギャンブル、アルコール、カフェイン、などへの依存)。
- いかさまを疑われる。
- カジノに出入り禁止になる。
- 他のプロのプレイヤーと対立する、またはライバル関係になる。
- 負けたアマチュアのプレイヤーに脅される、または掛金を返せと言われる。
- オンラインでのゲームの途中でパソコンがフリーズする。
- 気合の入ったゲームでストレスを感じる。
- 個人的に問題を抱えているせいで、または家族が危機にさらされているせいで、プレイに影響が出る。
- 相手の動きを読み間違える。
- ギャンブルは悪いことだと家族に思われている。
- 対戦相手にブラフ(はったり行為)を指摘される。

- しらふではない状態でプレイする。
- 大きな賞金を獲得した後に強盗に遭う。
- プロギャンブルが違法の州に引っ越すことになった。
- 大きなトーナメントに参加できない。
- 幸運をもたらすとされる儀式や迷信に取り憑かれている。

かかわることの多い人々
他のプレイヤー（オンラインまたは対面）、ディーラー、観客、アナウンサー、ウェイターやウェイトレス、バウンサー、警備員、カジノ経営者、コンシェルジュ、記者

この職業は
5大欲求にどう影響するか

▸▸ 承認・尊重の欲求：
プロのポーカープレイヤーで有名になる人はほとんどいないし、有名になったとしても、他のプレイヤーが台頭すれば、すぐに注目されなくなる。そんな世界では自尊心を持てるようになってもすぐにまた失うので、気分のアップダウンが激しくなる。

▸▸ 帰属意識・愛の欲求：
プロレベルに到達するには、かなりの練習が必要だ。ポーカーに没頭しすぎて、配偶者や子ども、親や兄弟姉妹、友人との関係をおろそかにしてしまう可能性がある。

▸▸ 安全・安心の欲求：
プロのポーカープレイヤーは一定の収入が保証されているわけではない。どんなプロプレイヤーであっても負けが込む時期はあり、大きな借金を背負ってしまうことも考えられる。

▸▸ 生理的欲求：
テーブルやコンピューターの前に何時間も座ってプレイするので、プレイヤーによってはゲームに没頭しすぎたことで、運動や睡眠、栄養補給をおろそかにして体に悪影響が出るかもしれない。

この職業を選択する理由
- ポーカーの世界で育った（両親がカジノを経営していた、プロのギャンブラーだった、など）。
- 職を失い、どうしても収入が必要だった。
- 学校の勉強は苦手だが、知的なものに秀でたかった。
- リスクがあっても、大勝利を手にできるかもしれない緊張感にあふれたゲームが好き。
- デスクワークや雇われ仕事に縛られたくない。
- ギャンブル依存症になっている。

ステレオタイプを避けるために
法的な理由から、ほとんどのプロのポーカープレイヤーは大人だが、国によっては10代や子どもからでもギャンブルができる。ストーリーに面白いひねりを加えるには、型にはまらない、若いポーカープレイヤーにしてみてはどうか。
プロのポーカープレイヤーは、似たようなスタイルの服やジュエリーを身に着け、服の色まで似ている。ポーカーの世界を驚かせ、対戦相手を動揺させる目的で、意図的に違うファッションを身にまとうキャラクターにしてみるのも手かもしれない。

牧場経営者

〔英 Rancher〕

牧場経営者は、牧場を日々経営していくのが仕事だ。主な仕事としては、飼育する家畜の選択、交配、エサと水やり、家畜の健康管理、必要な人材の雇用と管理、家畜の販売、家畜小屋や柵のメンテナンスなどがある。また、家畜の飼料用に作物を育てることもある。

この職業に求められるトレーニング

牧場は家族経営が多く、牧畜のノウハウは世代から世代へと受け継がれていく。外部から牧畜業に参入する場合は、既存の牧場と契約して経験を積むか、牧場を買収し、熟練の牧夫を雇って家畜の世話等を任せるかのどちらかになる。

有益なスキル・才能・能力

商才、動物の扱いが巧み、基本的な応急処置能力、卓越した記憶力、農業のスキル、交渉力、機械に強い、マルチタスクのスキル、天候予測能力、再利用のスキル、営業力、狙撃、体力、力強さ、サバイバル能力、木の切り出し、自然の中でも迷わない方向感覚、木工技能

性格的特徴

柔軟、冒険好き、用心深い、野心家、おだやか、協調性が高い、勇敢、規律正しい、熱心、温和、独立独歩、知ったかぶり、男くさい、大人っぽい、自然派、面倒見がいい、注意深い、きちんとしている、忍耐強い、粘り強い、臨機応変、賢明、意地っ張り、仕事中毒

葛藤を引き起こす原因

- 鳥や豚の病気など、局地的な感染病が家畜を襲う。
- 野生動物に家畜を食べられてしまう。
- 密猟者に家畜が狙われる。
- 牧場主の土地が取り上げられる(政府に接収される、訴訟で敗訴し取り上げられる、など)。
- 不注意が原因で作業員が事故に巻き込まれる。
- 作業員が家畜を虐待している。
- 経営難に陥る。
- 干ばつや飢饉に見舞われる。
- 牧場の経営方法をめぐって家族間で争いが起こる。
- 牧場主の家畜の扱い方に抗議する人たちがやって来て、悪評が立つ。
- 牧場経営から離れたい家族がいる。
- 旅行をしたいが、牧場から目が離せないので実現できない。
- 体調を崩し、医師の診察を受けるため頻繁に街に出向かなければならず、仕事の時間が削られてしまう。
- 子どもが牧場内に侵入し、不健全で危険な行為におよんでいる。
- 家畜が難産で苦しんだので獣医を呼び、思わぬ出費が発生する。
- 社会的または文化的な変化が原因で、特定の種類の家畜やその製品が好ま

ほ

れなくなる（ヴィーガンのライフスタイルが浸透して牛肉が売れなくなる、酪農製品が健康によくないと示唆する研究が発表される、など）。

かかわることの多い人々
牧場で働く人々、牧場で暮らす家族、獣医、酪農家、保健所の検査員、配達員、ブリーダー、家畜や酪農製品を買いに来る顧客

この職業は5大欲求にどう影響するか

▸▸ 自己実現の欲求：
本当にやりたいからではなく、義務感から牧場で働いている場合には、仕事に憤りを覚えたり、満たされない気持ちになったりする原因になる。

▸▸ 承認・尊重の欲求：
牧場を経営していても、家畜の世話など不得手な仕事があって、従業員がそれを手際よくやっている姿を見せつけられると、牧場主としての自尊心が傷つくかもしれない。何事も学びの機会だと思える人は従業員から学ぶだろうが、柔軟性に乏しい人だと自分の不出来さを内面化させ、自分の能力を疑うようになるかもしれない。

▸▸ 安全・安心の欲求：
牧場経営の利益率は決して高いわけではない。家畜に蔓延しやすい感染症や、景気低迷、産業規制、気候変動など、牧場経営を脅かしかねない要素は数多く存在する。

この職業を選択する理由
- 農場や牧場で育った。
- 幼い頃、カウボーイやカウガールに憧れていた。
- 都会の生活よりも、持続可能な田舎暮らしがしたかった。
- 幼少期に祖父母や親戚の牧場を訪れたときのいい思い出がある。
- カウボーイ文化や広い土地を持つ自由が自分に向いていると思っている。
- 障害（PTSD、変形症、言語障害、など）を有しているので、動物や自然に囲まれているほうが暮らしやすい。
- （政府に不信感を抱いている、終末的な出来事が起こると信じそれに備えている、などの理由から）自治を望む。
- 都会の生活が我が子に与えている影響を見て、子どもに違う生活をさせたい。
- 食料生産と流通の問題点を知っているので、それらの問題を解決したい。

ステレオタイプを避けるために
牧場主は男性として描かれることが多い。この固定観念を覆すためにキャラクターを女性にしてみるといいかもしれない。
また、牧場は家族経営であることが多いため、牧場主はその土地の事情に精通しているのが普通だ。なので、よその土地から来た人が牧場を引き継いでいる、あるいは、複数の人が集まって共同組合的な運営をしている牧場にしてみるのも手だ。

保護観察官

〔英 Parole Officer〕

有罪判決を受けて服役していた者が仮釈放され、保護観察の下に置かれた場合、彼らを監視するのが保護観察官（パロールオフィサー）の仕事だ。仮釈放が認められた者は、地元警察に登録し、薬物検査を受け、仮釈放の条件にすべて従うことが義務付けられ、指定された日時に保護観察官と面談し、近況を報告しなければならない。一方、保護観察官は、仮釈放が決まった者に仮釈放のルールを説明し、裁判所が決めた更生および職業訓練プログラムに仮釈放者がきちんと登録しているかどうかを確認する。ちなみに保護観察官には、この項目で主に扱うパロールオフィサーと、プロベーションオフィサーの2つの職種がある。プロベーションオフィサーは有罪が確定し執行猶予を言い渡された人を監視する仕事である。

保護観察官（パロールオフィサー）が取り扱う件数は多い。各件に対し、仮釈放者の詳細（住所、友人や家族の連絡先、雇用記録、仮釈放者の近況）を記録し、彼らの自宅を定期的に訪問し、家族や近所の人、同僚、雇用主から話を聞く。場合によっては、町内会や各仮釈放者の所属する宗教団体を利用して、彼らの行動と、仮釈放のすべての条件に従っているかどうかを調べる。仮釈放者が更生して社会復帰が進んでいるかどうか、あるいは再び拘置所などの施設に戻すべきかどうかの最終的判断は、仮釈放審査委員会で下される。

朝9時に始まって夕方5時に終わる仕事ではなく、事務所に出て仕事をするときもあれば、治安の悪い地域へ出向くことも多い。また、仮釈放者やその周辺にいる人々と積極的に関わっていかなければならないが、そうした人々は司法制度に関わる人間には抵抗感を抱いているものなので、なかなか難しい仕事である。

この職業に求められるトレーニング

一般的に学士号を持ち、刑事司法制度やソーシャルワーク、心理学を学んでいる人が多い。州の研修プログラムと資格試験を受け、合格しなければならない場合もある。銃器の使用が認められるよう経歴審査に合格し、薬物検査を行なう訓練を受けなければならないこともしばしばだ。地域によって職務や訓練の内容が大きく異なるため、ストーリーの場所設定が決まったら、その地域での要件を調べる必要がある。

有益なスキル・才能・能力

目立たないように振る舞うスキル、鋭い洞察力、共感力、優れた聴覚、優れた嗅覚、卓越した記憶力、他人の信頼を得る力、直感、人を笑わせる能力、第六感、多言語を操れる、マルチタスクのスキル、場をうまくとりなす能力、映像記憶、人の心を読む、護身術、狙撃、戦略的思考力、文章力

性格的特徴

柔軟、用心深い、慎重、支配的、勇敢、如才ない、規律正しい、控えめ、効率的、正直、気高い、頑固、公明正大、几帳面、注意深い、きちんとしている、粘り強い、雄弁、責任感が強い、賢明、意地っ張り、協力的、疑い深い、寛容

葛藤を引き起こす原因

- すぐにカッとなる仮釈放者（おそらく釈放されるべきではなかった人）を監視している。

ほ

- 仮釈放者が減刑処分を他の人に教えてしまったために、仮釈放者の安全を懸念している。
- 治安の悪い地域に出向かなければならない。
- 仕事のストレスと取り扱う件数が多すぎて燃え尽きてしまう。
- 復讐に燃える悪漢たちから言い掛かりをつけられる。
- 仮釈放者に自分の個人情報がばれ、脅迫や恐喝をされる。
- 取り扱う件数があまりにも多く、仮釈放者全員をきちんと監視できない。
- 景気が後退し、政府が予算を削減したため、仮釈放者を補助するプログラムやサービスが減る。
- 長時間労働や仕事のストレスのせいで自分の家庭内に問題が起きる。

かかわることの多い人々

犯罪者、地域グループや宗教団体のメンバー、警察官、覆面捜査官、心理学者、仮釈放者に関わる人々（同僚、雇用主、友人、家族）、司法関係者

この職業は
5大欲求にどう影響するか

▸▸ 自己実現の欲求：
かつては人生の裏道を歩んでいたが、まだ若いときに保護観察官に助けられた経験があり、自分と同じ境遇の人を同じように救ってやりたいという思いから保護観察の仕事に就いた。だが、仮釈放者たちが再び犯罪に手を染めてしまった場合には、自分のキャリア選択に疑問を持ち、何を信じていけばよいのかわからなくなることもあるかもしれない。

▸▸ 承認・尊重の欲求：
保護観察という仕事上、まさに自分が救おうとしている人たちからどうしても軽蔑されてしまう。彼らからの絶え間ない侮蔑と憤りにさらされ、自分自身に嫌悪感を抱くこともあり得る。

▸▸ 帰属意識・愛の欲求：
勤務時間が長時間なだけでなく、時には不規則にもなるし、仕事のストレスもため込みやすいため、私生活の人間関係に亀裂が生じ、結婚生活が破綻する可能性さえある。

▸▸ 安全・安心の欲求：
治安の悪い地域に家庭訪問したり、仮釈放者を完全監視する目的で他の悪漢と関わったりする必要がある場合、自分の身を危険にさらすことになる。

▸▸ 生理的欲求：
殺害の脅迫を受けたり、仮釈放者との口論がエスカレートすると、命を危険にさらす可能性がある。仮釈放者が、法を恐れない人々や、仮釈放者を再び裏社会に引き込もうとする人々とつながっている場合は、特に危険だ。

この職業を選択する理由

- 人生の横道に逸れたが、セカンドチャンスを与えられて更生した経験があり、他の犯罪者にも自分と同じチャンスを与えたい。
- 愛する人が服役後に出所しても何の支援も受けられず、再び犯罪に手を染めるようになり、悲劇に終わった。
- 司法制度を尊重し、自分もその世界で仕事をしたい。
- 社会の安全を守りたい。
- 犯罪者に対し時には優しく、時には厳しくするシステムを信じ、彼らの更生を手伝う仕事がしたい。

ポッドキャスター

〔英 **Podcaster**〕

ポッドキャスターは、あるコンテンツ領域に焦点を当てた内容のトークを録音し、一般の人々に情報やエンターテインメントを音声として配信する。ポッドキャスターたちが作成するエピソードは様々なアプリやウェブサイトで公開され、リスナーは自分の好きな時にそれをダウンロードして聞くことができる。

ポッドキャスターとして成功するには、質の高い録音が必要なので、ある程度の技術的知識が必要になる。録音作業は、ポッドキャスター自身かチームメンバーが担う。タイムリーに録音を公開し、フォロワーに新しいコンテンツを頻繁に配信する必要がある。視聴者を獲得し広げていくには自分自身を売り込んで宣伝し、収益を上げるには広告やグッズ販売、スポンサーの獲得、ライブイベントの開催などの方法を模索しなければならない。ポッドキャストの中には有料でダウンロードするものや、サブスクリプションへの登録が必要なものもある。

この職業に求められるトレーニング

当然のことながら、ポッドキャスターは自分が選んだトピックについて精通していなければならない。しっかりとしたインタビュースキルや人間的な魅力があって、視聴者の関心やニーズを理解している必要がある。さらに、音声録音と編集の基本知識があり、高品質の録音機器はもちろんのこと、背景のノイズをできるだけなくすために理想的な録音場所を持っていなければならない。

ポッドキャスターにとって武器であり、最も重要なもののひとつが声である。プロのボーカルトレーナーを雇うにしても独学でやるにしても、明瞭な声で話す、話すときの癖（咳払い、同じ言葉を繰り返す、何度も「ええっと」と言う、など）をなくすといったように、リスナーをいら立たせる可能性のある発声の問題に取り組み、スキルを磨く必要がある。

有益なスキル・才能・能力

商才、人を引きつける魅力、優れた聴覚、他人の信頼を得る力、人の話を聞く力、人を笑わせる能力、人脈作り、調査力

性格的特徴

柔軟、好奇心旺盛、熱血、気さく、影響力が強い、きちんとしている、情熱的、正義感が強い、天才肌、倹約家、ウィットに富む

葛藤を引き起こす原因

- マイクなどの録音機器が故障する。
- 一緒にポッドキャストのホストをやっている人が自分とは違う意見を持っている、または番組の方向性を変えたがっている。
- 別の仕事や責任者のポジションがあって、なかなか自分の録音時間を見つけられない。
- 燃え尽きてしまい、またはスランプに陥ってしまって、アイデアが浮かばない。
- 招待したゲストが敵対的だったり無礼で、個人的な意見を広めるための場所としてポッドキャストを利用しようとする。
- 風邪をひき、音質に悪影響が出る。
- コンピューターがクラッ

ほ

シュしてデータを失う。

- ポッドキャストを嫌悪している人々が番組の評判を貶めようと妨害する。
- 高価な録音機器が盗まれる。
- 他人の音楽、アートワーク、または他メディアの著作権を侵害したと非難される。
- 予定していたインタビューの相手に土壇場でキャンセルされる。
- 同じテーマを扱う別のポッドキャスターとにらみ合う関係になる。
- ファンに失望される（ポッドキャスターが趣向を変えた、人気シリーズを終了した、頻繁に配信しない、などの理由で）。
- インタビュー中に何を訊こうとしたか失念してしまう。
- インタビューを申し込んだが断られる。
- ポッドキャストの配信に使っているサイトに不具合が起きる。
- リスナーが減少し、信じてやってきたポッドキャストに疑問を感じるようになる。

かかわることの多い人々

一緒にポッドキャストをやっている相方、他のポッドキャスター、ファン、スポンサー、同僚（編集者、コンテンツライター、マーケティング専門家、など）、各分野で活躍しているゲストスピーカーや専門家、著名人

この職業は5大欲求にどう影響するか

▸▸ 自己実現の欲求：
リスナーの数が少ないと感じてしまうと、この仕事をやっていても面倒な気持ちになり、疲れを覚えるかもしれない。ひょっとしたら自分はこの仕事に向いていないのではと疑ってしまう可能性もある。

▸▸ 承認・尊重の欲求：
アートやエンターテインメント業界にいる多くの人と同じように、ポッドキャスターとして認められるようになるには長い時間がかかる。なかなか芽が出ず、既に成功しているポッドキャスターたちと自分を比較したくなる誘惑が相まって、自信を失ってしまうかもしれない。

▸▸ 安全・安心の欲求：
特に駆け出しの頃は、安定した収入が得られるとは限らない。生計を立てるには、副業や他の収入源が必要になるかもしれない。

この職業を選択する理由

- 子どもの頃、勉強する機会にあまり恵まれなかった。
- 自分がやっていることに興味を持ってくれそうな人に自分の声を届けたい。
- デジタル技術とポッドキャスティングが好き。
- 特定の分野でのアイデアやイノベーションを促すような会話を進めたい。
- 性格が内向的、あるいは引きこもりがちだが、自分がコントロールできる方法で、人とつながりたい。
- ネット上でもてはやされる人、あるいは有名人になりたい。

ステレオタイプを避けるために

かなり最近に生まれた業界なので、ポッドキャスターには若くて流行に敏感な人が多い。そこで、ポッドキャストの配信者を老夫婦にして、子どもや孫も一緒に集まってエピソードを収録するような家族ぐるみの仕事にしてみてはどうか。

キャラクターが配信するポッドキャストのトピックもよく考えてみよう。これまでに配信されてきたような一般的なテーマではなく、キャラクターがどんな新鮮で面白いアイデアを探究するのか、想像を膨らませてみよう。

ホワイトハッカー

〔英 Ethical Hacker〕

ホワイトハッカーとは、企業に雇われて、顧客のネットワークやシステムに意図的に侵入し、セキュリティの脆弱性がないかを探り、その解決策を提案する技術専門家のことだ。「ホワイトハットハッカー」とも呼ばれる。悪玉ハッカーと同じ技術や手法を用いるが、悪質なハッキングを阻止するという善良な目的で、潜在的な問題を解決しようとする。契約社員として、あるいはコンピューターセキュリティ会社の社員として働くのが普通だ。

この職業に求められるトレーニング

トレーニング要件は仕事ごとに異なる。セキュリティ上のリスクがあるため、コンピューターサイエンスまたはその関連分野の学士号を必須条件にする雇用主が多い。また、サイバーセキュリティに関する資格のうち、主要なものをどれかひとつ必須条件にしているところもある。

正式な訓練を受けなくてもホワイトハッカーにはなれるが、実際に雇われるかの話は別だ。この職業は合法的で需要もあるものの、単に悪玉ハッカーが善玉になっているだけだと思われてしまい、ホワイトハッカーを信用しない人も多い。企業が自社のITセキュリティを見知らぬ人に任せるには、その人を信頼することが大前提になる。多くの場合、学位や資格証明書（およびきちんとした身元確認先）を提示できれば、企業を納得させるのに十分だ。

有益なスキル・才能・能力

ハッキングのスキル、創造性、細部へのこだわり、他人の信頼を得る力、マルチタスクのスキル、既成の枠にとらわれない思考、映像記憶、調査力

性格的特徴

依存症、冒険好き、分析家、芯が強い、挑戦的、好奇心旺盛、腹黒い、控えめ、尊大、独立独歩、知的、操り上手、几帳面、いたずら好き、注意深い、妄想症、完璧主義、粘り強い、積極的、プロフェッショナル、反抗的、臨機応変、責任感が強い、勉強家、疑い深い、非倫理的、奔放

葛藤を引き起こす原因

- クライアントのシステム内に脆弱性が存在していたのに見つけられず、サイバー攻撃を受ける。
- 最近のクライアントのシステムから情報が漏えいし、それについて非難される。
- 自分で作ったシステムがハッキングされ、ホワイトハッカーとしての信用が脅かされる。
- 仕事で倫理に反する手段を使ったことがばれる。
- うっかりとITセキュリティの資格を失効させる。
- 潔白に正しく生きようとしているのに、過去に関わった悪意ある人たちから誘惑される、または脅される。
- 過去の不法ハッキング行為が明るみに出る。
- 脅迫される。
- 副業でやっている不法ハッ

ほ

キングが理由で厄介な問題が発生する。
- 愛する人がハッカーの仕事を理解できず、尊敬されていない。
- （ハッキングに対する先入観のために）人から信頼されていない。
- 提案された解決策をめぐり、クライアントである企業のITセキュリティチームと対立する。
- 仕事は優秀だが、仕事の社交面で苦労している（クライアントとのコミュニケーションが不得意、会議の進行役を務めなくてはならない、セキュリティチームと連携して作業しなければならない、など）。

かかわることの多い人々
クライアント、資格取得のためのオンライン授業の講師や管理者、クライアント側の人々（従業員、契約社員、元従業員、など）

この職業は
5大欲求にどう影響するか

▸▸ 承認・尊重の欲求：
ホワイトハッカーは、多方面から批判を受ける可能性がある。悪玉ハッカーからは裏切者や臆病者と見なされ、合法的なITセキュリティ専門家からは怪しい目で見られ、苦労するかもしれない。また、過去に倫理に反するハッキングに手を染めていた場合、足を洗っていても家族や愛する人から疑われ続ける可能性がある。そのような踏んだり蹴ったりの状況が重なると、自尊心が揺らぐことも考えられる。

▸▸ 安全・安心の欲求：
システムの脆弱性を発見したはいいが、悪意を持ったシステム構築者がそれを隠しておきたい場合、ハッカーの安全が脅かされる危険がある。また、公共システムをサイバー攻撃から守りきれずに、交通や送電、食品流通などのインフラに不具合が生じて一般市民の生活に影響が出た場合も、安全・安心の欲求が満たされなくなるはずだ。

この職業を選択する理由
- 過去にサイバー犯罪の被害に遭ったことがある（IDを盗まれた、クレジットカードが不正利用されていた、など）。
- コンピューターをいじったり、コードを書いたりするのが好き。
- 過去に自分の権力や自由が剥奪された経験があり、それが心の傷になって支配されるのを恐れている。
- 他人を支配すると快感を覚える。
- 倫理観が高く、ID盗難や情報の不正利用から人々を守りたい。
- 波瀾万丈の過去があり、それを何か善いことに活かしたい（逆境を逆手にとる）。

ステレオタイプを避けるために
（ホワイトハッカーであっても）典型的なハッカー像といえば、20代そこそこの男性が地下室でサイバー攻撃を仕掛けている姿を想像するだろう。そこでキャラクターの性別、年齢、場所を変えて、読者を驚かせてみよう。介護施設で暮らしながらハッカーをやっている半ば隠居状態の老人、あるいは、子どもが学校に行っている間に自室にこもってハッカーをやっている母親、収入を補うためにパートタイムでホワイトハッカーをやっている牧師や神父など、想像を膨らませてみる。

また、ホワイトハッカーといえどもハッカーは最初から善良だったはずはないと思われがちだ。怪しい過去のない潔白で優れた仕事をするハッカーのキャラクターをつくることも念頭に置いておこう。

マッサージ師

〔英 Massage Therapist〕

マッサージ師は、クライアントの怪我の程度を調べてから、痛みを和らげるため体表と筋肉をもみほぐし、怪我の治癒、血液循環の改善、ストレスの軽減を促進させ、リラクゼーションと健康を提供するのが仕事だ。マッサージには様々なタイプ（スウェーデン式、ホットストーン、アロマセラピー、深部組織のマッサージ、指圧、リフレクソロジー、スポーツマッサージ、または妊婦へのマッサージ、など）があり、勤務先もスパから医療クリニック、スポーツクリニック、ホテル、カイロプラクティックセンター、スポーツジムなどがある。クライアントの自宅、オフィスやホテルなどに出張するマッサージ師もいて、その場合は、マッサージ機器、ローションやオイル等を持参する。あるいは、自宅や店舗を借りて仕事をする人もいる。

マッサージは1回のセッションが60〜90分間で、手指、指の関節、前腕、腕、肘を使って患者の体表に圧迫を加えるので、体力や力強さ、器用さを必要とする。また、クライアントの状態を適切に評価して治療の選択肢を提供できるよう、コミュニケーション能力にも優れていなければならない。

セッションが終了したら、患者が自分でできるストレッチやエクササイズ、姿勢の調整、避けるべき動きや活動などを伝え、症状を悪化させないよう提案をしたり、医師の診察を受けることを勧めたりする。

この職業に求められるトレーニング

マッサージの専門学校に通い、講義を受けて実習をこなす人がほとんどだ。プログラムを修了するには、500時間の実習を終え、試験に合格しなければならない。特定のタイプのマッサージを専門にする場合は、追加訓練が必要になる。どのような場所でマッサージを行なうのかにもよるが、資格を持っているマッサージ師でも、免許や心肺蘇生法（CPR）の資格が求められる場合や、経歴審査に合格しなければならない場合がある。

有益なスキル・才能・能力

基本的な応急処置能力、人を引きつける魅力、鋭い洞察力、共感力、優れた聴覚、卓越した記憶力、他人の信頼を得る力、人の話を聞く力、痛みに強い、接客力、多言語を操れる、人の心を読む力、身体機能を回復させるスキル、体力、戦略的思考力、力強さ、呼吸コントロール

性格的特徴

柔軟、分析家、慎重、好奇心旺盛、支配的、規律正しい、控えめ、共感力が高い、熱心、気さく、噂好き、勤勉、几帳面、注意深い、きちんとしている、忍耐強い、勘が鋭い、完璧主義、粘り強い、プロフェッショナル、賢明、協力的、寛容、仕事中毒

葛藤を引き起こす原因

- クライアントが恥ずかしさからどんな症状が出ているのかをはっきり言わない。
- クライアントが妊娠や怪我などの健康状態を明かさない。
- クライアントが服用して

ま

いる薬のせいで頭が朦朧とし、マッサージが痛いかどうか尋ねても明瞭な返事がない。
- クライアントが体を触られるのを嫌がる。
- クライアントがマッサージ師の手の動きを性的なシグナルだと「思い込む」。
- 知っている人の噂話をクライアントが話す、またはその人の秘密を明かす。
- 要求のうるさいクライアントがマッサージについてあれこれ指示する。
- クライアントがマッサージを受けた後に、口実をつけて代金を支払おうとしない。
- クライアントのクレジットカードが読み取り機に拒絶される。
- 衛生管理がずさんな職場で勤務している。
- 一日のクライアント数が多すぎるクリニックで勤務している。
- 労働契約の内容が酷い、または福利厚生の内容がよくない。
- 仕事中に自分の体を痛めてしまう。
- 相当に肥満なクライアントにマッサージを施術しているうちに、自分の力と体力では施術しきれなくなる。
- 金目当てのクライアントに「マッサージ中に体を痛めつけられた」と不当に訴えられる。
- クライアントがチップを払い忘れる。

かかわることの多い人々
クライアント、医師、カイロプラクター、事務員、マッサージ用品の業者

この職業は5大欲求にどう影響するか

▸▸ 承認・尊重の欲求：
自己肯定できずに苦しんできた経験のある人なら、人の心身の健康維持に直接貢献できる仕事を選ぶ可能性がある。だが、不満を持ったクライアントからマッサージを批判されると、自尊心が傷つけられ、再び自己肯定感が持てなくなるかもしれない。

▸▸ 帰属意識・愛の欲求：
（たとえば交通事故や労災に遭って）マッサージ治療を頻繁に必要とするパートナーがいるとする。2人の関係がうまくいっていない場合、パートナーが本当に自分を愛しているのかどうか疑うようになり、単にマッサージができる自分を利用しているだけではないかと思う可能性がある。

この職業を選択する理由
- 体に慢性的な痛みがあったが、マッサージでその痛みから解放された経験があるので、マッサージで人助けをしたい。
- マッサージが習慣的に行なわれている文化の中で育った、または主にマッサージで生計を立てていた家庭で育った。
- 愛する人が薬物療法や手術を受けたが、処置に誤りがあってその人を失った経験があり、自然療法で人を助けられる仕事に就きたかった。
- 薬や手術よりも自然療法のほうが体によいと強く信じている。
- もっと収入の高い、またはもっと尊敬される職業に就くよう親にプレッシャーをかけられ、反抗している。

ステレオタイプを避けるために
マッサージ師は、若くてセクシーな男性や美しくて小柄な女性として描かれがちだが、実際には、他人の体の筋肉をほぐすには体幹の強さが欠かせない。この職業に合った体格のキャラクターにすること。また「セクシーさ」はこの職業とは何の関係もないはずなので、その点を肝に銘じておこう。

メイクアップアーティスト

〔英 Makeup Artist〕

メイクアップアーティストは、メイクで人の外見を美しく引き立てたり、変えたりするのが仕事だ。活躍の場としては、化粧品を扱う小売店や美容サロン、芸能人の専属アーティスト、特別イベント（写真撮影、ファッションショー、結婚式、など）、エンターテインメント制作会社などが挙げられる。葬儀会社等で死に化粧を施す仕事を請け負うこともある。極端な例では、映画の特殊効果を作り出すアーティストもいる。フリーランスで、または企業などに採用されて働く。

この職業に求められるトレーニング

メイクアップアーティストは、まずはボランティアとして仕事を始め、現場で活躍する先輩から学んでいく人が多い。資格が常に必要なわけではないが、求められるときもあるので、コスメトロジー（化粧品学）の講座を受講する人が多い。

有益なスキル・才能・能力

創造性、細部へのこだわり、手先の器用さ、人の話を聞く力、マルチタスクのスキル、宣伝能力、再利用のスキル、構想力

性格的特徴

冒険好き、おだやか、協調性が高い、礼儀正しい、クリエイティブ、熱血、浪費家、温和、想像豊か、勤勉、完璧主義、責任感が強い、勉強家、天才肌、うぬぼれ屋、くどい、型破り

葛藤を引き起こす原因

- 自分の能力を超えたメイクを客に要求される。
- クライアントが完璧主義で、なかなか喜んでくれない。
- クライアントが特定の化粧品にアレルギー反応を起こす。
- 懐事情が悪く、安い化粧品や道具で仕事をせざるを得ない。
- 自分の外見に自信がない。
- 同業者が嫉妬深い、またはお金にうるさい。
- メイクアップアーティストとして自分の希望する領域になかなか入り込めない。
- 働いている美容サロンやスパが衛生基準を満たさずに営業していたことが発覚し、悪評が広がり、客足が遠ざかる。
- テクニックやアイデアを盗まれる。
- クライアントが敏感肌なので、高価な化粧品を必要とする（そのことが自分の手取りに影響する）。
- （ジェンダーや宗教的信条などを理由に）この職業を選んだことに家族が反対している。
- 有名人やインスタグラムのインフルエンサーがひしめき合うソーシャルメディアで、自分もなんとか注目を浴びようとしている。
- 制作会社の仕事や特別イベントのために待機しているので、勤務時間が変則的。
- 有名人のスキャンダル探しに必死なパパラッチに追われる。

かかわることの多い人々

他のメイクアップアーティ

め

スト、クライアントとその親近者（母親、友人、ブライズメイド、など）、マネージャー（小売店や美容サロンで勤務している場合）、ヘアスタイリスト、ファッションコンサルタント、カメラマン、ベンダー、モデル、有名人とその関係者

この職業は5大欲求にどう影響するか

▸▸ 自己実現の欲求：
メイクアップアーティストとして、もっと質の高いプロの仕事や、映画撮影現場でのクリエイティブな仕事を手掛けたいのに、そのような分野に入り込めない場合、生活のために小売店や美容サロンで働かざるを得ないこともある。そういう時期が長く続くと、不満が募り、自分の可能性を最大限に試せないと感じるかもしれない。

▸▸ 承認・尊重の欲求：
自分よりも魅力的だと思うクライアントや、自分よりもスキルも認知度も高い同業者と比較してしまい、自尊心を傷つけることが考えられる。

▸▸ 帰属意識・愛の欲求：
自分の人生に関わる大切な人がこの仕事を理解していない、あるいは、もっと高収入で人に自慢できるような仕事をしてほしいとその人が思っている場合は、2人の関係に軋轢が生じ、本人は苦しみ、愛の欲求が満たされなくなる可能性がある。

この職業を選択する理由

- 美しい兄弟姉妹と一緒に育ったので、劣等感を持っていた。メイクアップの技術を高めれば、美しさを演出できるし、自分に欠けていると思っているものを補うことができる。
- ファッションと美容が大好き。
- 誰もが自分のベストな姿を演出し、自信を持てるように手伝える仕事がしたい。
- 毎日メイクをしないと気が済まない。
- モデルやタレントと仕事をして、メイクアップアーティストとして有名になりたい。
- メイクで隠している身体的なハンディがあり、この仕事をしていると心の傷と向き合う（またはそのハンディによって自分が決めつけられる）のを避けることができる。

ステレオタイプを避けるために

メイクアップ業界やファッション業界で働くキャラクターは、やる気がなくて表面的、または無知な人として描かれがちだ。そうした誤解を避けるには、キャラクターに意味のある特徴や関心を持たせて肉付けしてみよう。キャラクターが働く場所を変えてみると、様々な要素を混ぜ合わせることもできる。美容サロンや映画のセットで働くのではなく、プロのユーチューバーだったり、ハロウィンパーティーの会場で働いていたり、テレビのリアリティ番組に出演したりといった設定はどうだろう。

メイクアップアーティストは、クライアントの相談相手にもなる独特な立場にある。そこで、クライアントのライバルである有名人や権力者が故意に秘密をばらし、メイクアップアーティストが渦中に巻き込まれるというシナリオはどうだろうか。そこから様々な葛藤が生まれるはずだ。

また、フルボディメイクや3Dの芸術的な変身メイクなど、興味がそそられるような専門性を加えるのもいいかもしれない。

モデル

〔英 Model〕

ほとんどのモデルは、「エディトリアル」か「コマーシャル」かに分類される。「エディトリアル」とは、ハイファッション雑誌の見開きページ、ファッションショーのランウェイ、高級化粧品の広告塔などに起用されるモデルを指す。一方の「コマーシャル」は、商品カタログやファッション製品以外の商品の印刷広告、コマーシャル、さらにはショールームの仕事などに起用されるモデルのこと。エディトリアルモデルは、どこか変わったところがある、人の印象に残るような外見であることが多く、身長もかなり高くなければならず、体重や年齢も制限されている。また、仕事のオーディションを受けるときには、エージェントやクライアントに、表情やしぐさで自分の個性を明確に示し、柔軟な考えを持ちながらも自分の意見を持っていることが期待されている。一方のコマーシャルモデルは、商品を引き立てることが仕事なので、外見の要件はそれほど厳しくない。商品に合わせて年齢層や身長にも幅があるし、「近所に住んでいる女の子や男の子」の雰囲気を持っているほうが好まれる。

エディトリアルモデルは10代で仕事を始めて20代前半まで続けることが多いが、コマーシャルモデルには幅広い年齢の人が採用される。またモデルの中には、手（ジュエリー、スキンケア製品、アクセサリー用）や足（靴、靴下、アクセサリー用）だけといった具合に、体の一部のみを使う人もいる。

カメラの前に立つ時間は一瞬だが、それ以外の時間に面接を受け、キャスティングやオーディションに足を運び、衣装合わせにヘアメイク、エクササイズも欠かせない。また仕事を複数掛け持っているので、急いで移動もしなければならない。

この職業に求められるトレーニング

キャスティングや衣装合わせがどのように行なわれるのかを理解し、批判の受け止め方やエージェントの役割、自分の名前を売り込むことの重要性、強力なポートフォリオの作成方法、カメラマンとの仕事の仕方など、モデルという仕事の様々な側面を学ぶため、専門のクラスを取る人もいるが必須ではない。ただし、モデルとして成功するには、自分の体を清潔かつ健康に保ち、体重をコントロールしなければならない。

有益なスキル・才能・能力

商才、動物の扱いが巧み、人を引きつける魅力、創造性、卓越した記憶力、他人の信頼を得る力、人の話を聞く力、人を笑わせる能力、模倣力、多言語を操れる、マルチタスクのスキル、人脈作り、演技力、映像記憶、宣伝能力、力強さ、呼吸コントロール、足さばき

性格的特徴

柔軟、大胆、魅力的、自信家、協調性が高い、クリエイティブ、控えめ、おおらか、派手、熱心、気さく、ひょうきん、几帳面、従順、情熱的、忍耐強い、完璧主義、雄弁、プロフェッショナル、感覚的、粋、天才肌、倹約家、寛容、奔放

葛藤を引き起こす原因

- エージェントを信用できない。
- 未成年なのでうまく利用されている（搾取されている）。

も

- 権力を持つ人たちが自分たちの欲しいものを手に入れるために脅してくる（パワハラやセクハラを受ける）。
- 生活に苦労している。
- 敏感肌のため、吹き出ものができやすい。
- 不健全なほどに細い体を維持しなければならないプレッシャーから、摂食障害になる。
- 批判されて神経が衰弱し、不安やうつに悩まされる。
- 急病や怪我をしたときのための保険に加入していない。
- 髪をいじりすぎて傷めてしまう。
- 変化の激しいモデル業界で他のモデルに仕事を奪われる。
- 覚醒作用または鎮静作用のあるドラッグ、または入眠剤などへ依存している。
- モデル同士の競争が激しい。
- 「気を付けて」いないと裏切られてしまう業界なので、信頼関係を築きにくく、孤独になってしまう。
- 厚底のプラットフォームシューズを履いて歩いたり、前衛的なデザインの服を着ているので、動きや視界を遮られたりして、ランウェイでつまずいてしまう。
- 感情的に不安定な、または暴言を吐くデザイナーと一緒に仕事をする。
- モデルのニーズは常に後回しになるので、セルフケアが十分にできない。

かかわることの多い人々
エージェント、他のモデル、モデルの保護者または親（未成年の場合）、カメラマン、デザイナー、様々な企業の幹部（クライアントVIP）、有名人、ジャーナリスト、アーティスト、配達員、ヘアメイクアーティスト、服飾スタイリスト

この職業は
5大欲求にどう影響するか

▸▸ 承認・尊重の欲求：
外見が偏重される職業なので、プロから批判されやすく、モデルは自分を他のモデルとつい比較しがちだ。自尊心が保てなくなってしまうかもしれない。

▸▸ 帰属意識・愛の欲求：
内面的な魅力にもあふれているのに、人は自分の外見にしか興味がないのではないかと心配しがち。人をなかなか信頼できず、他人に心を開くのも難しく、人に辟易してしまうことも。この世に無償の愛などなく、愛は何かと引き換えに得るものだと考えてしまう可能性がある。

▸▸ 安全・安心の欲求：
世間に注目されているモデルなら、誰が見ても「あの人だ」と認識されやすく、ストーカーなど情緒不安定な人に狙われやすい。

▸▸ 生理的欲求：
ボディイメージに悩み、それが過食症や拒食症のような精神疾患を引き起こすほど深刻になると、その人の命が危険にさらされることも考えられる。

この職業を選択する理由
- プロのモデルになるように両親や保護者に育てられた。
- 大学へ進学する学費が必要でモデルを始めたが、なかなか実入りのよい仕事であることに気づいた。
- 自分の外見を武器に仕事ができると思った。
- 自分が人より抜きん出た存在になれる唯一の方法がモデルになることだと思った。
- ファッション、モデルの仕事、デザイン業界に情熱を持っている。

ステレオタイプを避けるために
かつてモデルは表面的で退屈な人として描かれがちだったが、そういう描き方は今や使い古された表現方法にすらなっている。他のあらゆるキャラクターと同様に、モデルも深みのある多元的な人として描こう。
現実世界では女性モデルのほうが男性モデルよりも多いが、男性キャラクターをモデルにするという選択肢も検討してみよう。
虚構の世界で描かれるモデルは自己肯定感が低いことが多いので、自分の価値を理解し、しかもそのことで傲慢にもなっていないキャラクターにしてみるのはどうだろうか。

薬剤師

〔英 Pharmacist〕

薬剤師の主な仕事は、薬や医薬品の供給である。患者から医師の処方箋を受け取って（または、医師と直接話して患者の情報を得て）調剤し、服薬方法などをアドバイスする。また、予防接種を行なったり、インターンや助手、医療技師の管理を任されたりすることもある。

薬剤師といえばドラッグストアで働く姿を思い浮かべるが、病院、大型スーパー内の薬局コーナー、クリニック、研究施設などで働くこともある。薬剤師は人の命に関わる重大な仕事で、患者や客からの信頼も厚く、一般的に尊敬されている職業だ。

この職業に求められるトレーニング

アメリカでは、ほとんどの薬剤師が薬学博士号を取得する。学部課程を含め、卒業までは6年から8年かかるのが普通だ。国によっては、学士号または修士号のみでよいところもある。薬剤師として働くには免許が必要で、通常、いくつかの標準試験に合格しなければならない。

有益なスキル・才能・能力

基本的な応急処置能力、細部へのこだわり、手先の器用さ、平常心、多言語を操れる、映像記憶、人の心を読む力、調査力、戦略的思考力、人に教える能力

性格的特徴

分析家、慎重、芯が強い、礼儀正しい、控えめ、熱心、気さく、正直、知的、注意深い、きちんとしている、雄弁、積極的、プロフェッショナル

葛藤を引き起こす原因

- 短気な客（痛がっている、不安がっている、保険の適用額が少なくていらいらしている）に応対している。
- 処方箋を読み違えて、違う薬や用量を入れてしまう。
- 学生ローンの返済がままならない。
- （支払い能力がない、処方箋に問題があるなどの理由で）薬を出してほしいと言う客を断らなければならない。
- 依存症を抱えていると思われる客の応対をする。
- コミュニケーション障害など何らかの障害を持つ患者の応対をする。
- 服薬の指示を守らない患者の応対をする。
- ミスばかり犯すインターンを教育している。
- 心の健康が優れず、仕事になかなか集中できない。
- 医師が一度に多くの薬を処方する、または一緒に服用してはいけない薬を処方する。
- 薬剤師のせいではないのにミスを責められる。
- 保険会社とのトラブルを解決しようとしているが、うまくいかない。
- 憔悴しきった親が我が子のために助けを求めにきた。
- 薬や現金を狙った強盗に入られる。
- 患者がある薬にアレルギー反応を示すことが発覚したが、その事実がどこにも記録されていない。
- 服薬方法を覚えられない高齢者の応対をする。
- 一度にやらなくてはならないことが多すぎる。
- 待つのが嫌で客が文句を

言う。

- 薬剤給付管理会社（アメリカの医薬品流通の中にあって、保険会社の代わりに販売会社や製薬会社と薬価を交渉する会社）や製薬会社とのコミュニケーションに食い違いが生じる。
- 流通していたのに、有害性が指摘された薬がリコールされる。
- 一度にたくさんの注文が入ってきて、客を待たせている。

かかわることの多い人々

医療技師、助手、医師、歯科医、精神科医、看護師、インターン、顧客、患者、子どもの親、他の薬剤師、薬剤師の上司、配達ドライバー、製薬会社の営業

この職業は5大欲求にどう影響するか

▸▸ 自己実現の欲求：
毎日同じような作業を繰り返しているため、薬剤師の多くはこの仕事が本当に世の中の役に立っているのかわからずにいる。自分たちの努力の成果を目にすることはほとんどない。

▸▸ 承認・尊重の欲求：
調剤では、ひとつのミスが重大な過ちにつながる可能性がある。たとえ小さなミスであっても、仕事を失い、薬剤師としての評判を落としかねない。

▸▸ 安全・安心の欲求：
薬剤師がミスを実際に犯した、または疑惑をかけられた場合、訴えられる可能性がある。そうした訴訟に備えて保険に入っていても、適用範囲が十分でなかったり、訴えられることがたびたびだと保険が適用されなくなったりして、金銭的危機に直面することも考えられる。また、病気を患っている人々と頻繁に接するので、病気に感染するリスクもある。

この職業を選択する理由

- 薬の服用方法を間違えた家族を亡くした経験がある。
- 自分の親が民間療法を信じていたので、子どもの頃にワクチンを接種しなかった。
- 外向的で、仕事を通じて様々な人々を助けたい。
- ヘルスケアや医療分野に関心がある。
- 高齢者、糖尿病患者など、特定のグループの人を助けたい。
- 必要な薬を買う余裕がない人々をなんとか助けたい。

ステレオタイプを避けるために

薬剤師といえば、白衣を着て、ハイテク医療機器に囲まれて働く姿が必ずと言っていいほど描かれる。そこで、薬剤師の働く場所を変えてみよう。新しい医療機器が容易に利用できない都市部の貧困地区、あるいは、厳しいセキュリティ対策が必要な治安の悪い地域で働く設定はどうだろうか。

郵便配達員

〔英 Mail Carrier〕

郵便配達員は、手紙やダイレクトメール、小包、請求書などの郵便物を配送センターから家庭や店舗、企業に配達する。車での配達がほとんどだが、都市部では徒歩での配達も多い。

この職業に求められるトレーニング

高卒資格またはそれに相当する資格が必要で、筆記試験および犯罪歴のチェックに合格しなければならない。また、有効な運転免許証が必要で、無事故無違反であれば有利になる。

有益なスキル・才能・能力

動物の扱いが巧み、健康、卓越した記憶力、多言語を操れる、天候予測能力、体力、俊足

性格的特徴

用心深い、礼儀正しい、規律正しい、控えめ、効率的、熱心、気さく、正直、独立独歩、内向的、几帳面、きちんとしている、忍耐強い、プロフェッショナル、責任感が強い

葛藤を引き起こす原因

- 配達車が故障した。
- 治安の悪い地域で郵便物を配達している間に恐ろしい目に遭う。
- 郵便物が届かないと顧客から不満を言われる（郵便物が盗まれた、誤配された、など）。
- 配達人の仕事に対し、顧客が苦情を寄せる。
- 惨めな天候の中で配達しなければならない。
- 危険そうな人、または何をしだすかわからない人へ郵便物を手渡す。
- 労働ストライキが起きる。
- できれば労働組合には入りたくないのに、加入への圧力を感じる。
- 勤務中に怪我をする（凍結した道で滑って転ぶ、犬に噛まれる、など）。
- 怪我をして仕事ができなくなる。
- 長時間労働が続く（特に仕事を始めたばかりの頃）。
- 配送センターのミスで、郵便物が誤配されてしまう。
- クリスマスのホリデーシーズンで仕事量が増えているのに配達員が少ない。
- 無能または面倒な新人に配達の仕事を教えなければならない。
- 人と交流したいが、ほぼいつもひとりで仕事をしている。
- 失礼な客に対応する。
- 上司が無愛想または無神経。
- 取扱注意の小包を誤って落としてしまう。
- 受取人に荷物の受け取りを拒否される。
- 配送センターで遅れが出て、自分が担当する配達ルートに影響が出る。
- 不審な小包を配達しなければならない。
- （自分の担当区域に徒歩の配達ルートがある場合）

毎日長距離を歩くので、足や身体が疲れる、または痛い。
- 年老いてきて、配達が苦になる。

かかわることの多い人々
他の郵便配達員、上司、郵便局の他の職員、組合代表者、顧客、配達ルートを行き交うドライバーや歩行者、企業の警備員

この職業は
5大欲求にどう影響するか

▸▸ 自己実現の欲求：
この仕事で昇進する可能性は非常に低く、上昇志向のある人は、すぐに行き詰まってしまい、自分の可能性を十分に発揮できないと感じるかもしれない。

▸▸ 承認・尊重の欲求：
学位を必要としない職業よりも、大卒資格がないと得られない職業を重視し、それを望ましいと考える人は多い。このような考えの人と接すると、郵便配達員をやっている自分を決めつけられたと感じ、自己肯定感が下がる可能性がある。

▸▸ 帰属意識・愛の欲求：
郵便配達員になって間もないうちは、配達に時間がかかって勤務時間が長くなる。そうすると人間関係にも影響が出てくる。また、配達している間はひとりなので、人と出会う機会も少ない。このままでは、友人や恋人になるかもしれない人と知り合う機会がなくなるかもしれない。

▸▸ 安全・安心の欲求：
状況によっては、郵便物の配達は危険だ。配達地域の治安や人口密度、交通量の多さによって危険度は変わる。また、車を降りて私有地に入り、郵便物を配達する際にもある種の危険が伴う。

この職業を選択する理由
- コミュニケーションの手段としての手紙の歴史に強い関心を持っている。
- 負担をかけない程度に体を使う仕事がしたい。
- ひとりでする仕事を好み、他人との交流をなるべく避けたい。
- もっと挑戦的な職業を追求するのを恐れていて、そういう職業に就くと失敗に終わると信じている。
- 自分もコミュニティの一員なのだと感じたいが、人と接するのが得意ではなく、個人的に親しい関係をなかなか築けない。

ステレオタイプを避けるために
郵便配達員は、もの静かで内向的で、目立たない脇役になりがちだ。しかしもっと自由に、書き手の好きなようにキャラクターを作ることもできるはずだ。たとえば、テレビドラマ『となりのサインフェルド』には、ニューマンという名の郵便配達員が登場するが、このニューマンを参考に、変わった特徴を1つや2つ与えてみるのはどうか。

また、キャラクターがなぜこの仕事を選んだのかをよく考えてみること。他人と密接に関わらずに済むからなのか、重労働で長時間の仕事をして、何も考えないようにしたいからなのか、人目を避けられるからなのか。この職業を選択した背後にある理由を知ることで、さらに深みのある面白いキャラクターを描けるはずだ。

夢分析カウンセラー

〔英 **Dream Interpreter**〕

夢分析カウンセラーは、クライアントの夢を分析および解釈し、そこから可能な意味を引き出す。夢から得た情報は、クライアントの自己成長や自己開発のために使われることもある。あるいは、夢に現れる象徴的なものや場面を分析して、クライアントの心の中に埋もれた感情やトラウマ、その結果として表れる心の健康問題を明らかにしようとする。

カウンセラーの中には、自分でクリニックを開設している人もいれば、商業施設の中にスペースを借りている人や自宅で仕事をしている人もいる。また、クライアントとチャットやビデオで話しながら夢を分析することもある。

この職業に求められるトレーニング

正式な学位は必須ではないが、夢分析に関する講座を履修することはできる。夢分析をクライアントの治療に利用する心理学者なら、夢分析に関する講座を取っているはずだ。

有益なスキル・才能・能力

鋭い洞察力、共感力、他人の信頼を得る力、人の話を聞く力、人を温かく迎え入れる力、直感、既成の枠にとらわれない思考、宣伝能力、人の心を読む力、調査力

性格的特徴

分析家、自信家、礼儀正しい、好奇心旺盛、控えめ、おおらか、共感力が高い、気さく、温和、もてなし上手、影響力が強い、注意深い、勘が鋭い、雄弁、哲学的、プロフェッショナル、協力的、寛容、奔放、賢い

葛藤を引き起こす原因

- 夢分析に懐疑的なクライアントがいる。
- 藁にも縋る思いのクライアントにしつこく質問される。
- 自分が選んだ仕事を友人または家族が応援してくれない。
- クライアントの夢から矛盾した情報や混乱した情報を得る。
- クライアントの数が少ない。
- クライアントが支払いを滞納している。
- クライアントに答えを示すことができない。
- 夢のことばかり考えているので、偏執的になったり、疲れたりする。
- 夢の解釈を間違え、そのせいでクライアントが誤った判断をしてしまう。
- 夢分析が酷評され、悪いPRにつながる。
- 安定した収入が得られない。
- 怪しいと思われたり、単なる金儲けにすぎないと思われたりする。
- 在宅で働いているため、クライアントに自分の住んでいる場所が知れている。
- 勤務時間が流動的。
- クライアントが夢分析に非現実的な期待をしている。
- 科学の世界から支持されていない。
- 保守的な町や小さな町に住んでいて、夢分析という職業が受け入れられていない、または尊重されていない。
- 自分自身の夢の中に何か不穏な要素を見つけてしまう。

ゆ

かかわることの多い人々
クライアント、クライアントの友人や家族、心理学者、クライアントかかりつけのカウンセラーやセラピスト

この職業は5大欲求にどう影響するか

▸▸ 自己実現の欲求：
一般に、健康分野の職業に就く人は人助けをしたい願望を持っていることが多いが、この仕事に就く人も例外ではないだろう。しかし、クライアントが夢分析に難色を示したり、助言を受け入れて前向きに変わろうとしなかったりすると、自分は時間を無駄にしているのではないかと思いはじめるかもしれない。

▸▸ 承認・尊重の欲求：
この職業を懐疑と軽蔑の目で見る人は多い。仕事で承認されたい、尊重されたいと思っている場合、この仕事ではその欲求が満たされないことに間もなく気づくはずだ。

▸▸ 帰属意識・愛の欲求：
非常に保守的な考えにとらわれている人が多く住む小さな町に住んでいる場合、町の人とはつながりを感じられないかもしれない。

この職業を選択する理由
- 幼少期に超常現象やこの世のものとは思えない事象を体験したことがある。
- 生まれながらにして夢を解釈できる特別な能力を持っていた。
- 人の心がどのように働くのかに関心がある。
- 夢に魅了され、この職業を自分の天職だと思っている。
- 人が自分の感情や欲求に向き合えるよう手助けをするのが好き。
- 人の心を別の可能性に向かわせたい。
- 外向的で、人を相手にした仕事をしたい。
- 人を支配し、その人が選択するものを操りたい。
- 夢の中でお告げを聞き、そのお告げどおりに行動したら命拾いをした、あるいは苦難を避けられた体験があり、他の人にも同じように夢のお告げに従ってほしいと思っている。

ステレオタイプを避けるために
夢分析カウンセラーは、超常現象など論争の的になりやすいテーマを信じる変わり者として見られがちだ。この固定観念を破るには、地に足の着いた、事実を重んじるキャラクターにしてみよう。キャラクターが科学界の一員であるなら、より一層興味深いひねりになるはずだ。

また夢分析カウンセラーは、手っ取り早く金儲けをすることしか考えていない詐欺師だと誤解もされやすい。夢分析に懐疑的な人々は、カウンセラーはクライアントのことなど実は考えもせず、診療も見せかけだけで、クライアントが聞きたいことだけしか言わないと思っているかもしれない。そこで、この仕事に情熱を注ぎ、人に対して思いやりがあり、クライアントの心の健康を気にかけて、定期的にクライアントを診療するようなキャラクターにしてみるのもいいだろう。

ヨガインストラクター

〔英 **Yoga Instructor**〕

ヨガインストラクターは、呼吸法（プラナヤマ）とポーズ（アーサナ）を通して、身体と心の調和を図ることを専門としている。生徒が身体を鍛えつつその柔軟性を高め、可視化や瞑想によってバランスのとれた心の平穏を求める考え方を身につけられるよう手伝う。ヨガスタジオやヘルスセンター、スパ、自然の中、リトリート、個人宅などでヨガのクラスを教えながら、優れたインストラクターは生徒のニーズに細やかに配慮し、各生徒に合ったプログラムを作る。たとえば妊娠中の女性、子ども、高齢者向けのヨガなら、それぞれのグループに適したストレッチが必要になるし、手術や怪我などから回復途中にある人に対しては、各人のニーズにカスタマイズされたプログラムが必要になる。インストラクターは、各生徒が怪我をしないように細心の注意を払わなければならない。

ヨガインストラクターは経営面にも相当な努力を払う。たとえば、会計や時間管理、宣伝、顧客勧誘などがそうだ。さらに、教える専門分野（アシュタンガ、ビクラム、ハタ、アイアンガー、クリパル、など）の選択、クラスを教えるときにかける音楽のプレイリストの作成、ヨガのポーズや動きの流れの設定はもちろんのこと、生徒との関係作りも重要になる。生徒にもっと複雑なポーズを教えられるかどうかを判断するため進捗状況を査定したり、生徒からの質問に回答したり、生徒が個人的な課題を抱えている場合にはその克服手段として瞑想を勧めたりするなども仕事のうちだ。

この職業に求められるトレーニング

ヨガの哲学や歴史を教える学校やプログラムは数多く存在する。様々なタイプのヨガを学んで資格を取得できると、多くの人はそこから専門性を高めていく。そのためには、さらなる研修が必要で、インストラクターになっても熱心な人は継続的にこつこつと学んでいく。

有益なスキル・才能・能力

商才、基本的な応急処置能力、人を引きつける魅力、共感力、優れた聴覚、卓越した記憶力、他人の信頼を得る力、直観力、人を笑わせる能力、宣伝能力、人の心を読む力、心身を回復させるスキル、体力、呼吸コントロール、人に教える能力、声のとおりがいい

性格的特徴

おだやか、芯が強い、クリエイティブ、共感力が高い、熱血、気さく、寛大、温和、幸せ、影響力が強い、優しい、忠実、大人っぽい、自然派、面倒見がいい、楽観的、きちんとしている、情熱的、忍耐強い、勘が鋭い、奇抜、正義感が強い、スピリチュアル、協力的、健全

葛藤を引き起こす原因

- ヨガスタジオで教えるクラスと個人的に教えている生徒とのバランスがうまくとれない（ワークライフバランスもうまく確保できていない）。
- 一日に複数の場所（スタジオ、クライアント宅、ジム、など）を回らなければならない。
- 車が故障する。
- 怪我や病気で一時的にヨ

よ

ガを教えられなくなる。

- 個人的に教えている生徒が急にキャンセルする、またはスケジュールを変更してほしいと言ってくる。
- どのヨガインストラクターも同じだと思い込んでいる生徒がいる。
- 身体的な問題を抱えている人のニーズを誤解し、ヨガを教えている間に怪我をさせてしまう。
- 生徒が健康状態や怪我について正直に話さない。
- 不適切な理由でヨガのクラスに参加する人がいる(恋愛の対象になる人との出会いを期待している、など)。
- 安定した収入と生活費が稼ぎ出せるようなヨガのビジネスをなかなか築けない。
- 経営が苦手で、その努力を怠った結果、金銭的、法的なトラブルに巻き込まれてしまう。
- あまり能力や経験のないインストラクターが安い価格でクラスを教えるために、生徒がそちらに流れ、自分のクラスの価格を下げなければならない。
- スタジオに問題がある(予約の問題、機材の故障、スタジオの清掃が行き届いていない、などの理由)。
- 生徒が救いを求めてヨガを習いはじめたのに、アドバイスに従わない。

かかわることの多い人々

クライアント、ヨガスタジオのオーナー、ジム経営者、コミュニティセンターの職員、他のヨガインストラクター

この職業は
5大欲求にどう影響するか

▸▸ 自己実現の欲求:
自分と同じような思想を持ち、成長したいと心から願う生徒を見つけられなければ、流行やトレンドを意識した人ばかりにヨガを教えることになり、幻滅を覚えはじめるかもしれない。

▸▸ 承認・尊重の欲求:
競争が激しすぎてレッスン料を下げざるを得なくなるなど、諸々の経済的な理由で安定したビジネスを維持するのに苦労している場合、本当に自分は成功できるのだろうかと自分を疑いはじめるかもしれない。

この職業を選択する理由

- 瞑想や自然治癒を重んじる家庭で育った。
- スピリチュアルな関心があり、常に健康を意識している。
- 体や心の健康に焦点を当てたグループ活動に参加すると喜びを感じる。
- 瞑想のすばらしさを他の人と共有したい。
- ある症状に悩まされていて、瞑想を毎日実践して集中力を高めなければならず、ヨガインストラクターになれば、その日課を続けることができると考えた。

ステレオタイプを避けるために

ヨガインストラクターだからといって、必ずしも「若くて美しい」人物に設定する必要はない。年配のインストラクターならば、「自分の好きなことをして生きる」という理想を体現するだけでなく、人生に対し深い洞察力を持ち、よりバランスの取れた見解を提供してくれる可能性があり、ストーリーに一味加えてくれるキャラクターになるかもしれない。

流行のヨガ(山羊ヨガなど)を書き加えてしまうと、後々ストーリーが古く感じられる可能性がある。キャラクターが教えるヨガに独自性を与えたいのであれば、生徒たちを海外のヨガリトリートに連れていくだとか、山へハイキングに向かい、最後に山頂で揃ってヨガをするといった設定を考えてみてもいいだろう。

ラジオDJ

〔英 **Radio DJ**〕

ラジオDJは、コミュニティや大学のラジオ局で仕事をする。音楽中心の番組に雇われることが多いが、それに限らず、スポーツやニュース、政治、ポップカルチャーなどの番組に雇われることもある。いずれの番組でも、DJは曲の合間などにリスナーに話しかけるのが仕事だ。リスナーのために音楽を流す場合、曲を紹介するのはDJだが、番組の進行はラジオ局の上層部が決める場合もある。ほとんどのDJはラジオ局に就職するが、中には、フリーランスとして自分の番組を収録し、それを流してくれそうなラジオ局に売り込む人もいる。

ラジオ局の予算が縮小し、ラジオ放送業界でも自動化が進むなか、DJは音楽を流してリスナーに話しかけるだけでなく、それ以外の仕事をこなすことも求められている。たとえばソーシャルメディアで番組を宣伝する、コミュニティでライブイベントを開催する、コンテンツを作成する、局の営業を手伝うなどといった仕事もやらねばならなくなってきている。

この職業に求められるトレーニング

高卒資格さえあればよいところもあるが、ほとんどのラジオ局は、コミュニケーションや放送ジャーナリズムなどの学士号を持ったDJを探している。大学や高校のラジオ局でボランティアをすれば経験はいつでも積める。ラジオ放送には多くの技術が使われているので、技術面でのトレーニングや専門知識を持っていると役立つ。

有益なスキル・才能・能力

耳心地のよい声、人を引きつける魅力、人の話を聞く力、人を笑わせる能力、機械に強い、マルチタスクのスキル、人脈作り、演技力、宣伝上手、人の心を読む力、文章力

性格的特徴

柔軟、魅力的、自信家、挑戦的、協調性が高い、クリエイティブ、好奇心旺盛、如才ない、効率的、熱血、気さく、ひょうきん、噂好き、大げさ、いたずら好き、詮索好き、注意深い、楽観的、きちんとしている、情熱的、雄弁、遊び心がある、強引、正義感が強い、天真爛漫、活発、勉強家、奔放、賢い、ウィットに富む、仕事中毒

葛藤を引き起こす原因

- 市場を理解していない経営陣が番組を誤った方向へと押し進める。
- 予算が削減される。
- 時代遅れの機材しかない。
- 未知の新技術が導入される。
- 後々で上司とぶつかるようなことをオンエアで発言する。
- オンエアされていないと思い込んで問題発言をする。
- 自分が苦手なことをしなければならない（営業、宣伝、対人イベント、など）。
- インタビューをしていたら相手に議論をふっかけられる、または口論になる。
- インタビューのコーナーが失敗に終わる。
- アイデアを売り込むが、ラジオ局の幹部が興味を示さない。
- （DJの仕事を始めたばかりの頃は特に）夜や週末に勤務するので、交友関係を築きにくい。
- 自分の信念をオンエアで

ら

伝えたところ、ラジオ局にとって悪いPRになってしまった。
- キャリアを脅かすような病気にかかる(慢性疾患による声がれ、声帯結節、喉頭がん、など)。
- ストーカーやあまりにも熱狂的なファンに追いかけられる。
- インタビューの準備をせずに、愚かなことや不愉快なことを言ってしまう。

かかわることの多い人々

ラジオ局のマネージャーや幹部、他のDJ、プロデューサー、ゲスト(対面または電話インタビュー)、清掃員や局の職員、芸能人や政治家

この職業は 5大欲求にどう影響するか

▸▸ 自己実現の欲求:
ラジオ業界は変化の一途をたどっているため、仕事が減り、希望の仕事に就くのが困難になっている。情熱を感じない番組なのに、それをやり続けなければならない状況に陥ると、やりがいを感じられなくなるかもしれない。

▸▸ 承認・尊重の欲求:
ラジオDJの仕事でもっと認められたいと思っている人にとっては、この欲求が満たされなくなるかもしれない。

▸▸ 安全・安心の欲求:
仕事で有名になると、たとえ狭い世界であってもファンがいる。ファンのひとりが精神的に病み、バランスを崩していたりすると、ラジオDJにとって危険な存在になりかねない。

この職業を選択する理由

- ラジオ向きの声をしていると常に言われて育った。
- 特定のジャンルの音楽に傾倒していて、音楽に関わりながらミュージシャンと交流したい。
- 話し好きで、ラジオDJになれば、自分の考えを人と共有できると思った。
- 他人とは、直接接するよりも、ラジオを通じて接したほうが安全だと思っている(社会性不安障害を抱えている、過去に悪い人間と付き合っていた、ストーキングされている、といった理由から)。

ステレオタイプを避けるために

リスナーがラジオで聞いたことのある声の人に出会うと、頭の中にあるイメージと外見が一致せず、驚いてしまうことがよくある。ラジオDJが一風変わった外見の持ち主で、リスナーが直接会っても「まさかこの人がラジオをやっているとは」と思うのだとすれば、どんな外見的特徴になるか考えてみよう。

また、どのような性格的特徴を持っていればキャラクターがDJとして突出し、リスナーの記憶に残るのかも考えてみよう。ハワード・スターン(アメリカの『ハワード・スターン・ショー』というラジオ番組のDJ)の過激な発言ぶりや、フレイザー・クレーン(アメリカのテレビドラマの有名なキャラクターで、ラジオDJとして働いている)の横柄で野心家な性格は、人の記憶に印象深く残っていることを念頭に置いてみよう。

ランドスケープデザイナー

〔英 Landscape Designer〕

ランドスケープデザイナーは、住宅の屋外空間を機能的で魅力的な場所に変えていく仕事だ。顧客と話し合いながら彼らの求めるものやニーズを確認してから製図し、植える植物を選んでアイデアを提案する。提案内容には、花壇、噴水や池、デッキやパティオ、外壁、通路、プール、小屋などが含まれる。デザインが決まったら、庭工事を請け負う業者と連携をとり、デザインどおりに、また顧客の満足の行くように造園する。

この職業に求められるトレーニング

正式な教育は不要だが、デザイナーの知識を高めるためにコースを受講したり、資格や学位を取得したりする。ただし、ランドスケープ・アーキテクトになる場合は、修士号が必要で、免許を取得しなければ仕事はできない。

有益なスキル・才能・能力

創造性、細部へのこだわり、ガーデニングのスキル、人の話を聞く力、リーダーシップ、再利用のスキル、調査力、構想力

性格的特徴

分析家、協調性が高い、礼儀正しい、クリエイティブ、好奇心旺盛、熱心、想像豊か、勤勉、几帳面、自然派、注意深い、忍耐強い、完璧主義、プロフェッショナル、責任感が強い

葛藤を引き起こす原因

- 注文のうるさいクライアントがいて、絶対に満足しない。
- クライアントの要望を誤解する。
- 低木を植えたが、病気と知らずすぐに枯れてしまう。
- 工事の許可がなかなか下りない。
- 細かいところまで口うるさい検査官を相手にする。
- 従業員が信頼できない、または不誠実。
- 悪天候に見舞われる(猛暑や極寒、嵐が来て作業を中断する、など)。
- 土の中に作られたスズメバチの巣を刺激してしまう。
- 想定外の問題(地盤が予想以上に弱い、土壌の問題、など)が発生し、工事予算を超えてしまう。
- 誤って間違った植物を植えてしまい、成長しない、または周囲の他の植物との相性が悪い。
- 業者が手を抜き、信頼できない構造物を建てる。
- 業者がクライアントと恋愛関係に陥る。
- 不誠実なパートナーや経営者と一緒に働いている。
- 植物の扱いは上手だが、人の扱いが下手(あるいは財務管理、マーケティングなどが不得手)。
- 仕様書が不完全で、工事が遅れる。
- アイデアはたくさんあるが、予算が少ないクライアントと仕事をしている。
- ランドスケープデザイナーは飽和状態の市場で仕事をしているため、クライアント獲得が難しい。
- 悪質な検査官が工事を許可する代わりに賄賂を要求してくる。
- ホーム・オーナーズ・アソシエーション(日本における管理組合)で制限

ら

事項が設けられているため、ランドスケープデザインの選択肢が限られる。
- 隣家と敷地の境界線をめぐって争いになり、工事が中断する。
- 悪い評判が広がり、新規クライアントを獲得できなくなる。
- 日焼けによる炎症、虫刺され、ウルシにかぶれるなど、職業上様々な危険がある。
- 病気を発症し（光線過敏症、広場恐怖症、など）、仕事ができなくなる。

かかわることの多い人々
ランドスケープ会社の従業員、会社のオーナー、事務員、クライアント、卸売業者や小売業者（植木、敷石、園芸用品、など）、配管工、建設作業員、検査員、技術者や建築士、隣家の人

この職業は
5大欲求にどう影響するか

▸▸ 自己実現の欲求：
親の事業を継ぐため、または誰かの遺志を継ぐためにこの分野に入った場合、この仕事で自分が幸せになれないと、自己実現の欲求が満たされなくなるかもしれない。

▸▸ 承認・尊重の欲求：
人に尊重されたい人は、質のいい仕事をしているにもかかわらず、自分が望むような承認や称賛を得られない場合は、満たされない気持ちを抱く可能性がある。

この職業を選択する理由
- 隣人や友人の美しく設計された庭で幸せな日々を過ごし、その思い出に触発された。
- 都会の貧困地区で育ち、優雅な屋外空間を富と成功の証だと見ている。
- アウトドアが大好きで、人にも楽しんでもらえるような空間を作りたい。
- 生まれながらにしてクリエイティブ、または芸術的。
- 庭いじりが大好きで、好きなことをしながら持続可能な収入を得たいと考えている。
- 自然の美しさをとても大切にしている。
- 子どもがいないので、植物を我が子のように大切に育てている。
- 退屈で面白みのない空間を美しい空間に変えるのが好き。
- 屋外で仕事をしていると心が落ち着く。

ステレオタイプを避けるために
家族がランドスケープデザイン会社を経営していて、家族間で意見や慣習、世界観が衝突し合っているのが知られている設定にすれば、家族間の軋轢が描けるだろう。
いつものように庭園工事をしていたら、思わぬものが掘り起こされてしまうというのも、面白いひねりになるかもしれない。長い間土に埋もれていた呪われた品々や、有害物質の入った袋、古い硬貨がぎっしり詰まった宝箱、あるいは、かつて連続殺人犯が住んでいたことを示唆するアイテムが入った鍵付きの箱などが掘り返されるというのはどうだろうか。

理学療法士

〔英 Physical Therapist〕

理学療法士（PT）は、怪我や病気、手術などが原因で体が思うように動かなくなり、快適に暮らしにくくなった患者の運動能力の回復を専門にしている。この種の治療は、（加齢や栄養失調が原因で）筋肉が傷つき、関節などの可動域が狭まり、柔軟な動きができなくなった患者に対し、安全に運動能力を回復させるか、それ以上の機能低下を防ぐために行なわれる。

理学療法士は、患者がどのような症状を抱えているのか、問診だけでなく、触診して問題は何なのかを診断し、問題箇所の機能を回復させるための治療プランを立て、そのプランに沿って様々な方法で治療を行なう。たとえば、マッサージや運動、超音波、ゴムバンドなどで抵抗を加えた筋力ストレッチ、アイシングや温熱療法、EMS（筋肉に電流刺激を与える治療法）、エクササイズボールやエクササイズバイクなどを使用した運動療法を取り混ぜて、体へのインパクトを低、中、高と段階的に変えていく。

また、理学療法士は、必要に応じて医師や他の医療専門家と相談しながら、治療法を記録し修正していく。患者の運動能力が可能な限り回復し、再び怪我などをすることなく自宅での生活が続けられるよう、患者に耳を傾け、励まし、共感できるサポートを提供する。

この職業に求められるトレーニング

まずは4年制の大学で理系分野の学位の取得が必要だ。理学療法士として働くには、理学療法の博士号（DPT）を取得しなければならず、最長で1年間の実習を積み、さらにインターンまたはレジデントとして臨床研修を受ける。この後、スポーツ、創傷管理、腫瘍、小児科などの専門分野でスペシャリストの資格を取得することも可能だ。

有益なスキル・才能・能力

基本的な応急処置能力、人を引きつける魅力、共感力、優れた聴覚、優れた嗅覚、卓越した記憶力、他人の信頼を得る力、人の話を聞く力、痛みに強い、接客力、直感、人を笑わせる能力、多言語を操れる、マルチタスクのスキル、人の心を読む力、身体機能を回復させるスキル、戦略的思考力、力強さ、呼吸コントロール、人に教える能力

性格的特徴

柔軟、慎重、魅力的、自信家、好奇心旺盛、規律正しい、控えめ、おおらか、効率的、共感力が高い、気さく、勤勉、知ったかぶり、注意深い、執拗、楽観的、きちんとしている、忍耐強い、完璧主義、粘り強い、雄弁、積極的、プロフェッショナル、仕事中毒

葛藤を引き起こす原因

- 患者の口数が少なく、診断するのが難しい。
- 患者が（恥ずかしさから）どうやって怪我をしたのか、本当のことを明かさない。
- 診察しなければならない患者数が多すぎる。
- どの保険を持っているかによって適用範囲が異なり、それについて患者に説明するのに苦労する。
- 治療に使う器具などがきちんと整理整頓されていない。
- 患者が回復のための努力

り

をしようとしない。

- 自分のクリニックを経営しながら、理学療法士として働こうとしている。
- 同僚と衝突する。
- 患者が前回自分から受けた治療について文句を言っているのを耳にする。
- 患者が個人的なことを話しすぎる。
- 予約や紹介なしで突然やってきて、診察してもらえると思っている人がいる。
- 患者を施術しているときに自分の体を痛める。
- 日々患者への治療をこなしながら、新しい治療方法の研修も受けようとする。
- カイロプラクター、鍼灸師、一般医などの医療従事者と意見が衝突する。
- 他の理学療法士が病欠のため、さらにその人の患者も診察しなくてはならない。
- 施術に必要な器具やリソースの足りないクリニックで働いている。

かかわることの多い人々

他の理学療法士、クリニックの従業員、医師やその助手、ナース・プラクティショナー、患者、保険会社の担当者、コーチ、アスレティックトレーナーやパーソナルトレーナー、マッサージ師、鍼灸師、自然療法医、理学療法士が使うプロダクトの販売会社の営業

この職業は
5大欲求にどう影響するか

▸▸ 自己実現の欲求：
有名なスポーツ選手の治療に携わることを夢見ている場合、一般のクリニックで働いていると、同じような充実感は得られないかもしれない。

▸▸ 承認・尊重の欲求：
患者を思うように助けられなかったり、医療事故訴訟に巻き込まれたりすると、自信喪失につながり、自己肯定感が持てなくなる可能性がある。

▸▸ 帰属意識・愛の欲求：
長時間の肉体労働のため、一日の仕事が終わると力尽きて、愛する人のためにエネルギーがほとんど残っていないこともある。そういう日が続くと、パートナーや子どもに不満や恨みを持たれてしまうかもしれない。

▸▸ 安全・安心の欲求：
治療にかなりの柔軟性と力強さを必要とする患者に施術したことで、理学療法士のほうが怪我をしてしまい一時的に働けなくなり、経済的苦境に陥る可能性も考えられる。

この職業を選択する理由

- 事故に遭って怪我をしたが、理学療法で回復した経験があり、同じように他の人を助けたい。
- 理学療法が選択肢にあったのに、無理矢理手術を受けさせられた経験があり、他の人にはそのような経験をしてほしくない。
- 愛する人を介護していたときに、理学療法士のおかげで楽に生活できるようになったことを目の当たりにした。
- 薬に頼らずに怪我から回復する手助けをしたい（自分の親が鎮痛剤中毒になった経験がある、などの理由から）。
- スポーツに強い関心を持ち、アスリートが最高の状態を維持できるようサポートしたい。

リクルーター

〔英 Recruiter〕

リクルーターは、企業に代わり、人材募集中の職に興味のある求職者の身元確認や面接、選考、推薦を担う人事スペシャリストだ。社内にいる場合もあれば、外部のリクルーターが企業に雇われ、その企業の人材採用を代行する場合もある。

リクルーターのほうから仕事の候補者に連絡をとることもあって、その場合、リクルーターはヘッドハンターと呼ばれる。ヘッドハンターは広い人脈を持ち、ソーシャルメディアやデータベースなどを駆使して有望な候補者を探し出し、目下就職していて職探しをしていない人であっても、適格者だと思われる人には連絡をとる。

リクルーターは、大きなプロジェクト（たとえば、マンションやオフィスビルの建設など、多くの人材を必要とするプロジェクト）があったときだけ、企業に声をかけられて仕事をする場合もある。また、企業幹部をヘッドハンティングしたり、スポーツエージェンシーや大学に代わってアスリートを発掘したり、軍の入隊希望者を募ったりする仕事もある。リソースにもよるが、リクルーターの中には、時間と資金を投資してクライアント企業を「引きつけて」おき、契約を確実に取りに行く人もいる。

求職中の人の中には、一刻も早く仕事を見つけたくてリクルーターに連絡をとる人もいる。その場合、リクルーターは特定企業と契約を結んでいるので、人材を募集している職に適切な候補者を探し出し、採用が決まると、企業から報酬が得られる仕組みになっている。つまり、求職者がリクルーターに報酬を払う必要はない。

この職業に求められるトレーニング

人材管理または経営学の学士号を取得し、資格認定プログラムを修了していることが求められる場合がほとんどだ。また、優秀な人材の目利きになるには、人材を募集している分野を熟知している必要がある。

リクルーターは、ちょっとしたことにも気を配り、面接官としての熟練ぶりを発揮して、自分が見つけてきた候補者を採用に結びつける。たとえば、採用企業側の担当者が絵を描くのが趣味で、候補者も同じ趣味を持っているのを知っている場合、リクルーターは面接の際に候補者にその話題に触れるよう提案する。ただし、採用者側に平凡な候補者の欠点に目をつぶらせるために個人的な話題をふるのではなく、あくまでも自然に、和んだ雰囲気になったときにその話題を持ち出すよう、リクルーターは候補者に念押ししなければならない。

有益なスキル・才能・能力

商才、人を引きつける魅力、鋭い洞察力、細部へのこだわり、共感力、優れた聴力、卓越した記憶力、他人の信頼を得る力、人の話を聞く力、交渉力、接客力、人を笑わせる能力、多言語を操れる、マルチタスクのスキル、人脈作り、雄弁、宣伝能力、人の心を読む力、営業力

性格的特徴

柔軟、野心家、分析家、魅力的、自信家、協調性が高い、礼儀正しい、如才ない、控えめ、おおらか、効率的、外向的、気さく、正直、気高い、もてなし上手、勤勉、

り

知的、忠実、注意深い、執拗、きちんとしている、忍耐強い、勘が鋭い、完璧主義、雄弁、積極的、プロフェッショナル、臨機応変、仕事中毒

葛藤を引き起こす原因

- 求人内容について具体的な考えを持たないクライアント企業に振り回され、人材探しに無駄に時間を費やしてしまう。
- 新しく採用された人が経歴を偽っていたことを知る。
- 立派な経歴を持っていても、実際には大した仕事ができない候補者を相手にしている。
- 選定基準を緩めるようクライアント企業に指示される、または早く報酬を受け取りたいがために適当な人材を探し出す。
- 見つけた候補者が採用されたが、実はその候補者は他社と天秤にかけていて会社を移ったことを知る。
- 友人に、ある求人広告に応募させたが、その友人には弱点があり、または具体的な経験がないため推薦できない。
- えこひいきをしていると非難される。
- 大事なクライアント企業を同じリクルート会社内のライバルに奪われる。
- 理想的な応募者を見つけたが、その人の連絡先に記入ミスがあり、連絡がとれない。
- リクルーターとして採用された後、ある人物に仕事を見繕うよう、密かに上層部から「圧力」をかけられた。
- 非常に言葉巧みな候補者、あるいは病的な虚言癖のある候補者に惑わされる。
- (過労、ぴったりの候補者が見つからない、体が疲れているなどの理由から)早く仕事を終わらせたくて、適当に誰かを採用したい誘惑に駆られる。

かかわることの多い人々

経営幹部(CEO、CIO、COO、など)、有望な候補者、ソーシャルメディア担当者、テクノロジーの専門家、他のリクルーター、経営幹部の秘書

この職業は5大欲求にどう影響するか

▸▸ **承認・尊重の欲求:** 常に他人を夢の仕事に就かせているうちに、自分はリクルーターでいいのかと不満を覚えたり、自分を疑問視しはじめたりするかもしれない。

▸▸ **安全・安心の欲求:** 仮に、リクルート会社で不正な人材採用が慣習的に行なわれているのではないかと疑いが持たれ、その倫理審査が始まるとする。それに巻き込まれると(不正採用に関与していたかどうかは別として)失職したり、他での就職が難しくなったりする可能性がある。

この職業を選択する理由

- 友人がリクルーターを雇って完璧な仕事を見つけ、生まれ変わったかのように生き生きと働く姿を見て、人のためにそういう仕事がしたいと思った。
- 満足感や自己肯定感をもたらす仕事に人をつなぐことに喜びを感じる。
- 人の心を読み、その人の才能や専門分野の発掘に長けている。
- 人が本当に必要としているものを見極めることに満足感を覚える。
- 交換条件を出して取引するのがうまかった人に出会ったおかげで、説得力や交渉力に価値を置くようになった。

ステレオタイプを避けるために

リクルーターは、非倫理的な人として、あるいはコミッションを手に入れるためなら何でもするつもりの人として描かれることもある。だが、評判がすべてのこの業界では、仕事に最適ではない候補者を紹介してクライアントを失望させでもしたら、逆に自分の首を絞めることになる。優秀なリクルーターなら、時間をかけてクライアントのニーズを知り、クライアントが望む人材を提供する努力を怠らない。

料理評論家

〔英 Food Critic〕

料理評論家は、食品や食事を試して評価し、新聞や雑誌、ブログなどに記事を執筆する。味や香り、食材の組み合わせ、盛り付けはもちろん、レストランのサービスや雰囲気についても、食のプロとしての意見を述べる。一般的に料理評論家は自分のレビューの信憑性を損なわないよう特別な接待を避け、匿名のままでいることを好むこともある。

この職業に求められるトレーニング

プロとして食に関する体験を効果的に評論するため、ジャーナリズム、英語学科、またはコミュニケーションの学士号を持っている人が多い。さらに批評のスキルを磨く目的で、フードメディアやフードレビューの講座や、料理教室を受講することもある。この仕事は競争過多になっているので、インターンシップや、新聞、雑誌、ブログで執筆経験を積んでおくことも有益だ。また、幅広い食を体験して味覚を鍛えるために、各地を旅する人もいる。

有益なスキル・才能・能力

優れた嗅覚、優れた味覚、もてなしの技術、人に教える能力、文章力

性格的特徴

分析家、礼儀正しい、好奇心旺盛、熱血、贅沢、熱心、凝り性、想像豊か、客観的、注意深い、情熱的、忍耐強い、プロフェッショナル、天真爛漫、奔放、型破り

葛藤を引き起こす原因

- 身内びいきをしているのではないかと疑われる(シェフやレストランと個人的なつながりがある場合、など)。
- 上司からあるレストランを好意的にレビューするよう圧力をかけられる。
- フリーランスの評論家なので、仕事が安定せずに悩む。
- 食事中に自分が評論家であることがばれてしまう。
- 匿名性を保ちながらも自己PRが必要なので、バランスのとり方に苦労する。
- 記事を締め切りまでに書き上げなければならない。
- 悪い評価を与えたレストランに脅される。
- 低い評価をしたレストランが潰れ、罪悪感を覚える。
- アドバイスを求められてもいないのに、友人や家族の食や料理について助言してしまう。
- 愛する人がお手製料理の感想を求めている(「おいしかった」という誉め言葉だけを聞きたいように思われる)。
- 栄養たっぷりの食事とワインの飲みすぎで体重が増える。
- 何かと食事の邪魔をする相手と一緒に食事をする。
- 悪口メールを受け取る。
- 苦手な食べ物となると、偏見を持たずに評論するのが難しい。
- 人気レストランやシェフにマイナス評価を与えなければならない。

り

- 他の評論家に自分のレビューをチェックされ、一笑に付されてしまう。
- 個人的な問題（最近恋人と別れた、体に痛みがある、など）があり、料理評論家として食事をしっかり吟味できない。
- 応援していたレストランが、保健所の点検に合格せず閉店に追い込まれる。
- スランプで筆が一向に進まない。
- 食事中に邪魔が入る（大事な電話がかかってくる、評論家であることが周囲にばれてしまう、など）。
- 食に対する期待を非現実的なほど高くもってしまい、誰もその期待を満たすことができない。
- 健康上の問題（風邪で味や香りがわからなくなる、歯が痛くて噛めない、など）のせいで、仕事に悪影響が出る。

かかわることの多い人々
編集者、シェフ、ウェイターやウェイトレス、レストランの経営者、レストランの贔屓客、他の評論家

**この職業は
5大欲求にどう影響するか**

▸▸ 自己実現の欲求：
人気があって著名な評論家になるには時間がかかる。駆け出しのうちは、やれる仕事はすべてこなし、徐々に力をつけていく必要がある。なかなか芽が出ず、質のいい仕事やクライアントを摑めないと、仕事の成果に不満を感じるようになるかもしれない。

▸▸ 承認・尊重の欲求：
自分の記事をよく読んでくれる読者を満足させるため、「レビューを脚色しなければ」とプレッシャーを感じることも。あまりにも容赦なく切って捨てるような内容の記事ばかり書いていると、評論家としての評判を落とし、同業者に見下されるかもしれない。

▸▸ 安全・安心の欲求：
フリーランスで働いている場合は特に、高価な食事や交通費を自己負担しなければならず、時に金銭的に苦しくなることもある。

この職業を選択する理由
- シェフや飲食店経営者になることは挫折したが、料理業界に残りたくて評論家になった。
- 何事にも批判的で高い期待を持つ両親のもとで育った。
- 食と執筆業に情熱を持っている。
- 旅に出て新しい体験をするのが好きで、特に旅先の料理を味わうのが大好き。
- 世間においしいレストランを紹介したい。
- 料理をするのは好きだが、それだけで生きていく才能や意欲はない。
- 洗練された味覚を持っている。
- 冒険好きで、新しい食材や料理を試すのが好き。

ステレオタイプを避けるために
料理評論家は洗練された味覚や意見を持っているに違いないと、世間は信頼を寄せている。だが、そういう世間一般の認識とは裏腹に、嘘っぱちの評論家であることが発覚するのを恐れているキャラクター設定にしてみるのはどうだろうか。
小説や映画の中に登場する料理評論家は、鼻持ちならず、勝手に物事を決めつけてしまう気難しい人物として描かれることが多い。そこで、真の食の愛好家なのに、おおらかな性格が災いしてなかなか批評に踏み切れないようなキャラクターもいいかもしれない。
料理評論家といえば、幅広い食を求めて食べ歩き、様々なタイプのレストランを批評するのが普通だが、変わった料理、地中海料理、フードトラックの料理など、特定の料理しか批評しない評論家はどうだろうか。

霊術療法士

〔英 Reiki Master〕

霊術療法は日本の民間療法のひとつで、心身と精神の健康を促進する目的で、施術者は自分の手を患者に当て、その手の温かみ（エネルギー）を患部に流す。宗教的療法ではないが、スピリチュアリティに関連してはいる。

一般的な治療は、患者の患部にヒーリングエネルギーを流せる訓練を受けた施術者によって行なわれる。患者が抱えている病気や怪我からの回復、あるいは、健康を阻害している根本的原因（ストレスなど）に焦点を当てて治療が行なわれる。

霊術療法には「マスター」と呼ばれる師匠がいて、マスターはヒーリングだけでなく指導もするため、施術者の多くが教えを乞う。霊術療法は、民間クリニックだけでなく病院やケアホームなどの福祉施設、またはスパなどで受けられる。

この職業に求められるトレーニング

マスターになるには、まず施術者にならなければならない。施術者になるには、マスターから訓練や指導を受け、人にヒーリングエネルギーを伝導できなければならない。それができるようになれば、さらにスキルをレベルアップさせていく。レベル3に達すると晴れてマスターに昇格し、人を指導できるようになる。施術者の中には、マスターの見習いとなって修行を重ねる人もいる。

有益なスキル・才能・能力

幽体離脱、基本的な応急処置能力、人を引きつける魅力、鋭い洞察力、手先の器用さ、共感力、他人の信頼を得る力、ハーブの知識、直感、既成の枠にとらわれない思考、人の心を読む力、心身の機能を回復させるスキル、体力

性格的特徴

おだやか、芯が強い、自信家、礼儀正しい、規律正しい、共感力が高い、熱心、温和、気高い、優しい、自然派、面倒見がいい、情熱的、勘が鋭い、上品、世話好き、スピリチュアル、天才肌、寛容、賢い

葛藤を引き起こす原因

- 患者が体を触られることに不安を感じている。
- 信仰深い家族がエネルギーヒーリングという概念に違和感を持っている。
- 年若い患者がなかなかじっとしていられない。
- 治療の後に（または複数回の治療を行なった後に）、気力や体力が消耗したように感じる。
- 霊術療法のことを何も知らない懐疑的な人が失礼なことを言ったり、決めつけるような発言をしたりする。
- 患者が変な副作用を訴える。
- 体調が思わしくない家族がいて、ヒーリングを勧めるが拒否され、体調がさらに悪化しはじめる。
- 個人事業主なのだが、財務管理面に不慣れ。
- 熱心にヒーリングを学ぼうとしている人がいるが、授業料を支払う能力がない。
- 患者が霊術療法のスピリ

れ

チュアルな部分に苦手意識を持っている。
- 賠償責任問題が起きる。
- 患者が施術料を払おうとしない。
- 仲間と一緒に開業したが、ビジネスモデルや倫理観に関して意見が分かれている。
- ある患者が霊術療法を最初に体験したときに大きな効果を感じたが、今はそれほどでもないと思っている。
- 勉強に専念して努力したにもかかわらず、「マスター」レベルになかなか到達できない。
- 仕事場に泥棒が入る。
- ヒーリングという性質上、ある患者が過度に治療に執着するようになった。
- 怪我（脳震とうなど）のせいで、施術ができなくなる。
- 顧客を増やし、ビジネスを成長させるのに苦戦している。

かかわることの多い人々
患者、他の霊術療法士や施術者、医師、看護師、病院スタッフ、霊術療法を学ぶ人々、患者の家族や弁護士

この職業は
5大欲求にどう影響するか

▸▸ 自己実現の欲求：
霊術療法は多くのスピリチュアルな思想と絡み合っているので、マスターともなれば神や崇高な意識とのつながりを常に求めようとする。ただし、マスターが特に神聖な気持ちになれない場合や、思うように患者を助けられない場合は、神のごとき存在とのつながりを感じられなくなる。

▸▸ 承認・尊重の欲求：
霊術療法に対して強い反対意見を持っている人もいる。その治療の有効性については多くの証言があるにもかかわらず、それを裏付ける科学的な研究はほとんど存在しないからだ。こうした理由から、マスターの中にはないがしろにされていると感じる人もいるかもしれない。

▸▸ 帰属意識・愛の欲求：
恋愛対象として気になる人が見つかっても、エネルギーヒーリングをやっていると相手が知ると遠ざかっていくことも。恋人探しが難しくなってしまう可能性も考えられる。

この職業を選択する理由
- 霊術療法のヒーリングを個人的に体験したことがある。
- スピリチュアルなものとヘルスケアをうまく組み合わせた治療が可能だと信じている。
- スピリチュアルなもの、自然療法、ヒーリングに関心がある。
- 霊能力や透視能力を持ち、そうした能力を人助けに利用したい。
- 慈しみ深く、人や自然とのつながりを強く感じている。
- 精神的に成長する機会を求めている。

ステレオタイプを避けるために
霊術療法士といえば筋金入りの霊能者で神秘的な人を想像する。確かにそういう人もいるが、誰もがそうだとは限らない。そこで、医師やカウンセラーと一緒に仕事をするのを好むキャラクター、あるいは、ヒーリングやリラクゼーションを珍しいジャンルの音楽と絡めるキャラクターというのはどうだろうか。

ほとんどの霊術療法士は人に対して霊気を用いるが、ペットや野生動物の治療に霊気を用いるキャラクターにしてみるのも面白いかもしれない。

レジ係

〔英 **Cashier**〕

レジ係は顧客が商品を購入するときにレジを打ち、支払いを受け取るのが仕事だ。暇な時間帯にはレジ周辺を整理整頓したり、カウンターを拭いたりもする。商品の袋詰めをする場合には、商品に付いている値札や防犯タグを外す。レジ係は接客の「最前線」でもあるので、人当たりがよく、不満を持った客の問題を聞き届けて解決するか、客をなだめられる人でなければならない。

大型店舗の場合、経験を積んだレジ係はカスタマーサポートに回ることもあり、レジ係や店員の勤務シフト調整、交代制の休憩時間の設定、レジ備品の補充、商品の価格チェック、店舗のコンピューターシステムへの商品の価格登録などの業務を担う。また、顧客からの問い合わせに対応し、事務も担当する。

レジ係の勤務先としては、食料品店、ガソリンスタンド、コンビニエンスストア、小売店、レストラン、コーヒーショップ、映画館、ホームセンター、ファーストフードやテイクアウト専門のレストラン、遊園地など、一定の客足があるサービス産業が挙げられる。

この職業に求められるトレーニング

レジ係に学歴は不要だが、実地訓練は行なわれる。職場研修に参加してレジの操作方法など関連業務を学ぶ場合もあれば、経験のある同僚にレジ業務を教えてもらいながら最初のシフトを数回こなす場合もある。現金を扱う仕事なので信頼が非常に重要だ。したがって、犯罪歴のある人がレジ係に採用されることはまずない。

有益なスキル・才能・能力

人を引きつける魅力、共感力、優れた聴覚、卓越した記憶力、他人の信頼を得る力、人の話を聞く力、接客力、人を笑わせる能力、機械に強い、多言語を操れる、マルチタスクのスキル、映像記憶、宣伝能力、人の心を読む力

性格的特徴

おだやか、魅力的、協調性が高い、礼儀正しい、如才ない、規律正しい、控えめ、おおらか、効率的、気さく、正直、もてなし上手、独立独歩、忠実、従順、注意深い、きちんとしている、積極的、プロフェッショナル、ウィットに富む

葛藤を引き起こす原因

- 過剰な料金を請求されたと思って怒りだす客、または欲しい商品が見つからず怒りだす客に対応しなくてはならない。
- 店の許可も取らずに、店頭で客を勧誘する人がいる。
- 未成年の客が酒やタバコを買おうとする。
- 従業員が出勤時間になっても現れず、書入れ時なのに人手不足になっている。
- 自分たちは古株だからと、退屈な仕事を新人に押し付ける同僚がいる。
- レジから現金がなくなる。
- 酔っぱらい客や攻撃的な態度の客に対応しなくてはならない。
- 客が暴力行為を働く。
- 万引き犯を発見する。
- 強盗が入る。

れ

- 収入が減ると困るのに勤務時間が減らされる。
- 自分がやっていないことなのに責任を取らされ、上司は面目を保っている。
- 会社で出世できずにいる。
- 職場の先輩と気が合わず、嫌がらせを受ける（みんなが嫌がるシフトに回される、勤務時間がカットされる、問題の多いレジに頻繁に配置される、など）。
- 人の入れ替わりが激しい職場で、いつも新人教育をさせられている。
- 業務改善のアイデアがあるのに、上司に相手にされない。
- 長時間の停電が発生し、手動で会計をしなければならない。
- 店が保健所の検査に合格せず、閉店に追い込まれる。
- 客がレジ係に理不尽な要求をし、聞き届けられなかったので不満を言い出す。

かかわることの多い人々

客、他の従業員、マネージャー、配達員

**この職業は
5大欲求にどう影響するか**

▸▸ **自己実現の欲求：**
人材を募集しているところが少なく、他で就職できずに仕方なくレジ係をやっている場合、自分の能力以下の仕事をしていると感じたり、充実感が得られなかったりする可能性がある。

▸▸ **承認・尊重の欲求：**
レジの仕事にはあまり教育が必要ないと見下された場合、自尊心が傷つけられるかもしれない。

▸▸ **安全・安心の欲求：**
現金を扱う仕事なので、強盗に遭った場合、身の危険にさらされる可能性がある。

▸▸ **生理的欲求：**
薄給のため、他に収入源がない場合は、衣食住などの基本的な欲求を満たせない可能性がある。

この職業を選択する理由

- 家計を助けたい。
- 自宅から近い仕事が必要。
- 低学歴、家族の世話などの理由で、より実入りのいい仕事に就くことができない。
- 子育てや介護をしているので柔軟なスケジュールで働ける仕事が必要。
- 家庭生活に響かない、ストレスの低い仕事がしたい。
- 本当はもっと複雑でスキルが求められる仕事ができるのに、自分にはそういう仕事は無理だと思い込んでいる。
- 偏見を持たれるなど社会的困難を抱えているが、人とのつながりが持てる仕事を探している。
- 健康上に問題があって就職が難しいが、レジの仕事ならできる。
- レジ係から出世して店舗のマネージャーになりたい。

ステレオタイプを避けるために
苦境に陥り、疲れきった女性が不本意ながらレジの仕事に就いている姿が描かれることが多い。純粋にこの仕事が好きで、人と接するのが好きなキャラクターにしてみてはどうだろう。

レポーター

〔英 Reporter〕

レポーターは、ニュース番組やニュースサイト、雑誌や新聞、ラジオ局など様々な報道分野で働く。多くのレポーターは、スポーツや政治、地域の出来事、健康、犯罪、エンターテインメントなどを中心に、特定分野で活動をするので、仕事には取材調査が不可欠になる。取材したら、記事やインタビュー、録画ビデオ、ライブニュースのレポートなどの形にして、世間に伝える。

「レポーター」と「ジャーナリスト」は同義に使われることがあるが、この2つの間には若干の違いがある。ジャーナリストとは、公共問題に関する情報を取材して、それを社会と共有する職業を指し、レポーターや編集者、ニュースキャスター、コラムニストなどもこれに含まれる。一方のレポーターはもう少し狭義の意味でのジャーナリストを指し、街頭インタビューを行なったり、記者会見で質問をぶつけたりして、生の情報を集めて伝える役割を担う。

この職業に求められるトレーニング

コミュニケーションやジャーナリズムなどの分野で学士号を取得する人が多いが、必須というわけではない。それよりも重要なのは経験で、新米レポーターなら、メディア企業でのインターンシップを通じて経験を積む。だいたいどの職業でも同じだが、レポーターは編集作業やブログ記事の執筆などの下仕事からスタートし、希望する地位に進んでいくのが一般的だ。

有益なスキル・才能・能力

目立たないように振る舞うスキル、人を引きつける魅力、細部へのこだわり、平常心、他人の信頼を得る力、人の話を聞く力、多言語を操れる、マルチタスクのスキル、人脈作り、構成力、映像記憶、パブリック・スピーキング、人の心を読む力、調査力、戦略的思考力

性格的特徴

用心深い、野心家、分析家、大胆、魅力的、自信家、挑戦的、協調性が高い、礼儀正しい、好奇心旺盛、如才ない、外向的、噂好き、勤勉、操り上手、几帳面、詮索好き、客観的、注意深い、きちんとしている、情熱的、忍耐強い、粘り強い、雄弁、プロフェッショナル、強引、臨機応変、正義感が強い、活発、勉強家、非倫理的、奔放

葛藤を引き起こす原因

- 他のレポーターたちとの競争が激しい。
- レポーターとしての自分の意見や報道スタイルを批判される。
- 他のニュース番組や雑誌などと競争する。
- 自分の記事を編集する時間を確保しなければならない。
- 取材中に感情的になる。
- インタビューの相手に質問をかわされる。
- 危険な場所（火事、暴動、自然災害などの現場）で取材する、または生中継する。
- 剽窃行為、ずさんな事実確認、政治活動をしたと非難される。
- 厳しい締め切りを課せられて仕事をしている。
- 偏見または強い意見を持っているため、事実の

みを報道するよう指示される（またはその逆に、事実のみを報道したいのに意見も述べるよう指示される）。
- 実際には自信がなくても、自信があるように見せかけ、筋道を立てて話さなければならない。
- 取材する相手や出来事によって、働く時間が左右される。
- 仕事で多忙になり、家庭内に軋轢が生じる。
- 特定の事実を伏せておきたい既得権益者たちに脅迫される。
- せっかく書いた記事が、会社の政治的信条に合わないと却下される。
- 上司から電話がかかってきて急に出張を命じられるが、子どもを預かってくれる託児所がなかなか見つからない。
- 他人の困難や精神的痛手ばかりを取材しているので、共感疲労に悩まされる。

かかわることの多い人々

ニュースキャスター、ジャーナリスト、カメラマンや取材班、他のレポーター、目撃者、インタビュアー、野次馬、警察官や消防士、救急隊員、スポーツ選手やプロのコーチ、政治家、編集者、犯罪者、犯罪の被害者

この職業は
5大欲求にどう影響するか

▸▸ 自己実現の欲求：
新米レポーターは世間の関心の薄い仕事を任され、ベテランレポーターは注目度の高い仕事を任されるのが普通だ。新米レポーターが自分はチャンスを与えられていないと常々思っていると、これでいいのかと疑問を抱きはじめるかもしれない。

▸▸ 帰属意識・愛の欲求：
勤めているメディア会社が小さかったり、信頼性に欠けていたりすると、自分が過小評価されているように感じるかもしれない。

▸▸ 安全・安心の欲求：
自然災害の現場や戦場など、危険地域に赴くレポーターは、身を挺して取材することになる。

▸▸ 生理的欲求：
これまでにも不幸にして取材中に命を落としたレポーターはいる。配属先次第では死が現実的に思えることもあるだろう。

この職業を選択する理由

- 一般の人々に真実を伝えるのが自分の使命だと思っている。
- 選挙や激しい公開討論、会議などの舞台裏で起きていることや、自然災害の陰で起きていることに強い関心を持っている。
- 他の人から話を伝え聞くよりも、自分で事実を明らかにしたい。
- 政府やメディアを疑っていて、直接情報を収集したい。

ステレオタイプを避けるために

カメラに向かっているレポーターはプロ意識が高く見え、筋道を立てて話すので、そういう姿を描かれることがほとんどだ。そこで、陰からこっそり観察しながら新聞や雑誌、ウェブサイトに記事を書いているような、気楽でのんきなレポーターにしてみるのはどうだろうか。

レポーターといえば比較的年齢が若い。趣向を変えて、年齢が高く、輝かしい実績を持っていることで人々を信頼させ、心を開いてもらう方法をよく知っている、そんなレポーターを描いてみるのもいいかもしれない。

ロビイスト

〔英 Lobbyist〕

ロビイストは、個人や団体、組織を代表して議員に影響を与えようとする。彼らは、自分たちが代表する利益のために法案を政治家に提言し、議会で可決または否決、修正するよう働きかける。多くのロビイストは調査を行ない、政治家に図表やグラフ、世論調査、研究報告書などの形で情報を提供し、自分たちの主張を擁護する。ロビイストが自分たちの目的達成のために政治家に賄賂を渡すことは禁じられているが、政治家を招いて資金集めのパーティーを開くことは許されている。

また、政治家に代わって活動するロビイストもいて、有権者の問題を発掘するため地域社会へ働きかけ、その問題を選挙運動に組み入れる。有権者の懸念に応え、世論を揺さぶるために、プレスリリースなど情報提供用の資料を作成することもある。

この職業に求められるトレーニング

この職業に就くための正式な訓練はないが、ロビイストには、元弁護士や元政府高官、政策の専門家が多く、学士号、または修士号や博士号を取得している人がほとんどだ。

有益なスキル・才能・能力

商才、人を引きつける魅力、共感力、優れた聴覚、卓越した記憶力、他人の信頼を得る力、接客力、演技力、宣伝能力、パブリック・スピーキング、調査力、文章力

性格的特徴

野心家、大胆、魅力的、自信家、挑戦的、如才ない、気高い、もてなし上手、理想家、勤勉、頑固、公明正大、忠実、操り上手、物質主義、執拗、きちんとしている、忍耐強い、愛国心が強い、粘り強い、雄弁、世話好き、強引、臨機応変、粋、意地っ張り、非倫理的、仕事中毒

葛藤を引き起こす原因

- 政治家のために効果的に資金を調達しなければならないプレッシャーを背負っている。
- 法案を作成しなければならない責任を負っている。
- ロビー活動制度の倫理的および道徳的ジレンマを感じながらも、うまく切り抜けなければならない。
- 政治家の接待やインフルエンサーとの会合などが続くため、朝9時に始まり夕方5時に終わるような仕事ではない。
- キャッシュフローが限られている。
- 性格や倫理観、目標が合わない他のロビイストとともに仕事をしなければならない。
- 気づかずに、古い情報をもとに作業を進めてしまった。
- 国民に懐疑的な目で見られ、不信感を持たれている。
- 家族や友人がロビイストの道徳観に疑問を抱いている。
- 家族など愛する人たちが、ロビイストとしての説得力や情報操作のスキルが、自分たちに対しても使われているのではないかと疑っている。
- 意見の相違が原因で人間関係の対立が起きてしまう。
- クライアントが世間の反感を買うような出来事が発生する（銃乱射事件が

起きる、クライアントの製品が安全でないことを証明する研究が発表される、クライアント企業の役員が犯罪で告発される、または有罪判決を受ける、など）。
- 国民の安全を脅かすような事実が発覚し、クライアントから火消し役を命ぜられる。

かかわることの多い人々
政治家、資金提供者（ファンドレイザー）、政策専門家、他のロビイスト、市民、記者

この職業は
5大欲求にどう影響するか

▸▸ 自己実現の欲求：
ロビイストは、自分たちの目標達成のために法律の抜け穴を悪用し、政治家に近づいて、ロビイストで何らかの地位に就けることを約束し、実質的に政治家を買収することもしばしばだ。さらに、ロビイストを雇っているクライアントの目的を達成するには、資金調達を通じて政治家のために資金を確保しなければならず、道徳性が疑われることも多い。時が経つにつれ、自分のアイデンティティとこの職業との折り合いをつけるのが難しくなっていくかもしれない。また逆に、自分は正義の側に立って闘っていると固く信じているなら、世の中を変えようとしているのに、うまくいかないと落胆することも考えられる。

▸▸ 承認・尊重の欲求：
やっかいなクライアント（広報担当にとって悪夢のような暴言やスキャンダルを繰り返す政治家や、怪しい財務取引で知られる自動車会社、など）を抱えている場合、ロビイストは説得力を持ってクライアントを擁護するのは難しいと感じ、そのことがキャラクターの自尊心に影響を与える可能性がある。

▸▸ 帰属意識・愛の欲求：
朝9時に始まり夕方5時に終了するようなスケジュールの仕事ではないし、計算高さが必要なので、私生活において人間関係を築くのに苦労するかもしれない。目標達成のために人をチェスの駒のように見る傾向がある場合は特に、仕事の相手を冷めた目で見る一面を恋人に疑問視される可能性がある。

この職業を選択する理由
- 法律が違っていたら、避けられたかもしれないトラウマを経験した。
- 人を言葉巧みに説得するのが得意。
- ある大義名分、政党や政治家、または自分のコミュニティに情熱を注いでいる。
- ロビー活動のスリルを好む。
- 政治の世界に身をうずめたい。
- 策略家として長けている。
- 自分は脚光を浴びずに（また矢面に立たずに）舞台裏からより大きな変化をもたらしたい。

ステレオタイプを避けるために
ロビイストは常に権力者たちと交流を持ち、彼らを接待しなければならない。そこで、社会不安障害を抱えるキャラクターにして、ストーリーにどんな緊張感を加えられるかを考えてみよう。
虚構の世界において、ロビイストは倫理など気にも留めない、権力に飢えた人として描かれることが多い。そこで、キャラクターを善良なロビイストにして、社会が変わるのを願ってやまない人々のために努力を惜しまない姿を描くのも面白いかもしれない。

ロボット工学エンジニア

〔英 Robotics Engineer〕

ロボット工学エンジニアは、製造業、映画・エンターテインメント、鉱業、宇宙開発など様々な分野で働いている。ロボットのコンセプトを確立するために膨大な研究と設計をし、それからロボットを実際に構築して、設計どおりに動作するかどうかを確認するための徹底したテストが最後に行なわれる。また、ロボットが既に存在する場合は、そのロボットの新しい応用分野やソフトウェアを開発するのも仕事だ。いずれにしても、エンジニアはひとりではなく、他の人と協力しながら働くことが圧倒的に多い。

この職業に求められるトレーニング

大学によってはロボット工学の学位を取得できるところもあるが、一般的には、関連分野（機械工学など）の学士号を持っていればよい。独立して働く場合や、より高次元の仕事に就きたい場合は資格が必要になるし、ロボット工学を教えたりする場合は修士号や博士号が必要になる。新しい研究が次々と発表されている成長分野なので、この分野でエンジニアをやっている人は新技術を学び続けることが大切だ。

有益なスキル・才能・能力

創造性、細部へのこだわり、手先の器用さ、数字に強い、機械に強い、論理的思考、既成の枠にとらわれない思考、再利用のスキル、調査力、人に教える能力、将来を見通す力

性格的特徴

柔軟、分析家、協調性が高い、クリエイティブ、好奇心旺盛、熱心、勤勉、知的、几帳面、いたずら好き、きちんとしている、完璧主義、粘り強い、積極的、臨機応変、責任感が強い、勉強家

葛藤を引き起こす原因

- 軍事機密を扱う仕事をしていて、プロジェクトの機密情報を絶対に外に漏らせない。
- ロボットが正常に動作せず、その理由が突き止められない。
- コンピューターが故障し、データが失われる。
- 着想は優れているが、それを具現化できない。
- 家族がロボットやテクノロジーを偏執的に嫌っている。
- 仕事が次々とロボットに奪われている分野で配偶者が働いている。
- ロボットを作っている最中に事故が起き、怪我をする。
- 心身の不調（偏頭痛、うつ病、など）と闘っていて、仕事に集中できない。
- プロトコルの変更や予算削減が原因で、設計したロボットを製作できない。
- 仕事がなかなか見つからず、学生ローンの返済に苦労している。
- ライバル心を燃やす同僚とプロジェクトを取り合うようになってきた。
- 新しい研究に追いつくのに苦労している。
- 道徳的葛藤を引き起こすような方面で使用されるロボットを設計しなければならない。
- プロジェクトが棚上げされ、時間と労力が無駄に

ろ

なり、不満が募る。
- 人工知能にまつわる陰謀論が流行りだす。
- 顧客が購入した直後にロボットが故障する。
- プロジェクトの予算を大幅に超過する、またはプロジェクトが期限を過ぎても終わらない。
- 新型ロボットのビジョンを持っているが、それを製作するための支援を得られない。
- 競合他社から「今よりも高い報酬を出すから転職しないか」と声をかけられ、倫理に反した行為になるのではと悩む。

かかわることの多い人々

インターン、他のロボット工学エンジニア、チームリーダーや上司、科学者、映画監督、自動車メーカーの人、軍関係者、医療関係者

この職業は
5大欲求にどう影響するか

▸▸ 自己実現の欲求：
強迫性障害や注意欠陥・多動性障害などの精神疾患を患っていると、集中して仕事をやり遂げるのが困難になりがちで、仕事で自分本来の能力を出しきるのが難しいかもしれない。

▸▸ 承認・尊重の欲求：
ロボットやテクノロジーを危険あるいは脅威だと見なす陰謀論は珍しくない。こうした陰謀論が流行りだすと、この分野のエンジニアは、自分の仕事が批判あるいは軽視されるどころか、自分が悪者扱いされてしまう危険がある。

▸▸ 生理的欲求：
この仕事には長時間労働がつきもので、激務は心身の疲労あるいは健康の衰えにつながる。

この職業を選択する理由

- 学校のロボットクラブでロボット工学を知った。
- テクノロジーは悪いものだと教えられたが、そんなことはないと証明したい。
- 新しく革新的な手法で何かをつくるのが好き。
- 人類が現在足を踏み入れることができない場所を探索できるようにしたい。
- 人工知能を有意義に進歩させたい。
- 機械好きの理系タイプだった。
- 最先端技術や技術の進歩に関心がある。

ステレオタイプを避けるために

小説や映画に登場するロボット工学エンジニアは、通常、必要なときにしか登場しない脇役だ。そんなエンジニアを主人公にし、脚光を浴びるのが好きなキャラクターにしてみてはどうだろうか。

また、製造業や自動車産業用にロボットを開発する姿が描かれる場合がほとんどだが、遊園地や撮影スタジオ向けの新しいアニマトロニクス機器（生物の形や動きを模倣するロボット技術）など、少し変わったものを作らせてみるのも面白いかもしれない。

性格的にも、オタクで本の虫で、人間と接するより機械と関わるほうが得意な人として描かれることが多いが、エンジニアに対する固定観念にとらわれず、キャラクターの性格的特徴や見た目、関心事などを考えてみよう。

付録 A

職業を作ってみよう

これだと思う職業が見つからない場合は、「Writers Helping Writers」(https://writershelpingwriters.net/)の読者から寄せられた職業のリストを見る、オンラインツールの「One Stop for Writers」(https://onestopforwriters.com/)で拡張版の「職業設定類語辞典」を検索する、あるいは、このページを使って自分で職業を選んでみよう。

職業名

✎

職業の説明

✎

この職業に求められるトレーニング

✎

有益なスキル・才能・能力

(ヒント:「才能とスキル[Talent and Skill] https://onestopforwriters.com/talent_skills 」のリストを活用して、ブレーンストーミングしてみよう)

✎

性格的特徴

(ヒント:『性格類語辞典 ポジティブ編/ネガティブ編』[フィルムアート社]を活用して、ブレーンストーミングしてみよう)

✎

＊ 付録A〜Cは、フィルムアート社の特設サイト「すべての創作者のための類語辞典シリーズ(公式)」(http://filmart.co.jp/ruigojiten/)にて、PDFの無料ダウンロードが可能です。類語辞典シリーズ既刊本の付録ページも同様に公開中、創作のお供にぜひご活用ください。

葛藤を引き起こす原因

✎

かかわることの多い人々

✎

この職業を選択する理由

✎

この職業は5大欲求にどう影響するか

▸▸ 自己実現の欲求：

✎

▸▸ 承認・尊重の欲求：

✎

▸▸ 帰属意識・愛の欲求：

✎

▸▸ 安全・安心の欲求：

✎

▸▸ 生理的欲求：

✎

ステレオタイプを避けるために

✎

付録 B

職業スピードマッチング

数多く存在する職業の中から、自分のストーリーに合ったものを見つけるのは一苦労。まずは自分のキャラクターの特徴を把握することから始め、スピードマッチングで自分のストーリーに合う職業を探してみよう。

性格：**独立独歩**　定義：一人で働くのを好む

独立独歩

グラフィックデザイナー　清掃員　農業従事者　小説家　潜水士
調教師　錠前屋　地質学者　検視官　ロボット工学エンジニア
書籍修復士　ゴーストライター
ホワイトハッカー　動物救助隊員
大工　ソフトウェア開発者　パン・焼菓子職人　自動車整備士
ドッグ・グルーマー　私立探偵　牧場経営者　骨董商　害虫駆除技術者

性格：**社交的**　定義：他人との交流を好む

社交的

タレントエージェント　ヨガインストラクター　バウンサー　芸能人の付き人
バリスタ　給仕　ベビーシッター　リクルーター　子ども向けエンターテイナー
レジ係　ラジオDJ　バーテンダー　泣き屋
ツアーガイド　レポーター　受付　ファンドレイザー
俳優　ソーシャルメディア・マネージャー　郵便配達員　美術館・博物館ガイド
運転手　ウェディングプランナー　ロビイスト　コンシェルジュ　政治家

性格：**クリエイティブ** 定義：創造性や自己表現を重視

ジュエリーデザイナー ソフトウェア開発者 パン・焼菓子職人 モデル
ゴーストライター ポッドキャスター 俳優 シェフ メイクアップアーティスト
ブラウマイスター 子ども向けエンターテイナー ランドスケープデザイナー
吹きガラス職人 クリエイティブ ショコラティエ
ダンサー 刺青師 グラフィックデザイナー ファッションデザイナー
建築家 発明家 フードスタイリスト 剥製師 指揮者 小説家
ロボット工学エンジニア ストリートパフォーマー 大工 ドッグ・グルーマー

性格・気質・特性：**情熱的** 定義：有意義な仕事に情熱を注ぐ

実業家 ブラウマイスター シェフ 美術館・博物館ガイド 書籍修復士
指揮者 ロビイスト 料理評論家 スカイダイビング・インストラクター
古生物学者 レポーター ウェディングプランナー トレジャーハンター
ポーカープレイヤー 情熱的 ジュエリーデザイナー
小規模事業主 ソムリエ 政治家 ダンサー ヨガインストラクター
プロスポーツ選手 モデル パーソナルトレーナー 発明家 小説家
ファッションデザイナー ショコラティエ 俳優 パン・焼菓子職人

性格・気質・特性：**利他的**　定義：人助けなどをして自己実現を図る

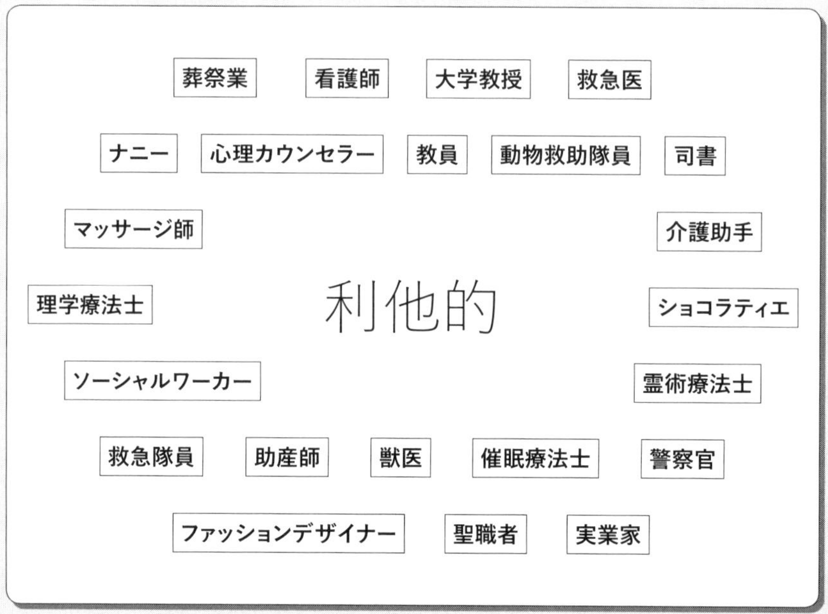

性格・気質・特性：**権威主義的**　定義：権威のある地位や指導者的な立場に惹かれる

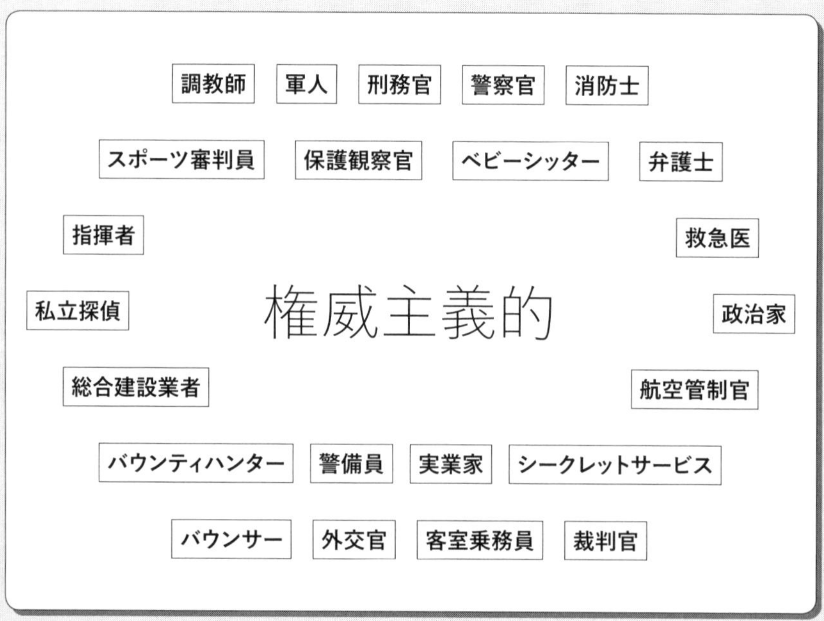

性格・気質・特性：**プロフェッショナル** 定義：重要な責務を任される仕事、きちんとしていて世間に尊敬される仕事を求める

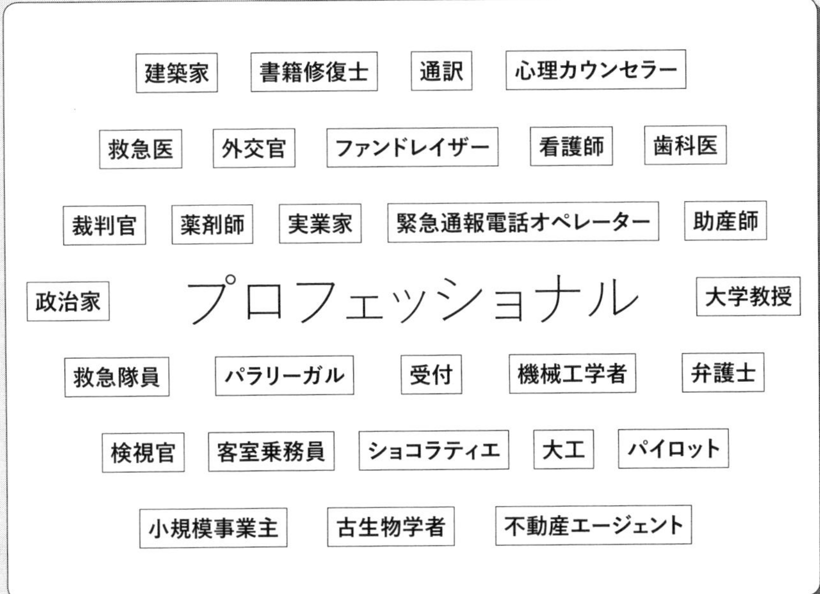

性格・気質・特性：**学究的** 定義：知識を追求し、高い教育を受けている

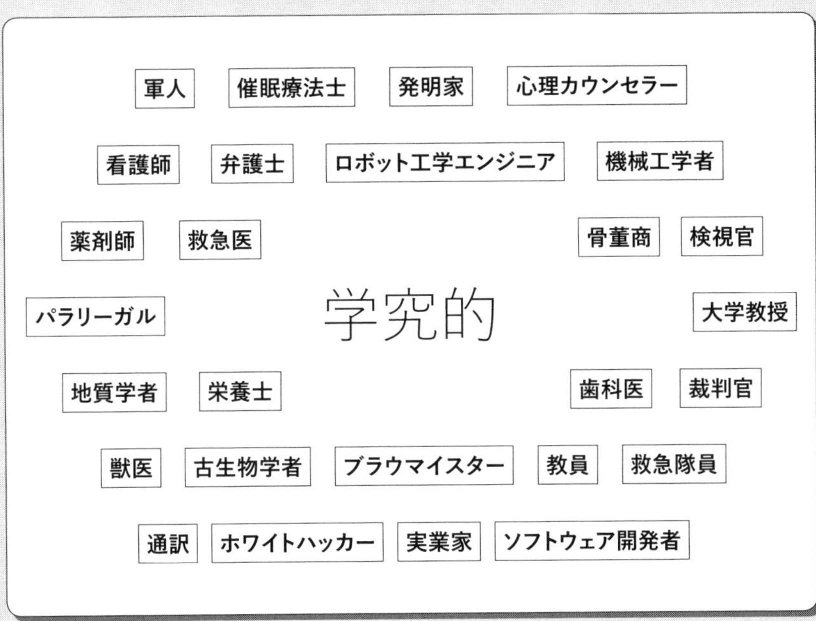

性格・気質・特性：**型破り**　定義：慣習にとらわれず、一般的でない関心事や活動に惹かれる

型破り

タレントエージェント / 被験者 / メイクアップアーティスト / 霊術療法士 / モデル / ブラウマイスター / ホワイトハッカー / 刺青師 / スカイダイビング・インストラクター / トレジャーハンター / ポーカープレイヤー / 害虫駆除技術者 / フードスタイリスト / 吹きガラス職人 / 料理評論家 / 発明家 / 潜水士 / 検視官 / 剥製師 / ラジオDJ / 葬祭業 / 夢分析カウンセラー / 泣き屋 / 子ども向けエンターテイナー / 書籍修復士 / ジュエリーデザイナー / 特殊清掃業 / バウンサー / バウンティハンター / パーソナルショッパー / ソムリエ / 私立探偵 / ファッションデザイナー / ストリートパフォーマー / 調教師 / ドッグ・グルーマー

性格・気質・特性：**冒険好き**　定義：大胆で、未知のものに惹かれ、リスクをとる

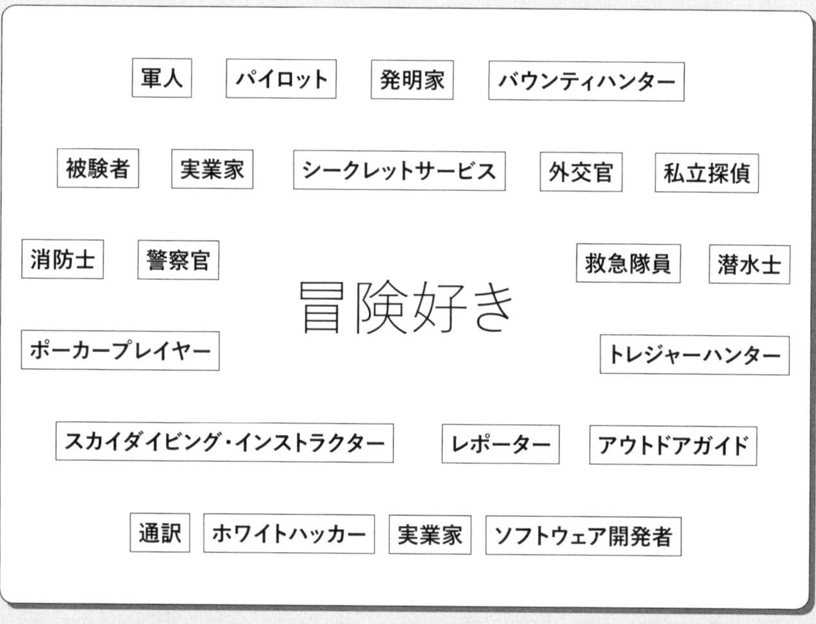

性格・気質・特性：**たくましい**　定義：勤勉でタフ、実践的な仕事を好む

軍人　農業従事者　錠前屋　動物救助隊員

清掃員　潜水士　アウトドアガイド　救急隊員　ツアーガイド

消防士　潜水士

たくましい

総合建設業者　トレジャーハンター

パーソナルトレーナー　警察官　自動車整備士　吹きガラス職人

特殊清掃業　牧場経営者　大工　郵便配達員

性格・気質・特性：✎＿＿＿＿＿＿　定義：✎＿＿＿＿＿＿

✎

職業アセスメント

キャラクターにはどのような職業を与えるべきだろうか。まずは、次のチャートに沿って、キャラクターの職業適性を考えてみよう。左の空欄には、適性を判断する決め手になる重要な要素を記入し、右の空欄には、その要素に合った職業の候補を挙げ

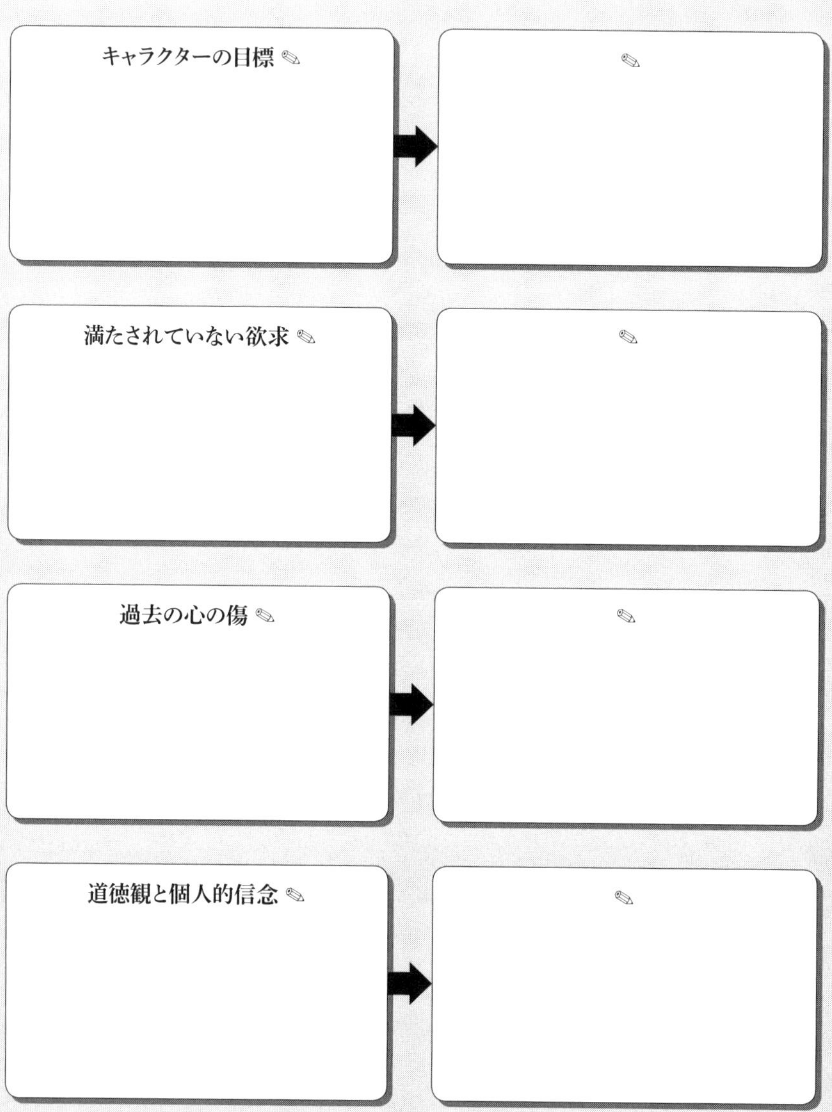

ていく。記入し終わったら、共通点がないか見直してみよう。複数の項目に挙がっている職業はあるだろうか。このチャートの使い方もっと詳しく知りたい場合は、次のページにあるアセスメントのサンプルと参考資料を参考に。

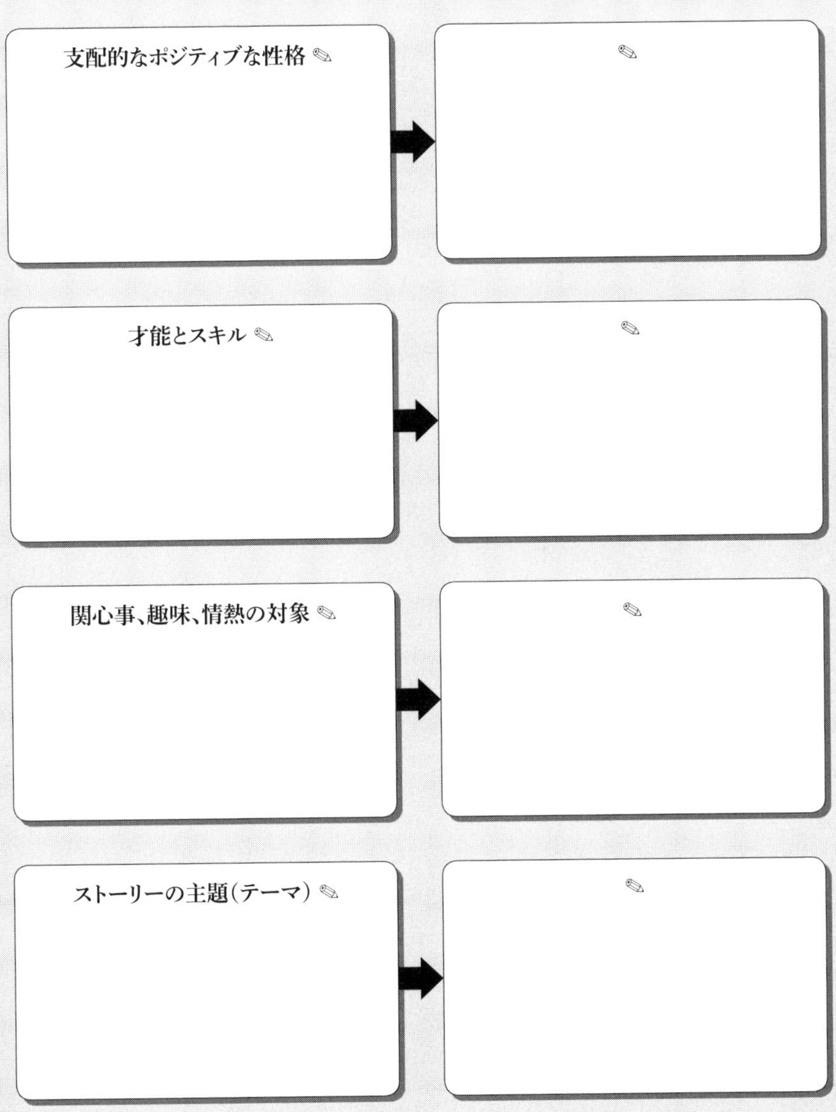

職業アセスメント

書き方の例

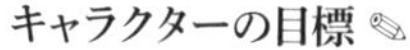

キャラクターの目標

生みの親を探し出す

→

ソーシャルワーカー、
私立探偵

満たされていない欲求

キャラクターは、
日常生活に大きな支障を
きたすほどの深刻な健康上の
問題を抱えている

→

検視官、栄養士、
パーソナルトレーナー、
看護師、救急医、薬剤師

過去の心の傷

慢性的な痛みや
疾患（遺伝性）を抱えて
暮らしている

→

融通が利き、
一人または在宅で
働ける仕事

道徳観と個人的信念

出自が重要

→

該当する職業なし

支配的なポジティブな性格 ✎		✎
楽観的で創造的	➡	小規模事業主、小説家

才能とスキル ✎		✎
多言語が操れる、ゲームが得意、細部にこだわる	➡	通訳、ソフトウェア開発者、ハッカー

関心事、趣味、情熱の対象 ✎		✎
ジュエリー作り、読書、絵を描くこと	➡	ジュエリーデザイナー

ストーリーの主題（テーマ） ✎		✎
自分に関する真実を探し出し、その真実とともに生きる	➡	★ 書籍修復士

職業アセスメントの使い方

「職業アセスメント」を最大限に活用するために、書き手は**ストーリーに影響を与える要素**をよく理解しておく必要がある。以下に、本書および「One Stop for Writers」（https://onestopforwriters.com/）に用意した豊富なチュートリアルやリソースをもとに、それぞれの要素を手短に説明する。ここで紹介されている類語辞典は、「One Stop for Writers」に用意されている無料トライアルでどれも試すことができる。

キャラクターの目標：ストーリー全体の目標（外的動機）のこと。キャラクターはストーリーの終わりまでにそれを明らかに達成しようとしている。たとえば、『指輪物語』の主人公フロドの目標はひとつの指輪を破壊することである。『ハンガー・ゲーム』の主人公カットニス・エヴァディーンの場合は、タイトルにもなっている「ハンガー・ゲーム」で勝ち残って生きることが目標になっている。詳しくは、「目標達成を助ける、あるいは阻む職業」の項（P62）を参照のこと。また、「キャラクター動機リスト（Character Motivation Thesaurus）」（https://onestopforwriters.com/character_motivations）でも、ストーリーの目標を何にするのか、目標に向けてキャラクターがどのような道を進んでいく姿を描くのかを決めるためのアイデアを数多く用意している。

満たされない欲求：あらゆる人に5つの基本的欲求があり（生理的欲求、安全・安心の欲求、帰属意識・愛の欲求、承認・尊重の欲求、自己実現の欲求）、それらがすべて満たされると、人は絶対的な充足感を覚える。ところがこの5つの欲求のひとつが脅かされたり、奪われたりすると、人はその欲求を満たそうとする。詳しくは、「基本的な欲求」の項（P12）を参照のこと。

過去の心の傷：心の傷とは、深層心理に痛みをもたらすネガティブな経験のこと。心に痛みをもたらした出来事は、ストーリーが始まる前に起きていて、キャラクターの世界観や自分自身を見る目を変えてしまう。その傷は偏見や恐怖心、不安につながり、キャラクターの行動を制限したり、キャラクターが再び傷つくのを恐れ、あるタイプの人や状況を避けたりする。詳しくは、「癒えない心の傷」の項（P19）を読み返すといいだろう。また、様々な種類のトラウマに絡んだ影響については、『トラウマ類語辞典』（フィルムアート社）を参考に。

道徳観と個人的信念：この2つの概念は、キャラクターの善悪の判断を決める基本的な考え方であり、アイデンティティに結びついている。つまり、キャラクターが何者であるかを定義するのに役立つ。これらの概念は、キャラクターの意思決定を誘導する個人的規範をなし、キャラクターが何をするか、何をしないかの境界線を確立する。詳しくは、「道徳的葛藤」の項（P37）を参照のこと。

支配的なポジティブな性格：キャラクター個人の成長を促し、キャラクターが健全な形で目標を達成するのに役立つ特性を指す。キャラクターが自分のアイデンティティを表に出し、道徳的信念を貫き、他人と意思疎通をとるときにも役立つので、強い人間関係を築いていける。詳しくは、「性格的特性」の項（P24）を参考のこと。また、『性格類語辞典 ポジティブ編』（フィルムアート社）を用いて、キャラクターがどのような性格的特徴を持っているのか、ブレーンストーミングしてみよう。

才能とスキル：キャラクターはある適性と能力を持っている。学習して得たものもあれば生まれ持っているものもあり、またその両方を備え持っている場合もある。こうした才能やスキルは、平凡なキャラクターを個性的に変えるチャンスを与えてくれるだけでなく、ストーリーの中での目標達成に必要な能力をキャラクターに持たせることもできる。詳しくは、「才能とスキル」の項（P25）を参照のこと。また、「才能とスキル類語リスト（Talent and Skill Thesaurus）」（https://onestopforwriters.com/talent_skills）も参考に。

関心事、趣味、情熱の対象：誰にでも関心事や趣味があり、キャラクターも例外ではない。関心事や趣味は単にキャラクターを肉づけるだけでなく、ストーリー自体に深い目的を持たせ、キャラクターの目的達成に不可欠なスキル、経験、知識を提供できる。詳しくは、「趣味と情熱」の項（P26）を参照のこと。また、アイデアをブレーンストーミングしたい場合は、「One Stop for Writers」にある「アイデア・ジェネレーター（Idea Generator）」（https://onestopforwriters.com/generator）を是非活用してもらいたい。

ストーリーの主題（テーマ）：主題とは、ストーリー全体を通して伝えられる中心的な思想やメッセージのことである。よく主題に選ばれるものとして、贖罪、大人への成長、犠牲、権力などがある。主題文は、主題に選んだ思想に対する書き手の見解を表し、作品の全体的なメッセージとなることが多い。「主題設定装置としての職業」の項（P65）を読み返すのもいいし、一般的なストーリーの主題を表すシンボルを探したい場合は、「シンボルとモチーフの類語リスト（Symbolism and Motif Thesaurus）」（https://onestopforwriters.com/symbolisms）を参考に。

おわりに　One Stop for Writersについて

創作者の皆さん、執筆活動を根本から変えてみませんか？

小説があふれている市場では優れた作品のみが突出します。書き手として最高の作品を生み出さなければ注目されません。そこで「One Stop for Writers（https://onestopforwriters.com/）」。力強くて唯一無二のストーリーとキャラクターを創作するためのリソースを提供し、書き手が読者の切望する斬新で魅力的な小説を書けるよう支援するツールです。

「One Stop for Writers」は、『職業設定類語辞典』を書いた私たちが作った、書き手のためのデータベースです。この種のデータベースとしては最大で、書き手がストーリーを言葉で「見せる」ためのヒントが満載な上、どこからでも利用できます。豊富に揃った革新的なツールを使えば、ストーリーを紡ぎだすのも驚くほど簡単。特に人気があるのは、超インテリジェントな「キャラクタービルダー（Character Builder）」。キャラクターの深層心理を探り、ストーリーの原動力となる欲望や恐怖、動機、欲求に輪郭を与えます。書き手が入力した情報に基づいてキャラクター・アークの青写真を正確に作成してくれるので、プロットとキャラクターの内面の旅も容易に結びつけられます。他にも、ストーリーの構成を練るためのボード作りやタイムライン設定ツール、虚構の世界を構築するためのQ&Aシート、アイデア探しのためのツール、チュートリアルなどが揃っていて、必要なときに必要なツールを使えるようになっています。何を書こうかと画面とにらめっこする時代は、もう終わったのです。

興味のある方は、ぜひ2週間の無料トライアルをお試しください。お申し込みの際に「ONESTOPFORWRITERS」というコードを入力すると、すべてのプランが1回に限り25％割引になります*。Writers Helping Writersは、書き手による書き手のためのサイトであることをお忘れなく。

それでは皆さん「One Stop for Writers」でお会いしましょう！

アンジェラ・アッカーマン＋ベッカ・パグリッシ

*ここで紹介された「One Stop for Writers」は、本書の著者たちによって運営される海外サイトです（有償項目あり）。ご利用を検討される場合、詳細はガイドラインをご覧のうえ、ご自身の責任のもとにご判断いただきますようお願い申し上げます。

類語辞典シリーズ好評既刊紹介

http://www.filmart.co.jp/ruigojiten/

キャラクターの内面を全体的に理解できれば、物語を通してそのキャラクターを突き動かすものを効果的に見せることができる。キャラクターの動機、心の傷、そしてこれらの要素がキャラクター軸の中でどう作用していくのかをさらに研究するために、私たちのこれまでの類語辞典シリーズをぜひ本書と併せて読んでみてほしい。

『感情類語辞典 増補改訂版』

滝本杏奈＋新田享子＝訳 定価：2,000円＋税

「この感情を伝えるにはどうしたらいいのか」。喜怒哀楽の感情に由来するしぐさや行動、思考、心の底から沸き上がる感情を収集した、言葉にならない感情を描くときに手放せない一冊が、収録項目180%増量にて再登場。飯間浩明（国語辞典編纂者）推薦。

『性格類語辞典 ポジティブ編』

滝本杏奈＝訳　定価：1,300円＋税

記憶に残る「前向きな」キャラクターの創作のヒントの詰まった類語辞典。キャラクターが持ちうるポジティブな性質と、その性質を代表する行動、態度、思考パターンなどを列挙し、現実味溢れ、読者を魅了するキャラクターの創作に役立ってくれるはずだ。朝井リョウ（小説家）、飯間浩明（国語辞典編纂者）推薦。

『性格類語辞典 ネガティブ編』

滝本杏奈＝訳　定価：1,300円＋税

悪役にも心の葛藤や不安はあるし、やりたいことがあっても躊躇し、うまく物事が運ばないことだってある……リアルな悪役はポジティブな部分とネガティブな部分をあわせ持っている。そんな彼らの嫌な部分の理解を深めると、その根底にある不安と恐れが見えてくるだろう。キャラクターの心の闇に光を当てた一冊。藤子不二雄Ⓐ（漫画家）、飯間浩明（国語辞典編纂者）推薦。

『場面設定類語辞典』

滝本杏奈＝訳　定価：3,000円＋税

郊外編、都市編合わせて225場面を列挙し、場面ごとに目にするもの、匂い、味、音、感触をまとめた一冊。情景を描写しながら、ストーリーの雰囲気や象徴、そしてキャラクターの葛藤や感情を表現し、ストーリーに幾層もの深みを持たせ、読者を引きつけるための設定のつくり方を学んでほしい。有栖川有栖（小説家）、武田砂鉄（ライター）推薦。

『トラウマ類語辞典』

新田享子＝訳　定価：2,200円＋税

誰もが大小さまざまなかたちで持っている「トラウマ」。不意の事故や予期せぬ災害、幼少期の体験、失恋や社会不安……などなど、トラウマを効果的に描ければ、そのリアリティが読者の共感を呼ぶはず。より魅力的で豊かなキャラクターを作りあげるために必要な、あらゆる心の傷／トラウマについて網羅した一冊。綾辻行人（小説家）、武田砂鉄（ライター）推薦。

著者紹介

アンジェラ・アッカーマン Angela Ackerman
ベッカ・パグリッシ Becca Puglisi

アンジェラ・アッカーマンは主にミドルグレード・ヤングアダルトの読者を対象に、若い世代の抱える闇をテーマにした小説を書いている。SCBWI〔児童書籍作家・イラストレーター協会〕会員である。ベッドの下にモンスターがいると信じ、フライドポテトとアイスクリームを一緒に食し、人から受けた恩をどんな形であれ他の人に返すことに尽くしている。夫と2人の子ども、愛犬とゾンビに似た魚に囲まれながら、ロッキー山脈の近く、カナダのアルバータ州カルガリーに暮らす。
ベッカ・パグリッシはヤングアダルト向けのファンタジー小説、歴史フィクションの作家であり、雑誌ライター。SCBWI会員である。太陽が輝くフロリダ州南部に暮らし、好きなことは映画鑑賞、カフェイン入りドリンクを飲むこと、体に悪い食べ物を食べること。夫と2人の子どもと暮らす。
アンジェラとベッカはともに多くの作家と作家志望者が集まるウェブサイト「Writers Helping Writers（前身は「The Bookshelf Muse」）」を運営している。豊かな文章を書くにあたり参考となる数々の類語表現を紹介するこのウェブサイトは、その功績が認められ賞も獲得している。

訳者紹介

新田享子

三重県生まれ、サンフランシスコを経て、現在はトロント在住。テクノロジー、政治、歴史、文学理論と幅広い分野のノンフィクションの翻訳を手がけている。ウェブサイトはwww.kyokonitta.com

職業設定類語辞典

2021年6月26日　初版発行

著者 ―――― アンジェラ・アッカーマン+ベッカ・パグリッシ
訳者 ―――― 新田享子
翻訳協力 ―――― 株式会社トランネット
ブックデザイン ―― イシジマデザイン制作室
装画 ―――― 小山健
編集 ―――― 田中竜輔
発行者 ―――― 上原哲郎
発行所 ―――― 株式会社フィルムアート社
〒150-0022
東京都渋谷区恵比寿南1丁目20番6号 第21荒井ビル
TEL 03-5725-2001
FAX 03-5725-2626
http://www.filmart.co.jp

印刷・製本 ―― シナノ印刷株式会社

Printed in Japan
ISBN978-4-8459-2025-9　C0090